KB070034

주역절중

周易折中

2

이 책은 (재)한국연구재단의 지원으로 학고방출판사에서 출간, 유통합니다.

한국연구재단 학술명저번역총서 동양편 620

주역절중

周易折中

2

周易上經

1. 乾䷀ ~ 13. 同人䷌

편찬
이광지
李光地

책임역주
신창호

공동역주
김학목·심의용·윤원현

學古房

서문

『주역』은 '변화(變化)의 성경(聖經)'이라 불린다. 그만큼 자연 질서와 인간 사회 법칙을 변화의 원칙에 따라 변주하며, 성스럽게 우주적 삶의 기준을 구가한다. 그러나 '이현령비현령(耳懸鈴鼻懸鈴)'이라는 말이 붙을 정도로 다양하고 복합적인 해석의 차원이 개입하면서, 『주역』은 축적된 역사 이상으로 심오하고 의미심장한 세계를 형성한다. 그것이 『주역』의 특성이자 묘미일 수 있다.

본 번역 연구서 『어찬주역절중(御纂周易折中)』은 강희제(康熙帝)가 이광지(李光地, 1642~1718)에게 총괄책임의 칙명을 내려 1713~1715년에 걸쳐 완성한 『주역』 해설서이다. 전체 22권의 석판본(石版本)이 내부각본(內府刻本)으로 현존한다. 『주역절중』은 『주역』이 경전으로 성립된 이후 한대(漢代)에서 명대(明代)까지의 다양한 견해를 핵심적으로 정돈한 『주역』 학술의 결정판이다. 주희의 견해를 기본으로 하여 경(經)과 전(傳)이 분리된 『주역』 고본(古本)의 체제를 회복하였다. 또한 주희의 주역관을 근거로 의리학(義理學)과 상수학(象數學)을 망라하는 다양한 학설을 폭넓게 해석하고, 의리에 국한되었던 『주역전의대전(周易傳義大全)』의 결점을 보완하였다. 정주(程朱)의 뜻을 존숭하면서도 그와 다른 주장들을 절충하고 있는 저작이다.

『주역절중』의 편찬자인 이광지는 중국 청대(清代) 사람으로 복건성(福建省) 천주(泉州) 출신이다. 자(字)는 진경(晋卿)이고 호(號)는 후암(厚庵)이다. 1670년 진사(進士)에 급제하고 삼번(三藩)의 난을 평정함으로써 강희제의 두터운 신임을 받았고, 관직이 문연각대학사

겸이부상서(文淵閣大學士兼吏部尙書)에 이르렀다. 학문의 경지도 상당하여 경전에 두루 통달하였는데, 특히 『주역』에 정통하여 『주역통론(周易通論)』, 『주역관상(周易觀象)』, 『이문정역의(李文貞易義)』, 『역의전선(易義前選)』 등을 저술하였다. 당시 반주자학적(反朱子學的) 학풍을 대표하던 모기령(毛奇齡)과 달리 정주리학(程朱理學)의 학풍을 충실히 계승하였다.

『주역절중』의 체계와 내용을 보면, 경과 전을 분리하여 편찬하고, 64괘의 괘사와 효사, 「단전」, 「상전」, 「계사전」, 「문언전」, 「설괘전」, 「서괘전」, 「잡괘전」의 순서로 『주역』 전문을 서술하였다. 그리고 『역학계몽』, 「계몽부록(啓蒙附錄)」, 「서괘잡괘명의(序卦雜卦明義)」를 첨부하였다. 주희의 『주역본의(周易本義)』, 정이(程頤)의 『역정전(易程傳)』, 한대부터 명대까지 역학에 조예가 깊은 학자 218명의 「집설(集說)」, 편찬자의 「안(案)」, 이를 종합한 「총론(總論)」이 실려 있다. 그런 만큼 『주역절중』은 『주역』 관련 학술 연구에서 의미가 크다.

본 번역 연구는 내부각본을 저본으로 하고 문연각(文淵閣) 『사고전서(四庫全書)』본을 대교본으로 하였으며 무구비재(無求備齋) 『역경집성(易經集成)』본을 참고하였다. 1715년에 이광지가 『어찬주역절중』을 완성했으므로, 『주역절중』이 만들어진지 이제 막 300년이 지났다. 이 긴 세월의 무게만큼 『주역』 연구도 질적으로 깊이를 더하고 양적으로 방대해졌다. 그런 와중에 300년 만인 21세기 초반에 『주역절중』이 한글로 번역·출간되어 무척이나 기쁘다. 『주역』을 비롯한 역학 연구자, 나아가 동양학을 연구하는 관련 학인들에게 조금이나마 보탬이 된다면 번역 연구자로서 더욱 보람을 느낄 것 같다.

본 번역 연구는 먼저, 『주역절중』의 본문을 완역하고, 원문 및 번역문을 온전하게 이해하기 위해 자세한 설명이 필요한 부분은 각주로 해설하였다. 아울러 『주역절중』에 등장하는 학자들의 「인명사전」을 별도로 작성하여 첨부하였다. 이런 연구 성과가 『주역절중』의 한문을 옮기는 수준을 훨씬 넘어서 있기에, 단순하게 『주역절중』 '번역'이라 하지 않고 '번역 연구'라고 자부해 본다.

본 번역 연구 작업은 2015년 5월~2017년 4월까지 2년여 동안 이루어졌다. 연구책임자를 맡은 신창호 교수를 비롯하여, 공동연구자인 윤원현 박사·김학목 박사·심의용 박사 등 우리 번역 연구진은 번역 연구기간 동안 수시로 만나 초교를 윤독하고 다양한 연구 자료를 교환하면서 『주역』의 학술 마당을 열었다. 한대부터 명대에 걸쳐 있는 『주역절중』의 특성상, 역학(易學) 사상의 방대함으로 인해 내용을 정확하게 이해하고 정돈하는데 애로 사항도 많았다. 하지만 전문 학자들의 자문과 번역 연구자 상호 간의 소통을 통해 문제점을 극복하려고 노력했다. 그러나 번역과 연구의 두 측면에서 여전히 아쉬운 부분이 많다. 대부분의 번역 연구가 장·단점을 지니고 있듯이, 본 번역 연구도 미비한 점이 있을 것이다. 특히, 제대로 연구가 이루어지지 않아 오류가 난 부분이 있다면, 사계의 권위 있는 학자들의 애정 어린 질정을 부탁한다.

본 번역 연구진 이외에 감사해야 할 분들이 있다. 먼저, 교정과 윤문 등 원고를 정돈하는 과정에서 수고해 준 고려대학교 대학원의 철학 및 교육철학 전공의 여러 제자들(김지은, 우버들, 위민성, 이유정, 임용덕, 장우재, 정순희, 한지윤 등)에게 고마운 마음을 전한다. 젊은 제자들은 그들의 시각에서 번역 연구 내용의 가독성과 표현 등 여러 부분을 꼼꼼하게 살피며 의미 있는 충고를 해 주었다.

또한 교육부와 한국연구재단에 감사를 드린다. 본 번역 연구는 2015년 한국연구재단의 '명저번역지원' 사업으로 2년 동안 지원을 받아 수행한 결과이다. 방대한 분량이기 때문에 한국연구재단의 지원이 없었다면, 실행하기 어려운 작업이었다. 마지막으로 어려운 사정에도 불구하고 편집과 출판을 맡아 책을 깔끔하게 정돈해 준 하운근 대표님을 비롯한 도서출판 학고방 가족들에게 감사의 말씀을 전한다.

어떤 저술이건 혼자만의 노력과 작업에 의해 이루어지는 성과는 존재하지 않는다. 마찬가지로 이 『주역절중』의 번역 연구에도 많은 분들의 땀과 열정이 녹아들어 있다. 번역 연구에 직·간접으로 참여한 모든 분들과 이 책을 참고로 연구를 진행하는 여러 학인들도 『주역』의 사유가 더욱 풍성해지기를 소망한다. 나아가 미래에 또 다른 공동 노력의 결실로, 본 번역 연구보다 세련된 『주역절중』이 많이 저술되기를 기대해 본다.

2018. 6
번역 연구자를 대표하여
신창호 삼가 씀

일러두기

1. 본 역서는 문연각(文淵閣)판본 『어찬주역절중(御纂周易折中)』을 저본으로 한다.
2. 본 역서는 원문을 먼저 제시하고 번역문을 붙이는 대조본 형식으로 한다.
3. 번역은 직역을 원칙으로 하되, 가독성을 높이기 위해 필요에 따라 의역을 가미한다.
4. 『역』의 경문(經文) 번역은 편자 이광지(李光地)가 정이(程頤)의 『이천역전』보다 주희(朱熹)의 『주역본의』를 전면으로 내세운 의도에 따라, 주희의 주장을 기준으로 한다.
5. 원문에는 최소한의 현대식 표점을 표기한다.
6. 인용한 선행 학설에 대해서는 가능한 출전을 밝히고, 요약문일 경우 필요에 따라 설명을 첨가한다.
7. 인용한 학설은 전체적으로 큰 따옴표(" ")로 묶고, 인용문 속의 인용문은 작은 따옴표(' '), 작은 꺽쇠(「 」) 순으로 한다.
8. 각주에서, 원문에 대한 각주는 원문을 먼저 제시하고(예 : 潛龍勿用[잠긴 용은 쓰지 않는다]), 번역문에 대한 각주는 한글을 먼저 제시한다(예 : 잠긴 용은 쓰지 않는다[潛龍勿用]).
9. 괘명(卦名)은 '곤(坤)괘'와 같은 형식으로 통일하되, 필요할 경우 '곤(坤䷁)괘', '곤(坤☷)괘'와 같이 괘상(卦象)을 병기한다.
10. 국한문 병기는 매 장과 매 괘의 첫 부분에서 표기하고, 나머지는 국문을 중심으로 하되, 각주에는 한문으로 처리한 것도 있다.

11. 번역문이 10줄을 초과할 경우, 가독성을 높이기 위해 가능한 단락을 구분한다.
12. 『역』과 관련된 전문적인 개념어는 주석에서 풀이하고, 번역문에는 해석하지 않고 드러내어 용어 통일을 기한다.
13. 제1권의 뒷부분에 『주역절중』에서 인용된 학자들의 약력을 정돈한 별도의 「인명사전」을 작성하여 첨부하였다.
14. 『주역절중』의 맨 마지막 부분인 22권 「서괘·잡괘명의(序卦·雜卦明義)」는 편의상 「서괘·잡괘전(序卦·雜卦傳)」 다음에 배치하였다.

목차

주역상경周易上經

周易上經

주역상경

제1권

건乾䷀ 곤坤䷁ 준屯䷂ 몽蒙䷃ 수需䷄

本義

'周', 代名也; '易', 書名也. 其卦本伏羲所畫, 有交易·變易之義, 故謂之'易.' 其辭則文王·周公所繫, 故繫之'周.' 以其簡帙重大, 故分爲上·下兩篇. 「經」, 則伏羲之畫, 文王·周公之辭也, 並孔子所作之「傳」十篇, 凡十二篇. 中間頗爲諸儒所亂, 近世晁氏始正其失, 而未能盡合古文. 呂氏又更定著爲「經」二卷·「傳」十卷, 乃復孔氏之舊云.

'주(周)'는 왕조(王朝)의 명칭이고 '역(易)'은 책 이름이다. 그 괘(卦)는 본래 복희씨(伏羲氏)가 그은 것인데 교역(交易)과 변역(變易)의 의미가 있기 때문에 '역(易)'이라고 하였다. 그 사(辭 : 설명)는 문왕(文王)과 주공(周公)이 붙였기 때문에 '주(周)'라고 이름 붙였다. 그 책의 분량이 많기 때문에 상·하 두 편으로 나누었다. 「경(經)」은 복희씨가 그은 괘와 문왕·주공의 사(辭), 공자가 지은 「전(傳)」 10편을 합해 모두 12편이다.

책이 전해오는 도중에 여러 학자들이 몹시 어지럽혀서, 근세에 조씨(晁氏 : 晁說之)[1]가 처음으로 그 잘못을 바로잡았으나 고문(古文)과 완전히 합치하지는 않았다. 여씨(呂氏 : 呂祖謙)[2]가 다시 교정하

1) 조열지(晁說之, 1059~1129) : 자는 이도(以道)이고, 자호는 사마광을 존경하여 경우생(景迂生)이라고 하였다. 오경(五經)에 해박했는데 특히 역학에 능통하였다. 당시 소동파가 그의 학문을 자득한 것이라고 높게 평가하였다고 한다. 『유언(儒言)』, 『경우생집(景迂生集)』 등을 저술하였는데, 『경우생집』에 「역원성기보(易元星紀譜)」와 「역규(易規)」가 전한다.

2) 여조겸(呂祖謙, 1137~1181) : 자는 백공(伯恭)이고, 호는 동래선생(東萊先生)이다. 남송(南宋)대 무주(婺州 : 현 절강성 금화〈金華〉시) 사람이

여「경(經)」2권과「전(傳)」10권으로 만들고서야[3] 공씨(孔氏 : 孔安國)[4]의 옛 것을 회복하였다.

다. 주희(朱熹), 장식(張栻)과 더불어 동남삼현(東南三賢)으로 일컬어진다. 이학(理學)의 대가로 무학(婺學)을 창립했는데, 당시 가장 영향력 있었던 학파(學派)였다. 융흥(隆興) 1년(1163)에 진사에 급제하여 벼슬은 장사랑(將仕郎), 적공랑(迪功郎), 감담주남악묘(監潭州南嶽廟), 우적공랑(右迪功郎), 태학박사(太學博士), 국사원편수관(國史院編修官), 실록원검토관(實錄院檢討官), 비서성비서랑(秘書省秘書郎) 등을 역임했다. 저서에는『좌전설(左傳說)』,『동래좌씨박의(東萊左氏博議)』,『역대제도상설(歷代制度詳說)』,『송문감(宋文鑑)』등이 있고, 주희(朱熹)와 더불어『근사록(近思錄)』을 편집했다.

3) 여씨(呂氏 : 呂祖謙)가 다시 … 전(傳) 10권으로 만들고서야 : 여조겸(呂祖謙)의『고주역(古周易)』을 가리킨다.「상경(上經)」·「하경(下經)」·「단상전(彖上傳)」·「단하전(彖下傳)」·「상상전(象上傳)」·「상하전(象下傳)」·「계사상전(繫辭上傳)」·「계사하전(繫辭下傳)」·「문언전(文言傳)」·「설괘전(說卦傳)」·「서괘전(序卦傳)」·「잡괘전(雜卦傳)」의 12권으로 되어 있다.

4) 공안국(孔安國, B.C.156~B.C.74) : 자는 자국(子國)이며, 산동성 곡부(曲阜) 사람이다. 서한(西漢) 무제 때의 학자로서, 공자의 제11대 자손이며, 박사(博士), 간대부(諫大夫)를 지내고, 임회(臨淮) 태수를 지냈다.『시(詩)』는 신공(申公)에게서 배우고,『상서』는 복생(伏生)에게서 전수받았다. 노(魯)나라의 공왕(共王)이 공자의 옛 집을 헐었을 때, 과두문자(蝌蚪文字)로 된『고문상서(古文尙書)』,『예기(禮記)』,『논어(論語)』,『효경(孝經)』이 나왔는데, 그것을 금문(今文)과 대조 고증, 해독하여 주석을 붙였다. 여기에서 고문학(古文學)이 비롯되었다고 하여, 공안국을 고문학의 시조라고 한다. 저서는『상서공씨전(尙書孔氏傳)』이 있다.

1. 건乾괘

䷀ 乾上
乾下

乾, 元亨, 利貞.

건(乾)은 크게 형통하고 곧음이 이롭다.

本義

六畫者, 伏羲所畫之卦也. '⚊'者, 奇也, 陽之數也. 乾者, 健也, 陽之性也. 本注'乾'字, 三畫卦之名也. 下者, 內卦也; 上者, 外卦也. 經文'乾'字, 六畫卦之名也. 伏羲仰觀俯察, 見陰陽有奇偶之數, 故畫一奇以象陽, 畫一偶以象陰. 見一陰一陽, 有各生一陰一陽之象, 故自下而上, 再倍而三, 以成八卦. 見陽之性健, 而其成形之大者爲天, 故三奇之卦, 名之曰乾, 而擬之於天也. 三畫已具, 八卦已成, 則又三倍其畫, 以成六畫, 而爲八卦之上, 各加八卦, 以成六十四卦也.

여섯 획은 복희씨가 그은 괘이다. '⚊'는 홀수로 양(陽)의 수이다. 건(乾)은 강건함으로 양의 특성이다. 원래 주석의 건상(乾上)·건하

(乾下)의 '건(乾)'은 위의 괘와 아래의 괘로 나눈 세 획의 효로 된 괘의 이름이다. 아래에 있는 것은 내괘이고, 위에 있는 것은 외괘이다. 경문에 있는 '건(乾)'은 여섯 획의 괘이름이다.
복희씨가 위로 하늘을 관찰하고 아래로 땅을 살펴 음과 양에 홀과 짝의 수(數)가 있는 것을 알았기 때문에, 하나의 홀수를 그어 양을 상징하고 하나의 짝수를 그어 음을 상징하였다. 하나의 음과 하나의 양이 각기 하나의 음과 하나의 양을 낳는 상(象)이 있는 것을 알았기 때문에, 아래에서 위로 올라가며 다시 갑절로 하고 세 배로 해서 팔괘를 만들었다.
양의 특성이 강건하고 형체를 이룬 큰 것이 하늘임을 알았기 때문에 세 홀수로 된 괘를 건이라고 하고, 그것을 하늘에 비기었다. 세 획이 이미 갖추어져 팔괘가 이루어진 다음에 또 세 번 그 획을 배로 하여 여섯 획의 괘를 이루니, 팔괘의 위에 각기 팔괘를 더하여 64괘를 만든 것이다.

此卦六畫皆奇, 上下皆乾, 則陽之純而健之至也. 故乾之名, 天之象, 皆不易焉. '元亨·利貞', 文王所繫之辭, 以斷一卦之吉凶, 所謂彖辭者也. 元, 大也; 亨, 通也; 利, 宜也; 貞, 正而固也. 文王以爲乾道大通而至正. 故於筮得此卦, 而六爻皆不變者, 言其占當得大通, 而必利在正固, 然後可以保其終也. 此聖人所以作『易』教人卜筮, 而可以開物成務之精意. 餘卦放此.

여기 건(乾☰)괘의 여섯 획은 모두 홀수[奇]이고 상괘와 하괘가 모두 건이니, 양이 순수하고 강건함이 지극하다. 그러므로 건이라는 명칭과 하늘[天]이라는 상(象)이 모두 바뀌지 않는다. '크게 형통하고, 곧음이 이롭다'는 말은 문왕이 붙인 설명으로 한 괘의 길흉을 단정하는 것이니, 이른바 단사(彖辭)이다.

'크게[元]'라는 것은 '두루[大]'라는 의미이고 '형통함[亨]'이라는 것은 '통함[通]'이라는 의미이며, '이롭다[利]'는 것은 '마땅하다[宜]'는 의미이고 '곧음[貞]'이라는 것은 '바르고 견고함[正而固]'이라는 의미이다. 문왕은 건도가 크게 형통하고 지극히 바르다고 여겼다. 그러므로 점을 칠 때 이 괘를 얻었는데 여섯 괘가 모두 변하지 않을 경우는, 그 점(占)이 당연히 크게 형통하지만 반드시 이로움이 바르고 견고한 데 있으니, 그렇게 한 다음에야 잘 마침을 보전할 수 있음을 말한다.

이것이 성인이 『역』을 만들어 점치는 것을 사람들에게 가르쳐, '사물의 이치를 알려주어 일을 이루게 하는[開物成務]'[1] 정밀한 뜻이다. 나머지 괘의 경우도 이와 같다.

程傳

上古聖人始畫八卦, 三才之道備矣. 因而重之, 以盡天下之變, 故六畫而成卦. 重乾爲乾. 乾, 天也. 天者, 天之形體; 乾者, 天之性情. 乾, 健也. 健而無息之謂乾. 夫天, 專言之則道

1) '사물의 이치를 알려주어 일을 이루게 하는[開物成務]' : 『역』「계사상」 제11장에 있는 말이다. 이에 대해 주희는 『주역본의(周易本義)』에서 "'개물성무'란 사람들에게 점을 쳐서 길흉을 알게 하여 일을 이루게 함을 말한다.['開物成務', 謂使人卜筮以知吉凶而成事業.]"라고 하였고, 공영달은 『주역정의(周易正義)』에서 "만물이 지향하는 것을 열어주어 천하의 일을 이룰 수 있다.[能開通萬物之志, 成就天下之務.]"라고 하였다.

也, '天且弗違'是也. 分而言之, 則以形體謂之天, 以主宰謂之帝, 以功用謂之鬼神, 以妙用謂之神, 以性情謂之乾.

상고시대에 성인이 처음으로 팔괘를 그으니 삼재(三才)[2]의 도(道)가 갖추어졌다. 그것을 가지고 중첩해서 천하의 변화를 다했기 때문에 여섯 획으로 괘를 완성하였다. 건(乾☰)괘를 중첩하면 건(乾䷀)괘가 된다.

건은 하늘[天]이다. 하늘[天]은 하늘의 형체이고, 건(乾)은 하늘의 성정이다. 건은 굳셈이다. 굳세어 쉼이 없는 것을 건이라 한다.

하늘[天]은 통틀어서 말하면 도(道)이니, '하늘[天]도 어기지 않는다'[3]라고 하는 것이 여기에 해당한다. 나누어서 말하면, 형체로는 하늘[天]이고, 주재로는 제(帝)이며, 공용(功用)으로는 귀신(鬼神)이고, 묘용(妙用)으로는 신(神)이며, 성정(性情)[4]으로는 건(乾)이다.

---

2) 삼재(三才) : 천(天)·지(地)·인(人)을 말한다. 『역』「설괘전(說卦傳)」에는 "옛날에 성인이 역(易)을 지은 것은 성명(性命)의 이치를 순조롭게 따르려는 것이었다. 이 때문에 하늘의 도를 정립하여 음(陰)·양(陽)이라 했고, 땅의 도를 정립하여 유(柔)·강(剛)이라 했으며, 사람의 도를 정립하여 인(仁)·의(義)라고 했다.[昔者聖人之作易也, 將以順性命之理. 是以立天之道曰陰與陽, 立地之道曰柔與剛, 立人之道曰仁與義.]"라고 하였다.

3) '하늘[天]도 어기지 않는다' : 『역』 건괘·「문언전」에서 "하늘[天]도 어기지 않는데, 하물며 사람은 어떠하겠는가! 귀신은 어떠하겠는가![天且弗違, 而況於人乎! 況於鬼神乎!]"라고 하였다. 이는 하늘도 어기지 않는 근본적 원리를 말하는 것이라 할 수 있다.

4) 성정(性情) : 사람의 품성과 기질, 혹은 성질을 의미한다. 『주역정의(周易正義)』에서 "성(性)은 타고난 자질로 바르고 사특하지 않은 것이며, 정(情)은 타고난 자질이 하려는 것이다.[性者, 天生之質, 正而不邪; 情者, 性之欲也.]"라고 설명하였다. 정이(程頤)는 『하남정씨유서』 권11에

乾者, 萬物之始, 故爲天爲陽, 爲父爲君. '元·亨·利·貞', 謂之四德, 元者, 萬物之始; 亨者, 萬物之長; 利者, 萬物之遂; 貞者, 萬物之成. 唯乾·坤有此四德. 在它卦則隨事而變焉, 故元專爲善大, 利主於正固, 亨貞之體, 各稱其事, 四德之義, 廣矣大矣.

건은 만물의 시작이기 때문에 하늘[天]이고 양(陽)이며 아버지이고 임금이다. '큼[元]·형통함[亨]·이로움[利]·곧음[貞]'은 네 가지 덕이라고 하니, 큼[元]은 만물의 시작이고, 형통함[亨]은 만물의 성장이며, 이로움[利]은 만물의 완수이고, 곧음[貞]은 만물의 완성이다. 건괘와 곤괘에만 이 네 가지 덕이 있다. 다른 괘에서는 일에 따라 달라지기 때문에 큼[元]은 오로지 선하고 큰 것이며, 이로움[利]은 바름과 견고함을 근본으로 하며, 형통함[亨]과 곧음[貞]의 몸체[體]는 각각 그 일에 걸맞게 하는 것이니, 네 가지 덕의 의미는 넓고 크다.

集說

● 孔氏穎達曰 : "乾者, 此卦之名. 卦者, 掛也, 言懸掛物象以示於人, 故謂之卦.[5] 二畫之體, 雖象陰陽之氣, 未成萬物之象, 未

서 "성정은 자질의 양태를 말하는 것과 같다.[性情猶言資質體段.]"라고 하였다.

5) 卦者, 掛也, 言懸掛物象以示於人, 故謂之卦. : 공영달 소(孔穎達 疏), 『주역정의(周易正義)』「건괘(乾卦)」에는 "謂之卦者, 『易緯』云, '卦者, 掛也, 言縣掛物象以示於人, 故謂之卦.[괘라고 하는 것에 대해 『역위』에는 '괘(卦)는 걸어놓는다는 것이니, 사물의 상(象)을 걸어놓아 사람들에게 보여주기 때문에 괘라고 한다는 말이다.']"라고 되어 있다.

得成卦, 必三畫以象三才, 寫天·地·雷·風·水·火·山·澤之象, 乃謂之卦也. 「繫辭」云, '八卦成列, 象在其中矣'是也. 但初有三畫, 雖有萬物之象, 於萬物變通之理, 猶有未盡, 故更重之而有六畫, 備萬物之形象, 窮天下之能事, 故六畫成卦也.

공영달(孔穎達)[6]이 말했다. "건(乾)은 이 괘의 이름이다. 괘(卦)는 걸어놓는다는 것이니, 사물의 상(象)을 걸어놓아 사람들에게 보여주기 때문에 괘라고 한다는 말이다. 두 획의 몸체[體]는 음기와 양기를 상징할지라도 아직 만물의 상(象)을 이루지 못하여 괘를 이룰 수 없으니, 반드시 세 획으로 삼재(三才)를 상징하고 하늘[天]·땅[地]·우레[雷]·바람[風]·물[水]·불[火]·산[山]·못[澤]이라는 여덟 가지를 묘사하여야 괘라고 한다.
「계사전」에서 '팔괘가 열(列)을 이루니 상(象)이 그 가운데 있다'라고 한 말이 여기에 해당한다. 처음 세 획이 있어 만물의 상(象)이 있게 되었을지라도 만물이 변통(變通)하는 이치에 대해서는 아직 다 표현하지 못하였다. 때문에 다시 그것을 중첩하여 여섯 획을 두어 만물의 형상을 갖추고 천하가 할 수 있는 일을 궁구했다. 그러므로 여섯 획으로 괘를 만들었다.

6) 공영달(孔穎達, 574~648) : 자는 중달(仲達)이고 기주 형수(冀州衡水 : 현 하북성 형수시) 사람이다. 수(隋)나라 양제(煬帝) 때 명경과(明經科)에 급제하여 관계에 나갔으나, 양제가 그의 재능을 시기하여 암살하려 하였다. 당나라의 태종(太宗)에게 중용되어 국자박사(國子博士)를 거쳐 국자감의 좨주(祭酒), 동궁시강(東宮侍講) 등을 지내고, 태종의 신임을 받았다. 문장·천문·수학에 능통하였으며, 위징(魏徵)과 함께 『수서(隋書)』를 편찬하였다. 왕명에 따라 고증학자 안사고(顔師古) 등과 더불어 오경(五經) 해석의 통일을 시도하여 『오경정의(五經正義)』 170권을 편찬하였다.

此乾卦本以象天, 天乃積諸陽氣而成, 故此卦六爻, 皆陽畫成卦也. 不謂之天而謂之乾者,[7] 天者定體之名, 乾者體用之稱. 故「說卦」云, '乾, 健也,' 言天之體以健爲用. 聖人作『易』本以教人, 欲使人法天之用, 不法天之體, 故名乾不名天也."[8]

이 건괘는 본래 하늘[天]을 상징하는데, 하늘은 양기를 쌓아 하늘을 이루기 때문에 이 괘의 여섯 효는 모두 양획(陽畫)으로 괘를 이루었다. 하늘[天]이라 하지 않고 건(乾)이라고 한 것은, 하늘은 정해진 형체에 대한 이름이고 건(乾)은 체용(體用 : 몸체와 작용)에 대한 지칭이기 때문이다. 그러므로 「설괘전」에서 '건은 강건함이다'라고 하였으니, 하늘의 몸체가 강건함을 작용으로 삼는다는 말이다.
성인이 『역』을 지은 것은 본래 사람들을 가르쳐 사람들이 하늘의 작용을 본받고, 하늘의 몸체를 본받지 않도록 하려고 했다. 때문에 건이라 이름 짓고 하늘이라고 이름 짓지 않았다."

● 邵子曰 : "不知乾, 無以知性命之理."[9]

소자(邵子 : 邵雍)[10]가 말했다. "건(乾)을 알지 못하면 성명(性命)의

7) 不謂之天而謂之乾者 : 공영달 소, 『주역정의』「건괘」에는 "此旣象天, 何不謂之天, 而謂之乾者?[이것이 이미 하늘을 상징하는데 어찌 하늘이라고 하지 않고 건이라고 하는가?]"라고 되어 있다.
8) 공영달 소(孔穎達 疏), 『주역정의(周易正義)』「건(乾)괘」.
9) 소옹(邵雍), 『황극경세서(皇極經世書)』 권13, 「관물외편 상(觀物外篇 上)」.
10) 소옹(邵雍, 1011~1077) : 자는 요부(堯夫)이고, 호는 안락선생(安樂先生)이며, 소문산 백원(蘇文山 百源)가에 은거하여 백원선생(百源先生)이라고도 불리었다. 시호는 강절(康節)이다. 송대 범양(范陽 : 현 하북성 탁현〈涿縣〉) 사람으로 만년에는 낙양(洛陽)에 거주하였는데, 이때 사마광(司馬光)

이치에 대해 알 방법이 없다."[11]

● 『朱子語類』云 : "乾只是健, 坤只是順. 純陽所以健, 純陰所以順.[12] 至健者惟天, 至順者惟地."[13]

· 여공저(呂公著) · 부필(富弼) 등이 그를 존경하여 함께 교류하면서 대저택을 증여하였다. 이지재(李之才)에게 도서선천상수학(圖書先天象數學)을 배웠다고 한다. 그는 도가사상의 영향을 받고 유가의 역철학(易哲學)을 발전시켜 독특한 수리철학(數理哲學)을 완성하였다. 역(易)이 음과 양의 2원(二元)으로서 우주의 모든 현상을 설명하고 있음에 대하여, 그는 음(陰) · 양(陽) · 강(剛) · 유(柔)의 4원(四元)을 근본으로 하고, 4의 배수(倍數)로서 모든 것을 설명하였다. 그의 역학(易學)은 주희(朱熹)에게 큰 영향을 주었다. 저서는 『황극경세(皇極經世)』, 『이천격양집(伊川擊壤集)』, 『어초문답(漁樵問答)』 등이 있다.

11) 건(乾)을 알지 못하면 성명(性命)의 이치에 대해 알 방법이 없다 : 이 구절에 대해 왕식(王植)은 『황극경세서해(皇極經世書解)』에서 다음과 같이 보충 주석하였다. "건의 원형이정이 곧 성명의 이치이다.[補註, 乾之元亨利貞, 卽性命之理也.]" 참고로 『역』「설괘전(說卦傳)」에는 "옛날에 성인이 역(易)을 지은 것은 성명(性命)의 이치를 순조롭게 따르려는 것이었다. 이 때문에 하늘의 도를 정립하여 음(陰) · 양(陽)이라 했고, 땅의 도를 정립하여 유(柔) · 강(剛)이라 했으며, 사람의 도를 정립하여 인(仁) · 의(義)라고 했다.[者聖人之作易也, 將以順性命之理. 是以立天之道曰陰與陽, 立地之道曰柔與剛, 立人之道曰仁與義.]"라고 하였다.

12) 乾只是健, 坤只是順. 純陽所以健, 純陰所以順 : 『주자어류(朱子語類)』 권68, 2조목에는 "乾 · 坤只是卦名. 乾只是箇健, 坤只是個順. 純是陽, 所以健; 純是陰, 所以順.[건과 곤은 괘의 이름일 뿐이다. 건은 강건함일 뿐이고, 곤은 유순함일 뿐이다. 순전히 양이기 때문에 강건하고, 순전히 음이기 때문에 유순하다.]"라고 되어 있다.

13) 『주자어류(朱子語類)』 권68, 2조목.

『주자어류』에서 말했다. "건(乾)은 강건함일 뿐이고, 곤(坤)은 유순함일 뿐이다. 순수한 양이기 때문에 강건하고, 순수한 음이기 때문에 유순하다. 지극히 강건한 것은 하늘일 뿐이고 지극히 유순한 것은 땅일 뿐이다."

● 問 : "乾者天之性情."
曰 : "乾, 健也. 健之體爲性, 健之用是情."[14]

물었다. "'건은 하늘[天]의 성(性) · 정(情)이다'라는 구절은 무슨 의미입니까?"
(주자[15]가) 대답했다. "건은 강건함이다. 강건함의 본체가 성(性)이

14) 『주자어류』 권68, 22조목에는 "問'乾者天之性情.' 曰 : '此是以乾之剛健取義, 健而不息, 便是天之性情. 此性如人之氣質. 健之體, 便是天之性; 健之用, 便是天之情.[건은 하늘[天]의 성(性) · 정(情)이다.'라는 구절에 대해 물었다. (주자가) 대답했다. '이것은 건의 강건함으로써 의미를 취한 것일 뿐이니, 강건하여 쉬지 않는 것이 바로 천의 성 · 정이다. 이 성은 사람의 기질과 같다. 강건함의 본체가 바로 천의 성이고, 강건함의 작용이 바로 천의 정이다.']"라고 되어 있다.

15) 주자(朱子, 1130~1200) : 자는 원회(元晦) · 중회(仲晦)이고, 호는 회암(晦庵) · 회옹(晦翁) · 고정(考亭) · 자양(紫陽) · 둔옹(遯翁) 등이다. 송대 무원(婺源 : 현 강서성 무원현) 사람으로 건양(建陽 : 현 복건성 건양현)에서 살았다. 1148년에 진사에 급제하여 동안주부(同安主簿) · 비서랑(秘書郞) · 지남강군(知南康軍) · 강서제형(江西提刑) · 보문각대제(寶文閣待制) · 시강(侍講) 등을 역임하였다. 스승 이동(李侗)을 통해 이정(二程)의 신유학을 전수받고, 북송 유학자들의 철학사상을 집대성하여 신유학의 체계를 정립하였다. 1179~1181년 강서성(江西省) 남강(南康)의 지사(知事)로 근무하면서 9세기에 건립되어 10세기에 번성했다가 폐허가 된 백록동서원(白鹿洞書院)을 재건했다. 만년에 정적(政敵)인 한탁주의 모

고 강건함의 작용이 정(情)이다"

又曰[16] : "性情二者, 常相參在此. 情便是性之發, 非性何以有情? 健而無息, 非性何以能如此?"[17]

(주자가) 또 말했다. "성(性)과 정(情) 두 가지는 항상 서로 여기에서 섞여 있다. 정(情)은 바로 성(性)이 드러난 것이니, 성이 아니면 어떻게 정이 있겠는가? 강건하여 쉼이 없으니, 성이 아니면 어떻게 이와 같을 수 있겠는가?"

● 問 : "『本義』云, '見陽之性健, 而成形之大者爲天, 故三奇之

함을 받아 죽을 때까지 정치활동이 금지되고 그의 학문이 거짓 학문으로 폄훼를 받다가 그가 죽은 뒤에 곧 회복되었다. 저서로는 『정씨유서(程氏遺書)』, 『정씨외서(程氏外書)』, 『이락연원록(伊洛淵源錄)』, 『고금가제례(古今家祭禮)』, 『근사록(近思錄)』 등의 편찬과 『사서집주(四書集注)』, 『서명해(西銘解)』, 『태극도설해(太極圖說解)』, 『통서해(通書解)』, 『사서혹문(四書或問)』, 『시집전(詩集傳)』, 『주역본의(周易本義)』, 『역학계몽(易學啓蒙)』, 『효경간오(孝經刊誤)』, 『소학서(小學書)』, 『초사집주(楚辭集注)』, 『자치통감강목(資治通鑑綱目)』, 『팔조명신언행록(八朝名臣言行錄)』 등이 있다. 막내아들 주재(朱在)가 편찬한 『주문공문집(朱文公文集)』(100권, 속집 11권, 별집 10권)과 여정덕(黎靖德)이 편찬한 『주자어류(朱子語類)』(140권)가 있다.

16) 又曰 : 『주자어류』 권68, 20조목에는 이 구절 앞에 "問 : '乾者, 天之性情, 健而無息之謂乾.' 何以合性情言之?"[물었다. '건은 하늘의 성·정이니, 강건하여 쉼이 없는 것을 건이라고 한다.'라고 한 구절에서 무엇 때문에 성과 정을 합쳐서 말했습니까?]"라는 질문이 있다.

17) 『주자어류』 권68, 20조목.

卦, 名之曰乾, 而擬之於天也.' 竊謂卦辭未見取象之意, 恐當於「大象」言之.[18]"
曰 : "纔設此卦時, 便有此象了, 故於此預言之."[19]

물었다. "『주역본의』에서 '양의 특성이 강건하고 형태를 이룬 큰 것이 하늘임을 알았기 때문에 세 홑수로 된 괘를 건이라 하고, 그것을 하늘에 비기었다'라고 하였습니다. 제 생각에 괘사에는 상(象)을 취한 뜻이 보이지 않으니 아마 「대상전(大象傳)」에서 말해야 될 것 같습니다."
(주자가) 대답했다. "이 괘를 만들 때 바로 이 상(象)이 있었기 때문에 여기에서 미리 말한 것이다."

● 問 : "元·亨·利·貞."[20]
曰 : "當初只是說'大亨利於正', 不以分配四時. 孔子見此四字好, 始分作四件說."[21]

18) 竊謂卦辭未見取象之意, 恐當於大象言之 : 『주자어류』 권68, 46조목에는 "竊謂卦辭未見取象之意, 其'成形之大者爲天'及'擬之於天'二句, 恐當於大象言之.[제 생각에, 괘사에는 상(象)을 취한 뜻이 보이지 않으니 '형태를 이룬 큰 것이 하늘이다'라는 구절과 '그것을 하늘에 비기었다'라는 구절은 아마 「대상전(大象傳)」에서 말해야 될 것 같습니다.]"라고 되어 있다.
19) 『주자어류』 권68, 46조목.
20) 問 : "元·亨·利·貞." : 『주자어류』 권68, 41조목에는 "周貴卿問 : '元·亨·利·貞', 以此四者分配四時, 卻如何云乾之德也?"[주귀경이 물었다. '큼[元]·형통함[亨]·이로움[利]·곧음[貞]' 이 네 가지로 사계절에 나누어 배당하는데, 또 어떻게 '건의 덕이다'라고 할 수 있습니까?]"라고 되어 있다.

물었다. "'큼[元]·형통함[亨]·이로움[利]·곧음[貞]'이라는 말은 무슨 의미입니까?"
(주자가) 대답했다. "처음에는 다만 '크게 형통하고 곧음이 이롭다'고 말했을 뿐이니, 그것을 사계절에 나누어 배당하지 않았다. 공자가 이 네 글자가 괜찮다는 것을 알고 비로소 네 가지로 나누어 말했다."

● 又云 : "'元·亨·利·貞'四字, 文王本意, 在乾坤者只與諸卦一般.[22] 至孔子作「彖傳」·「文言」, 始以乾·坤爲四德, 而諸卦自如其舊. 二聖人之意, 非有不同, 蓋各是發明一理耳. 今學者且當虛心玩味, 各隨本文之意而體會之. 其不同處, 自不相妨, 不可遽以己意橫作主張也."[23]

(주자가) 또 말했다. "'큼[元]·형통함[亨]·이로움[利]·곧음[貞]'이라는 말은 문왕의 본래 의도에서 볼 때, 건괘와 곤괘에 있는 것도 다른 괘들과 마찬가지일 뿐이다. 공자가 「단전」·「문언전」을 짓게 되자 비로소 건괘와 곤괘에서 네 가지 덕으로 삼았으나 다른 여러 괘에서는 옛날 그대로였다. 두 성인의 의도가 같지 않은 것이 아니라 각기 하나의 이치를 드러내어 밝힌 것일 뿐이다. 이제 학자들은 마음을 비우고 완미하면서 제각기 본문의 의미에 따라 체득해야 할

21) 『주자어류』 권68, 41조목.
22) 在乾坤者只與諸卦一般 : 『주문공문집(朱文公文集)』 권56, 「답조자흠(答趙子欽)」에는 "在乾坤者只與諸卦一般, 是'大亨而利於正'耳.[건괘와 곤괘에 있는 것이 다만 다른 괘들과 마찬가지이니, '크게 형통하고 곧음이 이롭다'는 것이다.]"라고 되어 있다.
23) 『주문공문집(朱文公文集)』 권56, 「답조자흠(答趙子欽)」.

것이다. 그러면 같지 않은 곳도 저절로 서로 방해되지 않으니, 성급하게 자신의 뜻을 마음대로 주장해서는 안 된다."

● 胡氏炳文曰："元·亨·利·貞, 諸家便作四德解, 惟『本義』以爲占辭.[24] 大通而至正, 此天道之本然; 大通而必利在正固, 人事之當然也. 乾爲『易』第一卦, 占得之者, 其事雖大通, 而非正固, 尙不能保其終. 況他卦乎!"[25]

호병문(胡炳文)[26]이 말했다. "큼[元]·형통함[亨]·이로움[利]·곧음

24) 惟『本義』以爲占辭 : 호병문(胡炳文), 『주역본의통석(周易本義通釋)』「건괘(乾卦)」에는 "惟『本義』謂'乾道大通而至正. 故筮得此卦, 而六爻皆不變者, 其占當得大通, 而必利在正固, 而後可以保其終.' 愚案『啓蒙』非特六爻不變者占此, 乾三爻變或他卦三爻變之乾者, 亦兼以此占.[오직 『주역본의』에서만 '건도가 크게 형통하고 지극히 바르다. 그러므로 점을 칠 때 이 괘를 얻었는데 여섯 괘가 모두 변하지 않을 경우는 그 점이 당연히 크게 형통하지만 반드시 이로움이 바르고 견고한 데 있으니, 그렇게 한 다음에야 잘 마침을 보전할 수 있다. 내 생각에 『역학계몽』에서는 단지 여섯 괘가 모두 변하지 않을 경우에만 이렇게 점칠 뿐 아니라, 건괘의 세 효가 변한 것 혹은 다른 괘의 세 효가 변하여 건괘가 된 것도 또한 모두 이것으로 점을 친다.]"라고 되어 있다.

25) 호병문(胡炳文), 『주역본의통석(周易本義通釋)』「건괘(乾卦)」.

26) 호병문(胡炳文, 1250~1333) : 원(元)대 휘주(徽州) 무원(婺源) 사람으로 자는 중호(仲虎)고, 호는 운봉(雲峰)이다. 주희(朱熹)의 종손(宗孫)에게 『주역』과 『서경』을 배워 주자학에 잠심했으며, 특히 『주역』에 뛰어났다. 신주(信州) 도일서원(道一書院) 산장(山長)을 지내고, 난계주학정(蘭溪州學正)이 되었는데, 나가지 않았다. 저서에 『주역본의통석(周易本義通釋)』과 『서집해(書集解)』, 『춘추집해(春秋集解)』, 『예서찬술(禮書纂述)』, 『사서통(四書通)』, 『대학지장도(大學指掌圖)』, 『오경회의(五經會義)』,

[貞]은 여러 학자들이 곧바로 네 가지 덕으로 해석하였는데, 『주역본의』에서만 점사(占辭)로 여겼다. 크게 통하고 지극히 바르면, 이는천도(天道)의 본래 그러함이고, 크게 통하고 반드시 바르고 견고함이 이롭다는 것은 인사(人事)의 당연함이다. 건괘는 『역』의 첫째 괘이니 점에서 그것을 얻는 자는 그 일이 크게 통하지만 바르고 견고하지 않으면 오히려 그 마침을 잘 보전할 수 없다. 하물며 다른 괘는 어떻겠는가!"

● 蔡氏淸曰:"'成形之大者爲天', 坤卦亦曰, '陰之成形莫大於地', 可見不可就以乾坤當天地. 凡至健者皆爲乾, 凡至順者皆爲坤. 此乾·坤所以足應萬用,[27] 而「彖傳」之言, 所以爲專以天道明乾義, 以地道明坤義也."[28]

채청(蔡淸)[29]이 말했다. "건괘 『주역본의』에서 '형체를 이룬 큰 것

『이아운어(爾雅韻語)』 등이 있다.

27) 此乾·坤所以足應萬用 : 채청(蔡淸), 『역경몽인(易經蒙引)』「건괘(乾卦)」에는 "此乾坤所以足應萬人之用"으로 되어 있다.

28) 채청(蔡淸), 『역경몽인(易經蒙引)』「건(乾)괘」.

29) 채청(蔡淸, 1453~1508) : 자는 개부(介夫)이고 별호는 허재(虛齋)이다. 명(明)대 진강(晉江) 사람으로, 31세에 진사에 급제하여 벼슬은 남경문선랑중(南京文選郎中), 강서제학부사(江西提學副使) 등을 역임하였다. 명대의 저명한 이학가(理學家)로서 주로 이정(二程)과 주희(朱熹)의 저술 연구를 통해 그들의 사상을 계승하였다. 특히 천주(泉州) 개원사(開元寺)에서 역학연구단체를 결성하여 90여 책을 출간하면서 청원학파(淸源學派)를 이루었다. 이정기(李廷機), 장악(張嶽), 임희원(林希元), 진침(陳琛) 등의 학자들이 그 학파의 주요 구성원이었다. 저술로는 『사서몽인(四書蒙引)』, 『역경몽인(易經蒙引)』, 『허재문집(虛齋文集)』 등이 있다.

이 하늘이다'라고 하고, 곤괘 『주역본의』에서도 '음이 형체를 이룬 것으로는 땅보다 큰 것이 없다'라고 하였으니, 건과 곤을 곧바로 하늘과 땅에 해당시킬 수 없음을 알 수 있다. 지극히 강건한 것은 모두 건이고, 지극히 유순한 것은 모두 곤이다. 이는 건과 곤이 그것으로 온갖 작용에 충분히 대응한다는 것이며, 「단전」의 말은 그것으로 오로지 하늘의 도로 건의 뜻을 밝히고 땅의 도로 곤의 뜻을 밝힌 근거이다."

● 林氏希元曰 : "乾德剛健, 剛以體言, 健兼用言. 剛則有立, 健則有爲. 人而有立有爲, 則志至氣至.[30] 本立道生, 事無不立, 功無不成. 不見艱難, 無能阻止, 如乾旋坤轉, 如雷厲風行, 何天之衢? 殆不足以擬之, 是不惟亨而且大亨也. 中者不偏不倚, 正者無過不及, 體用之分也. 正大而天地之情可見矣, 可見乾之中正也. 乾道大通而至正, 在人容有不正者, 故聖人因以爲戒."[31]

임희원(林希元[32])이 말했다. "건(乾)의 덕이 강건(剛健)하다는 데

30) 則志至氣至 : 임희원(林希元)의 『역경존의(易經存疑)』「건괘(乾卦)」에는 "何事幹不得? 若一擧事則志至氣至.[무슨 일인들 처리하지 못하겠는가? 어떤 일을 한번 제기하면 뜻을 두는 것이 지극해지고 기(氣)가 지극해진다.]"라고 되어 있다.

31) 임희원(林希元), 『역경존의(易經存疑)』「건괘(乾卦)」.

32) 임희원(林希元, 1481~1565) : 명(明)대 동안 신점(同安新店) 사람으로, 자는 무정(茂貞)이고 호는 차애(次崖)이다. 명(明) 정덕(正德)11년(1516)에 진사에 급제하여 남경대리사평사(南京大理寺評事) , 광서사주판관(廣西泗州判官), 흠주지주(欽州知州) 등을 역임했다. 학문으로는 정주학과 채청(蔡清)의 『역경몽인(易經蒙引)』을 중시했다. 특히 『주역』을 다른 경전에 비해 극히 높게 평가하여, 오경 가운데 『역경』을 뺀 나머지

서, 굳셈[剛]은 체(體 : 본체)로 말했고, 건(健)은 용(用 : 작용)을 겸하여 말했다. 굳셈[剛]은 확립함이 있고 건(健)은 하는 일이다. 사람이 그 어떤 것을 확립해서 하는 일이 있으면, 뜻이 지극해지고 기(氣)가 지극해진다.[33] 근본이 확립되어 그 도(道)가 생겨나면,[34] 일은 확립되지 않음이 없고 공효는 이루지 못함이 없다. 아주 어려운 일을 당하지 않으면 저지될 수 없는 것이 건과 곤이 빙빙 돌아가는 것과 같고 우레가 치고 바람이 부는 것과 같으니, 어쩌면 그리도 하늘의 거리와 같은가?[35] 어떤 것도 그것에 비길 수 없으니, 그냥 형통할 뿐만 아니라 또 크게 형통하다. 알맞음[中]은 편벽되지 않고 치우치지 않으며,[36] 바름[正]은 지나침과 미치지 못함이 없으

는 강물과 같고 『역경』은 바다와 같다고 했다. 저술로는 『역경존의(易經存疑)』, 『사서존의(四書存疑)』, 『임차애선생문집(林次崖先生文集)』 등이 있다.

33) 뜻을 두는 것이 지극해지고 기(氣)가 지극해진다 : 『맹자』「공손추(公孫丑)·상(上)」에서 "뜻을 두는 것은 기(氣)의 장수(將帥)이고, 기(氣)는 몸에 꽉 차 있는 것이니, 뜻을 두는 것이 지극한 것이고 기가 그 다음이다.[夫志, 氣之帥也; 氣, 體之充也, 夫志至焉, 氣次焉.]"라고 하였다.

34) 근본이 확립되고 그 도(道)가 생겨나면 : 『논어』「학이(學而)」에서 "군자는 근본을 힘쓰니, 근본이 확립되면 그 도(道)가 생겨난다. 효(孝)와 제(弟)는 그 인(仁)을 실천하는 근본일 것이다.[君子務本, 本立而道生. 孝弟也者, 其爲仁之本與!]"라고 하였다.

35) 어쩌면 그리도 하늘의 거리와 같은가? : 『역』 대축(大畜)괘 상구(上九) 효사에서 "상구(上九)는 어쩌면 그리도 하늘의 거리와 같은가? 형통(亨通)하다.[上九, 何天之衢? 亨.]"라고 하였다. 주자는 『주역본의』에서 "'하천지구(何天之衢)'는 어쩌면 그리도 통달(通達)함이 심하냐고 말한 것이다. 축(畜)이 지극하고 통하며, 활달해 막힘이 없기 때문에 그 상(象)과 점(占)이 이와 같은 것이다.['何天之衢', 言何其通達之甚也. 畜極而通, 豁達无礙, 故其象占如此]"라고 하였다.

니,[37] 체(體)와 용(用)이 나누어진다. '바르고 크면[正大]' 천지의 실정을 알 수 있어 건의 '알맞고 바름[中正]'을 알 수 있다. 건도는 크게 통하고 지극히 바르지만 사람에게는 간혹 바르지 못한 것이 있으니, 성인이 그것을 경계하였다."

案

乾·坤之'元·亨·利·貞', 諸儒俱作四德說, 惟朱子以爲占辭, 而與它卦一例, 其言當矣. 然四字之中, 雖只兩意, 實有四層. 何則? 元, 大也; 亨, 通也; 利, 宜也; 貞, 正而固也. 人能至健, 則事當大通. 然必宜於正固, 是占辭只兩意也.

건괘와 곤괘의 '큼[元]·형통함[亨]·이로움[利]·곧음[貞]'을 여러 학자들이 모두 네 가지 덕으로 설명했는데, 주자만이 점사로 여겼고 다른 괘에서도 한결같았으니, 그 말이 타당하다. 그러나 이 구절에서 두 가지 의미만 있을지라도 사실은 네 가지 측면이 있다. 왜 그러한가? '크다[元]'는 '두루 한다[大]'이고, '형통하다[亨]'는 '통한다[通]'이며, '이롭다[利]'는 '마땅하다[宜]'이고, '곧다[貞]'는 '바르고 견고하다[正而固]'이다. 사람이 지극히 강건할 수 있으면 일은 당연히

36) 중(中)은 편벽되지 않고 치우치지 않으며 : 주희는 『중용장구(中庸章句)』에서 "중(中)은 편벽되지 않고 치우치지 않으며, 지나침과 미치지 못함이 없는 것의 이름이요, 용(庸)은 평상(平常)함이다.[中者, 不偏不倚·無過不及之名; 庸, 平常也.]"라고 하였다.

37) 정(正)은 지나침과 미치지 못함이 없으니 : 『관자(管子)』 권16, 「법법(法法)」에서 "그러므로 바름[正]은 지나침을 멈추고 미치지 못함을 이르게 하는 까닭이다. 지나침과 미치지 못함은 모두 바름[正]이 아니다.[故正者, 所以止過而逮不及也. 過與不及也, 皆非正也.]"라고 하였다.

두루 통하게 된다. 그러나 반드시 바르고 견고함에 마땅해야 하니, 이 때문에 점사는 단지 두 가지 의미이다.

但『易』之中, 有言'小亨'者矣, 有言'不可貞'者矣. 一時之通, 其亨則小, 惟有大者存焉, 而後其亨乃大也, 是大在亨之先也. 硜硜之固, 固則非宜, 惟有宜者在焉, 而後可以固守也, 是宜在貞之先也. 其在六十四卦者, 皆是此理. 故其言'元亨'者, 合乎此者也; 其但言'亨', 或曰'小亨'者, 次乎此者也. 其言'利貞'者, 合乎此者也; 其言'不可貞'·'勿用永貞', 或曰'貞凶'·'貞厲'·'貞吝'者, 反乎此者也.

그러나 『역』에 '조금 형통하다'[38]는 말이 있고, '곧아서는 안된다'[39]는 말이 있다. 일시적으로 통하는 것은 그 형통함이 작아 오직 두루 하는 것이 보존된 다음에야 그 형통함이 크니, 이는 두루 함이 형통함보다 우선한다는 말이다. 자잘하게 견고한 것은 그 견고함이 마땅하지 않아 오직 마땅함이 있게 된 다음에야 견고하게 지킬 수 있으니, 이는 마땅함이 곧음보다 우선한다는 말이다. 64괘에 있는 '큼[元]·형통함[亨]·이로움[利]·곧음[貞]'이라는 말은 모두 이러한 이치이다. 그러므로 '크게 형통하다[元亨]'라고 한 말은 이에 합치된 것이고, 단지 '형통하다'라거나 '조금 형통하다'라는 말은 이에 버금한다는 것이다. '곧음이 이롭다'라는 말은 이에 합치된 것이고, '곧아서는 안된다'·'오래도록 곧게 함을 쓰지 말라'[40]라고 하거나 '바

38) 조금 형통하다 : 『역(易)』「여괘(旅卦)」에서 "旅, 小亨, 旅貞, 吉.[려(旅)는 조금 형통하니, 나그네가 곧으면 길하다.]"라고 하였다.

39) 곧아서는 안된다 : 『역(易)』「고괘(蠱卦)」에서 "九二, 幹母之蠱, 不可貞.[구이효는 어머니의 일을 주관하니 곧아서는 안 된다.]"라고 하였다.

르더라도 흉하다'[41]·'고집하면 위태롭다'[42]·'곧더라도 부끄럽다'[43] 라고 한 말은 이에 반대된다는 것이다.

乾·坤諸卦之宗, 則其'亨'無不大, 而其'貞'無不宜. 文王繫辭備此四字, 故孔子推本於天之道·性之蘊, 而以四德明之, 實所以發文王之意. 且以爲六十四卦詳略偏全之例, 非孔子之說異乎文王之說, 又非其釋乾·坤之辭獨異乎諸卦之辭也. 學者以是讀朱子之書, 庶乎不謬厥旨矣.

건괘와 곤괘는 모든 괘의 근간이 되니, 그 '형통함'은 크지 않음이 없고, 그 '곧음'은 마땅하지 않음이 없다. 문왕이 괘사를 붙이면서 이 네 가지를 갖추었기 때문에 공자는 천(天)의 도(道)와 성(性)의 깊은 이치에서 근본을 미루어 보아 네 가지 덕으로 그것을 밝혔으

40) 오래도록 곧게 함을 쓰지 말라 : 『역(易)』「소과괘(小過卦)」에서 "九四, 无咎, 弗過, 遇之, 往, 厲, 必戒, 勿用永貞.[구사효는 허물이 없으니, 지나치지 아니하여 적합하고, 가면 위태로우니 반드시 경계하며, 오래도록 곧게 함을 쓰지 말라]"라고 하였다.

41) 바르더라도 흉하다 : 『주역(周易)』「사괘(師卦)」에서 "六五, 田有禽, 利執言, 无咎. 長子帥師, 弟子輿尸, 貞凶.[육오효는 밭에 새가 있으니 그것을 잡는 것이 이롭고 허물이 없다. 맏아들에게 군대를 거느리게 하고 제자들에게 수레에 시체를 싣게 하면 바르더라도 흉하다.]"라고 하였다.

42) 고집하면 위태롭다 : 『역(易)』「리괘(履卦)」에서 "九五, 夬履, 貞厲.[구오효는 과감하게 결단하여 실행하니, 곧게 하더라도 위태롭다.]"라고 하였다.

43) 곧더라도 부끄러울 것이다 : 『역(易)』「태괘(泰卦)」에서 "上六, 城復于隍. 勿用師, 自邑告命, 貞吝.[상육은 성이 해자가 된다. 군대를 동원하지 않고 읍에서 명을 고하니 곧더라도 부끄러울 것이다.]"라고 하였다.

니, 실제 그것으로 문왕의 뜻을 드러냈다. 그리고 또 그것으로 64괘의 상세함과 간략함, 치우침과 온전함의 사례로 삼은 것은 공자의 말이 문왕의 말과 다르지 않으며, 또 건괘와 곤괘의 괘사 풀이가 유독 다른 괘의 괘사를 풀이한 것과 다르지 않다. 배우는 사람들이 이렇게 주자의 책을 읽으면 거의 그 취지에 어긋나지 않을 것이다.

初九, 潛龍勿用.

초구(初九)효는 잠겨있는 용이니, 쓰지 말라.

本義

初九者, 卦下陽爻之名. 凡畫卦者, 自下而上, 故以下爻爲初. 陽數九爲老, 七爲少, 老變而少不變, 故謂陽爻爲九. '潛龍勿用', 周公所繫之辭, 以斷一爻之吉凶, 所謂爻辭者也. '潛', 藏也, '龍', 陽物也. 初陽在下, 未可施用, 故其象爲'潛龍', 其占曰'勿用.' 凡遇乾而此爻變者, 當觀此象而玩其占也. 餘爻放此.

초구효는 괘의 맨 아래에 있는 양효의 이름이다. 획을 긋는 것은 아래에서 위로 올라가기 때문에 맨 아래에 있는 효를 초(初)라고 한다. 양의 수는 '구(九)'가 노(老)이고 '칠(七)'이 소(少)인데, 노는 변하지만 소는 변하지 않으므로 양효를 구(九)라 한다. '잠겨있는 용이니 쓰지 말라'는 구절은 주공(周公)이 붙인 말로 한 효의 길흉을 결단하는 것이니, 이른바 효사(爻辭)이다. '잠겨있다'는 말은 숨어있다는 것이고 '용'은 양기가 왕성한 말이다. 초효의 양이 아랫자리에 있어 아직 시행하여 쓸 수가 없기 때문에 그 상(象)은 '잠겨있는 용'이 되고, 그 점은 '쓰지 말라'고 하였다. 건괘가 나왔는데 이 효(爻)가 변할 경우에는 이러한 상을 보고 그 점을 완미하여야 한다. 나머지 효도 이와 같다.

程傳

下爻爲'初.' '九', 陽數之盛, 故以名陽爻. 理無形也, 故假象以顯義, 乾以龍爲象. 龍之爲物, 靈變不測, 故以象乾道變化·陽氣消息·聖人進退. 初九在一卦之下, 爲始物之端, 陽氣方萌. 聖人側微, 若'龍'之'潛'隱, 未可自用, 當晦養以俟時.

맨 아래에 있는 효가 '초(初)'이다. 구(九)는 양수의 왕성함이기 때문에 그것으로 양효(陽爻)를 명명하였다. 리(理)는 형체가 없기 때문에 상(象)을 빌어 의미를 드러내니, 건괘는 용을 상으로 삼았다. 용은 신령스럽게 변화하며 예측할 수 없기 때문에, 그것으로 건도가 변화하고 양기(陽氣)가 사그라지고 자라나며 성인이 나아가고 물러남을 상징하였다. 초구는 한 괘의 맨 아래에 있어 일을 시작하는 단서이니 양기가 막 싹트는 것이다. 성인이 미천할 때는 잠겨 있는 용과 같아 스스로 쓸 수 없으니, 숨어 수양하면서 때를 기다려야 한다.

集說

● 沈氏驎士曰 : "稱龍者, 假象也. 天地之氣有升降, 君子之道有行藏. 龍之爲物, 能飛能潛, 故借龍比君子之德也. 初九旣尙潛伏, 故言'勿用.'"[44]

심인사(沈驎士)[45]가 말했다. "용이라고 한 말은 상징을 빌린 것이

44) 이정조(李鼎祚), 『주역집해(周易集解)』「건괘(乾卦)」에서 심인사(沈驎士)의 말로 인용하고 있다.

45) 심인사(沈驎士, 419~503) : 남조(南朝) 제(齊)나라의 오흥 무강(吳興武

다. 천지의 기(氣)는 오르내림이 있고, 군자의 도는 행할 때도 있고 감출 때도 있다. 용은 날아오를 수도 있고 잠겨있을 수도 있기 때문에 용으로 군자의 덕을 비유하였다. 초구는 여전히 잠겨서 숨어 있기 때문에 '쓰지 말라'고 하였다."

● 孔氏穎達曰:"陽爻稱九, 陰爻稱六, 其說有二. 一者, 乾體有三畫, 坤體有六畫, 陽得兼陰, 故其數九; 陰不得兼陽, 故其數六. 二者, 老陽數九, 老陰數六, 老陰·老陽皆變, 『周易』以變者爲占, 故稱九·稱六. 所以老陽數九·老陰數六者, 以揲蓍之數, 九過揲則得老陽, 六過揲則得老陰. 其少陽稱七, 少陰稱八, 義亦準此."[46]

공영달이 말했다. "양효를 구(九)라고 하고 음효를 육(六)이라고 하는 것에는 두 가지 설명이 있다. 하나는 건괘의 몸체에 세 획이 있고 곤괘의 몸체에 여섯 획이 있는데, 양은 음을 겸할 수 있기 때문에 그 수가 구이고, 음은 양을 겸할 수 없기 때문에 그 수가 육이라는 것이다. 다른 하나는 노양의 수가 구이고 노음의 수가 육인데, 노음과 노양은 모두 변하고 『주역』에서 변하는 것으로 점을 치기 때문에 구라고 하고 육이라고 한다. 노양의 수가 구이고 노음의 수가 육인 까닭은 세어낸 시초의 수가 아홉이면 노양을 얻고, 세어낸

康: 현 절강성 소속) 사람으로 자는 운정(雲禎)이고 직렴선생(織簾先生)이라 불렸다. 당시 여러 나라에서 높은 관직으로 그를 등용하려했으나 벼슬에 나아가지 않고 은거하여 후진 교육에만 힘 쏟았다. 저서로 『주역·양계훈(周易·兩繫訓)』, 『장자·내편훈(莊子·內篇訓)』, 『노자요략(老子要略)』 등이 있으며, 『역경(易經)』·『예기(禮記)』·『춘추(春秋)』·『상서(尚書)』·『논어』 등을 주석하였다.

46) 공영달 소(孔穎達 疏), 『주역정의(周易正義)』「건(乾)괘」.

시초의 수가 여섯이면 노음을 얻기 때문이다.47) 소양을 칠(七)이라고 하고 소음을 팔(八)이라고 하는 것도 그 의미가 또한 이에 따른다."

● 崔氏憬曰:"九者老陽之數, 動之所占, 故陽稱焉. 潛, 隱也. 龍下隱地, 潛德不彰, 是以君子韜光待時, 未成其行, 故曰'勿用.'"48)

최경(崔憬)49)이 말했다. "구(九)는 노양의 수이고 움직이는 것으로

47) 노양의 수가 구이고 … 여섯이면 노음을 얻기 때문이다 : 주희는『역학계몽』권3,「명시책(明蓍策」에서 "음양·노소가 그렇게 되는 까닭을 다시 통괄적으로 논하겠다. 49개의 시초는 처음 걸어두는 1개를 제외하고 48개가 되니, 이것을 4로 약분하면 12가 되고, 12로 약분하면 4가 된다. 그 세어내어 한번 변함에 걸어두고 끼운 시초의 수가 4가 하나인 것이 홀[奇]이 되고, 4가 둘인 것이 짝[偶]이 된다. 세 번의 변함에 걸어두고 끼운 시초의 수가 4가 셋이고 12가 하나이며, 세어낸 수가 4가 아홉이고 12가 셋인 것이 노양이 된다. 걸어두고 끼운 시초의 수와 세어낸 수가 모두 4가 여섯이고 12가 둘인 것이 노음이 된다.[至於陰陽·老少之所以然者, 則請復得而通論之. 蓋四十九策除初掛之一而爲四十八, 以四約之爲十二, 以十二約之爲四. 故其揲之一變也, 掛扐之數一其四者爲奇, 兩其四者爲偶. 其三變也, 掛扐之數三其四, 一其十二; 而過揲之數九其四, 三其十二者爲老陽. 掛扐·過揲之數皆六其四, 兩其十二者爲老陰]"라고 하였다.

48) 이정조(李鼎祚),『주역집해(周易集解)』「건괘(乾卦)」에서 최경(崔憬)의 말로 인용하고 있다.

49) 최경(崔憬) : 당(唐)대 역학가로서 그 생몰연대는 공영달의 뒤 이정조(李鼎祚)의 앞이다. 그의 역학은 역상(易象)과 역수(易數)를 중시하여, 왕필(王弼)의『주역주(周易注)』를 묵수하지 않고 의리와 상수를 함께 다루

점을 치기 때문에 양(陽)이라고 하였다. '잠겨있음'은 숨어있는 것이다. 용이 아래로 땅에 숨어있어 잠겨있는 덕이 드러나지 않으니, 이 때문에 군자가 빛을 감추고 때를 기다리며 아직 그 행함을 이루지 못하므로 '쓰지 말라'고 하였다."

● 『朱子語類』, 問:"程『易』以初·二·三·四四爻作舜說, 何以見得如此?[50]"

『주자어류』에서 물었다. "정이(程頤)의 『이천역전(伊川易傳)』에서는 초효·이효·삼효·사효 네 효를 순임금으로 설명했는데, 어떻게 이런 것을 알 수 있습니까?"

曰:"此是推說爻象之意, 非本指也. 『易』本因卜筮而有象, 因象

었다. 순상(荀爽)·우번(虞翻)·마융(馬融)·정현(鄭玄)의 역학에도 조예가 깊었다. 공영달의 『주역정의(周易正義)』가 관학으로서 학계를 지배할 때 그의 역학은 독창적으로 새로운 의의가 있다고 칭송되었으며, 특히 이정조(李鼎祚)에게 추앙받았다. 이로써 그의 역학은 한(漢)대 역학에서 송(宋)대 역학으로 옮겨가는 선구가 되었다고 평가받는다. 저작으로는 『주역탐현(周易探玄)』이 있었다고 하는데 전해지지 않고, 이정조(李鼎祚)의 『주역집해(周易集解)』에 그의 주장이 많이 보인다.

50) 『程易』以初·二·三·四四爻作舜說, 何以見得如此?: 『주자어류』 권68, 62조목에는 "程『易』以乾之初九爲舜側微時, 九二爲舜佃漁時, 九三爲'玄德升聞'時, 九四爲歷試時, 何以見得?[정이의 『역』은 건괘의 초구를 순임금이 미천했을 때로, 구이(九二)를 순임금이 농사짓고 고기 잡던 때로, 구삼(九三)을 순임금의 숨겨진 덕이 위로 올라가 알려진 때로, 구사(九四)를 순임금이 시험을 거칠 때로 여기는데, 어떻게 알 수 있습니까?]"라고 되어 있다.

而有占, 占辭中便有道理. 如筮得乾之初九, 初陽在下, 未可施用, 其象爲'潛龍', 其占曰'勿用'. 凡遇乾而得此爻者, 當觀此象而玩其占, 隱晦而勿用可也. 此『易』之本指也. 聖人爲「彖傳」·「象傳」·「文言」,[51] 節節推去無限道理. 此程『易』所以推說得無窮, 先通得『易』本指後, 推說不妨.[52] 若便以所推說者去解『易』, 則失『易』之本指矣."[53]

(주자가) 대답했다. "이것은 효상(爻象)의 의미를 추론하여 말한 것이지 본래의 의미가 아닙니다. 『역』은 본래 복서(卜筮)로 말미암아 상(象)이 있고, 상으로 말미암아 점(占)이 있으며, 점사(占辭)에는 도리가 있습니다. 예컨대 점을 쳐서 건괘의 초구를 얻었다면, 초효의 양은 아래에 있어 아직 시행하여 쓸 수 없으니, 그 상은 '잠겨있는 용'이고, 그 점은 '쓰지 말라'고 한 것입니다. 건괘를 얻어 이 효를 얻은 경우에는 이 상을 살피고 그 점을 완미하여 숨어있으면서 쓰지 않아야 됩니다. 이것이 『역』의 본래 의미입니다. 성인이 「단전」·「상전」·「문언」을 지어서 구절마다 추론하여 도리를 무한하게 했습니다. 이것은 정이의 『이천역전』에서 추론하여 설명해도 무궁

51) 聖人爲「彖傳」·「象傳」·「文言」: 『주자어류』 권68, 62조목에는 "蓋潛龍則勿用, 此便是道理. 故聖人爲彖辭·象辭·文言.[대개 잠겨 있는 용은 쓰지 말아야 하니, 이것이 바로 도리이다. 그러므로 성인이 단사·상사·문언을 지어서]"라고 되어 있다.

52) 此程『易』所以推說得無窮, 先通得『易』本指後, 推說不妨: 『주자어류』 권68, 62조목에는 "此『程易』所以推說得無窮, 然非易本義也. 先通得『易』本指後, 道理儘無窮, 推說不妨.[이것은 정이의 『이천역전』에서 추론하여 설명해도 무궁할 수 있는 근거가 되지만, 『역』의 본래 의미는 아니다. 먼저 『역』의 본래 의미를 통달한 뒤에 도리가 아주 무궁해지면 추론하여 설명해도 것이 무방할 것이다.]"이라고 되어 있다.

53) 『주자어류』 권68, 62조목.

할 수 있는 근거가 되니, 먼저 『역』의 본래 의미를 통달한 뒤에 추론하여 설명해도 무방할 것입니다. 곧바로 추론하여 설명하여 『역』을 풀이하면, 『역』의 본래의 의미를 잃게 될 것입니다."

● 李氏舜臣曰 : "六爻之象, 皆取於龍者, 陽體之健, 其'潛'·'見'·'惕'·'躍'·'飛'·'亢'者, 初終之序, 而變化之跡也."[54]

이순신(李舜臣)[55]이 말했다. "여섯 효의 상을 모두 용(龍)에서 취한 것은 양의 몸체가 강건함을 나타내고, '잠김[潛]'·'나타남[見]'·'두려워 함[惕]'·'뛰어 오름[躍]'·'낢[飛]'·'끝까지 올라감[亢]'이라고 한 것은 시종(始終)의 순서이고 변화의 자취이다."

● 梁氏寅曰 : "夫『易』者, 潔淨精微之教也. 故其取象, 皆假托其物, 而未涉於事; 包含其意, 而各隨所用. 然乾純陽之卦, 而取象於龍, 則其意多爲聖人而發者, 故夫子於「文言」, 皆以聖人事明之. 今觀之六爻, 則象之所示, 占之所決, 夫人可用也, 獨聖人乎? 如初九之'潛龍勿用', 在聖人則方居側微也, 在君子則遯世無悶也, 在學者則養正於蒙也.[56] 以是而推, 其用何不可哉? 朱

54) 풍의(馮椅), 『후재역학(厚齊易學)』「건괘(乾卦)」에 이순신의 글로 실려 있다.

55) 이순신(李舜臣) : 송(宋)대 선정(仙井) 사람으로 자는 자사(子思)이고 호는 융산(隆山)이다. 건도(乾道) 2년(1166)에 진사에 급제하여 벼슬은 성도부교수(成都府教授)를 역임하였다. 『역』 연구에 전념하였는데, 특히 주자에게 수학한 적이 있는 풍의(馮椅)와 친밀히 교류하였다고 한다. 저술로는 『역본전(易本傳)』 32권이 있었다고 하는데 전해지지 않고, 풍의(馮椅)의 『후재역학(厚齊易學)』에 그의 글이 소개되고 있다.

子以象·占言『易』, 而不欲以事論, 懼人之泥而失之也."[57]

양인(梁寅)[58]이 말했다. "『역』은 순수하고 심오한 가르침이다. 그러므로 상(象)을 취하는 것은 모두 사물에 가탁하면서도 일에 관련되지 않았고, 그 의미를 포함하면서도 각각 그 쓰이는 곳에 따랐다. 그러나 건괘가 순수한 양의 괘인데 용에서 상을 취한 것은 그 의미가 대부분 성인을 위하여 펼쳤기 때문에, 공자는 「문언(文言)」에서 성인의 일로써 그것을 밝혔다. 이제 여섯 효를 살펴보면, 상이 보여주는 것과 점이 결정한 것은 사람들이 쓸 수 있는 일이니, 유독 성인에게만 적용되겠는가? 예컨대 초구의 '잠겨있는 용이니 쓰지 말라'는 말은 성인의 경우는 미천한 지위에 있는 때이고, 군자의 경

56) 在學者則養正於蒙也 : 양인(梁寅), 『주역참의(周易參義)』 권1에는 이 구절 뒤에 "在吾民則耕鑿出入也, 在商賈則韞匵深藏也.[백성들의 경우는 농사를 지으러 다닐 때이고, 상인의 경우는 매매할 물건을 깊이 감추어 두는 때이다.]"라는 말이 더 있다.

57) 양인(梁寅), 『주역참의(周易參義)』「건(乾)괘」.

58) 양인(梁寅, 1309~1390) : 자는 맹경(孟敬)이고, 호는 양오경(梁五經) 또는 석문선생(石門先生)이다. 원말명초 강서 신유(江西新喻 : 현 강서성 신여시〈新餘市〉) 사람으로 대대로 농사를 지어 가난했다. 스스로 배우기를 게을리 하지 않아 오경(五經)에 정통했고, 백가(百家)의 학설을 두루 익혔다. 여러 차례 과거에 응시했지만 떨어졌다. 원나라 말에 일찍이 집경로유학훈도(集慶路儒學訓導)로 부름을 받아 2년 동안 있다가 사직하고 은거하여 학생들을 가르쳤다. 명나라 초기에 명유(名儒)로 불려 예국(禮局)에서 각종 예제(禮制)에 대해 토론했는데, 논리가 정확하고 예리해 여러 학자들이 탄복했다. 예악서(禮樂書)를 찬수하고 벼슬을 내렸지만 사양하고 귀향하여 석문산(石門山)에서 학문을 강론했다. 저서에 『예서연의(禮書演義)』, 『주례고주(周禮考注)』, 『춘추고서(春秋考書)』 등이 있었지만 전해지지 않고, 『석문집(石門集)』과 『주역참의(周易參義)』, 『시연의(詩演義)』만 남아 있다.

우는 세상을 피하여 번민이 없는 때이며, 배우는 사람의 경우는 몽매함에서 정도(正道)를 함양하는 때이다. 이것으로 추론하면 그 쓰임이 어떤 것이든지 못할 일이 있겠는가? 주자가 상(象)과 점(占)으로 『역』을 말하고 일로써 논하지 않으려한 것은 사람들이 구애되어 잘못을 저지를까 염려했기 때문이다."

● 林氏希元曰 : "龍不止陽物, 乃陽物之神靈不測者, 故象乾之六爻. 蓋乾卦六爻, 皆得乾道, 不比他卦, 故「文言」以聖人明之. 比之於物, 則是龍也."[59]

임희원이 말했다. "용은 양기가 왕성할 뿐만 아니라 양기가 왕성한 가운데 신령하여 헤아릴 수 없는 것이기 때문에, 건괘의 여섯 효를 상징한다. 건괘 여섯 효는 모두 건도(乾道)를 얻어서 다른 괘와 비교할 수 없기 때문에, 「문언」에서 성인으로써 그것을 밝혔다. 사물에 비교한다면 용이다."

59) 임희원(林希元), 『역경존의(易經存疑)』「건(乾)괘」.

九二, 見龍在田, 利見大人.

구이효는 나타난 용이 밭에 있는 것이니 대인을 봄이 이롭다.

本義

二, 謂自下而上第二爻也, 後放此. 九二剛健中正, 出潛離隱, 澤及於物, 物所利見. 故其象爲'見龍在田', 其占爲'利見大人.' 九二雖未得位, 而大人之德已著, 常人不足以當之. 故値此爻之變者, 但爲利見此人而已, 蓋亦謂在下之大人也. 此以爻與占者相爲主賓, 自爲一例. 若有見龍之德, 則爲利見九五在上之大人矣.

이(二)는 아래에서 위로 두 번째 효를 말하니, 뒤에도 이와 같다. 구이(九二)의 강건하고 중정(中正)함은 잠겨있던 곳에서 나오고 숨어 있던 곳에서 벗어나 은택이 만물에 미치니, 만물이 그를 봄이 이롭다. 그러므로 그 상(象)은 '나타난 용이 밭에 있다'이고, 점(占)은 '대인을 봄이 이롭다'이다. 구이가 지위를 얻지 못했을지라도 대인의 덕이 이미 나타났으니 보통 사람은 그에 해당할 수 없다. 그러므로 이 효가 변하는 것을 만난 경우, 이런 사람을 봄이 이로울 뿐이니, 또한 아래에 있는 대인을 일컫기 때문이다. 이는 효와 점치는 자를 서로 주인과 손님처럼 본 것이니 그 자체가 하나의 사례가 된다. 나타난 용의 덕이 있다면, 위에 있는 대인인 구오를 봄이 이로울 것이다.

程傳

田, 地上也. 出現於地上, 其德已著. 以聖人言之, 舜之田漁時也, 利見大德之君, 以行其道; 君亦利見大德之臣, 以共成其功; 天下利見大德之人, 以被其澤. 大德之君, 九五也. 乾坤純體, 不分剛柔, 而以同德相應.

밭은 땅 위이다. 땅 위에 드러났다면 그 덕이 이미 드러난 것이다. 성인으로 말하면 순임금이 농사짓고 물고기 잡을 때이니,[60] 큰 덕이 있는 임금을 만나 그 도를 시행함이 이롭고, 임금도 큰 덕을 지닌 신하를 만나 함께 공을 이룸이 이로우며, 세상 사람들은 큰 덕이 있는 사람을 만나 그 은택을 입는 것이 이롭다. 큰 덕이 있는 임금은 구오(九五)이다. 건괘와 곤괘는 '순수한 체[純體 : 純陽과 純陰의 體]'여서 강(剛)·유(柔)로 나뉘지 않고, 같은 덕으로 서로 호응한다.[61]

60) 순임금이 농사짓고 물고기 잡을 때이니 : 『사기』「오제본기(五帝本紀)」에서 "순은 기주 사람이다. 순은 역산에서 농사를 짓고, 뇌택에서 고기를 잡고, 하빈에서 그릇을 굽고, 수구에서 그릇을 만들고, 때를 틈타서 부하(負夏)에 갔다.[舜, 冀州之人也. 舜耕曆山, 漁雷澤, 陶河濱, 作什器於壽丘, 就時於負夏.]"라고 하였다.

61) 건괘와 곤괘는 … 서로 응한다 : 건괘 구이효의 덕과 구오효의 덕이 서로 호응함을 말한다. 정자는 『하남정씨유서』 권5에서 "구이효에서 '대인을 봄이 이롭다'고 했고, 구오효에서도 '대인을 봄이 이롭다'고 했다. 성인은 본디 윗자리에 있기도 하고 아랫자리에 있기도 하다.[九二'利見大人', 九五'利見大人', 聖人固有在上者在下者.]"라고 하였다.

集說

● 鄭氏康成曰 : "二於三才爲地道. 地上卽田, 故稱田也."[62)]

정강성(鄭康成 : 鄭玄)[63)]이 말했다. "이효(二爻)는 삼재(三才)로 보면 땅의 도이다.[64)] 땅 위는 바로 밭이기 때문에 밭이라고 하였다.

● 幹氏寶曰 : "二爲地上, 在地之表. 陽氣將施, 聖人將顯, 故曰 '利見大人.'"[65)]

62) 왕응린(王應麟), 『주역정강성주(周易鄭康成注)』.

63) 정현(鄭玄, 127~200) : 자는 강성(康成)이며, 북해(北海 : 현 산동성 고밀〈高密〉) 사람이다. 후한(後漢) 말기의 대표적 유학자로서 시종 재야 학자로 지냈으며, 제자들에게는 물론 일반인들에게서도 훈고학·경학의 시조로 깊은 존경을 받았다. 젊었을 때부터 학문에 뜻을 두었고, 경학의 금문(今文)과 고문(古文) 외에 천문(天文)·역수(曆數)에 이르기까지 광범한 지식을 갖추었다. 처음에 향색부(鄕嗇夫)라는 지방의 말단관리가 되었으나 그만두고, 낙양(洛陽)에 올라가 태학에 입학하여, 마융(馬融) 등에게 배웠다. 그가 낙양을 떠날 때, 마융이 "나의 학문이 정현과 함께 동쪽으로 떠나는구나!"하고 탄식하였을 만큼 학문에 힘을 쏟았다. 그는 고문·금문에 모두 정통하였으며, 가장 옳다고 믿는 설을 취하여 『주역』·『상서』·『모시』·『주례』·『의례』·『예기』·『논어』·『효경』 등 경서에 주석을 하였고, 『의례』·『논어』 교과서의 정본(定本)을 만들었다. 그의 저서 가운데 완전하게 현존하는 것은 『모시』의 전(箋)과 『주례』·『의례』·『예기』의 주해뿐이고, 그 밖의 것은 단편적으로 남아 있다.

64) 이효(二爻)는 삼재(三才)로 보면 땅의 도이다 : 『주역』의 괘는 여섯효로 되어 있는데, 일반적으로 초효와 2효는 땅의 자리인 지위(地位), 3효와 4효는 사람의 자리인 인위(人位), 5효와 6효는 하늘의 자리인 천위(天位)라고 한다.

65) 이정조(李鼎祚), 『주역집해(周易集解)』에 간보의 말로 실려 있다. 『주역

간보(幹寶)[66]가 말했다. "이효는 땅위이니, 땅의 표면에 있는 것이다. 양기가 펴지려 하고 성인이 드러나려 하기 때문에, '대인을 봄이 이롭다'고 하였다."

● 孔氏穎達曰 : "陽處二位, 故曰'九二.' 陽氣發見, 故曰'見龍.' 田是地上可營爲有益之處, 陽氣發在地上, 故曰'在田.' 初之與二, 俱爲地道. 二在初上, 所以稱田, '見龍在田', 是自然之象. '利見大人', 以人事托之. 言龍見在田之時, 猶似聖人久潛稍出, 雖非君位而有君德, 故天下衆庶, 利見九二之大人. 先儒云, '若

집해』에는 "干寶曰 : '陽在九二, 十二月之時, 自臨來也. 二爲地上, 田在地之表, 而有人功者也. 陽氣將施, 聖人將顯, 此文王免於羑里之日也. 故曰「利見大人.」'[간보가 말했다. '양이 구이에 있는 것은 12월이고 임괘에서부터 왔다. 이효는 지상이니 밭이 지표에 있고 사람의 일거리가 있는 것이다. 양기가 펴지려 하고 성인이 드러나려 하는 것은 문왕이 유리(羑里)에서 벗어나는 날이다. 그러므로 「대인을 봄이 이롭다」고 하였다.]"라고 되어 있다.

66) 간보(幹寶, ?~336) : 자는 영승(令升)이고, 동진(東晉)의 신채(新蔡 : 현 하남성 신채현) 사람이다. 역사·음양·산수를 연구했고, 원제(元帝) 때 저작랑(著作郎)이 된 뒤 역사찬집(歷史撰集)에 종사했다. 특히 역학(易學)에 조예가 깊어 『진서(晉書)』에서 "간보가 『주역』을 주석했다."고 했으며, 『수서(隋書)』「경적지(經籍志)」에는 "『주역』10권을 진(晉)의 산기상시(散騎常侍)인 간보가 주석했고, 또한 『주역효의(周易爻義)』 1권을 간보가 지었으며, 양(梁)나라에는 『주역종도(周易宗塗)』 4권이 있는데 간보가 지었다."라고 기재되어 있다. 저서에는 『주역주(周易注)』, 『오기변화론(五氣變化論)』, 『진기(晉記)』, 『주관례주(周官禮注)』, 『춘추좌자의외전(春秋左子義外傳)』, 『수신기(搜神記)』 등이 있으며, 특히 『수신기』는 괴이전설(怪異傳說)을 집대성한 것으로 육조(六朝) 소설의 뛰어난 작품일 뿐만 아니라, 당·송시대(唐宋時代) 전기물(傳奇物)의 선구가 되었다.

夫子教於洙泗, 利益天下, 有人君之德, 故稱大人.'"[67]

공영달이 말했다. "양이 이효의 자리에 있기 때문에 '구이(九二)'라고 하였다. 양기가 드러나기 때문에 '나타난 용'이라고 했다. 밭은 땅 위에서 영위하여 이익이 있을 수 있는 곳이다. 양기가 땅 위에 드러나기 때문에 '밭에 있다'고 했다. 초효와 이효는 모두 땅의 도이다. 이효가 초효의 위에 있기 때문에 밭이라고 하였으니, '나타난 용이 밭에 있다'는 것은 자연스러운 현상이다.
'대인을 봄이 이롭다'는 것은 사람의 일로 의탁한 것이다. 나타난 용이 밭에 있는 때는 성인이 오랫동안 숨어 있다가 살짝 나오는 것과 유사하니, 임금의 지위가 아닐지라도 임금의 덕이 있기 때문에 세상의 사람들이 구이의 대인을 봄이 이롭다는 말이다. 선대의 학자들은 '공자가 수사(洙泗)[68]에서 가르쳐 천하에 이익을 준 것처럼 임금의 덕이 있기 때문에 대인이라고 칭했다'고 하였다."

● 蔡氏淸曰 : "凡大人皆是德位兼全之稱. 九二雖未得位, 而大人之德已著, 所謂'居仁由義, 大人之事備矣.' 故亦謂之'大人.'"

채청이 말했다. "대인은 모두 덕과 지위를 함께 갖춘 사람을 지칭한다. 구이가 지위를 얻지 못했을지라도 대인의 덕이 이미 드러났으니, 이른바 '인(仁)에 머물고 의(義)를 따른다면 대인의 일이 구비된다'[69]이다. 그러므로 또한 대인이라고 하였다."

67) 공영달 소(孔穎達 疏), 『주역정의(周易正義)』「건괘(乾卦)」.

68) 수사(洙泗) : 산동성 사수현(泗水縣)에 있는 수수(洙水)와 사수(泗水)를 가리키는 것으로, 공자가 이 지역에서 학생들을 모아 가르쳤다고 한다.

69) 인(仁)에 머물고 의(義)를 따른다면 대인의 일이 구비된다 : 『맹자(孟子)』「진심상(盡心上)」.

九三, 君子終日乾乾, 夕惕若, 厲, 無咎.

구삼(九三)효는 군자가 종일토록 힘쓰고 힘써 저녁까지 두려워함이니, 위태로우나 허물이 없을 것이다.

本義

九, 陽爻; 三, 陽位, 重剛不中, 居下之上, 乃危地也. 然性體剛健, 有能乾乾惕厲之象, 故其占如此. 君子, 指占者而言. 言能憂懼如是, 則雖處危地而無咎也.

구(九)는 양효이고 삼(三)은 양의 자리여서 굳셈이 겹치며, 가운데 있지 않고 아래괘의 위에 있어 위태로운 자리이다. 그런데 성질과 몸체가 강건하여 힘쓰고 힘써 두려워하며 위태롭게 여기는 상(象)이 있기 때문에 그 점(占)이 이와 같다. 군자는 점치는 사람을 가리켜 말한 것이다. 이처럼 근심하고 두려워할 수 있다면, 위태로운 자리에 있을지라도 허물이 없다는 말이다.

程傳

三雖人位, 已在下體之上, 未離於下而尊顯者也, 舜之玄德升聞時也. 日夕不懈而兢惕, 則雖處危地而無咎. 在下之人, 而君德已著, 天下將歸之, 其危懼可知. 雖言聖人事, 苟不設戒, 則何以爲教? 作『易』之義也.

삼효는 사람의 자리일지라도 이미 아래괘의 맨 위에 있으며, 아직 아래를 벗어나지는 못하였으나 높게 드러난 자이니, 순임금의 '그윽한 덕[玄德]'[70]이 위로 올라가 알려진 때이다. 밤낮으로 게을리 하지 않고 조심하고 두려워하면, 위태로운 곳에 있을지라도 허물이 없다. 아래에 있는 사람인데 임금의 덕이 드러나 버려 세상 사람들이 그에게 귀의하려 한다면, 그 위태로움과 두려움을 알만하다. 성인의 일을 말했을지라도 경계해야 된다고 하지 않았다면 어떻게 교훈이 되겠는가? 이것이 『주역』을 지은 의미이다.

集說

● 鄭氏康成曰 : "三於三才爲人道. 有乾德而在人道, 君子之象."[71]

정현이 말했다. "삼효는 삼재(三才)로 보면 사람의 도이다. 건의 덕이 있고 사람의 도에 있으니 군자의 상(象)이다."

● 孔氏穎達曰 : "以陽居三位, 故稱九三. 以居不得中, 故不稱大人. 陽而得位, 故稱君子. 在憂危之地, 故'終日乾乾', 言終競

70) '그윽한 덕[玄德]' : 감추어져서 밖으로 드러나지 않은 덕을 말한다. 『서경(書經)』「순전(舜典)」에서 "숨은 덕이 위에까지 알려져, 직책의 지위를 맡도록 명했다.[玄德升聞, 乃命以位.]"라 하였고, 공영달은 "현(玄)은 감춰져 잠겨 있는 것이니, 도와 덕을 드러나지 않게 행하는 것이다.[玄謂幽潛, 潛行道德.]"라고 주석하였다.

71) 왕응린(王應麟), 『주역정강성주(周易鄭康成注)』.

此日,[72] 健健自強, 不有止息.[73] '夕惕'者, 謂至向夕之時,[74] 猶懷憂惕. 此卦九三所居之處, 實有危厲, 又「文言」云, '雖危無咎', 是實有危也. 據其上下文勢, '若'字宜爲語辭. 諸儒並以'若'爲'如', 如似有厲, 是實無厲也, 理恐未盡."[75]

공영달이 말했다. "양(陽)으로 삼효의 자리에 있기 때문에 구삼(九三)이라고 하였다. 자리하고 있는 곳이 알맞음을 얻지 못했기 때문에 대인(大人)이라 하지 않았다. 양으로써 지위를 얻었기 때문에 군자(君子)라고 하였다. 두렵고 위태로운 상황에 있기 때문에 '종일토록 힘쓰고 힘쓴다'는 것이니, 하루 종일 조심하고 부지런히 힘써서 굳세게 스스로 노력하여 그침이 없음을 말한다. '저녁까지 두려워한다'는 것은 저녁때까지도 여전히 근심과 두려움을 품고 있다는 말이다.
이 괘에서 구삼효가 자리 잡은 곳은 사실 위태로운데, 또 「문언」에서 '위태로울지라도 허물이 없다'라고 말한 것은 실제로 위태로움이 있다. 위아래 글의 형세에 의거하면 '저녁까지 두려워함이니[夕惕若]'에서 '약(若)'이라는 글자는 마땅히 어조사이다. 여러 학자들이 모두 '약(若)'이라는 글자를 '같다[如]'라는 의미로 보고 여기서 위태로움이 있는 것 같다고 하는데 실제로 위태로움이 없는 것이니, 이

72) 言終競此日 : 공영달 소, 『주역정의』「건괘(乾卦)」에는 "言每恒終競此日.[항상 하루 종일 조심한다.]"라고 되어 있다.

73) 不有止息 : 공영달 소, 『주역정의』「건괘」에는 "勉力不有止息.[힘써서 그침이 없다.]"라고 되어 있다.

74) 謂至向夕之時 : 공영달 소, 『주역정의』「건괘」에는 "謂終競此日後, 至向夕之時.[하루 종일 조심한 뒤에 저녁때가 되었다는 것을 말한다.]"라고 되어 있다.

75) 공영달 소(孔穎達 疏), 『주역정의(周易正義)』「건(乾)괘」.

치상 미진하다.”

● 龔氏原曰:“三居下體之上, 當危懼之時, 惟自強不息, 戒謹恐懼, 可以免咎.”[76]

공원(龔原)[77]이 말했다. “삼효는 아래 괘의 꼭대기에 있어 위태롭고 두려운 때이니, 오직 굳세게 스스로 노력하여 게을리 하지 않고 경계하고 삼가며 두려워하면 허물을 면할 수 있다.”

● 楊氏時曰:“乾之九三, 獨言‘君子’, 蓋九三, 人之位也. 履正居中, 在此一爻, 故「文言」於九四, 則曰‘上不在天, 下不在田, 中不在人’, 於九三止言‘上不在天, 下不在田’而已. 其曰‘君子行此四德者’, 蓋乾之所謂君子也.”[78]

양시(楊時)[79]가 말했다. “건괘의 구삼(九三)효에서 유독 ‘군자’를 말

76) 동진경(董眞卿), 『주역회통(周易會通)』「건괘(乾卦)」에 공원(龔原)의 글로 실려 있다.
77) 공원(龔原, ?~1110) : 자는 심지(深之) 또는 심부(深父)이고, 호는 무릉(武陵)이며 당시 괄창선생(括蒼先生)으로 불렸다. 북송 처주 수창(處州遂昌 : 현 절강성 수창현) 사람이다. 인종(仁宗) 가우(嘉祐) 8년(1063)에 진사에 급제하여, 벼슬은 국자직강(國子直講), 태상박사(太常博士), 공부시랑(工部侍郎) 겸 시강(侍講), 급사중(給事中), 보문각대제(寶文閣待制) 등을 역임하였다. 젊었을 때 육전(陸佃)과 함께 왕안석(王安石)에게 수학했다. 저서에 『주역신강의(周易新講義)』, 『역전(易傳)』, 『춘추해(春秋解)』, 『논어해(論語解)』, 『맹자해(孟子解)』 등이 있었는데, 모두 전해지지 않는다.
78) 양시(楊時), 『구산집(龜山集)』 권13, 「어록4(語錄四)」.

하였으니, 구삼효가 사람의 자리이기 때문이다. 중정(中正)한 자리에 있는 것이 이 한 효에 있기 때문에, 「문언」에서 구사에 대해서는 '위로 하늘에 있지 않고 아래로 밭에 있지 않으며 가운데로 사람에게 있지 않다'라고 했는데, 구삼에 대해서는 '위로 하늘에 있지 않고 아래로 밭에 있지 않다'라고 말했을 뿐이다. 「문언」에서 '군자는 이 네 가지 덕을 실천하는 자이다'라고 한 것은 건괘에서 말한 군자이다."

● 『朱子語類』, 問: "伊川云, '雖言聖人事, 苟不設戒, 何以爲教?' 竊意因時而惕, 雖聖人亦有此心."

『주자어류』에서 물었다. "이천(伊川 : 程頤)이 '성인의 일을 말했을지라도 경계해야 된다고 하지 않았다면 어떻게 교훈이 되겠는가?'라고 하였습니다. 제 생각에, 때에 따라 두려워하는 것은 성인일지라도 또한 이런 마음이 있습니다."

---

79) 양시(楊時, 1053~1135) : 자는 중립(中立)이고, 호는 구산(龜山)이며, 시호는 문정(文靖)이다. 북송 검남 장락(劍南將樂 : 현 복건성 장락현) 사람이다. 신종(神宗) 희녕(熙寧) 9년(1076)에 진사에 급제하였지만, 관직에 나가지 않고 10년 동안 칩거하다가 형주교수(荊州教授), 우간의대부(右諫議大夫), 국자감좨주(國子監祭酒), 공부시랑(工部侍郎), 용도각직학사(龍圖閣直學士) 등을 역임하였다. 정호(程顥)·정이(程頤) 형제에게 사사(師事)했는데, 특히 형 정호의 신임을 받았다. 민학(閩學)의 창시자로서, 유초(游酢), 여대림(呂大臨), 사량좌와 함께 정문사선생(程門四先生)으로 불렸다. 그의 학문 계통에서 주희·장식(張栻)·여조겸(呂祖謙) 등 뛰어난 학자가 많이 배출되었다. 저서에 『구산집(龜山集)』, 『구산어록(龜山語錄)』, 『이정수언(二程粹言)』 등이 있다.

曰 : "'『易』之爲書, 廣大悉備', 常人皆可得而用, 初無聖凡之別.[80] 但當著此爻, 便用兢兢戒惕.[81]"[82]

(주자가) 대답했다. "'『역』이라는 책은 광대하고 모든 것을 갖추고 있어'[83] 일반 사람들이 모두 가져다 쓸 수 있으니, 애초에 성인과 보통사람의 구별이 없습니다. 다만 이 효를 만나면 삼가고 경계하며 두려워해야 합니다."

● 故氏炳文曰 : "凡卦爻有占無象, 象在占中; 有象無占, 占在象中. 如乾初·二·四·五·上, 分象與占; 九三'終日乾乾, 夕惕若', 皆占辭也, 而象在其中.[84]"[85]

---

80) 常人皆可得而用, 初無聖凡之別 : 『주자어류』 권68, 57조목에는 "人皆可得而用, 初無聖賢之別.[사람들이 모두 가져다 쓸 수 있으니, 애초에 성인과 현인의 구별이 없다.]"라고 되어 있다.

81) 但當著此爻, 便用兢兢戒惕 : 『주자어류』 권68, 57조목에는 "但當此時, 便當恁地兢惕.[다만 이때에는 그렇게 삼가고 두려워해야 한다.]"라고 되어 있다.

82) 『주자어류』 권68, 57조목.

83) 『역』이라는 책은 광대하고 모든 것을 갖추고 있어 : 『역』「계사 하」에 "『역』이라는 책은 광대하고 모든 것을 갖추고 있어, 천도(天道)가 있고 인도(人道)가 있으며 지도(地道)가 있으니, 삼재(三才)를 겸하여 두 번 하였다.[『易』之爲書也, 廣大悉備, 有天道焉, 有人道焉, 有地道焉, 兼三才而兩之.]"라고 하였다.

84) 皆占辭也, 而象在其中 : 호병문, 『주역본의통석』 권1에는 "疑皆占辭也, 而曰'終日'·曰'夕', 象在其中.[모두 점사(占辭)이지만, '종일'·'저녁'이라고 했으니, 상이 그 속에 있다.]"라고 되어 있다.

85) 호병문(胡炳文), 『주역본의통석(周易本義通釋)』「건괘(乾卦)」.

호병문이 말했다. “괘효에 점(占)이 있고 상(象)이 없으면, 상은 점 가운데 있고, 상이 있고 점이 없으면 점은 상 가운데 있다. 예컨대 건괘의 초효·이효·사효·오효·상효는 상과 점이 나누어져 있으나, 구삼의 ‘종일토록 힘쓰고 힘써 저녁까지 두려워한다’는 것은 모두 점사(占辭)이지만 상이 그 가운데 있다.”

九四, 或躍在淵, 無咎.

구사효는 혹 뛰어오르기도 하고 못에 있기도 하는 것이니, 허물이 없을 것이다.

本義

'或'者, 疑而未定之辭. '躍'者, 無所緣而絕於地, 特未飛爾. '淵'者, 上空下洞, 深昧不測之所. 龍之在是, 若下於田, '或躍'而起, 則向乎天矣. 九陽四陰, 居上之下, 改革之際, 進退未定之時也. 故其象如此, 其占能隨時進退, 則無咎也.

'혹(或)'은 의심스러워 결정하지 못한다는 말이다. '뛰어 오른다[躍]'는 것은 따를 곳이 없어 땅에서 떠났으나 날지 못하고 있을 뿐이다. '못[淵]'은 위로 아무 것도 없고 아래로 뚫려 있는 것으로, 깊고 어두워 예측할 수 없는 곳이다. 용이 여기에 있을 때는 밭보다 아래에 있는 것 같으나 혹 뛰어 오르면 하늘로 향한다. 구(九)는 양효이고 사(四)효는 음의 자리이니, 위 괘의 아래에 있어 개혁할 때이고 나아감과 물러남이 결정되지 못한 때이다. 그러므로 상이 이와 같고 점이 때에 따라 진퇴할 수 있으니 허물이 없다.

程傳

'淵', 龍之所安也. '或', 疑辭, 謂非必也. 躍不躍, 唯及時以就安耳. 聖人之動, 無不時也, 舜之曆試時也.

'못'은 용이 편안히 있는 곳이다. '혹'은 의심하는 말로 기필하지 않음을 이른다. 뛰어오르거나 뛰어오르지 않음은 때가 되어 편안함에 나아가는 것일 뿐이다. 성인의 움직임은 때에 맞지 않음이 없으니, 순임금이 시험을 거칠 때에 해당한다.86)

集說

● 幹氏寶曰 : "躍者, 暫起之言."87)

86) 순임금이 시험을 거칠 때에 해당한다 : 요임금은 순을 제위에 오르게 하기 전에 여러 가지 시험을 거치게 했다고 한다. 『서(書)』「순전舜典」에서 "옛 순임금을 상고해 보건대, 이름은 중화(重華)이고 그의 덕은 요임금과 합치했다. 뛰어나게 명철하고 문(文)이 밝았으며, 온화하고 공손하며 진실하고 성실했다. 그 숨은 덕이 소문이 나서 알려지니, 요임금이 직위를 명하셨다. 요임금이 순에게 오전(五典 : 五常)을 아름답게 하라 하니 오전이 순조롭게 되었고, 백규(百揆 : 조정의 관리)를 맡기니 백관들을 때에 맞게 관리했으며, 사문(四門)에서 빈객을 영접하는 직책을 맡기니 사방이 화목해졌고, 큰 산기슭에 들어가게 하니 세찬 바람과 천둥 번개가 치는 빗속에서도 길을 잃지 않았다.[曰若稽古帝舜, 曰重華協于帝. 濬哲文明, 溫恭允塞. 玄德升聞, 乃命以位. 愼徽五典, 五典克從; 納于百揆, 百揆時敍; 賓于四門, 四門穆穆; 納于大麓, 烈風雷雨弗迷.]"라고 하였다.

87) 이정조(李鼎祚), 『주역집해(周易集解)』에 간보의 말로 실려 있다. 『주역집해』에는 "干寶曰 : '陽在九四, 二月之時, 自大壯來也. 四虛中也. 躍者, 暫起之言, 旣不安於地, 而未能飛於天也.'[간보가 말했다. '양이 구사에 있는 것은 2월이고 대장(大壯)으로부터 왔다. 사(四)는 가운데가 빈 것이다. 뛰어오른다는 것은 잠깐 일으켜 오르는 것을 말하니, 이미 땅에서 편안하지 않지만 하늘로 날지 못하는 것이다.]"라고 되어 있다.

간보가 말했다. "뛰어오른다는 것은 잠시 일어나는 것을 말한다."

● 孔氏穎達曰: "'或', 疑也; '躍', 跳躍也. 言九四陽氣漸進, 似若龍體欲飛, 猶疑或也. 躍於在淵, 未卽飛也."[88]

공영달이 말했다. "'혹'은 의심하는 것이고, '뛰어오름'은 치솟아 오르는 것이다. 구사효는 양기가 점차로 나아가는 것이 마치 용의 몸이 날아가려고 하지만 여전히 의심하는 것과 유사하다는 말이다. 못에서 뛰어오르지만 아직은 그대로 날아가지 못한다."

● 程氏迥曰: "初與二旣皆稱龍, 此爻雖不稱龍, 卽上文知其爲龍也. 亦猶大壯九三'羝羊觸藩羸其角', 而九四不言羊, 知'藩決不羸'卽羊也."[89]

정형(程迥)[90]이 말했다. "초효와 이효에서 이미 모두 용이라고 일

88) 공영달 소(孔穎達 疏), 『주역정의(周易正義)』「건괘(乾卦)」.

89) 풍의(馮椅), 『후재역학(厚齋易學)』 권5, 「역집전 제일(易輯傳 第一)」에 정형의 말로 실려 있다.

90) 정형(程迥) : 남송 응천부(應天府) 영릉(寧陵) 사람으로 자는 가구(可久)이고, 호는 사수(沙隨)이다. 효종(孝宗) 융흥(隆興) 원년(1163)에 진사(進士)에 급제하여, 진현(進賢)과 상요(上饒)의 지현(知縣), 양주(揚州) 태흥위(泰興尉), 요주덕흥지현(饒州德興知縣) 등을 역임하였다. 일찍이 왕보(王葆)와 가흥(嘉興)의 학자 무덕(茂德), 엄릉(嚴陵), 유저(喩樗)에게 경전을 배웠고, 주희는 그의 박학다식과 실천정신을 칭찬했다. 경서는 물론 불교와 도가, 음운에 이르기까지 두루 연구했다. 저서에 『고역고(古易考)』, 『고역장구(古易章句)』, 『역전외편(易傳外編)』, 『춘추전현미예목(春秋傳顯微例目)』, 『논어전(論語傳)』, 『맹자장구(孟子章

컬었으니, 이 효에서 비록 용을 말하지 않더라도 앞의 글에 따라 그것이 용임을 알 수 있다. 대장괘(大壯卦) 구삼에서 '숫양이 울타리를 받아 그 뿔이 위태롭다'라고 하였는데, 구사에서 양을 말하지 않더라도 '울타리가 터져 곤궁하지 않게 된다'는 말이 곧 양임을 알 수 있는 것과 마찬가지이다."

● 李氏過曰 : "躍者, 未飛而習飛者也."[91]

이과(李過)[92]가 말했다. "'뛰어오른다'는 말은 아직 날지 못해 나는 연습을 하는 것이다."

● 林氏希元曰 : "『本義』'進退未定之時', 通承上文'九陽四陰, 居上之下, 改革之際'三句說. 蓋以爻與位言, 九陽爻, 四陰位, 陽主進, 陰主退,[93] 是進退未定也. 以上體言, 四居上之下, 居上欲

句)』, 『경사설제논변(經史說諸論辨)』, 『사성운(四聲韻)』, 『고운통식(古韻通式)』, 『의경정본서(醫經正本書)』, 『삼기도의(三器圖義)』, 『남재소집(南齋小集)』 등이 있는데, 세상에 전해진 것으로는 『주역고점법(周易古占法)』과 『주역장구외편(周易章句外編)』 등이 있다.

91) 웅량보(熊良輔), 『주역본의집성(周易本義集成)』 권1, 건(乾)에 이과의 말로 실려 있다.

92) 이과(李過) : 송(宋)대 강소성 흥화(興化) 사람으로 자는 계변(季辨)이다. 20여 년의 노력을 쏟아 부어 『서계역설(西溪易說)』을 저술했다. 풍의(馮椅)는 『후재역학(厚齋易學)』에서 그의 의견이 새로운 경지를 개척한 점이 많다고 평가하였다. 영종(寧宗) 경원(慶元) 4년(1198)에 쓴 자서(自序)가 남아있다.

93) 陰主退 : 임희원(林希元), 『역경존의(易經存疑)』「건괘(乾卦)」에는 이 구절 뒤에 "九陽欲進, 四陰則又未必於進[구(九)인 양효는 나아가려하지만,

進, 居上之下, 則又未必於進, 亦進退未定也. 以上下二體言, 四初離下體, 入上體, 是爲改革之際, 亦進退未定也. 故總承之曰, '進退未定之時.'"[94]

임희원이 말했다. "『주역본의』에서 '나아감과 물러남이 결정되지 못한 때'라고 한 구절은 그 앞의 말인 '구(九)는 양효이고 사(四)효는 음의 자리이니, 위 괘의 아래에 있어 개혁할 때'라는 구절을 모두 이어받아서 말한 것이다. 효와 자리로 말하면, 구(九)는 양효이고 사(四)는 음의 자리로, 양은 나아가고 음은 물러나니, 나아감과 물러남이 결정되지 못한 것이다. 위 괘로 말하면, 사(四)효는 위 괘의 아래에 있으니 위 괘에 있어 나아가려고 하고, 위 괘의 아래에 있어 굳이 나아가려고 하지 않음이 또한 나아감과 물러남이 결정되지 못한 것이다. 위와 아래의 두 몸체로 말하면, 사(四)효는 처음 아래 괘를 떠나 위의 괘로 들어갔으니, 개혁의 때에 또한 나아감과 물러남이 결정되지 못한 것이다. 그러므로 총괄적으로 이어받아 '나아감과 물러남이 결정되지 못한 때'라고 하였다."

● 又曰 : "'或躍在淵', 將進而未必於進也. 未必於進, 非不進也, 審進退之時, 必時可進, 然後進也, 是謂隨時進退."[95]

또 말했다. "'혹 뛰어오르기도 하고 못에 있기도 한다'는 것은 나아가려고 하면서도 굳이 나아가지는 않는다. 굳이 나아가지는 않는다는 것은 나아가지 않음이 아니라, 나아가고 물러남의 때를 살펴 반

사(四)인 음의 자리는 또한 반드시 나아가지만은 않으니]"라는 글이 더 있다.

94) 임희원(林希元), 『역경존의(易經存疑)』「건(乾)괘」.

95) 임희원(林希元), 『역경존의(易經存疑)』「건(乾)괘」.

드시 때가 나아가게 된 다음에 나아가니, 때에 따라 나아가고 물러나는 것을 말한다."

● 陳氏琛曰:"九四以陽居陰, 本非躁進之資. 又居上之下, 適當改革之時. 是其欲進以有爲, 而商度之未決. 蓋將待時而出, 見可而動也, 有如龍之'或躍在淵'焉. 其象如此, 占者誠能隨時進退, 則其進也非貪位, 退也非沽名. 可以投事幾之會, 可以免失身之辱, 何咎之有哉?"[96]

진침(陳琛)[97]이 말했다. "구사(九四)는 양이 음의 자리에 있으니 본래 조급하게 나아가는 자질이 아니다. 또 위 괘의 아래에 자리 잡고 있으니 개혁하기에 적당한 때이다. 이는 나아가 일하려고 하지만 따져봄이 아직 결정되지 않은 것이다. 때를 기다려 나아가려고 하고 그렇게 해도 되는지를 보고 움직이니, 용이 '혹 뛰어오르기도 하고 못에 있는 것'과 같음이 있다. 그 상이 이와 같으니, 점치는 자가 진실로 때에 따라 나아가고 물러날 수 있다면 나아감이 지위

96) 정정조(程廷祚), 『대역택언(大易擇言)』「건괘(乾卦)」에 진침(陳琛)의 말로 실려 있다.

97) 진침(陳琛, 1477~1545) : 자는 사헌(思獻)이고, 호는 자봉선생(紫峰先生)이다. 명(明)대 복건(福建) 진강(晉江) 사람이다. 채청(蔡淸)의 수제자로 역학을 익혀서 왕선(王宣), 역시충(易時沖), 임동(林同), 조록(趙逯), 채열(蔡烈) 등과 함께 청원학파(淸源學派)의 주요 구성원이었으며, 명대 후기 복건주자학의 대표자 가운데 한 사람이었다. 정덕(正德) 12년(1517) 진사에 급제하여, 벼슬은 형부산서사주사(刑部山西司主事), 남경호부운남사주사(南京戶部雲南司主事), 남경이부고공랑중(南京吏部考功郎中) 등을 역임하였다. 저서에 『사서천설(四書淺說)』, 『역학통전(易學通典)』, 『정학편(正學編)』, 『자봉문집(紫峰文集)』 등이 있다.

를 탐내는 것이 아니고, 물러남이 명예를 추구하는 것이 아니다. 일을 하는 기회에 잘 맞을 수 있고 몸을 잃는 치욕을 면할 수 있으니 무슨 허물이 있겠는가?"

九五, 飛龍在天, 利見大人.

구오효는 날아다니는 용이 하늘에 있는 것이니, 대인을 만나는 것이 이롭다.

本義

剛健中正, 以居尊位, 如以聖人之德, 居聖人之位. 故其象如此 而占法與九二同. 特所'利見'者, 在上之大人爾. 若有其位, 則爲利見九二在下之大人也.

강건하고 중정(中正)함으로 높은 자리에 있으니, 성인의 덕으로 성인의 지위에 있는 것과 같다. 그러므로 그 상(象)이 이와 같고 점치는 법이 구이(九二)와 같다. 만나는 것이 이로운 자는 위에 있는 대인일 뿐이다. 그런데 그런 지위가 있다면 아래에 있는 대인인 구이를 만나는 것이 이롭다.

程傳

進位乎天位也. 聖人旣得天位, 則利見在下大德之人, 與共成天下之事, 天下固利見夫大德之君也.

천자의 지위에 나아가는 것이다. 성인이 이미 천자의 지위를 얻었다면 아래에 큰 덕이 있는 사람을 만나 그와 함께 천하의 일을 이루는 것이 이롭고, 천하 사람들은 진실로 큰 덕이 있는 임금을 만나는 것이 이롭다.

集說

● 揚氏雄曰:"龍之潛·亢, 不獲中矣. 過中則惕, 不及中則躍. 二·五其中乎! 故有利見之占.[98]"[99]

양웅(揚雄)[100]이 말했다. "용이 잠겨있거나 끝까지 올라감은 알맞음[中 : 中道]을 얻지 못한 것이다. 알맞음을 넘어서면 두려워하고 그것에 미치지 못하면 뛰어오른다. 이효와 오효는 알맞기 때문에 만나는 것이 이롭다는 점(占)이 있다."

---

98) 故有利見之占 : 풍의(馮椅), 『후재역학(厚齊易學)』「건괘(乾卦)」에는 "故有利見之吉.[만나는 것이 이롭다는 길함이 있다.]"라고 되어 있다.

99) 풍의(馮椅), 『후재역학(厚齊易學)』「건괘(乾卦)」에 양웅의 글로 실려 있다.

100) 양웅(揚雄, B.C.53~B.C.18) : 서한시대 성도(城都 : 현 사천성 성도) 사람으로 자는 자운(子雲)이다. 40세에 도성으로 가서 「감천(甘泉)」, 「하동(河東)」의 부(賦)를 올리고 황제의 부름을 받았다. 성제(成帝) 때에 급사황문랑(給事黃門郎)이 되었고, 왕망(王莽)이 집권할 때에 교서천록각(校書天祿閣)으로 대부의 반열에 올랐다. 왕망(王莽)의 정권을 찬미하는 문장으로 그에게 협조하였기 때문에 지조가 없는 사람으로 송학(宋學) 이후에는 비난의 대상이 되기도 하지만, 그의 식견은 한(漢)나라를 대표한다. 사람의 본성에 대해서는 '성선악혼설(性善惡混說)'을 주장하였다. 초기에는 형식상 사마상여(司馬相如)를 모방하여 『감천(甘泉)』, 『하동(河東)』, 『우작(羽猎)』, 『장양(長楊)』 4부(四賦)를 지었으나, 후기에는 『역(易)』을 본떠서 『태현(太玄)』을 짓고 『논어』를 본떠서 『법언(法言)』을 지었다.

● 鄭氏康成曰："五於三才爲天道.[101] 天者淸明無形, 而龍在焉, 飛之象也."[102]

정강성(鄭康成 : 鄭玄)이 말했다. "구오효는 삼재에서 하늘의 도이다. 하늘은 청명하고 형태가 없는데 용이 그곳에 있으니, 날아다니는 상이다."

● 幹氏寶曰："聖功旣就, 萬物旣睹, 故曰'利見大人.'"[103]

간보가 말했다. "성인의 공이 이루어진 다음에 만물이 이미 보았기 때문에 '대인을 만나는 것이 이롭다'라고 하였다."

● 孔氏穎達曰："言九五陽氣盛至於天, 故云'飛龍在天.' 此自然之象, 猶若聖人有龍德, 飛騰而居天位, 爲萬物所瞻睹.[104] 故天下利見此居上位之大人."[105]

공영달이 말했다. "구오효는 양기가 성대해져서 하늘에 이르렀기 때문에 '날아다니는 용이 하늘에 있다'고 하였다. 그런데 이것은 자연스러운 현상으로 마치 성인이 용의 덕을 가지고 날아올라 천자의 지

101) 五於三才爲天道 : 왕응린(王應麟), 『주역정강성주(周易鄭康成注)』에는 이 구절 앞에 "九五飛龍在天[구오는 날아다니는 용이 하늘에 있으니]"라는 말이 더 있다.

102) 왕응린(王應麟), 『주역정강성주(周易鄭康成注)』.

103) 이정조(李鼎祚), 『주역집해(周易集解)』에 간보의 말로 실려 있다.

104) 爲萬物所瞻睹 : 공영달 소, 『주역주소』「건괘」에는 이 구절 앞에 "德備天下[덕이 천하에 갖추어져]"라는 말이 더 있다.

105) 공영달 소(孔穎達 疏), 『주역정의(周易正義)』「건괘(乾卦)」.

위에 자리 잡아 만물이 우러러보게 되는 것과 같다. 그러므로 세상의 사람들은 이 높은 지위에 자리 잡은 대인을 만나는 것이 이롭다."

● 『朱子語類』云 : "太祖一日問王昭素曰, '九五, 飛龍在天, 利見大人, 常人何可占得此卦?' 昭素曰, '何害? 若臣等占得, 則陛下是飛龍在天, 臣等利見大人.[106]' 此說得最好. 此『易』之用, 所以不窮也."[107]

『주자어류』에서 말했다. "태조(太祖 : 송 태조 趙匡胤)가 어느 날 왕소소(王昭素)[108]에게 '「구오효는 날아다니는 용이 하늘에 있으니 대인을 만나는 것이 이롭다」고 했는데, 보통사람들이 어떻게 이 괘를 점쳐 얻을 수 있겠는가?'하고 물었다. 소소가 '무엇이 문제되겠습니까? 만약 신(臣)들이 점쳐 이 괘를 얻었다면, 폐하는 「날아다니는 용이 하늘에 있는 것이고」, 신들은 「대인을 만나는 것이 이롭다」는 것입니다'라고 대답했다. 이 설명이 아주 좋다. 이런 사례가 『역』의 쓰임이 끝이 없는 까닭이다."

106) 臣等利見大人. : 『주자어류』 권68, 52조목에는 이 구절 뒤에 "是利見陛下也.[폐하를 만나는 것이 이롭다는 것입니다.]"라는 말이 더 있다.

107) 『주자어류』 권68, 52조목.

108) 왕소소(王昭素, 894~982) : 송(宋)대 개봉 산조(開封酸棗 : 현 하남성 연진현〈延津縣〉) 사람으로 어려서부터 학문에 독실하여 경전에 두루 통달하고 노장학까지 섭렵하였다. 특히 『시(詩)』와 『역(易)』에 정통했다. 문인들을 모아 가르치면서 생계를 꾸렸는데, 이목(李穆)과 그의 아우 이숙(李肅) 및 이휘(李惲) 등이 오랫동안 그를 사사하였다. 송 태조 개보(開寶) 3년(970) 이목(李穆)의 천거를 받아 태조(太祖)를 알현하고 『주역』을 강의했다. 송태조는 그를 곁에 두기 위해 국자박사(國子博士)에 임명했다고 한다. 저서에 『역론(易論)』 33편이 있다.

● 胡氏炳文曰："九五以天德居天位, 剛健而純, 中正而粹者也, 「文言」曰, '剛健中正, 純粹精也', 其九五之謂與! '雲行雨施, 天下平也', 則飛龍在天之事矣."[109]

호병문이 말했다. "구오효는 천자의 덕으로 천자의 지위에 있어 강건하고 순수하며 중정(中正)하고 정수(精粹)하니, 「문언」에서 '강건하고 중정하며 순수함이 정묘함이다'라고 한 것은 구오효를 말한 것이며, '구름이 흘러가고 비가 내려 천하가 화평하다'라고 한 것은 날아다니는 용이 하늘에 있는 일이다."

● 林氏希元曰："此爻剛健中正, 以居尊位, 與他卦九五不同. 蓋乾是純陽至健之卦, 九五又得乾道之純, 在人則聖人也. 故『本義』特曰, '如以聖人之德, 居聖人之位', 以別於他卦."[110]

임희원이 말했다. "이 효는 강건하고 중정하며 존귀한 지위에 있어 다른 괘의 구오와 같지 않다. 건은 순수한 양의 지극히 강건한 괘이고, 구오는 또 건도의 순수함을 얻었으니, 사람으로 보면 성인이다. 그러므로 『주역본의』에서 특별히 '성인의 덕으로 성인의 지위에 있는 것과 같다'라고 하여 다른 괘와 구별하였다."

109) 호병문(胡炳文), 『주역본의통석(周易本義通釋)』「건(乾)괘」.

110) 임희원(林希元), 『역경존의(易經存疑)』「건(乾)괘」.

上九, 亢龍有悔.

상구효는 끝까지 올라간 용이니 후회가 있을 것이다.

本義

'上'者, 最上一爻之名. '亢'者, 過於上而不能下之意也. 陽極於上, 動必有悔, 故其象·占如此.

'상(上)'은 가장 위에 있는 효에 대한 이름이다. '끝까지 올라갔다'는 것은 지나치게 위로 올라가 내려올 수 없다는 의미이다. 양이 위로 끝까지 올라가 움직임에 반드시 후회가 있기 때문에 상(象)과 점(占)이 이와 같다.

程傳

九五者, 位之極中正者, 得時之極, 過時則亢矣. 上九至於亢極, 故有悔也, 有過則有悔. 唯聖人知進退·存亡而無過, 則不至於悔也.

구오효는 자리가 지극히 중정한 것이어서 때를 얻음이 지극하니, 이때를 지나치면 끝까지 올라간 것이다. 상구효는 끝까지 올라갔기 때문에 후회가 있으니, 지나침이 있으면 후회가 있다. 성인만이 나아감과 물러남, 생존과 멸망의 때를 알아 지나침이 없으니, 후회함에 이르지 않는다.

集說

● 王氏肅曰："窮高曰'亢.' 知進忘退, 故悔也."[111]

왕숙(王肅)[112]이 말했다. "끝까지 높이 올라간 것을 '끝까지 올라감'이라고 한다. 나아갈 줄만 알고 물러날 줄 모르기 때문에 후회한다."

● 郭氏雍曰："九三過而惕, 故無咎; 上九過而亢, 故有悔. 然則龍德莫善於惕, 而莫不善於亢也."[113]

곽옹(郭雍)[114]이 말했다. "구삼효는 지나쳐서 두려워하기 때문에

111) 이정조(李鼎祚), 『주역집해(周易集解)』 권1에서 왕숙(王肅)의 말로 인용하고 있다.

112) 왕숙(王肅, 195~256) : 자는 자옹(子雍)이고, 삼국시대 위(魏)나라 동해군 담현(東海郡 郯縣 : 현 산동성 소속) 사람이다. 삼국시대 조위(曹魏)의 관리이자 경학자로 왕랑(王朗)의 아들이다. 사마소(司馬昭)의 장인으로 진(晉)나라 무제(武帝)의 외조부이며, 벼슬은 산기황문시랑(散騎黃門侍郎), 비서감(秘書監), 숭문관제주(崇文觀祭酒), 광평태수(廣平太守), 시중(侍中), 하남윤(河南尹) 등을 역임했다. 사후에 위장군(衛將軍)으로 추증되었고, 시호는 경후(景侯)이다. 부친인 왕낭(王朗)에게 금문학(今文學)을 배우고, 당대 대유학자인 송충(宋忠)을 사사하여 고금경전(今古經典)에 해박했다. 특히 고문학자(古文學者) 가규(賈逵), 마융(馬融)의 현실주의적 해석을 계승해서, 정현(鄭玄)의 참위설(讖緯說)을 혼합한 경전해석을 반박하였다. 또한 정현의 예학(禮學) 체계에 반대하여 『성증론(聖證論)』을 지었다. 그의 학설은 모두 위나라의 관학(官學)으로서 공인받았다. 저서로는 『공자가어(孔子家語)』, 『고문상서공굉국전(古文尙書孔宏國傳)』 등이 있다.

113) 곽옹(郭雍), 『곽씨전가역설(郭氏傳家易說)』「건(乾)괘」.

허물이 없지만, 상구효는 지나쳐도 끝까지 올라가기 때문에 후회가 있다. 그렇다면 용의 덕은 두려워하는 것보다 좋은 것이 없고, 끝까지 올라가는 것보다 좋지 않은 것이 없다."

● 『朱子語類』云 : "若占得此爻, 必須以亢滿爲戒. 當極盛之時, 便須慮其亢, 如這般處, 最是『易』之大義. 大抵於盛滿時致戒."[115]

114) 곽옹(郭雍, 1091~1187) : 자는 자화(子和)이고, 호는 백운선생(白雲先生)이다. 남송 낙양(洛陽 : 현 하남성 낙양시) 사람이다. 정이(程頤)의 제자인 곽충효(郭忠孝)의 둘째 아들로 가학을 계승했다. 벼슬길에 나아가지 않고 평생 섬주(陝州) 장양산(長楊山)에 은거하면서 역학과 의학에 정통했다고 한다. 『주역(周易)』에 대해서는 정이(程頤)의 학설을 계승·발전시켰다. 저서에 『곽씨전가역설(郭氏傳家易說)』, 『괘사지요(卦辭指要)』, 『시괘변의(蓍卦辨疑)』 등이 있고, 순희(淳熙) 초에 학자들이 곽씨 두 부자와 이정(二程), 장재(張載), 유초(游酢), 양시(楊時) 등 칠가(七家)의 설을 모아 『대역수언(大易粹言)』을 편집했다.

115) 『주자어류』 권34, 130조목에는 "若占得此爻, 必須以亢滿爲戒. 如這般處, 最是『易』之大義. 『易』之爲書, 大抵於盛滿時致戒. 蓋陽氣正長, 必有消退之漸, 自是理勢如此." 又云 : "當極盛之時, 便須慮其亢. 如當堯之時, 須交付與舜. 若不尋得箇舜, 便交付與他, 則堯之後, 天下事未可知." 又云 : "康節所以見得透, 看他說多以盛滿爲戒."["만약 이 효를 얻었다면 반드시 끝까지 올라가서 가득한 것을 경계해야 한다. 이런 곳이 『역』의 가장 큰 뜻이다. 『역』이라는 책은 대개 성대해서 가득한 때에 경계를 다해야 한다. 양기는 자라날 때 반드시 점점 사라져 물러남이 있으니 본래 사리의 추세가 이와 같다." 또 말했다. "극도로 성대한 때에는 끝까지 올라가는 것을 염려해야 한다. 마치 요임금 때에 반드시 순임금에게 물려주어야 하는 것과 같다. 만약 순임금을 찾지 못하여 다른 사람에게 물려주었다면, 요임금 뒤에는 천하의 일을 알 수가 없다." 또 말했다. "강절(康節 : 邵雍)은 그것을 꿰뚫어

『주자어류』에서 말했다. "점을 쳐서 이 효를 얻었다면 반드시 끝까지 올라간 것을 경계해야 한다. 극도로 성대한 때에는 반드시 끝까지 올라가는 것을 염려해야 하니, 이런 곳들이 『역』의 가장 큰 의미이다. 대개 성대해서 가득한 때에는 경계를 해야 한다."

總論

● 范氏仲淹曰："九二君之德, 九五君之位, 成德於其內, 得位於其外. 餘爻則從其進退·安危之會言之."[116]

범중엄(范仲淹)[117]이 말했다. "구이효는 임금의 덕이고 구오효는 임금의 자리이니, 안에서 덕을 이루고 밖에서 자리를 얻은 것이다.

보았는데 그의 말을 보면 성대하게 가득한 것을 경계한 것이 많다."]라고 되어 있다.

116) 범중엄(范仲淹), 『범문정집(范文正集)』 卷5.

117) 범중엄(范仲淹, 989~1052) : 북송(北宋)시대 오현(吳縣 : 현 강소성 소주〈蘇州〉) 사람으로, 사상가이자 정치가, 군사가, 문학가이다. 자는 희문(希文)이다. 대중상부(大中祥符) 8년(1015)에 진사(進士)로 급제하여, 벼슬은 비각교리(秘閣校理), 추밀부사(樞密副使), 참지정사(參知政事), 하동섬서선무사(河東陝西宣撫使) 등을 역임하였다. 송 인종(仁宗)에게 올린 10개항의 개혁 상소문은 나중에 왕안석(王安石) 신법의 선구가 되었다. 1043년에 경력신정(慶曆新政)에 참여했고, 『답수조조진십사(答手詔條陳十事)』라는 상소문을 올려 10가지 개혁을 주장했다. 1045년, 신정(新政)이 실패하자 좌천되어 나주지주(那州知州), 항주지주(杭州知州), 청주지주(青州知州)를 지냈다. 시호는 문정(文正)이고, 세인들은 '범문정공(范文正公)'이라고 불렀다. 문학 방면에서의 성취도 커서 후세에 많은 영향을 끼쳤다. 저서로 『범문정공문집(范文正公文集)』이 있다.

나머지 효에서는 그 나아가고 물러나며 편안하고 위태로운 때에 따라서 말했다."

● 饒氏魯曰 : "一爻有一爻之中, 如初則以'潛'爲中, 二則以'見'爲中, 三則以'乾'·'惕'爲中, 四則以'或躍'爲中. 卦有才·有時·有位不同, 聖人使之無不合乎中."118)

요로(饒魯)119)가 말했다. "하나의 효에는 그 효의 알맞음[中 : 中道]이 있으니, 이를테면 초효에서는 '잠겨있는 것'이 알맞음[中]이고, 이효에서는 '드러나는 것'이 알맞음이며, 삼효에서는 '힘쓰고 두려워하는 것'이 알맞음이고, 사효에서는 '혹 뛰어오르기도 하는 것'이 알맞음이다. 괘에는 재질·때·자리가 같지 않은 것이 있는데, 성인이 그것들을 알맞음에 합치하지 않음이 없도록 했다."

118) 웅량보(熊良輔), 『주역본의집성(周易本義集成)』 권1, 건(乾)에 요로(饒魯)의 말로 실려 있다.

119) 요로(饒魯, 1193~1264) : 남송(南宋)시대 요주(饒州) 여간(餘幹 : 현 강서성 소속) 사람으로 자는 백여(伯輿), 사노(師魯), 중원(仲元)이고, 호는 쌍봉(雙峰)이다. 어려서부터 황간(黃榦, 주희의 문인 겸 사위)에게 배워 '치지(致知)·역행(力行)'을 근본으로 하였다. 쌍봉 앞에 석동서원(石洞書院)을 지어 강학에 힘썼다. 평생 벼슬하지 않아 그가 죽은 뒤 문인들이 그에게 사시(私諡)를 문원(文元)이라 올렸다. 저서는 『오경강의(五經講義)』, 『논맹기문(論孟紀聞)』, 『태극삼도(太極三圖)』, 『근사록주(近思錄註)』 등이 있다.

用九, 見羣龍无首, 吉.

구(九)를 씀은 여러 용(龍)이 머리가 없음을 보는 것이니, 길(吉)하다.

本義

用九, 言凡筮得陽爻者, 皆用九而不用七, 蓋諸卦百九十二陽爻之通例也. 以此卦純陽而居首, 故於此發之, 而聖人因繫之辭, 使遇此卦而六爻皆變者, 卽此占之. 蓋六陽皆變, 剛而能柔, 吉之道也, 故爲'群龍無首'之象, 而其占爲如是則吉也. 『春秋傳』曰, "乾之坤曰'見群龍無首, 吉'", 蓋卽純坤卦辭, '牝馬之貞'·'先迷後得'·'東北喪朋'之意.

'구를 씀[用九]'은 점을 쳐서 양효를 얻은 경우에 모두 구(九)를 쓰고 칠(七)을 쓰지 않는 것을 말하니, 모든 괘에 있는 192개의 양효에 통용되는 사례이다. 건괘가 순수한 양으로 첫머리에 있기 때문에 여기에서 밝힌 것인데, 성인이 붙인 말을 근거로 이 괘를 만나고 여섯 효가 모두 변한 경우에 이것을 가지고 점치게 했다. 여섯 양이 모두 변하는 것은 굳세면서도 부드러울 수 있어 길한 도이기 때문에, '여러 용이 머리가 없는' 모양이 되고 그 점이 이와 같다면 길한 것이 된다. 『춘추좌전』에서 "건괘가 곤괘로 바뀐 것에 대해 말하기를 '여러 용이 머리가 없는 것을 보면 길하다'"라고 하였으니,[120] 이

120) 『춘추좌전』에서 "건괘가 … "라고 하였으니 : 『춘추좌씨전(春秋左氏

는 곧 순수한 곤괘 괘사에 나오는 '암말의 곧음'과 '먼저 하면 혼미하고 뒤에 하면 얻는다'는 것과 '동북에서는 벗을 잃는다'는 뜻이다.

程傳

用九者, 處乾剛之道. 以陽居乾體, 純乎剛者也. 剛柔相濟爲中, 而乃以純剛, 是過乎剛也. '見群龍', 謂觀諸陽之義, 爲無首則吉也. 以剛爲天下先, 凶之道也.

傳)』「소공(昭公)」 29년에서 "가을에 강(絳 : 진나라 도읍)의 교외에 용이 나타났다. 위헌자가 채묵에게 '내가 듣기에, 동물 중에 용보다 지혜로운 것이 없는데 이는 그것을 산 채로는 잡을 수 없기 때문이다. 그것을 지혜롭다고 한다면 믿을 수 있겠는가?'라고 물었다. 채묵이 '사람들이 참으로 알지 못하니, 용은 실제로 지혜롭지 않습니다. 옛날 사람들은 용을 길렀기 때문에 나라에 환룡씨가 있었고, 어룡씨가 있었습니다. … 용은 물에 사는 동물인데, 물을 담당한 관리가 버림받았기 때문에 용을 산 채로 얻을 수 없는 것입니다. 그렇지 않고서야 『주역』에 용을 말한 것이 있겠습니까? 건괘가 구괘로 변한 것은 괘사에 '잠겨있는 용은 쓰지 말라'고 했고, 동인괘에서는 '나타난 용이 밭에 있다'고 했으며, 대유괘에는 '날아다니는 용이 하늘에 있다'고 했고, 곤괘에는 '여러 용이 머리가 없는 것을 보면 길하다'라고 했으며, 곤괘가 박괘로 변하는 것에는 '용이 들에서 싸운다'라고 했습니다. 만약 용을 아침저녁으로 보지 않았다면, 누가 그것을 사물로 구별 지을 수 있었겠습니까?'라고 대답했다. [秋, 龍見于絳郊. 魏獻子問於蔡墨曰, '吾聞之, 蟲莫知於龍, 以其不生得也, 謂之知, 信乎?' 對曰, '人實不知, 非龍實知. 古者畜龍, 故國有豢龍氏, 有御龍氏. … 龍, 水物也, 水官棄矣, 故龍不生得. 不然『周易』有之, 在乾☰之姤☴曰'潛龍勿用', 其同人☲曰'見龍在田', 其大有☲曰'飛龍在天', 其夬☱曰'亢龍有悔', 其坤☷曰'見羣龍無首, 吉', 坤之剝☶曰'龍戰于野'. 若不朝夕見, 誰能物之?']"라고 하였다.

'구를 씀[用九]'은 건괘의 굳셈에 대처하는 도이다. 양으로 건의 몸체에 있으니 굳셈에 순수한 것이다. 굳셈과 유순함이 서로 돕는 것이 알맞음[中 : 中道]인데, 순수하게 굳세니 지나치게 굳세다. '여러 용을 본다'는 것은 여러 양의 의리에 대해 봄을 말하니, 머리가 없으면 길하다. 굳셈으로 세상 사람들에 앞장서는 것은 흉한 도이다.[121]

集說

● 朱子「答虞士朋」曰 : "用九·用六, 當從歐公說, 爲揲蓍變卦之

121) 굳셈으로 천하 사람들에 앞장서는 것은 흉한 도이다 : 이 구절에 대해, 왕필은 『주역정의(周易正義)』에서 "강건함으로 사람들에 앞장서면 사람들은 함께 하지 않으려 할 것이고, 유순한 태도로 사람들의 비위를 맞추면서 올바르게 행동하지 못한다면 아첨과 사특한 도리가 될 것이다.[夫以剛健而居人之首, 則物之所不與也, 以柔順而爲不正, 則佞邪之道也.]"라고 하였다.

정이(程頤)는 또 『하남정씨유서』 권19에서 "왕안석이 말하기를, 용구(用九)는 상구효 하나에만 있다고 했는데, 잘못이다. 여섯 효가 모두 용구이기 때문에 '여러 용을 보되 앞장서지 않으면 길하다'고 했다. 구를 씀은 강건한 것을 시행하는 곳이다. '하늘의 덕은 앞장서는 것이 되어서는 안 된다'고 했으니, 건이 이미 지극히 강건한데, 또 어찌 다시 세상에 앞장서려고 하겠는가? 세상에 앞장서려고 하면 재앙이 있으니, 이른바 '감히 세상에 앞장서지 않는다'라는 것이다. 건이 때에 따라 움직여 지나치지 않은 것이 곧 앞장서지 않는 것이니, 여섯 효가 모두 그러하다.[荊公言, 用九只在上九一爻, 非也. 六爻皆用九, 故曰, '見羣龍无首吉.' 用九便是行健處. '天德不可爲首', 言乾已至剛健, 又安可更爲物先? 爲物先則有禍, 所謂'不敢爲天下先'. 乾順時而動, 不過處, 便是不爲首, 六爻皆同.]"라고 하였다.

凡例. 蓋陽爻百九十二, 皆用九而不用七; 陰爻百九十二, 皆用六而不用八也. 特以乾·坤二卦純陽·純陰, 而居篇首, 故就此發之. 此歐陽公舊說也. 而愚又嘗因其說而推之, 竊以爲, 凡得乾而六爻純九, 得坤而六爻純六者, 皆當直就此例, 占其所繫之辭, 不必更看所變之卦. 『左傳』蔡墨所謂'乾之坤曰見群龍無首'者, 可以見其一隅也."[122]

주자가 「우사붕(虞士朋 : 虞太中)에게 답하는 편지」에서 말했다. "용구(用九)와 용육(用六)은 구공(歐公 : 歐陽修)[123]의 주장에 따라 시초를 세고 괘를 변화시키는 범례로 여겨야 한다. 양효 192개는 구(九)를 쓰고 칠(七)을 쓰지 않으며, 음효 192개는 육(六)을 쓰고

122) 주희, 『주문공문집(朱文公文集)』 권45, 「답우사붕태중(答虞士朋太中)」.

123) 구양수(歐陽修, 1007~1072) : 자는 영숙(永叔)이고, 호는 취옹(醉翁), 육일거사(六一居士)이며, 시호는 문충(文忠)이다. 북송(北宋)시대 길주 영풍(吉州永豐 : 현 강서성 갈안시 영풍현〈吉安市永豐縣〉) 사람으로 정치가, 문인, 학자로 저명하다. 가난한 집안에서 태어나 4살 때 아버지를 여의고 문구를 살 돈이 없어 어머니가 모래 위에 갈대로 글씨를 써서 가르쳤다고 한다. 10살 때 한유(韓愈)의 전집을 읽은 것이 문학의 길로 들어선 계기가 되었다. 1030년 진사에 급제하여, 벼슬은 한림원학사(翰林院學士), 추밀부사(樞密副使), 참지정사(參知政事) 등을 거쳐 태자소사(太子少師)를 역임하였다. 인종(仁宗)과 영종(英宗) 때 범중엄(范仲淹)을 중심으로 한 신관료파에 속하여 활약했으나, 신종(神宗) 때 동향 후배인 왕안석(王安石)의 신법(新法)에 반대하여 관직에서 물러났다. 그는 한유(韓愈), 유종원(柳宗元), 소식(蘇軾)과 더불어 '천고문장사대가(千古文章四大家)'라고 일컫고, 한유(韓愈), 유종원(柳宗元), 소식(蘇軾), 소순(蘇洵), 소철(蘇轍), 왕안석(王安石), 증공(曾鞏)과 더불어 '당송산문팔대가(唐宋散文八大家)'라 부른다. 일찍이 『신당서(新唐書)』 편수에 참여했고, 『신오대사(新五代史)』와 『집고록(集古錄)』을 편집했다. 저서로 『구양문충집(歐陽文忠集)』이 있다.

팔(八)을 쓰지 않는데, 다만 건·곤 두 괘는 순수한 양이고 순수한 음이면서 책의 첫머리에 있기 때문에 여기에서 그것을 설명했다. 이것이 구양공(歐陽公 : 歐陽修)의 구설(舊說)이다.
나 또한 일찍이 그 설명에 근거해서 미루어보았는데, 내 생각에 건괘를 얻어 여섯 효가 모두 순전히 구(九)이고, 곤괘를 얻어 여섯 효가 순전히 육(六)일 경우, 모두 이러한 사례로 설명된 말을 점친 것이니, 굳이 다시 변화되는 괘를 볼 필요가 없다. 『춘추좌전』에서 채묵(蔡墨)[124]이 건괘가 곤괘로 바뀐 것에 대해 말하기를 '여러 용이 머리가 없는 것을 보면'이라고 말한 것에서 그 일 부분을 볼 수 있다."

● 又『語類』云 : "荊公言用九只在上九一爻, 非也. 六爻皆用九, 故曰'見群龍無首, 吉.' 用九便是行健處."[125]

또 『어류』에서 말했다.[126] "형공(荊公 : 王安石)[127]이 말하기를 '구

124) 채묵(蔡墨) : 춘추시대 진(晉)나라 사관(史官)으로서, 사채(史蔡)라고도 불리며, 오행사상을 『주역』에 끌어들인 학자라고 한다. 그는 고대의 용을 기르는 전설에 대하여, 오행지관(五行之官)에서 수관(水官)이 폐기되어 수(水)에 속하는 용이 상징으로만 남게 되었다고 하였다. 『주역』 연구를 통하여 당시 여러 제후국들의 미래를 점치기도 하였다고 한다.
125) 정호·정이(程顥·程頤), 『하남정씨유서(河南程氏遺書)』 권19.
126) 또 『어류』에서 말했다 : 이는 『주자어류』를 가리키는 것 같은데, 실제로는 정호·정이, 『하남정씨유서(河南程氏遺書)』 권19의 말이다.
127) 왕안석(王安石, 1021~1086) : 북송(北宋)시대 사상가, 정치가, 문필가로서 임천(臨川 : 현 강서성 무주시 임천구〈撫州市臨川區〉) 사람이다. 자는 개보(介甫)이고 호는 반산(半山)이다. 1042년 진사에 급제하여

를 씀[用九]'은 단지 상구(上九) 한 효에만 있다고 했는데 이는 잘못이다. 여섯 효가 모두 '구를 씀[用九]'이기 때문에 '여러 용이 머리 없음을 보는 것이 길하다'라고 하였으니, '구를 씀[用九]'은 강건함을 시행하는 일이다."

● 林氏希元曰:"用九本是陽爻之通例, 然於乾卦六爻之後發之, 便是指乾卦六爻用九."[128]

임희원이 말했다. "'구를 씀[用九]'은 본래 양효에서 통용되는 사례이지만 건괘 여섯 효의 뒤에서 그것을 설명했으니, 곧 건괘 여섯 효의 '구를 씀[用九]'을 가리킨다."

● 又曰:"或疑, '無首之吉, 剛而能柔則吉也; 牝馬之利, 順而能健則利也. 剛而能柔, 與順而健者, 性體自是不同.[129] 而『春秋

벼슬은 양주첨판(揚州簽判), 은현지현(鄞縣知縣), 서주통판(舒州通判) 등을 역임하고, 1069년 참지정사(參知政事)가 되어 변법(變法), 즉 신법(新法)을 주도하였으나 구당파의 반대로 1074년 파직되었다. 1년 뒤 송 신종(神宗)이 재상에 재임용하여 신법(新法)을 시행하였으나, 또 파직되어 1086년 마침내 신법이 폐지되었다. 문학으로는 당송팔대가의 한 사람으로서, 특히 그의 시(詩)는 왕형공체(王荊公體)라는 하나의 문체를 이루었다. 경학(經學) 방면으로도 당시에 통유(通儒)라고 불릴 정도로 경전에 두루 해박하였으며, 특히 북송대의 의경변고학풍(疑經變古學風)을 촉진하는 데에 기여하였다. 저서로 『왕임천집(王臨川集)』, 『임천집습유(臨川集拾遺)』가 전해지고 있다.

128) 임희원(林希元), 『역경존의(易經存疑)』「건괘(乾卦)」.

129) 性體自是不同 : 임희원, 『역경존의』 권1에는 이 구절 뒤에 "无首之吉, 无所不吉; 牝馬之利, 有所不利. 其得效亦自有異.[머리가 없음의 길

傳』曰, 「乾之坤曰, 見群龍無首吉」, 何也?

(임희원이) 또 말했다. "어떤 사람이 다음과 같이 의심했다. '머리가 없음이 길하다는 것은 굳세면서도 유순할 수 있으면 길하고, 암말이 이롭다는 것은 유순하면서도 강건할 수 있으면 이롭다. 굳세면서 유순할 수 있는 것과 유순하면서도 강건할 수 있는 것은 본성과 몸체가 본래 같지 않다. 그런데 『춘추좌전』에 '건괘가 곤괘로 바뀐 것에 대해, 여러 용이 머리 없음을 보는 것이 길하다'라고 한 것은 무엇 때문인가?'

曰, '乾變之坤, 雖爲坤之所爲, 然本自剛來, 與本是坤者不同.[130] 故乾無首之吉, 終不可同於坤牝馬之貞; 坤永貞之利, 終不可同於乾之元亨.[131] 聖人不敎人卽所變之卦以考其占, 而別著自此至彼之象·占者, 正以其有不可同耳.'"[132]

대답한다. '건괘가 곤괘로 변하면, 곤괘가 행한 것일지라도 본래 굳

함은 길하지 않음이 없고, 암말의 이로움은 이롭지 않음이 없다. 그 효험을 얻은 것도 역시 본래 다름이 있다.]"라는 말이 더 있다.

130) 與本是坤者不同 : 임희원, 『역경존의』 권1에는 이 구절 뒤에 "坤變之乾, 雖爲乾之所爲, 然本自柔來, 與本是乾者不同.[곤괘가 건괘로 변하면 비록 건괘가 한 일이라 하더라도 본래 유순함에서부터 온 것이라서 본래의 건괘와는 다르다.]"라는 말이 더 있다.

131) 終不可同於乾之元亨 : 임희원(林希元), 『역경존의(易經存疑)』「건괘(乾卦)」에는 이 구절 뒤에 "如此說, 則坤用六本義, 自坤而變, 故不足於元亨可通.[이와 같이 말하면 곤괘 용육(用六)의 본래 의미는 곤괘에서부터 변화된 것이므로 크게 형통함과 통하기에 충분하지 못하다.]"라는 말이 더 있다.

132) 임희원(林希元), 『역경존의(易經存疑)』「건괘(乾卦)」.

건한데서 왔으므로 본래의 곤괘와는 다르다. 그러므로 건괘에서 말한 머리 없음의 길함은 끝내 곤괘에서 말한 암말의 곧음과 같을 수 없고, 곤괘에서 말한 영원하고 곧음의 이로움은 끝내 건괘에서 말한 크게 형통함과 같을 수 없다. 성인이 사람들에게 변한 괘를 가지고 그 점을 상고하지 않도록 하고, 별도로 여기서부터 저기까지의 상(象)과 점(占)을 붙인 것은 바로 그것들이 같을 수 없기 때문이다.'"

案

爻辭雖所以發明乎卦之理, 而實以爲占筮之用. 故以九·六名爻者取用也, 爻辭動則用, 不動則不用. 卦辭則不論動不動而皆用也. 但不動者, 以本卦之彖辭占; 其動者, 則合本卦·變卦之彖辭占. 如乾之六爻全變則坤, 坤之六爻全變則乾也. 先儒之說, 以爲全變則棄本卦而觀變卦, 而乾·坤者天地之大義, 乾雖變坤, 未可純用坤辭也; 坤雖變乾, 未可純用乾辭也, 故別立用九·用六, 以爲皆變之占辭. 此其說亦善矣.

효사(爻辭)는 비록 그것으로 괘의 이치를 드러내 밝히지만, 사실 그것은 점을 치는 데에 쓰는 것이다. 그러므로 구(九)와 육(六)으로 효에 이름을 붙인 것은 쓰임[用]을 취한 것이니, 효사가 움직이면 쓰고, 움직이지 않으면 쓰지 않는다. 괘사(卦辭)는 움직임과 움직이지 않음을 따지지 않고 모두 쓴다. 다만 움직이지 않는 것은 본래 괘의 단사(彖辭)로 점치고, 움직이는 것은 본래 괘와 변한 괘의 단사를 합쳐서 점친다. 이를테면 건괘의 여섯 효가 모두 변하면 곤괘이고 곤괘의 여섯 효가 모두 변하면 건괘이다. 그런데 선대 학자들의 설명으로는 전체가 변하면 본래 괘를 버리고 변한 괘를 보면서도, 건괘와 곤괘는 하늘과 땅의 큰 의미이니 건괘가 곤괘로 변할지라도 순전히 곤괘의 말만을 쓸 수 없고, 곤괘가 건괘로 변할지라도 순전히 건괘의 말만을 쓸 수 없기 때문에, '구를 씀[用九]'과 '육을 씀[用六]'을 별도로 세워 모두 변한 것에 대한 점사(占辭)로 삼았다. 이런 설명도 훌륭하다.

以理揆之, 則凡卦雖全變, 亦無盡棄本卦而不觀之理, 不獨乾·坤也, 故須合本卦·變卦而占之者近是. 如此則乾變坤者, 合觀乾辭與坤辭而已; 坤變乾者, 合觀坤辭與乾辭而已. 但自乾而坤, 則陽而根陰之義也; 自坤而乾, 則順而體健之義也. 合觀卦辭者, 宜知此意, 故立用九·用六之辭以發之. 蓋群龍雖現而不現其首, 陽而根陰故也; 永守其貞而以大終, 順而體健故也.

이치로 헤아려보면, 괘가 모두 변했을지라도 본래 괘를 모두 버리고 살펴보지 않을 이유가 없는 것은 건괘와 곤괘뿐만이 아니기 때문에, 반드시 본래 괘와 변한 괘를 합쳐 점을 쳐야 한다는 것이 옳은 판단에 가깝다. 이와 같이 하면 건괘가 곤괘로 변할 경우에는 건괘의 괘사와 곤괘의 괘사를 합쳐서 볼 뿐이고, 곤괘가 건괘로 변할 경우에는 곤괘의 괘사와 건괘의 괘사를 합쳐서 볼 뿐이다. 다만 건괘에서 곤괘로 변하면 양인데 음에 근거한다는 의미이고, 곤괘에서 건괘로 변하면 유순한데 강건함을 몸체로 한다는 의미일 뿐이다. 괘사를 합쳐서 살펴보는 것이 이런 의미임을 알아야 하기 때문에 '구를 씀[用九]'과 '육을 씀[用六]'의 효사를 세워 그것을 드러내었다. 대개 여러 용이 나타날지라도 그 머리를 드러내지 않는다는 것은 양인데 음에 뿌리를 두었기 때문이고, 그 곧음을 영원히 지켜서 끝을 성대히 한다는 것은 유순한데 강건함을 몸체로 하기 때문이다.

此亦因乾·坤以爲六十四卦之通例. 如自復而姤, 則長而防其消可也; 自姤而復, 則亂而圖其治可也. 固非乾·坤獨有此義, 而諸卦無之也. 聖人於乾·坤發之, 以示例爾. 然乾雖不變, 而用九之理自在, 故乾元無端, 卽無首之妙也; 坤雖不變, 而用六之理自在, 故坤貞能安, 卽永貞之道也. 陰·陽本自合德者, 交易之機, 其因動而益顯者, 則變易之用, 學『易』者尤不可以不知.

이것 역시 건괘와 곤괘를 따라 64괘의 통용되는 사례를 삼은 것이다. 이를테면 복(復䷗)괘에서 구(姤䷫)괘로 변하는 것은 자라나지만 그 사라짐을 막아야 되는 것이고, 구(姤䷫)괘에서 복(復䷗)괘로 변하는 것은 혼란스럽지만 그 다스림을 도모해도 된다는 것이다. 그러니 진실로 건괘와 곤괘에만 유독 이런 의미가 있고 다른 모든 괘에 그런 의미가 없다는 것이 아니다. 성인이 건괘와 곤괘에서 그것을 드러내어 사례로 보여 주었을 뿐이다. 그러나 건괘가 변하지 않을지라도 구를 쓰는 이치는 그 자체로 있기 때문에, 건(乾)의 큼[元]이 끝이 없는 것은 곧 머리가 없는 묘함이며, 곤괘가 변하지 않을지라도 육을 쓰는 이치는 그 자체로 있기 때문에, 곤(坤)의 곧음[貞]이 편안할 수 있는 것은 곧 영원하고 곧은 도이다. 음과 양이 본래 덕을 합하는 것은 교역(交易)의 기틀이고, 그것들이 움직임으로 말미암아 두드러짐이 더해지는 것은 변역(變易)의 쓰임이니, 『역』을 배우는 사람은 더욱 그것을 몰라서는 안 된다.

2. 곤坤괘

䷁ 坤上
坤下

坤, 元亨, 利牝馬之貞, 君子有攸往, 先迷, 後得, 主利. 西南, 得朋, 東北, 喪朋, 安貞, 吉.

곤은 크게 형통하고 암말의 곧음이 이로우니, 군자가 갈 곳이 있다면, 먼저 하면 혼미하고 뒤에 하면 얻는데 이로움을 주로 한다. 서남쪽에서 벗을 얻고 동북쪽에서 벗을 잃는 것은 곧음에 편안하면 길하다.

本義

--者, 耦也, 陰之數也. 坤者, 順也, 陰之性也, 註中者, 三畫卦之名也, 經中者, 六畫卦之名也. 陰之成形, 莫大於地, 此卦三畫皆耦, 故名坤而象地. 重之, 又得坤焉, 則是陰之純. 順之至, 故其名與象皆不易也. 牝馬, 順而健行者. 陽先陰後, 陽主義, 陰主利. 西南, 陰方, 東北, 陽方. 安, 順之爲也, 貞, 健之守也. 遇此卦者, 其占爲大亨, 而利以順健爲正. 如有所住, 則先迷後得而主於利. 往西南則得朋, 往東北則喪朋, 大抵能安於正則吉也.

--는 짝수로 음의 수이다. 곤(坤☷)은 유순함으로 음의 특성인데, 원래 주석의 곤상(坤上)·곤하(坤下)의 곤(坤)은 위의 괘와 아래의 괘로 나눈 세 획의 효로 된 괘의 이름이다. 경문에 있는 곤(坤)은 여섯 획의 괘 이름이다. 음이 형체를 이룬 것으로는 땅보다 더 큰 것이 없고, 여기 곤(坤☷)에서의 세 획이 모두 짝수[陰]이기 때문에 곤(坤)이라고 이름 붙여 땅을 상징하였다. 곤(坤☷)괘를 중첩하여 또 곤(坤䷁)괘를 얻으니 음의 순수함이다. 유순함이 지극하기 때문에 그 이름과 상(象)이 모두 바뀌지 않았다. 암말은 유순하고 굳건히 걸어 다니는 것이다. 양은 먼저이고 음은 뒤이며, 양은 의로움을 주로 하고 음은 이로움을 주로 한다. 서남은 음의 방위이고, 동북은 양의 방위이다. 편안함[安]은 유순함이 하는 것이고, 곧음은 굳셈이 지키는 것이다. 이 괘를 만난 자는 그 점이 크게 형통하며, 유순하고 굳셈을 바름으로 삼는 것이 이롭다. 만일 가는 바가 있을 경우에는 먼저 하면 혼미하고 뒤에 하면 얻는데 이로움을 주로 한다. 서남쪽으로 가면 벗을 얻고 동북쪽으로 가면 벗을 잃을 것은 대개 바른 도에 편안할 수 있으면 길하다는 뜻이다.

程傳

坤, 乾之對也. 四德同, 而貞體則異, 乾, 以剛固爲貞, 坤則柔順而貞. 牝馬, 柔順而健行, 故取其象曰, '牝馬之貞'. 君子所行, 柔順而利且貞, 合坤德也. 陰, 從陽者也, 待唱而和, 陰而先陽, 則爲迷錯, 居後, 乃得其常也. '主利', 利萬物, 則主於坤, 生成, 皆地之功也. 臣道亦然, 君令臣行, 勞於事者, 臣之

職也. 西南, 陰方. 東北, 陽方. 陰必從陽, 離喪其朋類, 乃能成化育之功, 而有安貞之吉. 得其常則安, 安於常則貞, 是以吉也.

곤괘는 건괘의 상대이다. 네 가지 덕은 같으면서도 곧음[貞]의 몸체는 다르니, 건괘는 강고함을 곧음으로 삼은 것이고, 곤괘는 유순하여 곧은 것이다. 암말은 유순하여 굳건히 걸어가기 때문에 그 상(象)을 취하여 '암말의 곧음'이라고 하였다. 군자의 행함은 유순하여 이롭고 또 바르니, 땅의 덕에 부합한다. 음은 양을 따르는 것으로 선창하기를 기다려 화답하니, 음이면서 양에 앞서면 혼미하여 어지럽고, 뒤에 머물러야 떳떳한 도를 얻을 수 있다. '이로움을 주로 한다[主利]'는 것은 만물을 이롭게 하는 것이라면 곤괘에서 주관하니, 낳고 이루는 것이 모두 땅의 일인 것이다. 신하의 도리도 그러하니, 임금이 명령하면 신하는 시행하여 일에 수고로운 것이 신하의 직분이기 때문이다. 서남은 음의 방위이고, 동북은 양의 방위이다. 음은 반드시 양을 따르니, 그 벗들을 잃어야 만물을 만들어 자라게 하는 공을 이루어서 편안하고 곧은[安貞] 길함이 있을 수 있다. 떳떳함을 얻으면 편안하고, 떳떳함에 편안하면 곧기 때문에 길하다.

集說

● 王氏弼曰 : "至順而後乃亨, 故唯利於牝馬之貞, 西南, 致養之地, 與坤同道者也, 故曰'得朋', 東北, 反西南者也, 故曰'喪朋'. 陰之爲物, 必離其黨, 之於反類, 而後獲安貞吉."[1)]

1) 왕필(王弼), 『주역주(周易註)』「곤괘(坤卦)」.

왕필(王弼)[2]이 말했다. "지극히 유순한 다음에 형통하기 때문에 오직 암말의 곧음에 이롭다. 서남은 기름을 이루는 곳으로 곤괘와 도를 같이 하기 때문에 '벗을 얻는다'라고 하였고, 동북은 서남과 반대되는 방향이기 때문에 '벗을 잃을 것이다'라고 하였다. 음으로 된 사물은 반드시 그 무리를 떠나 반대되는 것들에게로 간 다음에 편안하고 곧음을 얻어서 길하다."

● 幹氏寶曰 : "行天者莫若龍, 行地者莫若馬, 故乾以龍繇, 坤以馬象."[3]

간보(幹寶)가 말했다. "하늘을 날아다니는 동물로는 용만한 것이 없고, 땅을 돌아다니는 동물로는 말만한 것이 없기 때문에 건괘는 용으로 점사를 달았고 곤괘는 말로 상징을 삼았다.

● 孔氏穎達曰 : "乾坤合體之物, 故乾後次坤. 地之爲體, 亦能始生萬物, 各得亨通, 故云'元亨', 與乾同也. 牝對牡爲柔, 故云'利牝馬之貞'. 不云'牛'而云'馬'者, 牛雖柔順, 不能行地無疆, 無

2) 왕필(王弼, 226~249) : 자는 보사(輔嗣)이고, 산양(山陽) 고평(高平 : 현 산동성 금향 현〈金鄉縣〉) 사람이다. 중국 삼국시대 위(魏)나라의 철학자이며, 상서랑(尙書郞)을 지냈다. 왕필은 24세의 나이로 죽을 때 이미 도가경전 『도덕경(道德經)과 유교경전 『주역(周易)』의 탁월한 주석가였다. 이러한 주석서들을 통해 중국 사상에 형이상학을 소개하는 데 기여했으며, 유가와 도가가 회통할 수 있는 길을 열었다. 저서로는 『주역주(周易注)』, 『주역약례(周易略例)』, 『노자주(老子注)』·『노자지략(老子指略)』, 『논어역의(論語釋疑)』가 있다.

3) 이정조(李鼎祚), 『주역집해(周易集解)』「곤괘(坤卦)」.

以見坤之德. 馬雖比龍爲鈍, 而亦能遠, 象地之廣育也. '先迷後得主利'者, 以其至陰, 當待唱而後和. 凡有所爲, 若在物之先, 卽迷惑, 若在物之後, 卽得主利, 以陰不可先唱, 猶臣不可先君, 卑不可先尊故也."[4]

공영달이 말했다. "건과 곤은 합쳐진 것이기 때문에 건괘의 뒤에 곤괘가 왔다. 땅의 형체가 또한 만물을 비로소 낳아 각기 형통함을 얻을 수 있기 때문에 '크게 형통하다'고 하였으니 건괘와 같다. 암컷은 수컷의 짝으로 유순하기 때문에 '암말의 곧음이 이롭다'고 하였다. '소'라고 하지 않고 '말'이라고 한 것은 소가 유순할지라도 땅을 끝없이 걸어갈 수 없어 곤의 덕을 드러내지 못하기 때문이다. 말은 용보다 우둔할지라도 멀리 갈 수 있으니 땅이 널리 기름을 상징한다. '먼저 하면 혼미하고 뒤에 하면 얻는데 이로움을 주로 한다'는 것은 지극한 음이어서 선창하기를 기다린 다음에 화답해야 한다. 무엇인가 하는 것이 있을 때 사물의 앞에 있으면 곧 혼미하고 뒤에 있으면 곧 이로움을 주로 하는 것은 음이 선창해서 안되니, 신하가 임금을 앞서서는 안 되고 비천한 자가 존귀한 자를 앞서서는 안 되는 것과 같다."

● 崔氏憬曰:"西方坤兌, 南方巽離, 二方皆陰, 與坤同類, 故曰'西南得朋'. 東方艮震, 北方乾坎, 二方皆陽, 與坤非類, 故曰東北喪朋. 安於承天之正, 故言'安貞吉'也."[5]

최경이 말했다. "서쪽 방향은 곤괘(坤卦)와 태괘(兌卦)이고 남쪽 방

4) 공영달 소(孔穎達 疏), 『주역주소(周易注疏)』「곤괘(坤卦)」.
5) 이정조(李鼎祚), 『주역집해(周易集解)』「곤괘(坤卦)」.

향은 손괘(巽卦)와 리괘(離卦)인데, 두 방향이 모두 음(陰)인 것은 곤괘와 같은 무리이기 때문에 '서남에서는 벗을 얻는다'고 하였다. 동쪽 방향은 간괘(艮卦)와 진괘(辰卦)이고 북쪽 방향은 건괘(乾卦)와 감괘(坎卦)인데, 두 방향이 모두 양(陽)인 것은 곤괘와 무리가 아니기 때문에 '동북에서는 벗을 잃을 것이다'라고 하였다. 하늘의 곧음을 잇는 것에 편안하기 때문에 '곧음에 편안하면 길할 것이다'라고 하였다.

● 張氏浚曰 : "君造始, 臣代終. 人臣立事建業, 以有爲於下, 失朋儕之助, 有不能獨勝其任者矣, 故西南以得朋爲利. 若夫立於本朝, 左右天子, 苟非絕類忘私, 其何以上得君心, 合德以治天下哉. 然則得朋臣之職也, 喪朋臣之心也. 以是心行是職, 非曰'今日得之明日喪之'也, 但見君德而莫或有專事擅權之咎, 曰'東北喪朋'."[6]

장준(張浚)[7]이 말했다 : "임금은 처음 시작하고 신하는 대신하여 마

6) 장준(張浚), 『자암역전(紫巖易傳)』「곤괘(坤卦)」.

7) 장준(張浚, 1097~1164) : 자는 덕원(德遠)이고, 세칭 자암선생(紫巖先生)으로 불렸으며, 시호는 충헌(忠獻)이다. 송대 한주 면죽(漢州綿竹 : 현 사천성 소속) 사람이다. 휘종(徽宗) 정화(政和) 8년(1118)에 진사(進士)에 급제하여, 벼슬은 추밀원편수관(樞密院編修官), 시어사(侍禦史), 예부시랑(禮部侍郞), 지추밀원사(知樞密院事), 상서우복야(尙書右僕射) 등을 지냈다. 남송 시대 금(金)나라의 침입에 대항한 명장이며 명재상으로도 유명하다. 학문적으로는 주희와 교류한 장식(張栻)의 아버지고, 초정(譙定)의 문인이며, 정이(程頤)와 소식(蘇軾)의 재전제자(再傳弟子)로서 특히 『역』에 정통하였다. 저서에는 『자암역전(紫巖易傳)』, 『역해(易解)』, 『서해(書解)』, 『시해(詩解)』, 『춘추해(春秋解)』, 『중용해

무리한다. 신하가 사업을 일으켜 세워 아래에서 무엇인가를 하면서 벗들의 도움을 잃으면, 그 책임을 감당할 수 없기 때문에 서남쪽에서는 벗을 얻는 것으로 이로움을 삼는다. 조정에 나가 천자를 보좌하면서 일족을 끊고 사사로움을 잊지 않는다면, 어떻게 위로 임금의 마음을 얻고 덕을 합해 천하를 다스릴 수 있겠는가? 그렇다면 벗을 얻는 것은 신하의 직분이고, 벗을 잃는 것은 신하의 마음이다. 이 마음으로 이 직분을 행하면 '오늘은 얻었고 내일은 잃었다'라고 하지 않고, 임금의 덕만 보고 언제나 일과 권력을 마음대로 하는 허물이 있지 않으니, '동북에서는 벗을 잃을 것이다'라고 하였다."

● 『朱子語類』, 問 : "牝馬取其柔順健行, 坤順而言健, 何也." 曰 : "守得這柔順堅確, 故有健象. 柔順而不堅確, 則亦不足以配乾矣."[8]

『주자어류』에서 물었다. "암말에서는 유순하고 굳건히 걸어감을 취하였습니다. 곤괘는 유순한데 굳건함을 말한 것은 무엇 때문입니까?"
대답했다. "유순함을 지킬 수 있는 것이 확고하기 때문에 굳건한 상이 있습니다. 유순한데 확고하지 않으면 또한 곤이 건을 짝하기에 부족합니다."

● 項氏安世曰 : "牝取其順, 馬取其行. 順者坤之元, 行者坤之亨, 利者宜此而已, 貞者終此而已. 柔順者多不能終, 唯牝馬爲

(中庸解)』, 『장위공집(張魏公集)』 등이 있다.
8) 『주자어류(朱子語類)』 권69, 107조목.

能終之. '君子有攸往', 此一句, 總起下文也. '先迷後得主利', 言利在得主, 不利爲主也."[9)]

항안세(項安世)[10)]가 말했다. "암컷에서는 유순함을 취하였고 말에서는 걸어감을 취하였다. 유순함은 곤괘의 큼[元]이고 걸어감은 곤괘의 형통함[亨]이며, 이로움[利]은 이를 마땅하게 하는 것일 뿐이고, 곧음[貞]은 이를 끝마치는 것일 뿐이다. 유순한 것들은 대부분 끝마칠 수 없는데 암말만은 끝마칠 수 있다. '군자가 갈 곳이 있다'는 이 한 구절은 전체적으로 아래의 말을 일으킨다. '먼저 하면 혼미하고 뒤에 하면 얻는데 이로움을 주로 한다'는 것은 이로움이 주로 함을 얻는 곳에 있어도 주로 함을 이롭게 여기지 않는다는 말이다."

● 楊氏簡曰 : "君先臣後, 夫先妻後. 當後而先爲迷, 迷爲失道. 君爲臣之主, 夫爲妻之主, 後而得主, 利莫大焉."[11)]

---

9) 항안세(項安世), 『주역완사(周易玩辭)』「곤괘(坤卦)」.

10) 항안세(項安世, 1129~1208) : 자는 평부(平父)이고, 호는 평암(平庵)이며, 송대 강릉(江陵 : 현 호북성 소속) 사람이다. 효종(孝宗) 순희(淳熙) 2년(1175) 진사에 급제하여 소흥부교수(紹興府教授)가 되었는데, 당시 절동제거(浙東提舉)를 맡고 있던 주희(朱熹)를 만나 서로 강론하였다. 주희가 간관(諫官)으로 조정에 추천한 적이 있으며, 비서성정자(秘書省正字), 교서랑(校書郎), 지주통판(池州通判) 등을 역임했다. 경원(慶元) 연간에 상소를 올려 주희(朱熹)를 유임하라고 했다가 탄핵을 받고 위당(僞黨)으로 몰려 파직되었다. 나중에 복직되어 여러 벼슬을 거쳤다. 저서에는 『주역완사(周易玩辭)』, 『항씨가설(項氏家說)』, 『평암회고(平庵悔稿)』 등이 있다.

11) 양간(楊簡, 『양씨역전(楊氏易傳)』「곤괘(坤卦)」.

양간(楊簡)[12]이 말했다. "임금이 앞서고 신하가 뒤따라가며, 남편이 앞서고 아내가 뒤따라간다. 뒤따라가야 하는데 앞서면 혼미하게 되고, 혼미하게 되면 도를 잃는다. 임금은 신하의 근본이고 남편은 아내의 근본이니, 뒤따라가서 근본을 얻는다면 이로움이 그보다 큰 것이 없다."

● 王氏申子曰 : "乾健行, 故爲馬. 坤亦爲馬者, 坤乾之配. 乾行而坤止, 則無以承天之施, 而成其化育之功, 此所謂柔順之貞, 坤之德也."[13]

왕신자(王申子)[14]가 말했다. "건은 굳건하게 행하기 때문에 말이

---

12) 양간(楊簡, 1141~1226) : 자는 경중(敬仲)이고, 호는 자호선생(慈湖先生)이며, 시호는 문원(文元)이다. 남송 명주 자계(明州慈溪 : 현 절강성 영파시〈寧波市〉) 사람으로 양정현(楊庭顯)의 아들이다. 효종(孝宗) 건도(乾道) 5년(1169)에 진사에 급제하여 부양주부(富陽主簿)에 올랐다. 이때 육구연(陸九淵)을 스승으로 섬겨 육씨심학파(陸氏心學派)의 대표적 인물이 되었다. 원섭(袁燮), 서린(舒璘), 심환(沈煥) 등과 함께 녹상사선생(角上四先生), 사명사선생(四明四先生)으로 일컬어졌다. 육구연의 심학을 우주의 만물(萬物), 만상(萬象), 만변(萬變)이 모두 자신에게 속해 있다는 유아론(唯我論)으로 발전시켰다. 저서에 『자호시전(慈湖詩傳)』, 『양씨역전(楊氏易傳)』, 『계폐(啓蔽)』, 『선성대훈(先聖大訓)』, 『오고해(五誥解)』, 『자호유서(慈湖遺書)』 등이 있다.

13) 왕신자(王申子), 『대역집설(大易集說)』「곤괘(坤卦)」.

14) 왕신자(王申子) : 자는 손경(巽卿)이다. 원나라 공주(邛州, 사천성 공래〈邛崍〉) 사람이다. 인종(仁宗) 황경(皇慶) 연간(1311~1320)에 무창로(武昌路) 남양서원(南陽書院)의 산장(山長)을 지냈다. 나중에 30여 년 동안 자리주(慈利州) 천문산(天門山)에 은거했다. 저서에 『춘추류전(春秋類傳)』, 『대역집설(大易集說)』, 『주례정의(周禮正義)』 등이 있다.

된다. 그런데 곤도 말이 되는 것은 곤이 건의 짝이기 때문이다. 건이 행하는데 곤이 멈추면 하늘의 베풂을 이어 낳아서 기르는 공을 이룰 방법이 없으니, 이것이 이른바 유순의 곧음이 곤의 덕이다."

● 胡氏一桂曰 : "'元亨, 利牝馬之貞', 已盡坤之全體, 君子以下, 則申占辭也." 又曰 : "彖辭文王所作, '西南得朋, 東北喪朋', 後天卦位."[15]

호일계(胡一桂)가[16] 말했다. "'크게 형통하고 암말의 곧음이 이롭다'는 말로 이미 곤괘 전체를 모두 설명하였다. 군자 이하는 점사(占辭)를 거듭 말한 것이다."
또 말했다. "단사는 문왕이 지은 것으로 '서남에서는 벗을 얻고 동북에서는 벗을 잃을 것이다'는 말은 후천괘의 위치이다."

● 俞氏琰曰 : "坤順乾之健, 故其占亦爲元亨. 北地馬群, 每十牝隨一牡而行, 不入它群, 是爲牝馬之貞. 坤道以陰從陽, 其貞如牝馬之從牡則利, 故曰'利牝馬之貞'. 『易』中凡稱君子, 皆指占者而言. 有攸往, 謂有所行也. 坤從乾而行, 先乎乾, 則迷而失道, 後乎乾, 則得乾爲主而利, 故曰'君子有攸往, 先迷, 後得主

15) 동진경(董眞卿), 『주역회통(周易會通)』「곤괘(坤卦)」.
16) 호일계(胡一桂, 1247~?) : 자는 정방(庭芳)이고 호는 쌍호(雙湖)이다. 원대 휘주무원(徽州婺源 : 현 강서성 무원〈婺源〉) 사람이다. 가학으로 부친인 호방평(胡方平)에게 경학과 역사에 널리 통하고, 특히 역에 뛰어났다. 주희의 역학을 전승했다. 저술은 『역본의부록찬소(易本義附錄纂疏)』, 『역학계몽익전(易學啓蒙翼傳)』, 『주자시전부록찬소(朱子詩傳附錄纂疏)』, 『십칠사찬고금통요(十七史纂古今通要)』 등이 있다.

利'. 朋, 坤類也. 西南坤之本方, 兌離巽皆坤類, 是爲得朋. 出而從乾, 則東北震艮坎非坤類, 是爲喪朋. 君子之出處, 隨寓能安, 壹是皆以貞自持, 蓋無往而不吉, 故曰'西南得朋, 東北喪朋, 安貞吉.'"[17]

유염(兪琰)[18]이 말했다. "곤은 건의 굳건함에 순종하기 때문에 점에서도 크게 형통하게 된다. 북쪽의 땅에서 말이 무리지어 다니는데 항상 10마리의 암말이 한 마리의 수컷을 따라 다니면서 다른 무리로 들어가지 않으니, 바로 암말의 곧음이다. 곤의 도는 음으로 양을 따르고, 그것이 곧기를 암말이 수컷을 따르는 것처럼 하면 이롭기 때문에 '암말의 곧음이 이롭다'고 하였다.
『역』에서 말하는 군자는 모두 점치는 사람을 가리켜서 말한다. 갈 곳이 있다는 것은 행할 것이 있다는 말이다. 곤이 건을 따라 가는데, 건보다 앞서면 혼미하게 되어 도를 잃고, 건보다 뒤에 가면 건이 주로 해서 이로움을 얻기 때문에 '군자가 갈 곳이 있다면, 먼저 하면 혼미하고 뒤에 하면 얻는데 이로움을 주로 한다'라고 하였다.
벗은 곤의 무리들이다. 서남은 곤괘(坤卦)의 본래 방향이고, 태괘(兌卦)·리괘(離卦)·손괘(巽卦)는 모두 곤괘의 무리이니, 바로 벗을 얻는다는 것이다. 나와서 건괘를 따르면, 동북의 진괘(震卦)·간괘

17) 유염(兪琰), 『주역집설(周易集說)』「곤괘(坤卦)」.

18) 유염(兪琰, 1258~1327) : 자는 옥오(玉吾)이고, 호는 전양자(全陽子), 임옥산인(林屋山人), 석간도인(石澗道人) 등이다. 남송 말 원대 초기에 활동한 학자로 송대 오군(吳郡 : 현 강소성 소주〈蘇州〉) 사람이다. 어려서 가학을 익히고 젊어서는 기서(奇書)를 즐겨 연구하다가, 뒤늦게 과거시험 준비를 했다. 남송이 멸망하고 원대 조정이 들어서자 과거응시를 포기하고 은거하여 역학 연구에 전념하였다. 역학 관련 저술이 특히 많았는데, 대표적인 것으로 『주역집설(周易集說)』, 『독역거요(讀易擧要)』, 『역외별전(易外別傳)』 등이 있다.

(艮卦)·감괘(坎卦)이니, 바로 벗을 잃는 것이 된다. 군자의 출처는 머무는 곳에 따라 편안할 수 있고 한결같이 모두 곧음으로 스스로 지키니, 어디를 간들 길하지 않음이 없기 때문에 '서남쪽에서는 벗을 얻고 동북쪽에서는 벗을 잃을 것이니 곧음에 편안하면 길할 것이다'라고 하였다."

● 蔡氏清曰 : "若牡馬則全是健, 若牝牛則又全是順. 牝馬, 順而健者也, 要非順外有健也. 其健亦是順之健也, 故曰'安貞'. 坤卦, 地道也, 妻道臣道也. 不順則專而無成, 不健則不能配乾. 順而健者, 坤之正也."[19]

채청(蔡清)[20]이 말했다. "암말과 같으면 완전히 굳건하고, 암소와 같으면 또 완전히 유순하다. 암말이 유순하고 굳건한 것은 유순함 외에 굳건함이 있어서가 아니라 그 굳건함이 또한 유순함의 굳건함이다. 그러므로 '곧음에 편안하면'이라고 하였다. 곤괘는 땅의 도이니 아내의 도이고 신하의 도이다. 유순하지 않으면 전념해도 이룸

19) 채청(蔡清), 『역경몽인(易經蒙引)』「곤괘(坤卦)」.

20) 채청(蔡清, 1453~1508) : 자는 개부(介夫)이고 별호는 허재(虛齋)이다. 명(明)대 진강(晉江) 사람으로, 31세에 진사에 급제하여 벼슬은 남경문선랑중(南京文選郎中), 강서제학부사(江西提學副使) 등을 역임하였다. 명대의 저명한 이학가(理學家)로서 주로 이정(二程)과 주희(朱熹)의 저술 연구를 통해 그들의 사상을 계승하였다. 특히 천주(泉州) 개원사(開元寺)에서 역학연구단체를 결성하여 90여 책을 출간하면서 청원학파(清源學派)를 이루었다. 이정기(李廷機), 장악(張嶽), 임희원(林希元), 진침(陳琛) 등의 학자들이 그 학파의 주요 구성원이었다. 저술로는 『사서몽인(四書蒙引)』, 『역경몽인(易經蒙引)』, 『허재문집(虛齋文集)』 등이 있다.

이 없고, 굳건하지 않으면 건을 짝할 수 없으니, 유순하고 굳건한 것은 곤의 바름이다."

● 鄭氏維嶽曰:"坤配乾者也, 坤之德卽乾之德, 乃柔順以承之而有終耳. 有終爲健, 故'曰利牝馬之貞'. 坤道從乾, 乾爲坤之主, 故先則迷, 而後則得其所主. '西南得朋'者, 率類以從陽, 以人事君之道也. 東北喪朋者, 絕類以從陽, 渙群朋亡之道也. 此皆陰道之正而能安之, 所以得吉也."[21]

정유악(鄭維嶽)이 말했다. "곤은 건을 짝으로 하여 곤의 덕이 곧 건의 덕이니, 이에 유순으로 이어서 끝마침이 있을 뿐이다. 끝마침이 있는 것은 굳건함이기 때문에 '암말의 곧음이 이롭다'라고 하였다. 곤의 도는 건을 따르는 것이고 건은 곤의 주인이 되기 때문에 먼저 하면 혼미하고 뒤에 하면 주인이 되는 것을 얻는다. '서남쪽에서 벗을 얻는다'는 것은 무리를 거느리고 양을 따르는 것이니 사람이 임금을 섬기는 도이다. '동북쪽에서 벗을 잃을 것이다'는 말은 무리를 끊어 양을 따르는 말이니 무리를 흩어 벗을 잃는 도이다. 이는 모두 음의 도가 곧아서 편안할 수 있기 때문에 길함을 얻는 것이다."

● 喬氏中和曰:"坤唯合乾, 故得主. 得主, 故西南東北, 皆利方, 得朋喪朋, 皆吉事. 妻道也, 臣道也, 妻從夫, 臣從君而已矣."

교중화(喬中和)[22]가 말했다. "곤괘만이 건괘와 합하기 때문에 주로

21) 정정조(程廷祚), 『대역택언(大易擇言)』「곤(坤)괘」.
22) 교중화(喬中和) : 자는 환일(還一)이다. 명(明)대 순덕부(順德府) 내구(內丘) 사람으로, 숭정(崇禎) 연간에 등용되어 벼슬은 태원부(太原府)

함을 얻는다. 주로 함을 얻기 때문에 서남과 동북이 모두 이로운 방향이고, 벗을 얻고 벗을 잃음이 모두 길한 일이다. 아내의 도와 신하의 도는 아내가 남편을 따르고 신하가 임금을 따르는 일일 뿐이다."

案

'後得主', 當以孔子文言爲據. 蓋坤者, 地道臣道, 而乾其主也. 居先則無主, 故迷, 居後則得其所主矣. '利'字應屬下兩句讀, 言在西南則利於得朋, 在東北則利於喪朋也. '得朋''喪朋', 正與上文'得主'相對. 蓋事主者, 惟知有主而已, 朋類非所私也. 然亦有時而宜於得朋者, 西南是坤代乾致役之地, 非合衆力不足以濟, 於是而得朋, 正所以終主之事, 是得朋卽得主也. 唯東方者受命之先, 北方者告成之候, 稟令歸功, 已無私焉, 而又何朋類之足云. 故必喪朋而後得主也. 爲人臣者而知此義, 則引類相先, 不爲阿黨, 睽孤特立, 不爲崖異. 故『易』卦之爻有曰'朋盍簪'者, 有曰'朋至'者, 有曰'以其彙', '以其鄰'者, 皆得朋之義也. 有曰'朋亡'者, 有曰'渙群'者, 有曰'絕類上'者, 皆喪朋之義也. 斯義也, 質之文王卦圖, 孔子彖傳而皆合, 故自此卦首發明之, 而六十四卦臣道準焉.

'뒤에 하면 주인을 얻는다[後得主]'는 것은 공자의 「문언」을 근거로 해야 한다. 곤은 땅의 도이고 신하의 도이니 건(乾)이 그 주인이다. 먼저 하는 데 있게 되면 주인이 없기 때문에 혼미하게 되고, 뒤에 하는 데 있게 되면 주인을 얻는다. '이롭다[利]'는 말은 아래의 두

통판(通判)에 이르렀다. 저서에 『설역(說易)』, 『설주(說疇)』, 『도서연(圖書衍)』, 『대역변통(大易通變)』, 『원운보(元韻譜)』 등이 있다.

구절로 이어 구두해야 하니, 서남쪽에 있으면 벗을 얻는 데 이롭고 동북쪽에 있으면 벗을 잃는 데 이롭다는 말이다. '벗을 얻고[得朋]' 벗을 잃음[喪朋]'은 바로 앞에서의 '주인을 얻는다[得主]'는 말과 대구이다. 주인을 섬기는 자는 주인이 있음만 알뿐이고 벗들을 사사롭게 사귈 것이 아니다. 그러나 또한 때에 따라 벗을 얻는 것이 마땅한 경우도 있으니, 서남쪽은 곤이 건을 대신해서 일을 맡은 곳으로 여럿의 힘을 합치지 않으면 구제하기에 부족하고, 여기에서 벗을 얻는 일은 바로 주인의 일을 끝내기 위한 것으로 벗을 얻는 일이 곧 주인을 얻는 것이기 때문이다.

다만 동방은 명을 받는 먼저이고, 북방은 성공을 알리는 때이지만 명령을 받아 공을 돌렸다면 이미 사사로움이 없는데, 어떻게 벗들을 말하겠는가? 그러므로 반드시 벗을 잃은 다음에 주인을 얻는다는 말이다. 신하가 이런 의리를 알면 무리를 이끌고 서로 앞서며 아첨하지 않고, 어긋남에 외로워 홀로 우뚝 서 괴팍하게 굴지 않는다. 그러므로 『역』 괘의 효사에서 '벗들이 모여들 것이다'[23]하고, '벗이 와서'[24]라고 하며, '그 벗들을 거느리고'[25]라고 하고, '그 이웃을 거느리고'[26]라고 한 것은 모두 벗을 얻는 의미이다. '붕당을 없

23) 벗들이 모여들 것이다 : 『주역(周易)』「예괘(豫卦)」에서 "九四, 由豫, 大有得. 勿疑, 朋盍簪.[구사효는 자신으로 말미암아 즐거워하므로 크게 얻음이 있다. 의심하지 않으면 벗들이 모여들 것이다.]"라고 하였다.

24) 벗이 와서 : 『주역(周易)』「해괘(解卦)」에서 "九四, 解而拇, 朋至, 斯孚.[구사효는 너의 엄지발가락을 풀면 벗이 와서 믿을 것이다.]"라고 하였다.

25) 그 벗들을 거느리고 : 『주역(周易)』「태괘(泰卦)」에서 "初九, 拔茅茹. 以其彙征, 吉.[초구효는 띠 풀의 뿌리가 뽑히는 것이니, 그 벗들을 거느리고 가는 것이 길하다.]"라 하였고, 『주역(周易)』「비괘(比卦)」: "初六, 拔茅茹. 以其彙, 貞, 吉亨.[초육효는 띠 풀의 뿌리가 뽑히는 것이니, 그 벗들을 거느리지만 곧게 하면 길하여 형통하다.]"라고 하였다.

앤다'[27]라 하고, '그 무리를 흩는 것이어서'[28]라고 하며, '무리를 끊고 올라가는 것이다'[29]라고 한 것은 모두 벗을 잃는 의미이다. 이런 의미는 문왕의 괘도(卦圖)와 공자의 「단전(彖傳)」에 질정해 봐도 모두 합하기 때문에, 여기 괘의 앞에서 드러내 밝혀 64괘를 신하의 도리로 맞추었다.

---

26) 그 이웃을 거느리고 : 『주역(周易)』「소축괘(小畜卦)」에서 "九五, 有孚. 攣如, 富以其鄰.[구오효는 믿음이 있어 잡아당기듯이 하고 부유해서 그 이웃을 거느린다.]"라고 하였다.

27) 붕당을 없앤다 : 『주역(周易)』「태괘(泰卦)」에서 "九二, 包荒, 用馮河, 不遐遺, 朋亡, 得尙于中行.[구이효는 거친 것을 포용해주면서도 황하를 맨몸으로 건너는 용맹을 쓰며, 멀리 있는 사람을 버리지 않으면서도 붕당을 없애면, 중용에 합할 수 있다.]"라고 하였다.

28) 그 무리를 흩는 것이어서 : 『주역(周易)』「환괘(渙卦)」에서 "六四, 渙其群, 元吉, 渙, 有丘, 匪夷所思.[육사효는 그 무리를 흩는 것이어서 크게 길하니, 흩어짐에 언덕처럼 많이 모임은 보통 사람이 생각할 바가 아니다.]"라고 하였다.

29) 무리를 끊고 올라가는 것이다 : 『주역(周易)』「중부괘(中孚卦)」에서 "象曰, 馬匹亡, 絶類, 上也.['말의 짝이 없어짐'은 무리를 끊고 올라가는 것이다.]"라고 하였다.

初六, 履霜, 堅冰至.

초육효는 서리를 밟으면 단단한 얼음이 얼게 된다는 것이다.

本義

六, 陰爻之名. 陰數六老而八少, 故謂陰爻爲六也. 霜, 陰氣所結, 盛則水凍而爲冰. 此爻陰始生於下, 其端甚微, 而其勢必盛, 故其象如履霜, 則知堅冰之將至也. 夫陰陽者, 造化之本, 不能相無, 而消長有常, 亦非人所能損益也. 然陽主生, 陰主殺, 則其類有淑慝之分焉. 故聖人作『易』, 於其不能相無者, 旣以健順仁義之屬明之, 而無所偏主, 至其消長之際, 淑慝之分, 則未嘗不致其扶陽抑陰之意焉. 蓋所以贊化育而參天地者, 其旨深矣. 不言其占者, 謹微之意, 已可見於象中矣.

육(六)은 음효(陰爻)의 이름이다. 음수(陰數)에서 육(六)은 노음(老陰)이고 팔(八)은 소음(少陰)이기 때문에 음효를 육이라고 한다. 서리는 음기(陰氣)가 맺힌 것이니, 성대하게 되면 물이 얼어 얼음이 된다. 여기의 효는 음이 처음 아래에서 생겨나서 그 실마리는 매우 미약하지만 그 기세는 반드시 성대하기 때문에 그 상(象)이 서리를 밟으면 단단한 얼음이 얼게 될 것을 안다는 것과 같다. 음(陰)과 양(陽)은 조화의 근본이니 서로 없을 수 없고, 소멸과 생장은 일정함이 있으니 역시 사람이 덜어내고 더할 수 있는 것이 아니다.
그러나 양은 낳음을 주로 하고 음은 죽임을 주로 하니, 그것들에는 선과 악의 구분이 있다. 그러므로 성인이 『역(易)』을 지을 때에 서로 없을 수 없는 것들에 대해 이미 굳건함[健]과 유순함[順]·어짊[仁]·의로움[義]과 같은 것들로 그것을 밝혀 편벽되게 주로 하는 바가 없고, 소멸·생장의 시기와 선함·악함의 구분에서는 일찍이 양을 도와주고 음을 억제하는 뜻을 지극히 하지 않은 적이 없었다. 그러니 화육을 도와 천지에 참여하는 것으로서는 그 뜻이 심오하다. 점(占)을 말하지 않은 것은 은미함을 삼가는 뜻이 이미 상(象) 가운데 나타났기 때문이다.

程傳

陰爻稱六, 陰之盛也. 八則陽生矣, 非純盛也. 陰始生於下, 至微也, 聖人於陰之始生, 以其將長則爲之戒. 陰之始凝而爲霜, 履霜則當知陰漸盛而至堅冰矣, 猶小人始雖甚散, 不可使長. 長則至於盛也.

음효를 육이라 칭하니, 음이 성대해진 것이다. 팔은 양이 낳은 것이니 순수하게 성대함은 아니다. 음이 처음 아래에서 생겨남에 지극히 미약하지만 성인은 음이 처음 생겨날 때에 그 음이 자랄 것을 경계하였다. 음이 처음 응결해서 서리가 됨에 서리를 밟으면 음이 점점 성대해져 단단한 얼음이 얼 것을 알아야 하니, 소인이 처음에는 아주 미약할지라도 자라게 해서는 안 된다는 것과 같다. 자라나면 성대하게 되기 때문이다.

集說

● 王氏應麟曰:“乾初九, 復也, ‘潛龍勿用’, 卽‘閉關’之義. 坤初六, 姤也, '履霜堅冰至', 卽'女壯'之戒."[30]

왕응린(王應麟)[31]이 말했다. "건괘(乾卦☰)의 초구효는 복괘(復卦☷)이니, '잠겨있는 용이니 쓰지 말라'는 것은 곧 관문을 닫아거는 의미이다.[32] 곤괘(坤卦☷)의 초육은 구괘(姤卦☰)이니, 서리를 밟으면 단단한 얼음이 얼게 된다는 것은 '여자가 씩씩한 것'에 대한 경계이다."[33]

案

陰陽之義, 以在人身者言之, 則心之神明, 陽也, 五官百體, 陰也, 以人之倫類言之, 則君也父也夫也, 陽也, 臣也子也妻也, 陰也. 心之神明, 以身而運, 君父之事, 以臣子而行, 夫之家, 以婦

30) 왕응린(王應麟), 『곤학기문(困學紀聞)』「역(易)」.

31) 왕응린(王應麟, 1223~1296) : 자는 백후(伯厚)이고, 호는 심녕거사(沈寧居士)이다. 남송(南宋) 때의 학자로서 박학하고 경사백가(經史百家)·천문지리 등에 조예가 깊었다. 장고제도(掌故制度)에 익숙하고 고증에 능했다. 저서로는 『곤학기문(困學紀聞)』, 『옥해(玉海)』, 『시고(詩考)』, 『시지리고(詩地理考)』, 『한예문지고증(漢藝文志考證)』, 『옥당류고(玉堂類稿)』, 『심녕집(深寧集)』·『삼자경(三字經)』 등이 있다. 그중에서 『옥해』 200권은 남송에서 가장 완비된 『유서(類書)』 곧 백과사전이다.

32) 관문을 닫아거는 의미이다 : 『주역(周易)』「복괘(復卦)」에서 "象曰 : '雷在地中, 復, 先王以, 至日閉關, 商旅不行, 后不省方.'[「상전」에서 말했다. '우레가 땅속에 있음이 복이니, 선왕이 그것을 본받아 동짓날에는 관문을 닫아걸어 장사꾼과 여행자들이 다니지 못하게 하고 임금이 사방을 시찰하지 않게 했다.']"라고 하였다.

33) '여자가 씩씩한 것'에 대한 경계이다 : 『주역(周易)』「구괘(姤卦)」: "姤, 女壯, 勿用取女.[구(姤)는 여자가 건장하니, 여자를 취하지 말아야 한다.]"라고 하였다.

而成. 是皆天地之大義, 豈可以相無也哉. 然心曰大體, 五官百骸, 則曰小體. 君父與夫, 謂之三綱而尊, 臣子與妻, 主於順從而卑. 自其大小尊卑之辨, 而順逆於此分, 善惡於此生, 吉凶於此判矣.

음과 양의 의미를 사람의 몸으로 말하면, 마음의 신명은 양이고, 오관과 백체는 음이고, 사람의 윤리로 말하면, 임금·아버지·남편은 양이고, 신하·자식·아내는 음이다. 마음의 신명은 몸으로 운용되는 것이고, 임금과 아버지의 일은 신하와 자식이 행하는 것이며, 남편의 집은 부인으로 이룬다. 이것은 모두 하늘과 땅의 큰 뜻이니, 어찌 서로 없을 수 있겠는가?
그런데 마음은 대체(大體)라 하고, 오관과 백해(百骸)는 소체(小體)라고 한다. 임금과 아버지, 남편은 삼강(三綱)이라 하여 높이고, 신하와 자식, 아내는 순종을 주로 해서 낮춘다. 대소와 존비의 구별에서부터 순종하고 거역하는 것이 여기에서 나눠지고, 선함과 악함이 여기에서 나오며 길함과 흉함이 여기에서 갈라진다.

誠使在人身者, 心官爲主, 而百體從令, 在人倫者, 君父與夫之道行, 而臣子妻妾聽命焉, 則陰乃與陽合德者, 而何惡於陰哉. 唯其耳目四肢, 各逞其欲, 而不奉夫天官, 臣子妾婦, 各行其私, 而不稟於君父, 則陰或至於幹陽, 而邪始足以害正, 在一身則爲理欲之交戰, 而善惡所自起也. 在國家則爲公私之迭乘, 而治亂所由階也. 故孔子「文言」, 以善惡之積, 君父臣子之漸言之, 意深切矣.

가령 사람의 몸에서 심관(心官)이 주인이 되어 백체가 명령을 따르고, 사람의 윤리에서 임금과 아버지, 남편의 도가 행해져 신하와 자식, 아내가 명령을 따르게 하면, 음이 양과 덕을 합한 것인데 무엇 때문에 음을 싫어하겠는가? 이목과 사지가 그 욕심을 마음대로 하고 천관을 받들지 않으며, 신하와 자식, 부인들이 그 사욕을 행하고 임금과 아버지의 명령을 따르지 않으면, 음이 혹 양을 주관하는 지경이 되어 사악함이 비로소 바름을 충분히 해칠 수 있으니, 한 몸에서는 이치와 욕망이 서로 싸우고 선함과 악함이 여기에서 생겨나오며, 나라와 가문에서는 공적인 것과 사적인 것이 번갈아가며 올라와 다스림과 혼란함이 여기에서 생긴다. 그러므로 공자가 「문언」에서 선과 악이 쌓이는 것을 임금·아버지·신하·자식으로 차츰 말했으니 의미가 깊고 절실하다.

然則所謂陽淑陰慝者, 豈陰誠慝哉. 順於陽則無慝矣. 所謂扶陽抑陰者, 豈陰必抑哉. 有以化之, 斯不必抑之矣. 此爻所謂'履霜堅冰至', 其大旨如此. 推其源流, 則'堯舜禹危微'之儆, 『大學』·『中庸』'謹獨'之戒, 與夫『春秋』名分之防, 莫不相爲表裏. 六十四卦言陰陽之際, 皆當以是觀之也.

그렇다면 이른바 양이 착하고 음이 사특하다고 했는데, 어찌 음이 진실로 사특한 것이겠는가? 양에게 순종하면 사특함이 없어진다. 이른바 양을 돕고 음을 막는다고 했는데, 어찌 음을 반드시 막는 것이겠는가? 교화시킨다면 굳이 누를 필요가 없다. 여기의 효에서 이른바 '서리를 밟으면 단단한 얼음이 얼게 된다'는 것은 그 큰 의미가 이와 같다. 그 원류를 미루어 가면, 요임금·순임금·우임금의 '인심은 위태롭고 도심은 미미하다'는 경계이고, 『대학』과 『중용』에서의 혼자 있을 때의 경계이니, 『춘추좌씨전』의 명분의 경계와 서로 표리가 되지 않음이 없다. 64괘에서 음과 양을 말할 때는 모두 이렇게 봐야 한다.

六二, 直方大, 不習, 无不利.

육이효는 곧고 방정하며 큰 것이니, 익히지 않아도 이롭지 않음이 없다.

本義

柔順正固, 坤之直也, 賦形有定, 坤之方也, 德合无疆, 坤之大也. 六二, 柔順而中正, 又得坤道之純者. 故其德, 內直外方, 而又盛大, 不待學習而无不利. 占者, 有其德, 則其占如是也.

유순하고 바르고 곧은 것은 곤(坤)의 곧음이고, 형체를 부여함에 일정함이 있는 것은 곤의 방정함이며, 덕이 끝없음에 합치하는 것은 곤의 큼이다. 육이효는 유순하면서 중정하고, 또 곤도의 순수함을 얻은 것이다. 그러므로 그 덕이 안으로는 곧고 밖으로는 방정하고 또 성대하니, 굳이 학습하지 않아도 이롭지 않음이 없다. 점치는 자가 그런 덕이 있으면 그 점이 이와 같을 것이다.

程傳

二陰位在下, 故爲坤之主. 統言坤道, 中正在下, 地之道也. 以直方大三者, 形容其德用, 盡地之道矣. 由直方大, 故不習而无所不利. '不習', 謂其自然, 在坤道, 則莫之爲而爲也, 在聖人, 則從容中道也. 直方大, 孟子所謂'至大至剛以直'也. 在坤體, 故以方易剛, 猶貞加牝馬也. 言氣, 則先大, 大氣之體也. 於坤, 則先直方, 由直方而大也. 直方大, 足以盡地道, 在人識之耳. 乾坤純體, 以位相應. 二坤之主, 故不取五應, 不以君道處五也. 乾則二五相應

이효는 음의 자리로 아래에 있으므로 곤괘의 주인이 된다. 곤의 도를 총괄해서 말하면, 중정한 것이 아래에 있는 것은 땅의 도이다. 곧음·방정함·큼 세 가지로 그 덕의 작용을 형용하여 땅의 도를 다하였다. 곧고 방정하며 크기 때문에 익히지 않아도 이롭지 않음이 없다. '익히지 않는다'는 것은 저절로 됨을 말하니, 곤의 도에서는 아무 것도 하지 않으면서 함이고, 성인에게서는 자연스럽게 도에 합치하는 것이다. 곧고 방정하며 큰 것은 『맹자』「공손추(公孫丑) 상」에서 이른바 '지극히 크고 지극히 강건해서 곧다'는 것이다.
곤이라는 형체에 있기 때문에 방정함으로 강건함을 바꿨으니, '곧음[貞]'이라는 말 앞에 '암말[牝馬]'을 더한 것과 같다. 기(氣)를 말하면 큼을 앞세우니, 큼은 기의 몸체이다. 곤괘에서는 곧음과 방정함을 앞세우니, 곧고 방정함으로 말미암아 크기 때문이다. 곧고 방정하며 큰 것은 땅의 도를 충분히 다할 수 있으니, 사람들은 그것을 아는 데 있을 뿐이다. 건괘와 곤괘는 순수한 몸체이기 때문에 자리에 따라 서로 호응한다. 이효는 곤(坤☷)괘의 주인이기 때문에 오효의 호응을 취하지 않았으니, 임금의 도리로 오효를 예우하지 않은 것이다. 건괘에서는 이효와 오효가 서로 호응한다.

集說

● 王氏通曰, "圓者動, 方者静, 其見天地之心乎."[34]

왕통(王通)[35]이 말했다. "둥근 것은 굴러다니고 모난 것은 가만히 있으니, 천지의 마음을 알 수 있다."

● 孔氏穎達曰 : "以此爻居中得位, 極於地體, 故盡極地之義. 此因自然之性, 以明人事, 居在此位, 亦當如地之所爲."[36]

공영달이 말했다. "여기의 효는 가운데 있고 자리를 얻어 땅의 몸체를 다했기 때문에 땅의 의미를 다하였다. 이는 저절로 그런 특성으로 말미암아 사람의 일을 밝힌 것이니, 여기의 자리에 있는 것도 땅이 하는 일과 같아야 한다."

● 沈氏該曰 : "坤至柔而動也剛, 直也, 至靜而德方, 方也, 含萬物而化光, 大也. 坤之道, 至簡也, 至靜也, 承天而行, 順物而成, 初無假於脩習也. 是以不習无不利也."[37]

34) 완일(阮逸), 『중설(中說)』「천지편(天地篇)」: "子曰 : '圓者動, 方者靜, 其見天地之心乎'."

35) 왕통(王通, 584~617) : 자는 중엄(仲淹)이고, 수(隋)나라 강주 용문(絳州龍門 : 현 산서성 하진〈河津〉) 사람이다. 당(唐)나라 시인 왕발(王勃)의 조부이다. 어려서부터 영민해서 『시』·『서』·『예』·『역』에 통달했다. 스스로 유자(儒者)임을 자부하고 강학(講學)에 힘을 쏟아 문하에서 당의 명신 위징(魏徵)·방현령(房玄齡) 등이 배출되었다 제자들이 문중자(文中子)라고 시호를 올렸다. 송대 정자(程子)나 주자(朱子) 등은 그를 견유(犬儒)로 평가했다. 저서에 『논어』를 모방하여 대화 형식으로 편찬한 『문중자(文中子)』 10권과 『원경(元經)』이 있다.

36) 공영달 소(孔穎達 疏), 『주역주소(周易注疏)』「곤괘(坤卦)」.

37) 심해(沈該), 『역소전(易小傳)』「곤괘(坤卦)」.

심해(沈該)[38]가 말했다. “곤이 지극히 유순하면서 움직임이 굳센 것이 곧음이고, 지극히 고요하면서 덕이 방정한 것이 방정함이며, 만물을 포용하면서 화육의 공이 빛나는 것이 큼이다. 곤의 도는 지극히 간략하고 지극히 고요하여 하늘을 이어 행하고 사물에 따라 이루니 애초에 익힐 필요가 없다. 이 때문에 익히지 않아도 이롭지 않음이 없다.”

● 『朱子語類』云, “坤卦中惟這一爻最純粹. 蓋五雖尊位, 却是陽爻, 破了體了, 四重陰而不中, 三又不正. 惟此爻得中正, 所以就這說箇直方大. 此是說坤卦之本體, 然而本意却是教人知道這爻有這箇德, 不待學習, 而无不利. 人占得這箇時, 若能直能方能大, 則亦不習无不利, 却不是要發明坤道.”[39]

『주자어류』[40]에서 말했다. “곤괘 가운데 이 하나의 효만이 가장 순수하다. 대개 오효는 존귀한 자리일지라도 양효여서 몸체를 파괴했고, 사효는 음이 거듭되었지만 가운데가 아니며, 삼효는 또 제 자리가 아니다. 여기의 효만 가운데 있고 제 자리에 있기 때문에 곧고

38) 심해(沈該) : 자는 수약(守約)이다. 남송 호주 귀안(湖州歸安 : 현 절강성 호주시〈湖州市〉) 사람으로, 심시승(沈時升)의 아들이다. 고종(高宗) 소흥(紹興) 8년(1138) 금나라 사람이 회사(淮泗)에서 사신을 보내 화친을 청하자 글을 올렸는데, 바로 불려갔다. 벼슬은 양절전운판관(兩浙轉運判官), 권예부시랑(權禮部侍郎), 기주지주(夔州知州), 참지정사(參知政事), 좌복야(左僕射) 등을 역임했다. 『주역』에 정통했다. 저서에 『문집』과 『역소전(易小傳)』, 『중흥성어(中興聖語)』 등이 있다.

39) 주감(朱鑑), 『문공역설(文公易說)』 권2, 「건곤(乾坤)」.

40) 『주자어류』에는 이런 내용이 없고, 『문공역설(文公易說)』 권2, 「건곤(乾坤)」에 있다.

방정하며 크다고 말했다. 이 구절은 곤괘의 본체를 설명한 것이지만 본래 의도는 사실 사람들이 여기의 효에 이런 덕이 있음을 알아 굳이 학습하지 않아도 이롭지 않음이 없다는 것이다. 그러니 사람들이 점을 쳐서 이것이 나왔을 때, 곧고 방정하며 클 수 있다면, 또한 익히지 않아도 이롭지 않음이 없다는 말이지 곤의 도를 드러내 밝히려는 뜻이 아니다."

● 蔡氏淸曰:"乾九五一爻當得乾一卦. 蓋乾孔子以爲得天位行天道而致太平之占, 正是聖人作而物覩者. 故時乘六龍以御天而致萬國之咸寧者, 惟九五一爻足以當之. 若坤之六二柔順中正, 得坤道之純, 是又當得一全坤也. 若初則陰之微, 上則陰之極, 三則不中且不正, 四則不中, 五則不正. 惟六二之柔順中正, 爲獨得坤道之純."[41]

채청(蔡淸)이 말했다. "건괘의 구오 한 효는 당연히 건괘 한 괘를 얻은 것이다. 건괘는 공자가 하늘의 지위를 얻어 하늘의 도를 행하면서 태평의 점을 이룬 것이라고 여겼으니, 바로 성인이 나옴에 만물이 보는 것이다. 그러므로 때에 맞게 여섯 마리의 용을 타고 하늘을 날아다니며 모든 나라가 모두 평안함을 이루는 것은 구오 한 효만이 감당하기에 충분하다. 곤괘의 육이라면 유순하고 가운데 있으며 제 자리에 있어 곤도(坤道)의 순수함을 얻었으니, 이것이 또 당연히 하나의 전체 곤괘를 얻은 것이다. 초효라면 음의 미미함이고, 상효라면 음이 극성함이며, 삼효라면 가운데 있지 않아 제 자리가 아니고, 사효라면 가운데가 아니며, 오효라면 제 자리가 아니다. 육이의 유순하고 가운데 있으며 제 자리에 있는 것만이 오직 곤도

41) 채청(蔡淸), 『역경몽인(易經蒙引)』「곤괘(坤卦)」.

의 순수함을 얻은 것이 된다."

● 又曰:"直不專主静, 只是存主處, 故曰'六二之動直方', 可分內外, 不可專分動静."[42]

또 말했다. "곧음은 고요함을 전적으로 주로 할 수 없어 단지 주로 하는 것을 보존할 뿐이기 때문에 「상전」에서 '육이의 움직임은 곧으면서 방정하다'고 하였으니, 안과 밖을 나눌 수 있으나 움직임과 고요함을 전적으로 나눌 수 없다."

● 唐氏鶴徵曰:"直而大者, 乾之德也. 坤無德, 以乾之德爲德, 故乾性直, 坤亦未嘗不直, 乾體圓, 坤則效之以方, 德合無疆, 則與乾並其大矣. 惟以乾之德爲德, 故不習而无不利, 所謂坤以簡能者如此."[43]

당학징(唐鶴徵)[44]이 말했다. "곧고 큰 것은 건(乾)의 덕이다. 곤

42) 채청(蔡清), 『역경몽인(易經蒙引)』「곤괘(坤卦)」.

43) 심기원(沈起元)의 『주역공의집설(周易孔義集說)』「곤괘(坤卦)」에는 "唐凝菴曰:'直而大者, 乾之德也. 坤以乾之德為德, 不習而无不利, 坤以簡能也.'[당응암이 말했다. '곧고 큰 것은 건(乾)의 덕이다. 곤은 건의 덕으로 덕을 삼아 익히지 않아도 이롭지 않음이 없으니, 곤이 간략함으로 능한 것이다.']"라고 되어 있다.

44) 당학징(唐鶴徵): 자는 원경(元卿)이고 호는 응암(凝菴)이다. 명(明)대 무진(武進) 사람으로, 융경(隆慶) 신미년(辛未: 1571)에 진사에 급제하여, 예부주사(禮部主事), 공부랑(工部郞), 상보사승(尙寶司丞), 광록시소경(光祿寺少卿), 태상시소경(太常寺少卿) 등을 역임하였다. 평생 책을 손에서 뗀 적이 없으며, 노장학을 비롯하여 천문, 지리 등 다방면으로

(坤)은 덕이 없어 건의 덕으로 덕을 삼기 때문에 건의 특성이 곧으면 곤도 곧지 않은 적이 없고, 건의 몸체가 둥글면 곤은 방정함으로 본받아 덕이 끝없음에 합치하니, 건과 그 큼을 함께 한다. 건의 덕으로 덕을 삼을 뿐이기 때문에 익히지 않아도 이롭지 않음이 없으니, 이른바 곤이 간략함으로 능숙하다는 것이 이와 같다."

案

乾爲圜, 則坤爲方. 方者坤之德與圜爲對者也. 故曰'至静而德方'. 若直則乾德也, 故曰'夫乾其動也直'. 大亦乾德也, 故曰'大哉乾元'. 今六二得坤德之純, 方固其質也而始曰'直', 終曰'大'者. 蓋凡方之物, 其始必以直爲根, 其終乃以大爲極. 故數學有所謂線面體者, 非線之直, 不能成面之方, 因面之方而積之, 則能成體之大矣. 坤惟以乾之德爲德, 故因直以成方, 因方以成大, 順天理之自然, 而無所增加造設於其間. 故曰'不習无不利'. 習者, 重習也, 乃增加造設之意. 不習无不利, 卽所謂'坤以簡能'者是也. 若以不習爲無藉於學, 則所謂'敬以直內, 義以方外'者, 豈無所用其心哉.

건이 원만함이라면 곤은 방정함이다. 방정함은 곤의 덕으로 원만함과 짝이 되기 때문에 「문언전」에서 '지극히 고요하면서 덕이 방정하다'고 하였다. 곧음이라면 건의 덕이기 때문에 「계사전」에서 '건은 그 움직임이 곧다'고 하였다. 큼도 건의 덕이기 때문에 「단전」에서 '위대하다. 건의 큼이여!'라고 하였다. 지금 육이효가 곤의 덕에서 순수함을 얻어 한창 그 바탕을 확고하게 하니, 처음에는 '곧음'

해박했는데, 역(易)에는 자득이 있었다고 한다. 저서에 『주역상의(周易象義)』, 『보세편(輔世編)』, 『헌세편(憲世編)』 등이 있다.

이라고 하고 끝에는 '큼'이라고 하였다. 방정한 사물은 그 처음에는 반드시 곧음을 근원으로 하고, 그 끝에는 큼을 궁극으로 한다. 그러므로 수학에서 말하는 선·면·형체가 있다는 것은 선의 곧음이 아니면 면의 방정함을 이룰 수 없고, 면의 방정함으로 말미암아 그것을 쌓으면 형체의 큼을 이룰 수 있는 것이다.

곤은 건의 덕으로 덕을 삼을 뿐이기 때문에 곧음으로 말미암아 방정함을 이루고 방정함으로 말미암아 큼을 이루니, 천리의 자연을 따라 그 사이에 보태고 만드는 것이 없다. 그러므로 '익히지 않아도 이롭지 않음이 없다'고 하였다.

익히는 일은 거듭해서 익히는 것이니, 보태고 만든다는 의미이다. '익히지 않아도 이롭지 않음이 없다'는 것은 이른바 「계사전」에서 '곤이 간략함으로 능숙하다'는 말이 이것이다. 익히지 않음을 배움에 바탕으로 하는 일이 없는 것으로 여긴다면, 이른바 「문언전」에서 '경(敬)으로써 안을 곧게 하고, 의로써 밖을 방정하게 한다'는 것이 어찌 마음 씀이 없는 것이겠는가?

六三, 含章可貞, 或從王事, 无成有終.

육삼효는 아름다움을 머금어 곧을 수 있으나, 혹 왕의 일에 종사하면 이룸은 없어도 끝맺음은 있을 것이다.

本義

六陰三陽, 内含章美, 可貞以守. 然居下之上, 不終含藏, 故或時出, 而從上之事, 則始雖无成, 而後必有終. 爻有此象, 故戒占者有此德, 則如此占也.

육은 음이고 삼은 양이니, 안에 아름다움을 머금고 곧게 해서 지킬 수 있다. 그러나 하괘의 맨 위에 있어 끝까지 머금고 감출 수는 없기 때문에 간혹 때에 따라 나가서 윗사람의 일에 종사한다면 처음에는 비록 이룸이 없겠지만 뒤에는 반드시 끝맺음이 있을 것이다. 효에 이런 상이 있기 때문에 점치는 자에게 이런 덕이 있다면 이 점과 같다고 경계하였다.

程傳

三居下之上, 得位者也. 爲臣之道, 當含晦其章美, 有善則歸之於君, 乃可常而得正, 上无忌惡之心, 下得柔順之道也. 可貞謂可貞固守之, 又可以常久而无悔咎也. 或從上之事, 不敢當其成功, 惟奉事以守其終耳, 守職以終其事, 臣之道也.

삼효는 하괘의 맨 위에 있으니, 지위를 얻은 자이다. 신하의 도리는 자신의 빛나는 아름다움을 머금고 감추어 잘한 것이 있으면 그것을 임금에게 돌려야 떳떳하여 바름을 얻을 수 있으니, 위에서는 시기하고 미워하는 마음이 없고, 아래에서는 유순한 도를 얻는다. 경문의 '곧을 수 있다'는 것은 바르고 굳게 지킬 수 있고, 또 영원하면서도 후회와 허물이 없을 수 있다는 것을 말한다. 혹 윗사람의 일에 종사할지라도 감히 성공을 차지하지 않고 일을 받들어 끝맺음을 지킬 뿐이니, 직분을 지켜 일을 끝맺음은 신하의 도리이기 때문이다.

集說

● 王氏弼曰 : "三處下卦之極, 而不疑於陽, 應斯義者也, 不爲事始, 須唱乃應,[45] 待命乃發, 含美而可正者也. 故曰'含章可貞'也. 有事則從, 不敢爲首, 故曰'或從王事'也. 不爲事主, 順命而終, 故曰'无成有終'也."[46]

왕필이 말했다. "삼효는 아래 괘의 맨 위에 있고 양을 의심하지 않아 여기의 의리에 호응하는 것이니, 일의 시작이 되지 않고 반드시 선창해야 호응하고 명을 기다리면서 나아가며 아름다움을 머금으면서 바르게 할 수 있는 것이다. 그러므로 '아름다움을 머금어 곧을 수 있다'라고 하였다. 일이 있으면 따르고 감히 머리가 되지 않기 때문에 '혹 왕의 일에 종사한다'라고 하였다. 일을 주도하지 않고 명에 따라 끝내기 때문에 '이룸은 없고 끝맺음은 있다'라고 하였다."

45) 須唱乃應 : 『어제주역절중御製周易折中』에 "須增乃應"으로 되어 있는 것을 『주역주(周易註)』를 참조하여 창(唱)자로 바로 잡았다.
46) 왕필(王弼), 『주역주(周易註)』「곤괘(坤卦)」.

● 楊氏簡曰 : "无成无終, 亦不可也. 无成有終, 臣之道也."[47]

양간(楊簡)이 말했다. "이룸이 없고 끝맺음이 없어서는 또한 안 된다. 이룸이 없고 끝맺음이 있는 것은 신하의 도리이다."

● 胡氏炳文曰 : "陽主進陰主退, 乾九三陽居陽, 故曰'乾乾', 主乎進也, 坤六四陰居陰, 故曰'括囊', 主乎退也. 乾九四陽居陰, 坤六三陰居陽, 故皆曰'或', 進退未定之際也. 特其退也曰'在淵', 曰'含章', 惟進則皆曰'或'. 聖人不欲人之急於進也如此. 三多凶, 故聖人首於乾坤之三爻. 其辭獨詳焉.[48]

호병문(胡炳文) 말했다. "양은 나아가는 것을 주로 하고 음은 물러나는 것을 주로 하는데, 건괘의 구삼은 양이 양의 자리에 있기 때문에 '힘쓰고 힘써'라고 하였으니 나아감을 주로한 것이고, 곤괘의 육사는 음이 음의 자리에 있어 '육사는 자루를 묶어놓은 것이다'라고 하였으니 물러남을 주로 한 것이다. 건괘의 구사는 양이 음의 자리에 있고, 곤괘의 육삼은 음이 양의 자리에 있기 때문에 모두 '혹'이라고 하였으니, 아직 나아감과 물러남이 결정되지 않은 때이다. 특히 물러나 있는 것은 '못에 있다'라고 하고 '아름다움을 머금었다'라고 하며, 오직 나아가는 것은 모두 '혹'이라고 하였으니, 성인은 사람들이 나아감에 이처럼 서둘지 않게 하였다. 삼효는 흉이 많기 때문에 성인은 건괘와 곤괘의 삼효에서 먼저 그 말을 유독 상세하게 하였다."

47) 양간(楊簡), 『양씨역전(楊氏易傳)』「곤괘(坤卦)」.
48) 호병문(胡炳文), 『주역본의통석(周易本義通釋)』「곤괘(坤卦)」.

● 俞氏琰曰："坤道固宜靜而有守，或有王事，則動而從之弗違也. '无成', 謂持美以歸於君, 不居其成功也. '有終', 謂職分居此, 則當終其勞也."[49]

유염이 말했다. "곤의 도는 진실로 고요히 있으면서 지키고, 혹 왕의 일이 있으면 움직여 따를지라도 어기지 않아야 한다. '이룸이 없다'는 것은 아름다움을 지켜 왕에게 돌리고 그 성공을 차지하지 않아야 함을 말한다. '끝맺음이 있다'는 것은 직분에 여기에 있으면 노고를 마쳐야 함을 말한다."

● 蔡氏清曰："六陰三陽，亦有順而健之意，故'无成有終'. 亦'先迷後得', '東北喪朋', 乃終有慶之意."[50]

채청(蔡清)이 말했다. "육이 음이고 삼이 양인 것에도 순종하면서 굳건하다는 의미가 있기 때문에 '이룸이 없어도 끝맺음이 있는 것'이다. 또한 '먼저 하면 혼미하고 뒤에 하면 얻으며' '동북에서는 벗을 잃는다'는 것은 마침내 경사가 있다는 의미이다."

● 陸氏振奇曰："其不敢專成者，正其代君以終事，而不爲始也，是卽安於後，得主之貞者與."[51]

육진기(陸振奇)[52]가 말했다. "전적으로 이루지 않는 것은 바로 임

49) 유염(俞琰), 『주역집설周易集說』「곤괘(坤卦)」.
50) 채청(蔡清), 『역경몽인(易經蒙引)』「곤괘(坤卦)」.
51) 왕우복(王又樸), 『역익술신(易翼述信)』「곤괘(坤卦)」.
52) 육진기(陸振奇) : 자는 용성(庸成)이고 명(明)대 전당(錢塘 : 현 절강성

금을 대신해서 일을 끝마쳐 시작이 되지 않음이니, 곧 뒤에 있는 것에 편안하여 주로 함을 얻는 곧음이다."

항주〈杭州〉) 사람이다. 만력(萬曆) 34년(1606)에 거인(擧人)이 되었다. 저서에 『역개(易芥)』가 있다.

六四, 括囊, 无咎, 无譽.

육사효는 자루를 묶어놓은 것이니, 허물도 없고 칭찬도 없을 것이다.

本義

'括囊', 言結囊口而不出也. '譽'者, 過實之名. 謹密如是, 則无咎而亦无譽矣. 六四重陰不中, 故其象占如此. 蓋或事當謹密, 或時當隐遯也.

'자루를 묶어놓은 것이다'라는 것은 자루의 입구를 묶어놔 나오지 않게 한다는 말이다. '칭찬'은 사실을 과장한 이름이다. 이처럼 삼가고 은밀하게 한다면 허물이 없고 또한 칭찬도 없다. 육사는 중첩된 음이고 가운데 있지 않기 때문에 그 상과 점이 이와 같다. 혹시 일을 삼가고 은밀하게 해야 하거나 혹시 은둔해야 할 시기일 수 있다.

程傳

四居近五之位, 而无相得之義, 乃上下閉隔之時, 其自處以正, 危疑之地也. 若晦藏其知, 如括結囊口而不露, 則可得无咎, 不然則有害也. 旣晦藏, 則无譽矣.

사효는 오효와 가까운 자리에 있으나 서로 인정하려는 뜻이 없어 바로 상하가 통하지 않는 때이니, 바름으로 자처하면 위태롭고 의

심받게 되는 처지가 될 것이다. 자루 입구를 묶어놓은 듯이 그 지혜를 감추고 드러내지 않는다면 허물이 없을 수 있고, 그렇게 하지 않으면 해로움이 있을 것이다. 이미 드러나지 않게 감추었다면 칭찬은 없을 것이다.

集說

● 劉氏牧曰, "坤其動也闢, 應二之德, 其静也翕, 應四之位. 翕閉也, 是天地否閉之時, 賢人乃隐, 不可衒其才知也."[53]

유목(劉牧)[54]이 말했다. "곤은 그 움직임에서는 열려 있어 이효의 덕에 호응하고, 그 고요함에서는 합하기 때문에 사효의 덕에 호응한다. 합함은 닫힘으로 천지가 막혀 닫혀 있을 때에 현인이 숨어 있는 것이니, 재주와 지혜를 드러내 보여서는 안 된다."

53) 심기원(沈起元), 『주역공의집설(周易孔義集說)』「문언전(文言傳)」.

54) 유목(劉牧, 1011~1064) : 자는 선지(先之) 혹은 목지(牧之)이고 호는 장민(長民)이다. 원래는 항주(杭州) 임안(臨安) 사람이었는데, 조부의 공적으로 인해 서안(西安 : 현 절강성 구현〈衢縣〉) 사람이 되었다. 범중엄(範仲淹)을 스승으로 모시고, 손복(孫複)에게서 『춘추』를 배웠으며, 석개(石介)와도 친분이 두터웠다. 역학방면으로는 범악창(範諤昌)의 역학을 이어받아 진단(陳摶)의 「하도」·「낙서」 상수학을 전승하였다. 벼슬은 범중엄과 부필(富弼) 등의 추천으로 연주(兗州) 관찰사를 거쳐 태상박사(太常博士)까지 역임하였다. 역학 방면의 저술에는 『괘덕통론(卦德通論)』, 『신주주역(新注周易)』, 『주역선유유론구사(周易先儒遺論九事)』, 『역수구은도(易數鉤隱圖)』 등이 있다.

● 俞氏琰曰, "咎致罪, 譽致疑, 唯能謹密如囊口之結括, 則无咎无譽."[55]

유염(俞琰)이 말했다. "허물은 죄를 부르고 칭찬은 의심을 부르니, 오직 삼가고 은밀히 하기를 자루의 입구를 묶어놓은 듯이 할 수 있으면 허물도 없고 칭찬도 없다."

55) 유염(俞琰), 『주역집설(周易集說)』「곤괘(坤卦)」.

六五, 黄裳, 元吉.

육오효는 황색치마이니 크게 길하다.

本義

黄中色, 裳下飾. 六五以陰居尊, 中順之德, 充諸内而見於外. 故其象如此, 而其占爲大善之吉也. 占者德必如是, 則其占亦如是矣. 春秋傳南蒯將叛, 筮得此爻, 以爲大吉. 子服惠伯曰, "忠信之事則可, 不然必敗. 外強内温忠也, 和以率貞信也. 故曰, 黄裳, 元吉, 黄中之色也. 裳下之飾也, 元善之長也. 中不忠不得其色, 下不共不得其飾, 事不善不得其極. 且夫易不可以占險, 三者有闕, 筮雖當, 未也." 後蒯果敗, 此可以見占法矣.

황색은 중앙의 빛깔이고, 치마는 아래를 꾸미는 것이다. 육오효는 음효로서 존귀한 자리에 있어 가운데 있는 유순한 덕이 안에 충만하여 밖으로 드러난 것이다. 그러므로 그 상이 이와 같고 그 점이 크게 좋은 길함이다. 점치는 자가 덕이 반드시 이와 같으면 그 점 또한 이와 같을 것이다.

『춘추좌전』 소공12년에 남괴(南蒯)[56]가 반역을 하려고 할 때에 점을 쳐서 이 괘를 얻어 크게 길하다고 여겼다. 그러니 자복혜백(子服惠伯)이 말했다. "충성과 믿음에 대한 일이라면 괜찮지만 그렇지 않

56) 남괴(南蒯) : 춘추시대 노(魯)나라 비읍(費邑)의 재상이었는데, 당시 노나라의 실권자였던 계평자(季平子)의 홀대에 모반을 일으켰다가 실패하였다.

은 것이라면 반드시 실패할 것입니다. 밖으로는 강건하고 안으로는 온순한 것이 충성이고, 화합으로 곧음을 따름이 믿음입니다. 그러므로 '황색치마이니 크게 길하다'라고 했으니, 황색은 중앙의 빛깔이고, 치마는 아래를 꾸미는 것이며, '크게'는 좋은 것의 으뜸입니다. 안이 충실하지 않으면 그 빛깔을 얻지 못하고, 아래 사람이 공손하지 않으면 그 꾸밈을 얻지 못하며, 일이 선하지 않으면 그 궁극을 얻지 못할 것입니다. 또 역은 험한 것을 점치면 안 되는데, 세 가지 결함이 있으니, 점친 것이 여기에 해당할지라도 안됩니다." 뒤에 남괴가 정말 실패했으니, 여기에서 점치는 법을 알 수 있다.

程傳

坤雖臣道, 五實君位, 故爲之戒云, '黃裳元吉'. 黃中色, 裳下服. 守中而居下, 則元吉, 謂守其分也. 元, 大而善也. 爻象, 唯言守中居下則元吉, 不盡發其義也. 黃裳旣元吉, 則居尊爲天下大凶可知. 後之人未達, 則此義晦矣, 不得不辨也. 五, 尊位也. 在它卦六居五, 或爲柔順, 或爲文明, 或爲暗弱, 在坤則爲居尊位. 陰者, 臣道也, 婦道也. 臣居尊位, 羿莽是也, 猶可言也. 婦居尊位, 女媧氏武氏是也, 非常之變, 不可言也. 故有黃裳之戒, 而不盡言也. 或疑"在革, 湯武之事, 猶盡言之, 獨於此不言, 何也." 曰, "廢興, 理之常也. 以陰居尊位, 非常之變也."

곤괘는 신하의 도리이지만 오효는 사실 임금의 자리이므로 '황색치마이니 크게 길하다'고 경계해서 말했다. 황색은 중앙을 나타내는 빛깔이고, 치마는 아래에 입는 옷이다. 중도를 지키면서 아래에 있으면 크게 길하다는 것은 분수를 지키라는 말이다. '크다'[元]는 크고 좋다는 것이다. 효의 상에서 단지 중도를 지키면서 아래에 있으면 크게 길하다고 말한 것은 그 의미를 모두 드러내지는 않았다. 황색치마가 이미 크게 길한데, 음이 존귀한 자리에 있는 것은 천하에서 아주 흉한 일임을 알 수 있다. 후대의 사람들이 알지 못했던 것은 이런 의미에 어두웠기 때문이니, 분별하지 않을 수 없다.

오효는 존귀한 자리이다. 다른 괘에서 음[六]이 오효의 자리에 있는 것은 유순함이 될 수도 있고, 문명이 될 수도 있으며 어둡고 약함이 될 수도 있는데, 곤괘에서는 존귀한 자리에 있는 것이 된다. 음은 신하의 도리이고 부인의 도리이다. 신하가 존귀한 자리에 있었던 것으로는 후예(后羿)[57]와 왕망(王莽)[58]이 여기에 해당하니 오히려 말할 수 있다. 그러나 부인이 존귀한 자리에 있었던 것으로는 여와씨(女媧氏)[59]와 무씨(武氏)[60]가 여기에 해당하니 정상이 아닌 변고라 말할 수 없다. 그러므로 황색치마라는 경계만 하고 모두 말하지 않았던 것이다. 어떤 이가 "혁괘(革卦䷰)에서 탕왕(湯王)과 무왕(武王)의 일에 대해서는 다 말해놓고 여기에서만 말하지

57) 후예(后羿) : 『춘추좌전』「양공」 4년조에 따르면, 예는 하나라가 쇠약해지자 하우 상을 죽이고 왕위를 찬탈했다. 그가 자신의 활 솜씨만 믿고 정사를 보지 않자 한착이 그 나라를 장악한 후 예를 삶아 죽였다.

58) 왕망(王莽) : 중국 신(新 : 9~25)나라의 창시자인데, 중국역사에서는 왕위 찬탈자로 알려져 있다.

59) 여와씨(女媧氏) : 복희씨의 딸로 복희씨를 이어 최초로 여황제가 된 사람이다.

60) 무조(武曌, 625~705) : 무측천(武測天)이라고도 한다. 당나라 고종(高宗 : 649~683)의 비(妃)로 들어와 황후(皇后)의 자리에까지 올랐으며 40년 이상 중국을 실제적으로 통치했다. 생애 마지막 15년(690~705) 동안은 국호를 당(唐)에서 주(周)로 변경하고 천수(天授)라는 연호를 썼다. 무후는 당조의 기반을 튼튼하게 해 제국 통일에 기여했다.

않는 것은 무엇 때문인가?"라고 물으니 "흥폐는 이치의 떳떳함이고, 음이 존귀한 자리에 있는 것은 떳떳하지 못한 변고이기 때문이다"라고 대답했다.

集說

● 孔氏穎達曰 : "黃是中之色, 裳是下之飾. 坤爲臣道, 五居尊位, 是臣之極貴者也. 能以中和居於臣職, 故云'黃裳元吉'. 元, 大也. 以其德能如此, 故得大吉也."[61)]

공영달이 말했다. "황색은 중앙을 나타내는 빛깔이고, 치마는 아래에 입는 옷이다. 곤은 신하의 도리이고 오효는 존귀한 자리에 있으니, 신하로서 아주 존귀한 자이다. 중화(中和)로 신하의 직분에 있기 때문에 '황색치마이니 크게 길하다'라고 하였다. '크다[元]'는 위대함이다. 그 덕이 이와 같기 때문에 크게 길할 수 있다."

● 『朱子語類』云 : "'黃裳元吉', 不過是說在上之人能盡柔順之道. 黃中色, 裳是下體之服, 能似這箇, 則無不吉. 這是那居中處下之道. 乾之九五, 自是剛健底道理, 坤之六五, 自是柔順底道理, 各隨他陰陽, 自有一箇道理."[62)]

『주자어류』에서 말했다. "'황색치마이니 크게 길하다'는 것은 기껏해야 윗자리에 있는 사람이 유순(柔順)의 도리를 다할 수 있다는 말이다. 황색은 중앙의 색깔이고, 치마는 아래에 입는 옷이다. 이것

61) 공영달 소(孔穎達 疏), 『주역주소(周易注疏)』「곤괘(坤卦)」.
62) 『주자어류』, 권69, 129조목과 130조목.

과 비슷하게 할 수 있다면 길하지 않음이 없다. 이것은 가운데 있으면서 아래에 대처하는 도리이다. 건의 구오는 본래 강건(剛健)한 도리이고, 곤의 육오는 본래 유순한 도리이니, 각기 그 음양에 따라 본래 하나의 도리가 있다."

● 項氏安世曰: "陰以在下爲正, 陽以在上爲正, 故二五皆中, 而乾之天德, 獨以屬五, 坤之地道, 獨以屬二. 下非陽之位, 故乾之九二爲在下而有陽德者, 上非陰之位, 故坤之六五爲在上而秉陰德者. 黃者, 地之色, 裳者, 下之服, 文者, 坤之象, 皆屬陰也."[63]

항안세가 말했다. "음은 아래에 있는 것이 바르고, 양은 위에 있는 것이 바르기 때문에 이효와 오효는 모두 가운데 있으나 건의 천덕(天德)은 오효에 속할 뿐이고 곤의 지도(地道)는 이효에 속할 뿐이다. 아래는 양의 자리가 아니기 때문에 건괘(乾卦☰)의 구이는 아래에 있으나 양의 덕이 있는 것이고, 위는 음의 지위가 아니기 때문에 곤괘(坤卦☷)의 육오는 위에 있으나 음의 덕을 지키는 것이다. 황색은 땅의 색이고, 치마는 아래의 옷이며, 문채는[64] 곤의 상징으로 모두 음에 속한다."

案

易中五固尊位, 但聖人取象未嘗卦卦皆以君道言之. 雖九五猶

63) 항안세(項安世), 『주역완사(周易玩辭)』「곤괘(坤卦)」 육효총의(六爻總義).
64) 황색은 땅의 색이고, 치마는 아래의 옷이며, 문채는 : 『주역(周易)』「곤괘(坤卦)」에서 "象曰, '黃裳, 元吉', 文在中也.[「상전」에서 말했다. '황색의 치마이니 크게 길함'은 문채가 가운데 있다는 것이다.]"라고 하였다.

然, 況六五乎. 故小過之六五, 則言'公', 離之六五則言'王公'. 大槩居尊貴之位者, 與卦義相當, 則發其所當之義. 程子之說, 朱子蓋議其非也.

역에서 오효의 자리는 진실로 존귀한 자리인데, 단지 성인이 상을 취함에 괘마다 모두 임금의 도리로 말하지는 않았다. 구오일지라도 오히려 그렇게 했는데, 하물며 육오야 말해 무엇 하겠는가! 그러므로 소과괘(小過卦䷽)의 육오에서는 '공(公)'을 말했고,[65] 리괘(離卦䷝)의 육오에서는 '왕공(王公)'을 말하였으니,[66] 존귀한 지위에 있는 것이 괘의 의리와 서로 합당하면 합당한 의리를 말했던 것이다. 정자[67]의 설명에 대해 주자가 그르다고 말했다.

---

65) 소과괘(小過卦䷽)의 육오에서는 '공(公)'을 말했고 : 『주역(周易)』「소과괘(小過卦)」에서 "六五, 密雲不雨, 自我西郊, 公, 弋取彼在穴.[육오효는 구름이 빽빽하나 비가 오지 않음은 우리 서쪽 들로부터 하기 때문이니, 공(公)이 저 구멍에 있는 것을 쏘아서 잡았다.]"라고 하였다.

66) 리괘(離卦䷝)의 육오에서는 '왕공(王公)'을 말하였으니 : 『주역(周易)』「리괘(離卦)」에서 "象曰, '六五之吉, 離王公也.'[「상전」에서 말했다. '육오효의 길함'은 왕공(王公)에게 붙어 있기 때문이다.]"라고 하였다.

67) 정이(程頤, 1033~1107) : 자는 정숙(正叔)이고, 호는 이천(伊川)이다. 송대 낙양(洛陽 : 현 하남성 낙양) 사람으로서 형 정호(程顥)와 함께 이정(二程)이라 불린다. 15세 무렵에 형과 함께 주돈이에게 배운 적이 있으며, 18세에는 태학에 유학하면서 「안자호학론(顔子好學論)」을 지었는데 호원(胡瑗 : 호는 안정〈安定〉)이 그것을 경이롭게 여겼다고 한다. 벼슬은 비서성교서랑(秘書省校書郞)·숭정전설서(崇政殿說書) 등을 역임하였으나, 거의 30년을 강학에 힘 쏟아 북송 신유학의 기반을 정초하였다. 이정의 학문은 '낙학(洛學)'이라고 하며, 특히 정이의 학문은 주희에게 결정적으로 영향을 끼쳐 세칭 '정주학(程朱學)'이라고 하면 정이와 주희의 학문을 지칭한다. 저서는 『역전(易傳)』, 『경설(經說)』, 『문집(文集)』 등이 있다.

上六, 龍戰于野, 其血玄黃.

상육효는 용들이 들에서 싸움을 하니, 그 피가 검고 누렇다.

本義

陰盛之極, 至與陽爭, 兩敗俱傷, 其象如此. 占者如是, 其凶可知.

음의 성대함이 지극하여 양과 다투게 되면, 양쪽이 손상되어 모두 상처를 입으니, 그 상이 이와 같다. 점치는 자가 이와 같으면 그 흉함을 알 수 있다.

程傳

陰從陽者也, 然盛極, 則抗而爭. 六旣極矣, 復進不已, 則必戰, 故云'戰于野'. '野'謂進至於外也. 旣敵矣, 必皆傷, 故其血玄黃.

음은 양을 따르는 것이지만 성대함이 지극하면 대항해서 싸운다. 음효[六]가 이미 끝까지 갔는데도 다시 나아가기를 멈추지 않는다면 반드시 싸우기 때문에 '들에서 싸움을 한다'라고 했다. '들'은 나아가서 밖에 이르렀다는 말이다. 이미 대적하였다면 반드시 모두 상처를 입기 때문에 그 피가 검고 누렇다.

集說

● 孔氏穎達曰, "卽「說卦」云'戰乎乾'是也. 戰於卦外, 故曰'于野'. 陰陽相傷, 故其血玄黃."[68]

공영달이 말했다. "곧 「설괘전」 5장에서 '건괘에서 싸움을 한다'고 했는데 이것이다. 괘의 바깥에서 싸움을 하기 때문에 '들에서'라고 했다. 음과 양이 서로 상처를 입기 때문에 그 피가 검고 누렇다."

● 侯氏行果曰 : "坤十月卦也. 乾位西北, 又當十月, 陰窮於亥. 窮陰薄陽, 所以戰也. 故說卦云'戰乎乾', 是也."[69]

후행과(侯行果)[70]가 말했다. "곤괘는 10월의 괘이다. 건괘가 서북쪽에 위치하여 또 10월에 해당하니, 음이 해(亥)에서 다한다. 음이 다하고 양이 적기 때문에 싸움을 한다. 그러므로 「설괘전」 5장에서 '건에서 전쟁을 한다'라고 했는데, 이것이다."

● 李氏開曰 : "曰'龍戰', 則是乾來戰, 不以坤敵乾也."[71]

68) 공영달 소(孔穎達 疏), 『주역주소(周易注疏)』「곤괘(坤卦)」.
69) 이정조(李鼎祚), 『주역집해(周易集解)』「곤괘(坤卦)」.
70) 후행과(侯行果) : 당대(唐代) 상곡(上穀) 사람으로 후과(侯果)라고도 한다. 벼슬은 국자사업(國子司業)·대황태자독(待皇太子讀)을 지냈다. 저서는 모두 전해지지 않지만, 이정조(李鼎祚)의 『주역집해(周易集解)』에서 그의 주요사상을 엿볼 수 있다. 황석(黃奭)의 『황씨일서고(黃氏逸書考)』 가운데 『후과역주(侯果易注)』 한 책이 실려 있다.
71) 풍의(馮椅), 『후재역학(厚齋易學)』「곤괘(坤卦)」.

이개(李開)[72]가 말했다. "'용들이 싸움을 한다'고 했다면, 건이 와서 싸움을 하는 것이니, 곤으로 건을 대적할 수 없다."

● 馮氏椅曰 : "主龍而言, 則知陰不可亢. 亢則陽必伐之, 戒陰也. 以戰而言, 則知陰不可長. 長則與陽敵矣, 戒陽也."[73]

풍의(馮椅)[74]가 말했다. "용을 위주로 말하면, 음이 끝까지 가서는 안 됨을 알겠다. 끝까지 가면 양이 반드시 치니, 음에게 경계한 것이다. 싸움을 위주로 말하면, 음은 자라서는 안 됨을 알겠다. 자라면 양과 대적하니 양에게 경계한 것이다."

● 胡氏炳文曰, "六爻皆陰, 而上卦之上曰'龍', 有陽也. 不言陰與陽戰, 而曰'龍戰于野', 與春秋'王師敗績于茅戎', '天王狩于河陽', 同一書法也."[75]

---

72) 이개(李開, 1135~1176) : 남송의 역학자로 자는 거비(去非) 호는 소주(小舟)이다. 『역해(易解)』 30권을 지었으나 전하지 않는다.

73) 풍의(馮椅), 『후재역학(厚齋易學)』「곤괘(坤卦)」.

74) 풍의(馮椅) : 자는 기지(奇之) 또는 의지(儀之)이고, 호는 후재(厚齋)이다. 송(宋)대 남강 도창(南康都昌 : 현 강서성 도창현) 사람이다. 광종(光宗) 소희(紹熙) 4년(1193)에 진사에 급제하여, 강서운사간판공사(江西運司幹辦公事), 상고현령(上高縣令) 등을 역임했다. 주희(朱熹)가 지남강군(知南康軍)으로 있을 때 제자가 되었는데, 주희는 그의 성실함에 감동하여 벗의 예로 대우했다고 한다. 역학(易學)에 정밀했다. 저서에 『후재역학(厚齋易學)』, 『주역집설명해(周易輯說明解)』, 『경설(經說)』, 『서명집설(西銘輯說)』, 『효경장구(孝經章句)』, 『상례소학(喪禮小學)』, 『공자제자전(孔子弟子傳)』, 『속사기(續史記)』, 『시문지록(詩文志錄)』 등이 있다.

호병문이 말했다. "여섯 효가 모두 음인데 상괘의 끝에서 '용'이라고 한 것은 양이 있기 때문이다. 음과 양이 싸움을 한다고 하지 않고 '용들이 들에서 싸움을 한다'고 한 것은 『춘추좌전』에서 '왕의 군대가 모융(茅戎)에게 패하였다'[76]라고 하고, '천왕이 하양(河陽)에서 사냥을 했다'[77]라고 한 것과 동일한 필법이다."

75) 호병문(胡炳文), 『주역본의통석(周易本義通釋)』「곤괘(坤卦)」.

76) 왕의 군대가 모융(茅戎)에게 패하였다 : 『춘추좌씨전(春秋左氏傳)』 성공(成公) 추(秋)에서 "왕의 군대가 모용에게 패하였다[王師敗績于茅戎]"라고 하였다. 이 구절에 대한 두예의 주석으로 볼 때, '왕과 전쟁을 했다[戰王]'고 하지 않은 것은 왕이 지극히 높아 비교 상대가 없으므로 '스스로 패했다[自敗]'라고 한 것이고, 또 패한 장소를 말하지 않고 '모융(茅戎)'이라고 말한 것은 모융족에게 패했음을 의미한다.

77) 천왕이 하양(河陽)에서 사냥을 했다 : 『춘추좌씨전(春秋左氏傳)』 희공(僖公)에서 "천왕이 하양에서 사냥을 했다[天王狩于河陽]"라고 하였다. 이 구절의 의미는 당시 진문공(晉文公)이 불러서 왕이 간 것인데 주나라 왕실이 아직 남아 있었기 때문에 명분상 사냥하러 간 것처럼 말했다.

用六, 利永貞.

육을 씀은 영원하고 곧은 것에 이롭다.

本義

用六, 言凡筮得陰爻者, 皆用六而不用八, 亦通例也. 以此卦純陰而居首, 故發之. 遇此卦而六爻俱變者, 其占如此辭. 蓋陰柔不能固守, 變而爲陽, 則能永貞矣. 故戒占者, 以利永貞, 卽乾之'利貞'也. 自坤而變, 故不足於元亨云.

육을 씀은 점을 쳐서 음효를 얻었을 경우에 모두 육을 사용하고 팔을 사용하지 않는다는 말이니, 또한 관례이다. 이 괘는 순수한 음이면서 앞머리에 있기 때문에 이것을 밝혔다. 이 괘가 나왔는데 여섯 효가 모두 변할 경우는 그 점이 여기의 말과 같다. 대개 음의 부드러움은 굳게 지킬 수 없으니, 변해서 양이 되면 영원하고 곧을 수 있다. 그러므로 점치는 자에게 영원하고 곧은 것에 이롭다고 훈계했으니, 바로 건괘의 '곧음이 이롭다'[78]는 것이다. 곤괘에서 변했으므로 크게 통하는 데는 부족하다고 한다.

程傳

坤之用六, 猶乾之用九, 用陰之道也. 陰道柔而難常, 故用六

78) 곧음이 이롭다 :『주역(周易)』「건(乾)괘」.

之道, 利在常永貞固.

곤괘에서 육을 씀은 「건괘」에서 구를 씀과 같으니, 음을 사용하는 방법이다. 음의 도는 부드러워 일정하기 어렵기 때문에 육을 사용하는 방법은 이로움이 영원하고 곧고 단단하게 하는 데 있다.

集說

● 孔氏穎達曰 : "言坤之所用, 用此衆爻之六. 坤是柔順,[79] 不可純柔, 故利在永貞. 永, 長也, 貞, 正也, 言長能貞正也."[80]

공영달이 말했다. "곤이 쓰는 것은 여기 여러 효의 육을 쓴다는 말이다. 곤은 부드럽게 따름이므로 순수하게 부드러울 수 없기 때문에 이로움이 영원하고 곧게 하는 것에 있다. 영원함은 길이 함이고 곧음은 바름이니, 길이 함이 곧고 바를 수 있다는 말이다."

● 『朱子語類』云 : "乾吉在无首, 坤利在永貞, 這只是說二用變卦."[81]

『주자어류』에서 말했다. "건의 길함은 머리가 없음[無首]에 있고, 곤의 이로움은 영원하고 곧음에 있으니, 이것은 변괘(變卦)를 두 가지로 쓴다는 말일 뿐이다."

79) 坤是柔順 : 공영달의 『주역주소』에는 '곤(坤)'자가 '육(六)'자로 되어 있다.
80) 공영달 소(孔穎達 疏), 『주역주소(周易注疏)』「곤괘(坤卦)」.
81) 『주자어류』 권68, 70조목.

● 胡氏炳文曰："坤安貞, 變而爲乾, 則爲永貞. 安者, 順而不動, 永者, 健而不息. 乾變坤, 剛而能柔, 坤變乾, 雖柔必強. 陽先於陰, 而陽之極不爲首, 陰小於陽, 而陰之極以大終."[82]

호병문이 말했다. "곤은 곧음에 편한데 변해서 건이 되면 영원하고 곧은 것이 된다. 편안한 것은 따르면서 변동하지 않고, 영원한 것은 굳건하면서 쉬지 않는다. 건이 곤으로 변하면 굳세면서 부드러울 수 있고, 곤이 건으로 변하면 부드러울지라도 반드시 강하다. 양이 음보다 앞서지만 양의 궁극은 머리가 되지 않고, 음이 양보다 작지만 음의 궁극은 끝을 성대히 하는 것이다."

● 顧氏憲成曰："用九无首, 是以乾入坤, 蓋坤者, 乾之藏也. 用六永貞, 是以坤承乾, 蓋乾者, 坤之君也."[83]

고헌성(顧憲成)[84]이 말했다. "구를 씀은 머리가 없기 때문에 건이

82) 호병문(胡炳文), 『주역본의통석(周易本義通釋)』「곤괘(坤卦)」.

83) 조계서(趙繼序), 『주역도서질의(周易圖書質疑)』「곤괘(坤卦)」.

84) 고헌성(顧憲成, 1550~1612) : 자는 숙시(叔時)이고, 별호는 경양(涇陽)이며, 시호는 단문(端文)이다. 명(明)대 상주부(常州府) 무석(無錫) 사람으로, 만력(萬曆) 8년(1580) 진사(進士)가 되어 호부주사(戶部主事)에 올랐다. 벼슬은 이부원외랑(吏部員外郎), 문선낭중(文選郎中) 등을 역임했다. 어려서부터 설응기(薛應旂), 장기(張淇)에게 배웠다. 동생 고윤성(顧允成)과 함께 송나라 때 양시(楊時)가 강학하던 동림서원(東林書院)을 수리하여 고반룡(高攀龍), 전일본(錢一本) 등과 함께 강학했다. 동림당의 영수가 되었다가 뒤에 붕당의 화를 입었다. 주희의 폐단은 구(拘)에 있고 왕수인의 폐단은 탕(蕩)에 있다고 여겨, 정주학과 육왕학을 조화시키려 했다. 저서에 『사서강의(四書講義)』, 『환경록(還經錄)』, 『질의편(質疑編)』, 『증성편(證性編)』, 『상어(商語)』, 『소심재찰기(小心齋札記)』,

곤으로 들어가니, 곤은 건의 감춤이다. 육을 씀은 영원하고 곧음이기 때문에 곤이 건을 계승하니, 건은 곤의 임금이다."

● 何氏楷曰 : "乾道主元, 故曰'乾元用九', 坤道主貞, 故言'用六永貞'."

하해(何楷)[85]가 말했다. "건의 도는 큼[元]을 주로 하기 때문에 '건의 큼이 구를 씀'이라고 하였고, 곤의 도는 곧음을 주로 하기 때문에 '육을 씀은 영원하고 곧게 하는 것에 이롭다'고 하였다."

『경고장고(涇皐藏稿)』, 『고단문유서(顧端文遺書)』 등이 있다.

85) 하해(何楷) : 자는 현자(玄子)이고 호는 황여(黃如)이다. 명말청초 때 장주 진해위(漳州鎭海衛 : 현 복건성 용해시〈龍海市〉) 사람이다. 천계(天啓) 5년(1625)에 진사에 급제하여 벼슬은 호부주사(戶部主事), 공과급사중(工科給事中), 호부상서(戶部尙書) 등을 역임했다. 직언과 직간으로 유명했는데, 말년에 정성공(鄭成功)의 부친인 정지룡(鄭芝龍)과 뜻이 어긋나서 사직하고 귀향했다. 저서에는 『고주역정고(古周易訂詁)』, 『시경세본고의(詩經世本古義)』 등이 있다.

3. 준屯괘

䷂ 坎上震下

程傳

屯「序卦」曰, "有天地然後萬物生焉. 盈天地之間者, 惟萬物, 故受之以屯. 屯者盈也, 屯者物之始生也." 萬物始生, 鬱結未通, 故爲盈塞於天地之間. 至通暢茂盛, 則塞意亡矣. 天地生萬物, 屯, 物之始生, 故繼乾坤之後. 以二象言之, 雲雷之興, 陰陽始交也. 以二體言之, 震始交於下, 坎始交於中, 陰陽相交, 乃成雲雷. 陰陽始交, 雲雷相應而未成澤, 故爲屯. 若已成澤, 則爲解也. 又動於險中, 亦屯之義. 陰陽不交則爲否. 始交而未暢則爲屯. 在時, 則天下屯難未亨泰之時也.

준(屯䷂)괘에 대해 「서괘전」에서 "천지가 있은 다음에 만물이 생겨난다. 천지에 가득한 것은 만물일 뿐이기 때문에 준괘로 받았다. 준(屯)은 꽉 차 있음이고 준은 사물이 처음 나오는 것이다"라고 하였다. 만물이 처음 나옴에 꽉 막혀서 통하지 못하기 때문에 천지에 꽉 차서 막히게 되었다. 그런데 잘 통하여 무성하게 되면 막혔다는 의미는 사라진다. 천지가 만물을 낳음에 준(屯)은 사물이 처음 나온 것이다. 그러므로 건괘와 곤괘의 뒤를 이었다. 두 개의 상으로 말하면, 구름과 우레가 일어나는 것은 음과 양이 처음 사귀는 일이다.

두 개의 몸체로 말하면, 진(震☳)괘가 아래에서 처음 사귀고 감(坎☵)괘가 중간에서 처음 사귀니, 음과 양이 서로 사귀어 바로 구름과 우레를 이루는 것이다. 음과 양이 처음 사귀어 구름과 우레가 서로 호응했지만 아직 못을 이루지 못했기 때문에 준(屯)이 되었다. 이미 못을 이루었다면 해(解䷧)괘가 되었을 것이다. 또한 험한 가운데 움직이는 것도 준(屯)의 의미이다. 음과 양이 사귀지 않는 것은 비(否䷋)괘이다. 처음 사귀어 아직 통하지 않는 것이 준(屯䷂)괘이니, 시대로는 천하가 어려워서 아직 형통하고 태평하지 못한 시기이다.

屯, 元亨, 利貞, 勿用有攸往, 利建侯.

준은 크게 형통하고 바름이 이로우니, 갈 곳을 두지 말고 나라를 세워서 제후가 되는 것이 이롭다.

本義

震, 坎, 皆三畫卦之名. 震一陽動於二陰之下, 故其德爲動, 其象爲雷. 坎一陽陷於二陰之間, 故其德爲陷爲險, 其象爲雲爲雨爲水. 屯六畫卦之名也, 難也, 物始生而未通之意. 故其爲字, 象穿地始出而未申也. 其卦以震遇坎, 乾坤始交而遇險陷, 故其名爲屯. 震動在下, 坎險在上, 是能動乎險中. 能動雖可以亨, 而在險則宜守正而未可遽進. 故筮得之者, 其占爲大亨而利於正, 但未可遽有所往耳. 又初九陽居陰下, 而爲成卦之主, 是能以賢下人, 得民而可君之象. 故筮立君者, 遇之則吉也.

진(震☳)괘와 감(坎☵)괘는 모두 아래 위 세 획의 괘이름이다. 진(震☳)괘는 하나의 양이 두 음의 아래에서 움직이기 때문에 그 덕은 움직임이고 그 상은 우레이다. 감(坎☵)괘는 하나의 양이 두 음의 사이에 빠졌기 때문에 그 덕은 빠짐이고 험함이며 그 상은 구름이자 비이며 물이다. 준(屯䷂)괘는 여섯 획의 괘이름이고 어려움이니, 사물이 처음 나와 아직 통하지 못한다는 의미이다. 그러므로 그 글자의 모양은 풀이 땅을 뚫고 처음 나와 아직 펴지지 못한 것을 본떴다. 그 괘는 진(震☳)괘가 감(坎☵)괘를 만나 건괘와 곤괘가 처음으로 사귀면서 험한 데 빠진 것이기 때문에 이름이 준이다. 진의 움직임이 아래에 있고, 감의 험함이 위에 있으니, 험한 가운데 움직이는 것이다. 움직이면 형통할 수 있을지라도 험한 상황에 있으니, 바름을 지켜야지 서둘러 나아가서는 안 된다. 그러므로 점에서 이 괘를 얻었을 경우, 그 점은 크게 형통하고 바름이 이롭지만 다만 서둘러 가는 곳이 있어서는 안 된다는 것이다. 또 초구는 양이 음의 아래에 있지만 괘를 이루는 주인이 되니, 현명한 자가 남에게 낮춤으로 백성들을 얻어 임금이 될 수 있는 상이다. 그러므로 임금을 세우는 것에 대해 점칠 경우 이 괘가 나오면 길하다.

程傳

屯有大亨之道, 而處之利在貞固, 非貞固, 何以濟屯? 方屯之時, 未可有所往也. 天下之屯, 豈獨力所能濟. 必廣資輔助, 故利建侯也.

준(屯)은 크게 형통한 도리가 있지만 처신의 이로움이 곧고 굳은 데 있으니 곧고 굳은 것이 아니라면 어떻게 어려움을 구제하겠는가? 어려운 때는 갈 곳을 두어서는 안 된다. 천하의 어려움을 어떻게 혼자 힘으로 구제하겠는가? 반드시 도와주는 사람을 널리 얻어야 하므로 제후를 세우는 것이 이롭다.

集說

● 『朱子語類』云 : "屯是陰陽未通之時, 蹇是流行之中有蹇滯, 困則窮矣."[1]

『주자어류』에서 말했다. "준(屯䷂)괘는 음양이 아직 통하지 않을 때이고, 건(蹇䷦)괘는 유행하는 가운데 막힘이 있으며, 곤(困䷮)괘는 음양의 유행이 다한 것이다."

● 問: "彖曰: '利建侯', 而『本義』取初九陽居陰下爲成卦之主, 何也?"[2]
曰: "成卦之主, 皆說於彖辭下, 如屯之初九'利建侯', 大有之五, 同人之二皆如此."[3]

물었다. "단사에서 "'나라를 세워 제후가 되는 것이 이롭다'고 했는데, 『주역본의』에서 초구의 양이 음의 아래에 있는 것을 가지고 괘를 이루는 주인으로 여긴 것은 무엇 때문입니까?"
대답했다. "괘를 이루는 주인에 대해서는 모두 단사의 아래에서 설명했으니, 이를테면 준(屯䷂)괘 초구의 '나라를 세워 제후가 되는 것이 이롭다'는 것으로 대유(大有䷍)괘의 오효와 동인(同人䷌)괘의 이효도 모두 이와 같습니다."

又問: "屯'利建侯', 此占恐與乾卦'利見大人'同例."
曰: "然. 若是自卜爲君者得之, 則所謂建侯者乃己也, 若是卜立君者得之, 則所謂建侯者乃君也."[4]

또 물었다. "준(屯䷂)괘에서 '나라를 세워 제후가 되는 것이 이롭다'

1) 『주자어류』 권70, 1조목.
2) 『주자어류』 권70, 10조목.
3) 『주자어류』 권67, 83조목.
4) 『주자어류』 권70, 2조목.

고 했는데, 이 점은 건괘의 '대인을 봄이 이롭다'는 것과 같은 사례입니까?"

대답했다. "그렇습니다. 임금이 되는 것에 대해 스스로 점친 경우에 이 점이 나왔으면, 이른바 나라를 세워 제후가 되는 것은 바로 자신이고, 임금을 세울 것에 대해 점친 경우에 이 점이 나왔으면, 이른바 나라를 세워 제후가 되는 것은 임금입니다."

● 趙氏汝楳曰 : "卦辭總一卦之大義. 爻辭則探卦辭之所指, 因六爻之象之義, 析而明之. 如'吉無不利', 則'亨利'之義, '磐桓'·'班如'·'幾不如舍'·'小貞'[5], 皆'勿用有攸往'之義. 初之'建侯', 卽顯卦象[6]'利建侯'之辭, 爲初而發. 餘卦放此."[7]

조여매(趙汝楳)[8]가 말했다. "괘사는 한 괘에 대한 큰 의미를 총괄한다. 효사는 괘사가 가리키는 바를 찾는 것으로 여섯 효의 상을 보고 의미를 분석해서 밝힌다. 이를테면 육사효의 '길하여 이롭지 않음이 없다'는 것은 '형통하고 이롭다'는 의미이고, '주저함'·'내려

5) 『주역절중』 원문에 '正'으로 되어 있는 것을 조여매의 『주역집문』을 참고하여 '貞'으로 바로 잡음.

6) 『주역절중』 원문에 '象'으로 되어 있는 것을 조여매의 『주역집문』을 참고하여 '彖'으로 바로 잡음.

7) 조여매(趙汝楳), 『주역집문(周易輯聞)』「준괘(屯卦)」.

8) 조여매(趙汝楳) : 송(宋)대 종실(宗室)로서, 명주(明州) 은현(鄞縣 : 현 절강성 영파시〈寧波市〉)에서 살았고, 조선상(趙善湘)의 아들이다. 이종(理宗) 보경(寶慶) 2년(1226) 진사에 급제하고, 호부시랑(戶部侍郎), 강회안무제치사(江淮安撫制置使) 등을 역임했다. 천수군공(天水郡公)에 봉해졌다. 역상(易象)에 정통했다. 저서에 『주역집문(周易輯聞)』, 『역아(易雅)』, 『역서총서(易敍叢書)』, 『서종(筮宗)』 등이 있다.

옴'·'기미를 알아차리고 포기하는 것만 못함'·'작은 일에는 곧으면'은 모두 '갈 곳을 두지 말라'는 의미이다. 초효의 '나라를 세워 제후가 되는 것'은 곧 괘의 단사인 '나라를 세워 제후가 되는 것이 이롭다'는 말을 드러낸 것으로 초효이기 때문에 그렇게 펼쳤다. 나머지 괘도 이와 같다."

● 胡氏炳文曰 : "屯蒙繼乾坤之後, 上下體有震坎艮, 乾坤交而成也. 震則乾坤之始交, 故先焉, 初以一陽居陰下而爲成卦之主, '元亨', 震之動, '利貞', 爲震遇坎而言也. 非不利有攸往, 不可輕用以往也. 易言'利建侯'者二, 豫'建侯', 上震也, 屯'建侯', 下震也. 震長子, '震驚百里', 皆有侯象."[9]

호병문(胡炳文)이 말했다. "준(屯䷂)괘와 몽(蒙䷃)괘가 건(乾䷀)괘와 곤(坤䷁)괘의 뒤를 이어 상체와 하체에 진(震☳)괘와 감(坎☵)괘와 간(艮☶)괘가 있으니, 건(乾䷀)괘와 곤(坤䷁)괘가 사귀어서 이루어진 것이다. 진(震☳)괘는 건(乾䷀)괘와 곤(坤䷁)괘가 처음으로 사귄 것이기 때문에 앞에 있는데, 초효가 하나의 양으로 음의 아래에 있어 괘를 이루는 주인이 되었으니, '크게 형통한 것'은 진(震☳)괘의 움직임이고, '바름이 이로운 것'은 진(震☳)괘가 감(坎☵)괘를 만났기 때문에 말한 것이다.
가는 것이 이롭지 않은 것이 아니라면 가볍게 등용하고 가서는 안 되는 것이다. 『역』에서 '제후를 세우는 것이 이롭다'고 말한 것이 두 군데이니, 예(豫䷏)괘에서 '제후를 세운다'고 한 것은 위의 진(震☳)괘이고, 준(屯䷂)괘에서 '제후를 세운다'고 한 것은 아래의 진(震☳)괘이다. 진(震☳)괘는 맏아들이니, 진(震䷲)괘 괘사에서 '우레가

9) 호병문(胡炳文), 『주역본의통석(周易本義通釋)』「준괘(屯卦)」.

100리를 놀라게 한다'[10]는 것은 모두 제후의 상이 있다."

● 蔡氏清曰 : "屯蹇雖俱訓難, 而義差異. 困亦不同. 屯是起脚時之難, 蹇是中間之難, 困則終窮, 而難斯甚矣."[11]

채청(蔡清)이 말했다. "준(屯䷂)괘와 건(蹇䷦)괘를 모두 어려움으로 풀이했을지라도 그 의미는 다르다. 곤(困䷮)괘도 같지 않다. 준(屯䷂)괘는 다리를 일으킬 때의 어려움이고, 건(蹇䷦)괘는 중간의 어려움이며, 곤(困䷮)괘는 끝내 곤궁한 것이어서 어려움이 이 때문에 심하다."

又曰 : "'利貞, 勿用有攸往', 二句一意, 故「彖傳」只解'利貞'."[12]

또 말했다. "'바름이 이로우니 갈 곳을 두지 말라'라는 두 구절은 하나의 의미이기 때문에 「단사」에서 단지 '바름이 이롭다'고 풀이했다."

又曰 : "『本義』所謂'以陽下陰', 及初九之「象傳」所謂'以貴下賤', 皆是主德言, 非以位言也. 故曰'是能以賢下人, 得民而可君之象'."[13]

10) 우레가 100리를 놀라게 한다 : 『주역(周易)』「진괘(震卦)」에서 "震驚百里, 不喪匕鬯.[우레가 100리를 놀라게 하는데도 국자와 울창주를 떨어뜨리지 않는다.]"라고 하였다.
11) 채청(蔡清), 『역경몽인(易經蒙引)』「준괘(屯卦)」.
12) 채청(蔡清), 『역경몽인(易經蒙引)』「준괘(屯卦)」.
13) 채청(蔡清), 『역경몽인(易經蒙引)』「준괘(屯卦)」.

또 말했다. "초구효 『주역본의』의 이른바 '양으로서 음에게 낮춘다'와 초구 「상전」의 '귀한 신분으로 천한 자들에게 낮춘다'[14]는 모두 덕을 위주로 말했고 지위로 말한 것이 아니다. 그러므로 '현명한 자가 남에게 낮춤으로 백성들을 얻어 임금이 될 수 있는 상이다'라고 한 것이다."

14) 『주역(周易)』「준괘(屯卦)」: "象曰 : '雖磐桓, 志行正也, 以貴下賤, 大得民也.'[「상전」에서 말했다. '주저할지라도 뜻은 바름을 행하고, 귀한 신분으로 천한 자들에게 낮추니 크게 백성들을 얻는다.']"라고 하였다.

初九, 磐桓, 利居貞, 利建侯.

초구효는 주저함이니, 바름에 머물러 있는 것이 이롭고 나라를 세우고 제후가 되는 것이 이롭다.

本義

'磐桓', 難進之貌. 屯難之初, 以陽在下, 又居動體, 而上應陰柔險陷之爻, 故有磐桓之象. 然居得其正, 故其占利於居貞. 又本成卦之主, 以陽下陰, 爲民所歸, 侯之象也, 故其象又如此, 而占者如是, 則利建以爲侯也.

'주저함'은 나아감을 어렵게 여기는 모양이다. 어려운 초기에 양으로서 아래에 있고, 또 움직이는 몸체에 있으면서 위로 음험하면서 유순하고 험하면서 빠지게 하는 효와 호응하기 때문에 주저하는 상이 있다. 그러나 머문 것이 바름을 얻었기 때문에 그 점이 바름에 머물러 있는 것이 이로운 것이다. 또 본래 괘를 이루는 주인이 양으로 음에게 낮추어 백성들이 귀의하니, 제후의 상이다. 그러므로 그 상이 또 이와 같으니, 점치는 자가 이와 같은 처지이면, 나라를 세우고 제후가 되는 것이 이롭다.

程傳

初以陽爻在下, 乃剛明之才, 當屯難之世, 居下位者也. 未能便往濟屯, 故磐桓也. 方屯之初, 不磐桓而遽進, 則犯難矣,

故宜居正而固其志. 凡人處屯難, 則鮮能守正. 苟無貞固之守, 則將失義, 安能濟時之屯乎? 居屯之世, 方屯於下, 所宜有助, 乃居屯濟屯之道也. 故取建侯之義, 謂求輔助也.

초구가 양효로 아래에 있는 것은 바로 굳세고 밝은 재질이 어려운 시대를 만나 아랫자리에 있는 것이다. 바로 가서 어려움을 구제할 수 없기 때문에 주저한다. 한창 어려운 초기에 주저하지 않고 서둘러 나아가면 어려움을 당하기 때문에 바름에 머물며 그 뜻을 견고하게 해야 한다. 일반 사람들은 어려움을 당하면 바름을 지킬 수 있는 자가 드물다. 바르고 견고하게 지키지 않는다면 의를 잃을 것이니, 어떻게 시대의 어려움을 구제할 수 있겠는가? 어려운 세상에 아래에서 어려움을 당하면 당연히 도움이 있어야 하는 것이 바로 어려운 세상에 있으면서 어려움을 구제하는 길이다. 그러므로 제후를 세운다는 의미를 취했으니, 도와줄 사람을 구한다는 말이다.

集說

● 『朱子語類』, 問 : "利建侯".
曰 : "彖辭一句, 蓋取初九一爻之義. 初九蓋成卦之主也, 一陽居二陰之下, 有以賢下人之象, 有爲民歸往之象, 故象曰 : '以貴下賤, 大利民也'."[15]

『주자어류』에서 물었다. "'나라를 세워 제후가 되는 것이 이롭다'는 것에 대해 묻습니다."

15) 『주자어류』 권70, 10조목.

대답했다. "단사의 한 구절은 초구 한 효의 의미를 취하였습니다. 초구는 괘를 이루는 주인으로 하나의 양이 두 음의 아래에 있어 현인이 남에게 낮추는 상이 있고 백성들이 귀의해서 오는 상이 있기 때문에 「상전」에서 '귀한 신분으로 천한 자들에게 낮추니 크게 백성들을 얻는다'[16]고 하였습니다."

● 項氏安世曰 : "凡卦皆有主爻, 皆具本卦之德, 如乾九五具乾之德, 故爲天德之爻. 坤六二具坤之德, 故爲地道之爻. 屯以初九爲主, 故爻辭全類卦辭. 其曰 : '磐桓, 利居貞', 則'勿用有攸往'也. 又曰 : '利建侯', 無可疑矣."[17]

항안세(項安世)가 말했다. "괘에 모두 주인되는 효가 있는 것은 모두 괘의 덕에 근본한 것이니, 이를테면 건(乾☰)괘 구오는 건(乾)의 덕을 갖추었기 때문에 천덕(天德)의 효가 되었고, 곤(坤☷)괘 육이는 곤(坤)의 덕을 갖추었기 때문에 지도(地道)의 효가 되었다. 준(屯☳)괘는 초구를 주인으로 하기 때문에 효사에서 괘사를 전체적으로 닮게 했으니, '주저함이니 바름에 머물러 있는 것이 이롭다'라고 함은 '갈 곳을 두지 말라'는 말이고, 또 '제후를 세우는 것이 이롭다'고 한 말은 의심할 것도 없다."

● 胡氏炳文曰 : "文王卦辭, 有專主成卦之主而言者, 周公首於

16) 귀한 신분으로 천한 자들에게 낮추니 크게 백성들을 얻는다 : 『주역(周易)』「준괘(屯卦)」에서 "象曰 : '雖磐桓, 志行正也, 以貴下賤, 大得民也.'[「상전」에서 말했다. '주저할지라도 뜻은 바름을 행하고, 귀한 신분으로 천한 자들에게 낮추니 크게 백성들을 얻는다.']"라고 하였다.

17) 항안세(項安世), 『주역완사(周易玩辭)』「준괘(屯卦)」.

此爻之辭發之, 卦主震, 震主初. '磐桓', 卽'勿用有攸往'. '利居貞', 卽'利貞'. 卦言'利建侯'者, 其事也, 利於建初以爲侯也, 爻言'利建侯'者, 其人也, 如初之才, 利建以爲侯也. 爻言'磐桓', 主爲侯者而言, 宜緩, 卦言'利建侯'而不寧, 主建侯者而言, 不宜緩."[18]

호병문(胡炳文)이 말했다. "문왕의 괘사는 오로지 괘를 이루는 주인을 위주로 하여 말하는 것이 있고, 주공은 여기 효의 말에 앞서 말하였으니, 괘는 진(震☳)괘를 위주로 하고 진(震☳)괘는 초효를 위주로 한다. '주저함'은 곧 '갈 곳을 두지 말라'는 말이고, '바름에 머물러 있는 것이 이롭다'는 말은 곧 '바름이 이롭다'는 뜻이다. 괘에서 '제후가 되는 것이 이롭다'고 한 말은 그 일로 초효를 세워 제후로 삼는다는 것이고, 효에서 '제후가 되는 것이 이롭다'고 한 말은 그 사람이 초효의 재질과 같으면 세워 제후로 삼는 것이 이롭다는 뜻이다. 효에서 '주저함'이라고 한 말은 제후가 되는 것을 위주로 말하였으니, 늦추어야 하고, 괘에서 '제후가 되는 것이 이롭다'고 말했는데 편하지 않아 제후를 세우는 것을 위주로 말하였으니, 늦추지 말아야 한다."

● 蔡氏清曰 : "'居貞'者, 以時勢未可進而不遽進也. 爻之'磐桓', 卽卦所謂'屯'也, 爻之'利居貞', 卽卦辭所謂, '利貞, 勿用有攸往也, 利建侯'. 又作象看而占在其中, 如子克家例."[19]

채청(蔡清)이 말하였다. "'바름에 머물러 있다'는 것은 그 때의 추세

---

18) 호병문(胡炳文), 『주역본의통석(周易本義通釋)』「준괘(屯卦)」.

19) 채청(蔡清), 『역경몽인(易經蒙引)』「준괘(屯卦)」.

가 아직 나아가서는 안 되어 선뜻 나아가지 못함이다. 효의 '주저함'은 괘가 이른바 준괘라는 것이고, 효의 '바름에 머물러 있는 것이 이롭다'는 말은 괘사에서 이른바 '바름이 이로우니, 갈 곳을 두지 말고 제후를 세움이 이롭다'는 것이다. 또 상으로 보면 점이 그 속에 있으니, 이를테면 몽괘(蒙卦䷃) 구이효의 '자식이 집안을 잘 다스린다'[20]는 것이다."

20) 『주역(周易)』「몽괘(蒙卦)」: "九二, 包蒙吉, 納婦吉, 子克家.[구이효는 몽매함을 포용함이니 길하고, 부인을 받아들이니 길하며, 자식이 집안을 다스리는 것이다.]"라고 하였다.

六二, 屯如邅如, 乘馬班如, 匪寇婚媾. 女子貞不字, 十年乃字.

육이효는 어려워하고 머뭇거리며 말을 탔지만 내려오니, 도적이 아니라 혼인하려는 자이다. 여자가 정조를 지켜 자(字)로 부르지 않다가 십년이 되어서야 자로 부른다.

本義

'班', 分布不進之貌. '字', 許嫁也. 禮曰, "女子許嫁, 笄而字". 六二陰柔中正, 有應於上, 而乘初剛, 故爲所難, 而邅回不進. 然初非爲寇也, 乃求與己爲婚媾耳. 但己守正, 故不之許, 至於十年, 數窮理極, 則妄求者去, 正應者合, 而可許矣. 爻有此象, 故因以戒占者.

'말에서 내려온다'는 말은 흩어져서 나아가지 못하는 모양이다. '자(字)로 부른다'는 말은 혼인을 허락한다는 의미이다, 『예기』에서 "여자가 혼인을 허락하니, 비녀를 꽂고 자(字)로 부른다"[21]라고 하였다. 육이는 음효이고 유순하고 중정하여 위로 상응하는 것이 있지만 초구의 굳셈을 올라타고 있기 때문에 어려움을 당해 머뭇거리며 나아가지 못한다. 그러나 초구는 도적이 아니라 바로 자신과 혼인하기를 구하는 것일 뿐이다. 그런데 단지 자신은 바름을 지키기 때문에 허락하지 않다가 십년이 되어서야 (나쁜) 운수와 이치가 다

21) 『예기(禮記)』「곡례(曲禮)」: 女子許嫁, 笄而字.

해 함부로 구하는 자가 사라져 바르게 상응하는 자가 합하니 허락할 수 있다. 효에 이런 상이 있으므로 그 때문에 점치는 자에게 경계했다.

程傳

二以陰柔居屯之世, 雖正應在上, 而逼於初剛, 故屯邅回. '如', 辭也. '乘馬', 欲行也. 欲從正應而復班如, 不能進也. '班', 分布之義. 下馬爲班, 與馬異處也. 二當屯世, 雖不能自濟, 而居中得正, 有應在上, 不失義者也, 然逼近於初. 陰乃陽所求, 柔者剛所陵. 柔當屯時, 固難自濟, 又爲剛陽所逼, 故爲難也. 設匪逼於寇難, 則往求於婚媾矣. 婚媾, 正應也, 寇, 非理而至者.

육이는 음의 유순함으로 어려운 세상에 머물러 있으니, 바르게 응함이 위에 있을지라도 초구의 굳셈과 바짝 붙어 있기 때문에 어렵게 여기고 머뭇거린다. '~한다[如]'는 어조사이다. '말을 탔다[乘馬]'는 것은 가려고 함이다. 바르게 호응하는 것을 따르고자 하면서도 다시 말에서 내려온 것은 나아갈 수 없기 때문이다. '내려온다[班]'는 것은 떨어짐이다. 말에서 내려오는 것이 떨어짐이니 말과 따로 있다. 육이가 어려운 세상을 만나 스스로 구제할 수 없을지라도 가운데에 있고 바름을 얻었으며 위로 호응이 있어 의리를 잃지 않는 자이지만 초구와 바짝 붙어 있다. 음은 바로 양이 구하는 것이고, 유순함은 강건함이 침범하는 것이다. 유순함이 어려운 때를 만나 진실로 어려움을 스스로 구제할 수 없는데, 게다가 굳센 양이 침범하기 때문에 어렵다. 도적의 재난에 바짝 붙어 있지 않다면, 가서 혼인할 자를 구할 것이다. 혼인할 자는 바르게 호응하고, 도적은 도리가 아닌데 찾아온다.

二守中正, 不苟合於初, 所以不字. 苟貞固不易, 至於十年, 屯極必通, 乃獲正應而字育矣. 以女子陰柔, 苟能守其志節, 久必獲通. 況君子守道不回乎. 初爲賢明剛正之人, 而爲寇以侵逼於人, 何也. 曰, 此自據二以柔近剛而爲義, 更不計初之德如何也. 易之取義如此.

육이가 중정함을 지켜 구차하게 초구에 합하지 않기 때문에 잉태하지 않는 것이다. 진실로 정조를 굳게 지켜 변치 않는데 십년이 되면 어려움이 다하여 반드시 통하니, 이에 바르게 호응함을 얻어 잉태하고 자식을 낳아 기를 것이다. 여자라는 음의 유순함으로 그 지조와 절개를 지킬 수 있으면, 오랜 시간이 지남에 반드시 통하게 된다. 그런데 하물며 군자가 도를 지켜 나쁜 짓을 하지 않음에야 말해 무엇 하겠는가! 초구는 현명하고 굳세고 바른 사람인데 도적으로 남을 해치고 핍박하는 것은 무엇 때문인가? 이는 육이가 유순함으로 굳셈에 가까이 있는 것을 근거로 의미를 만들어 다시 초구의 덕이 어떤지 헤아리지 않음이다. 『역』에서 의미를 취하는 것이 이와 같다.

集說

● 張氏浚曰 : "'女子貞, 不字, 十年乃字', 蓋以二抱節守志於艱難之世, 而不失其貞也, 若太公在海濱, 伊尹在莘野, 孔明在南陽, 義不苟合, 是爲女貞."[22]

장준(張浚)이 말했다. "'여자가 정조를 지켜 자(字)로 부르지 않다가 십년이 되어서야 자로 부른다'는 것은 육이가 어려운 때에 절개와 지조를 지켜 곧음을 잃지 않는 것으로 태공(太公)이 바닷가에서 낚시질하고, 이윤(伊尹)이 신야(莘野)에서 밭을 갈며, 공명(孔明)[23]이 남양(南陽)에서 지낸 일과 같으니, 의리에 구차하게 합하지 않은 것이 여자의 곧음이다."

● 『朱子語類』云: "耿氏解'女子貞不字', 作'嫁笄而字'. '貞不字'者, 未許嫁也, 卻與婚媾之義相通. 伊川說作'字育'之字."[24]

22) 장준(張浚), 『자암역전(紫巖易傳)』「준괘(屯卦)」.

23) 제갈량(諸葛亮, 181~234) : 자는 공명(孔明)이고, 시호는 충무후(忠武侯)이며, 낭야군(瑯琊郡) 양도현(陽都縣 : 현 산동성 기남현〈沂南縣〉) 사람이다. 호족(豪族) 출신이었으나 어릴 때 아버지와 사별하여 형주(荊州)에서 숙부 제갈현(諸葛玄)의 손에서 자랐다. 후한 말의 전란을 피하여 벼슬하지 않았으나 촉한(蜀漢)의 정치가 겸 전략가로 명성이 높아 와룡선생(臥龍先生)이라 불렸다. 207년 위(魏)의 조조(曹操)에게 쫓겨 형주에 와 있던 유비(劉備)가 '삼고초려(三顧草廬)'의 예로 초빙하여 '천하삼분지계(天下三分之計)'를 진언하고, 군신 관계를 맺었다. 유비(劉備)를 도와 오(吳)나라의 손권(孫權)과 연합하여 남하하는 조조(曹操)의 대군을 적벽(赤壁)의 싸움에서 대파하고, 형주(荊州)와 익주(益州)를 점령하였다. 221년 한나라의 멸망을 계기로 유비가 제위에 오르자 승상이 되었다. 유비가 죽은 뒤에는 어린 후주(後主) 유선(劉禪)을 보필하여 오(吳)와 연합해 위(魏)와 항쟁하며, 생산을 장려하여 민치(民治)를 꾀하고, 운남(雲南)으로 진출하여 개발을 도모하는 등 촉(蜀)의 경영에 힘썼다. 위의 장군 사마의(司馬懿)와 오장원(五丈原)에서 대진하다가 병으로 죽었다.

『주자어류』에서 말했다. "경씨는 '여자가 정조를 지켜 자(字)로 부르지 않는다'는 말을 '혼인을 허락하고 자로 부르는 것'으로 해석했다. 그런데 '정조를 지켜 자로 부르지 않는다'는 것은 혼인을 허락하지 않는다는 의미이니, 바로 혼인한다는 의미와 서로 통한다. 이천은 '잉태하여 기른다'고 할 때의 '잉태한다'로 설명하였다."

案

『易』言'匪寇婚媾'者凡三, 屯二賁四睽上也. 『本義』與『程傳』說不同, 學者擇而從之可也. 然賁之爲卦, 非有屯難睽隔之象, 則爻義有所難通者. 詳玩辭意, '屯如邅如, 乘馬斑如', 與'賁如皤如, 白馬翰如', 文體正相似. 其下文皆接之曰'匪寇婚媾'. 然則'屯如邅如', 及'賁如皤如', 皆當讀斷. 蓋兩爻之自處者如是也, '乘馬班如', 及'白馬翰如', 皆當連下'匪寇婚媾'讀.

『역』에서 '도적이 아니라 혼인하려는 자'로 말한 경우는 모두 세 곳으로 준(屯䷂)괘의 이효, 비(賁䷕)괘의 사효,[25] 규(睽䷥)괘의 상효[26]이다. 『주역본의』와 『정전』의 설명이 같지 않으니, 학자들은 어떤 것을 택해서 따라도 된다. 그런데 비(賁䷕)괘의 모양에는 준

24) 『주자어류』 권70, 13조목.

25) 비(賁䷕)괘의 사효 : 『주역(周易)』「비괘(賁卦)」에서 "六四, 賁如皤如, 白馬翰如, 匪寇婚媾.[육사효는 꾸민 것이 희고 백마가 날아가는 듯이 달려가니, 도둑이 아니라 혼인하려는 것이다.]"라고 하였다.

26) 규(睽䷥)괘의 상효 : 『주역(周易)』「규괘(睽卦)」에서 "上九, 睽孤, 見豕負塗, 載鬼一車. 先張之弧, 後說之弧, 匪寇, 婚媾, 往遇雨則吉.[상구효는 어긋남에 외로워 돼지가 진흙을 짊어진 것과 귀신이 한 수레 실려 있음을 본다. 먼저 활줄을 당겼다가 뒤에 활줄을 풀어놓으니, 도적이 아니라 혼인하려는 자이다. 가서 비를 만나면 길하다.]"라고 하였다.

(屯䷂)괘의 어렵고 규(睽䷥)괘의 어긋나 떨어지는 상이 있지 않으니, 효의 의미에서 통하기 어려운 점이 있다. 그런데 말의 의미를 자세히 완미하면 준괘 이효의 '어려워하고 머뭇거리며 말을 탔지만 내려온다'는 것과 비괘 사효의 "꾸민 것이 희고 백마가 날아가는 듯이 달려간다"는 것은 문체가 참으로 서로 비슷한데, 그 아래의 글이 모두 '도적이 아니라 혼인하려는 자'라고 하는 것으로 이어졌다. 그렇다면 '어려워하고 머뭇거린다'는 것과 '꾸민 것이 희다'는 것에 모두 구두를 끊어야 한다.[27] 그리고 두 효에서 자처하는 것이 이와 같다면, '말을 탔지만 내려온다'는 것과 '백마가 날아가는 듯이 달려간다'는 것은 모두 아래의 '도적이 아니라 혼인하려는 자'로 이어서 구두해야 한다.

言彼'乘馬'者非寇, 乃吾之婚媾也, 此之'乘馬班如'謂五, 賁之'白馬翰如'謂初, 言'匪寇婚媾', 不過指明其爲正應而可從耳. 此卦下雷上雲, 雷聲盤回. 故言'磐桓''邅如'者, 下卦也. 雲物班布, 故言'班如'者, 上卦也. 四與上皆言'乘馬班如', 五之爲乘馬班如, 則於六二言之. 此亦可備一說也.

저쪽에서 '말을 탄 자'는 도적이 아니라 바로 내가 혼인하려는 것이라는 말로 이쪽에서 '말을 탔지만 내려오는 자'는 오효를 말하고,

27) 그렇다면 '어려워하고 머뭇거린다'는 것과 '꾸민 것이 희다'는 것에 모두 구두를 끊어야 한다 : 『준괘(屯卦)』 육이효는 "屯如邅如. 乘馬班如, 匪寇婚媾.[어려워하고 머뭇거린다. 말을 탔지만 내려오니, 도적이 아니라 혼인하려는 자이다.]"로, 『비괘(賁卦)』 육사효는 "六四, 賁如皤如. 白馬翰如, 匪寇婚媾.[육사는 꾸민 것이 희다. 백마가 날아가는 듯이 달려가니, 도둑이 아니라 혼인하려는 것이다.]"로 구두하고 해석하라는 것이다.

비(賁䷕)괘의 '백마가 날아가는 듯이 달려간다'는 것은 초효를 말함으로 '도적이 아니라 혼인하려는 것'이라는 말이니, 그것들이 바른 호응이어서 따라야 됨을 가리켜 밝힌 것일 뿐이다. 여기 준(屯䷂)괘는 아래의 괘(☳)가 우레이고 위의 괘가 구름(☵)으로 우레소리로 주저하며 꾸물거리는 것이다. 그러므로 초효에서 '주저함[磐桓]'과 이효에서 '머뭇거림[邅如]'을 말한 것은 모두 아래의 괘에 대한 것이다. 구름은 퍼져나가기 때문에 '내려온다'고 말한 것은 위의 괘이다. 사효와 상효에서 모두 '말을 탔지만 내려온다'는 것은 오효가 말을 탔지만 내려오는 것이니, 육이에서 그것을 말하였다. 이렇게 하는 것도 하나의 설이 될 수 있다.

六三, 卽鹿無虞, 惟入於林中. 君子幾不如舍, 往吝.

육삼효는 사슴을 추적하는 데 길잡이가 없어서 산림 속에 갇힌 꼴이다. 군자가 기미를 알아차리고 포기하는 것만 못하니, 계속 추적하면 부끄럽게 된다.

本義

陰柔居下, 不中不正, 上無正應, 妄行取困, 爲逐鹿無虞, 陷入林中之象. 君子見幾不如舍去. 若往逐而不舍, 必致羞吝. 戒占者宜如是也.

음의 유순함이 아래에 있고 중정하지 않으며 위로 바르게 응함이 없어서 함부로 행동하여 곤궁하게 되니, 사슴을 추적하는 데 길잡이가 없어서 산림 속에 빠진 상이다. 군자가 기미를 알아차리고 포기하고 떠나는 것만 못하니, 계속 추적하고 포기하지 못하면 반드시 부끄럽게 된다. 점치는 자에게 이와 같이 해야 한다고 경계했다.

程傳

六三以柔居剛. 柔旣不能安屯, 居剛而不中正則妄動. 雖貪於所求, 旣不足以自濟, 又无應援, 將安之乎. 如卽鹿而无虞人也. 入山林者, 必有虞人以導之. 无導之者, 則惟陷入于林莽中. 君子見事之幾微, 不若舍而勿逐, 往則徒取窮吝而已.

육삼효가 유순함으로 굳센 자리에 있다. 유순한 것이 이미 어려움을 편안히 여길 수 없는데, 굳센 자리에 있고 중정하지 못하니 함부로 행동한다. 구할 것을 탐할지라도 이미 스스로 구제하기에 부족하고 또 응원이 없으니 편안히 여길 수 있겠는가? 그러니 사슴을 추적하는 데 길잡이가 없는 것과 같다. 산림 속에 들어간 경우에는 반드시 길잡이가 인도해 주어야 한다. 길잡이가 없을 경우에는 우거진 산림 속에 빠질 뿐이다. 군자가 일의 기미를 알아차리고 포기하고 추적하지 않는 것만 못하니, 계속 추적하면 곤궁하고 부끄럽게 될 뿐이다.

集說

● 『朱子語類』, 問 : "卽鹿無虞."

曰 : "虞只是虞人. 六三陰柔在下而居陽位, 陰不安於陰, 則貪求妄行. 不中不正, 又上無正應, 妄行取困, 所以爲卽鹿無虞, 陷入林中之象. 沙隨盛稱唐人郭京易好, 近寄得來, 說'鹿'當作麓, 「象辭」當作卽'麓無虞, 何以從禽也?'"

問 : "郭據何書?"

曰 : "渠云, '曾得王輔嗣親手與韓康伯注底易本', 然難考據."[28)]

『주자어류』에서 물었다. "'사슴을 추적하는 데 길잡이가 없다'는 것은 무슨 의미입니까?"

대답했다. "길잡이는 산지기입니다. 육삼은 음의 유순함이 아래에 있고 양의 자리에 있어 그것이 음인 것에 불안하면 탐욕스럽게 구

28) 『주자어류』 권70, 15조목.

하고 함부로 행동합니다. 중정하지 않고 또 위로 바르게 호응함이 없어 함부로 행동하여 곤란하게 되기 때문에 사슴을 추적하는 데 길잡이가 없어 산림에 갇힌 상이 된 것입니다. 사수(沙隨)[29]가 당나라 사람 곽경(郭京)[30]이 『역』에 뛰어나다고 극찬하면서 근래의 편지에서 '사슴'은 산기슭으로 해야 하고 「상전」의 말도 '산기슭으로 들어가 산지기가 없으니, 어떻게 짐승을 쫓아가겠는가?'로 해야 한다고 하였습니다."

물었다. "곽경은 어떤 책을 근거로 하였습니까?"

(주자가) 대답했다. "그는 '왕필이 직접 쓰고 한강백(韓康伯)[31]이 주석한 『역』을 얻었다'고 하는데, 고증의 근거로 삼기는 어렵습니다."

29) 사수(沙隨)는 남송 응천부(應天府) 영릉(寧陵) 사람 정형(程迥)을 말한다.

30) 곽경(郭京) : 당(唐)대 역학가로서 벼슬은 소주사호참군(蘇州司戶參軍)을 지냈다. 저서에 『주역거정(周易擧正)』이 있지만 『당서(唐書)』「예문지」에 실려 있지 않아 후세 사람들은 송나라 사람이 가탁한 것이라 의심했다. 『주역거정(周易擧正)』에서 육덕명(陸德明)의 『경전석문』과 이정조(李鼎祚)의 『주역집해』의 해석을 근거로 하여 왕필과 한강백 주석의 오류를 지적하였다. 그 주장이 설득력이 있어 주자(朱子)의 『주역본의(周易本義)』와 조공무(晁公武)의 『역해(易解)』에서 많이 인용했다.

31) 한백(韓伯) : 자는 강백(康伯)이고, 영천장사(潁川長社 : 현 하남성 장갈〈長葛〉) 사람이다. 동진(東晉) 간문제(簡文帝) 때 중서랑(中書郞), 예장태수(豫章太守), 시중(侍中), 이부상서(吏部尙書) 등 관직을 역임했다. 당대 저명한 현학가(玄學家), 훈고학자로서 왕필의 『주역』 상·하경 주석에, 「계사전」·「설괘전」·「서괘전」·「잡괘전」 등에 대한 주석을 덧붙였다.

六四, 乘馬班如, 求婚媾, 往吉, 無不利.

육사효는 말을 탔지만 내려오니, 혼인할 자를 찾으면 가는 것이 길하여 이롭지 않음이 없다.

本義

陰柔居屯, 不能上進, 故爲'乘馬班如'之象. 然初九守正居下, 以應於己, 故其占爲下求婚媾則吉也.

음효의 유순함이 어려움에 처해 위로 나아가지 못하기 때문에 '말을 탔지만 말에서 내려오는' 상이 된다. 그러나 초구효가 바름을 지키고 아래에 있으면서 자신에게 호응하므로 그 점이 아래에서 혼인을 구해오면 길하다.

程傳

六四以柔順居近君之位, 得於上者也, 而其才不足以濟屯. 故欲進而復止, '乘馬班如'也. 己旣不足以濟時之屯, 若能求賢以自輔, 則可濟矣. 初陽剛之賢, 乃是正應, 己之婚媾也. 若求此陽剛之婚媾, 往與共輔陽剛中正之君, 濟時之屯, 則吉而無所不利也. 居公卿之位, 己之才雖不足以濟時之屯, 若能求在下之賢, 親而用之, 何所不濟哉.

육사효는 유순함이 임금을 가까이 하는 지위에 있어 윗사람에게 신임을 얻은 것이지만 그 재주가 어려움을 구제하기에 부족하다. 그러므로 나아가려고 하다가 다시 멈추니, '말을 탔다가 내려오는 것'이다. 자신은 이미 시대의 어려움을 구제하기에 부족하니, 현명한 자를 찾아 자신을 돕게 하면 구제할 수 있다. 초구효는 양효이자 굳세며 현명한 자로 바로 바르게 호응하는 것이니, 자신의 혼인자이다. 이런 양효의 굳셈으로 혼인을 구하고 가서 함께 양효의 굳세고 중정한 임금을 보필하여 시대의 어려움을 구제하면, 길하고 이롭지 않음이 없다. 공·경의 지위에 있으면서 자신의 재주가 시대의 어려움을 구제하기에 부족할지라도 아래에 있는 현명한 자를 찾아 가까이 하여 등용할 수 있으면, 어떻게 구제하지 못하겠는가!

集說

● 胡氏炳文曰 : "凡爻例, 上爲往, 下爲來. 六四下而從初, 亦謂之往者, 據我適人, 於文當言往, 不可言來. 如需上六'三人來', 據人適我, 可謂之來, 不可謂往也."[32]

호병문(胡炳文)이 말했다. 효의 사례에서보면 올라가는 것이 가는 일이고, 내려오는 것이 오는 일이다. 그런데 육사는 내려와서 초효를 따르는데도 가는 일이라고 한 것은 나를 기준으로 남에게 간 것이니, 글에서 간다고 해야 하고 온다고 해서는 안 된다. 이를테면 수(需☵☰)괘의 상육에서 '세 사람이 온다'[33]고 한 것은 남을 기준으로 나에게 온 것이니, 온다고 해야 하고 간다고 해서는 안 된다.

32) 호병문(胡炳文), 『주역본의통석(周易本義通釋)』「준괘(屯卦)」.

33) 세 사람이 온다 : 『주역』 수괘에서 "上六, 入于穴, 有不速之客三人來, 敬之, 終吉.[상육효는 구덩이에 들어가는데 불청객 세 사람이 오니, 공경하면 마침내 길할 것이다.]"라고 하였다.

九五, 屯其膏, 小貞吉, 大貞凶.

구오효는 은택을 베풀기 어려우니, 작은 일에는 곧으면 길하고 큰일에는 곧아도 흉하다.

本義

九五雖以陽剛中正居尊位, 然當屯之時, 陷於險中, 雖有六二正應, 而陰柔才弱, 不足以濟. 初九得民於下, 衆皆歸之, 九五坎體, 有膏潤而不得施, 爲屯其膏之象. 占者以處小事, 則守正猶可獲吉, 以處大事, 則雖正而不免於凶.

구오효가 양의 굳세고 중정함으로 존귀한 자리에 있을지라도 어려운 때를 만나 험한 가운데 빠져 있으니, 육이효가 바르게 호응하고 있을지라도 음의 유순함으로 재질이 약하여 구제하기에 부족하다. 초구효는 아래에서 백성들의 마음을 얻어 사람들이 그에게로 귀의하는데, 구오효는 감(坎☵)괘의 몸체로 은택이 있지만 시행할 수 없으니, 은택을 베풀기 어려운 상이 된다. 점치는 자가 이 때문에 작은 일에 대처하는 것이라면 바름을 지켜 오히려 길할 수 있지만, 큰일에 대처하는 것이라면 바를지라도 흉함을 면하지 못한다.

程傳

五居尊得正, 而當屯時, 若有剛明之賢爲之輔, 則能濟屯矣. 以其無臣也, 故屯其膏. 人君之尊, 雖屯難之世, 於其名位非

有損也. 唯其施爲有所不行, 德澤有所不下, 是屯其膏, 人君之屯也, 旣膏澤有所不下, 是威權不在己也. 威權去己而欲驟正之, 求凶之道, 魯昭公高貴鄕公之事是也, 故小貞則吉也. 小貞, 則漸正之也, 若盤庚周宣, 修德用賢, 復先王之政, 諸侯複朝, 謂以道馴致, 爲之不暴也. 又非恬然不爲, 若唐之僖昭也. 不爲則常屯以至於亡矣.

오효는 존귀한 자리에 있고 바름을 얻었으나 어려운 때를 만났으니, 만일 굳건하고 밝은 현명한 자가 보필해 준다면 어려움을 구제할 수 있을 것이다. 그러나 신하가 없기 때문에 은택을 베풀기 어렵다. 임금이라는 존귀함은 어려운 세상일지라도 그 명예와 직위에 손해나는 것이 있지 않다. 다만 그 시행하는 것이 행해지지 않고 덕이라는 은택이 아래로 내려가지 못하는 경우가 있으니, 이것이 은택을 베풀기 어려운 일로 임금의 어려움이다. 이미 은택이 내려가지 못한 것이 있으면 위엄과 권위가 자신에게 있지 않다. 위엄과 권위가 자신에게서 떠났는데 급히 바로 잡으려고 하면 흉함을 구하는 길이니, 노나라 소공(昭公)과 고귀향공(高貴鄕公)의 일[34]이 여기에 해당한다. 그러므로 조금씩 바로잡는 것이 길하다.
조금씩 바로잡는다는 것은 차츰차츰 바로 잡음이니, 반경(盤庚)[35]

34) 노(魯)나라 소공(昭公)과 고귀향공(高貴鄕公)의 일 : 춘추시대 노(魯)나라 소공(昭公)은 권신 계손씨(季孫氏)를 제거하려다가 도리어 역공을 받아 국외로 도망갔고, 삼국시대 위(魏)나라의 군주 조모(曹髦)는 권신 사마소(司馬昭)를 제거하려다가 실패하여 고귀향공으로 강등되었다.
35) 반경(盤庚) : 은나라를 발전시킨 17대 왕으로 도읍을 상나라의 시조 성탕이 나라를 세울 때의 도읍지로 옮겨 발전의 계기를 삼았다. 반경 때부터 상나라를 은나라라고 불렀다.

과 주선왕[周宣][36]이 덕을 닦고 현명한 자를 등용하여 선왕의 정사를 복구함으로 제후들이 다시 조회하도록 한 것처럼 도를 사용하여 길들이며 이르도록 하고 갑자기 하지 않음을 말한다. 그러나 또 당나라의 희종(僖宗)[37]과 소종(昭宗)[38]처럼 편안히 아무 일도 하지

36) 주선왕 : 주나라 11대 왕으로 주나라를 발전시켰다.

37) 희종(僖宗, 862~888) : 당나라의 황제 이현(李儇)으로 874년부터 888까지 재위에 있었다. 의종(懿宗)의 다섯 번째 아들로 초명은 엄(儼)인데, 나중에 지금 이름으로 고쳤다. 의종 함통(咸通) 14년(873) 환관 유행심(劉行深) 등이 태자로 옹립했고, 얼마 뒤 즉위했는데, 당시 나이가 겨우 12살 때였다. 노는 것만 좋아했고, 정치는 일체 환관 전영자(田令孜)에게 맡겼다. 당시 왕선지(王仙芝)와 황소(黃巢)의 반란이 일어나 양경(兩京)이 함락되었다. 이에 전영자와 함께 성도(成都)로 달아났다. 중화(中和) 5년(885) 장안(長安)으로 돌아왔다. 광계(光啓) 2년(886) 전영자와 하중절도사(河中節度使) 왕중영(王重榮)이 충돌하자 다시 봉상(鳳翔)으로 달아났다가 흥원(興元)까지 이르렀다. 문덕(文德) 원년(888) 장안으로 돌아왔다. 얼마 뒤 병으로 사망했다. 15년 동안 재위했고, 시호는 혜성공정효황제(惠聖恭定孝皇帝)이다.

38) 소종(昭宗, 867~904) : 당나라의 황제 이엽(李曄)으로 재위 기간은 888년부터 906년까지이다. 의종(懿宗)의 일곱 번째 아들이다. 초명은 걸(杰)인데, 민(敏)으로 고쳤다가 나중에 지금 이름으로 고쳤다. 처음에 수왕(壽王)에 봉해졌다. 희종(僖宗) 문덕(文德) 원년(888) 환관 양하공(楊夏恭)이 황태제로 옹립했고, 얼마 뒤 즉위했다. 당시 재상 최윤(崔胤)이 환관 한전해(韓全海)와 다투면서 각각 번진(藩鎭)과 결탁해서 호응을 받았다. 천복(天復) 원년(901) 한전해가 황제를 위협해 봉상(鳳翔)으로 달아나 절도사 이무정(李茂貞)에 의지했다. 최윤이 선무절도사(宣武節度使) 주온(朱溫, 朱全忠)을 이끌고 공격했다. 3년(903) 이무정이 한전해를 죽이고 주온과 화해하자 황제는 장안(長安)으로 돌아와 환관 7백여 명을 죽였다. 모든 일은 다 주온에게 일임했고, 강권에 못 이겨 낙양(洛陽)으로 천도했다. 그리고 얼마 뒤 주온에게 피살당했다. 16년 동안 재

않은 것이 아니다. 아무 일도 하지 않으면, 항상 어려워서 망하게 될 것이다.

集說

● 項氏安世曰:"屯不以九五爲主者, 建侯以爲主. 五本在高位, 非建侯也. 初九動乎險中, 故爲濟屯之主. 天造草昧, 皆自下起, 五能主事, 則不屯矣."[39]

항안세(項安世)가 말했다. "준(屯䷂)괘에서 구오효를 주인으로 하지 않는 것은 제후를 세우고 주인으로 하기 때문이다. 오효가 본래 높은 지위에 있으나 제후를 세우는 것은 아니다. 초구효는 험한 가운데 움직이기 때문에 어려움[屯]을 구제하는 주인이다. 하늘의 조화가 어지럽고 어두운 것은 모두 아래에서 생기니, 오효가 일을 주도할 수 있으면 어렵지 않게 된다."

● 魏氏了翁曰:"周禮有大貞, 謂大卜, 如遷國立君之事. 五處險中, 不利有所作爲, 但可小事, 不可大事. 曰, '小貞吉, 大貞凶', 猶『書』所謂作'內吉, 作外凶, 用靜吉, 用作凶'者."

위료옹(魏了翁)[40]이 말했다. "『주례』에 대정(大貞)이라는 말이 있

위했고, 시호는 성목경문효황제(聖穆景文孝皇帝)이다.

39) 항안세(項安世), 『주역완사(周易玩辭)』「준(屯)괘」.

40) 위료옹(魏了翁, 1178~1237) : 자는 화보(華父)이고 호는 학산(鶴山)이며, 공주 포강(邛州蒲江 : 현 사천성 공래시〈邛崍市〉) 사람이다. 시호는 문정(文靖)이다. 장식(張栻)의 문인인 범자장(范子長), 범자해(范子該)

으니 크게 점치는 것을 말하는 것으로 이를테면 나라를 옮기고 임금을 세우는 일이다. 오효가 험한 가운데 있어 무엇인가 하는 데 이롭지 않으니, 오직 작은 일은 되지만 큰일은 안 된다. '작은 일에는 곧으면 길하고 큰일에는 곧아도 흉하다'고 한 것은 『상서』에서 이른바 '안의 일에는 길하고 밖의 일에는 흉하며, … 조용한 일에는 길하고 무엇인가 하는 데에는 흉하다'[41]는 것과 같다.

● 趙氏汝楳曰:"我方在險, 德澤未加於民. 下焉羣陰, 蒙昧未孚, 唯當寬其政教, 簡其號令, 使徐就吾之經理, 乃可得吉. 若驟用整齊振刷之術, 人將駭懼紛散, 凶孰甚焉. 故新國用輕典."[42]

조여매(趙汝楳)가 말했다. "내가 한창 험한 데 있어 덕택이 백성들에게 가해지지 않는다. 아래로 여러 음들은 몽매하고 미쁘지 않으

형제와 함께 학문을 익혔으며, 중원에 나아가 벼슬할 때에 주희의 문인인 보광(輔廣), 이번(李燔)과 교유하며 주자학을 접하고 추숭하게 되었다. 또 육구연(陸九淵)의 아들 육지지(陸持之)와 친분이 두터워 심학(心學)의 정수에도 상당히 밝았다. 진덕수(眞德秀)와 함께 이학(理學)을 통치 이념으로 확립하는 데 큰 공헌을 하였다. 1199년에 진사에 급제하여 벼슬은 지한주(知漢州), 지미주(知眉州), 첨서추밀원사(同簽書樞密院事), 예부상서(禮部尙書), 단명전학사(端明殿學士), 자정전대학사(資政殿大學士) 등을 역임했다. 그는 소옹의 선천역학을 신봉하여 「하도」와 「낙서」의 존재를 믿었으며 소옹이 말한 선천도도 옛날부터 있었을 것이라고 굳게 믿었다. 저술에 『구경요의(九經要義)』, 『역거우(易擧隅)』, 『경외잡초(經外雜抄)』, 『사우아언(師友雅言)』, 『학산전집(鶴山全集)』 등이 있다.

41) 안의 일에는 길하고 밖의 일에는 흉하며, … 조용한 일에는 길하고 무엇인가 하는 데에는 흉하다 : 『상서(尙書)』「홍범(洪範)」.

42) 조여매(趙汝楳), 『주역집문(周易輯聞)』「준(屯)괘」.

니, 오직 그 정교를 너그럽게 하고 그 호령을 간략하게 해서 서서히 나의 당연한 이치로 나아가게 해야 길함을 얻을 수 있다. 서둘러 질서 있게 진작시키는 방법을 사용한다면 사람들이 놀라고 두려워서 흩어질 것이니, 흉함이 무엇이 이보다 심하겠는가? 그러므로 나라를 새롭게 할 때는 간략하고 관대한 법률을 사용한다."

● 梁氏寅曰 : "'小正'者, 以漸而正之也. 小正則吉者, 以在於其位而爲所可爲也. 大正則凶者, 以時勢旣失而不可以強爲也. 爲可爲於可爲之時則從, 爲不可爲於不可爲之時則凶, 可無愼哉."[43]

양인(梁寅)이 말했다. "'조금씩 바로잡는다'는 것은 차츰차츰 바르게 하는 것이다. 조금씩 바로 잡으면 길한 것은 그 지위에서 할 수 있는 일을 하기 때문이다. 크게 바로 잡으면 흉한 것은 당시의 형세가 이미 잘못되었는데 억지로 해서는 안 되기 때문이다. 할 수 있는 때에 할 수 있는 일을 하면 따르고, 할 수 없는 때에 할 수 없는 일을 하면 흉하니, 삼가지 않아서야 되겠는가!"

43) 양인(梁寅), 『주역참의(周易參義)』「준(屯)괘」.

上六, 乘馬班如, 泣血漣如.

상육효는 말을 타고 나아가지 못하여 피눈물을 줄줄 흘리고 있다.

本義

陰柔無應, 處屯之終, 進無所之, 憂懼而已, 故其象如此.

음의 유순함이 호응함이 없고 어려움의 끝에서 나아감에 갈 곳이 없어 걱정하고 두려워할 뿐이기 때문에 그 상이 이와 같다.

程傳

六以陰柔居屯之終, 在險之極, 而無應援, 居則不安, 動無所之. 乘馬欲往, 復班如不進, 窮厄之甚, 至於泣血漣如, 屯之極也. 若陽剛而有助, 則屯旣極可濟矣.

상육이 음의 유순함으로 어려움의 끝에 있고 험한 것의 궁극에 있는데 응원이 없으니, 가만히 있으면 불안하고 움직이면 갈 곳이 없다. 말을 타고 가려고 하다가 다시 내려와 나아가지 않고, 액운이 심하여 피눈물을 줄줄 흘리는 지경이 되었으니, 어려움이 최고조에 이르렀다. 양이 굳건해서 도움을 준다면 어려움이 이미 다했으니 구제할 수 있다.

集說

● 梁氏寅曰:"屯之極, 乃亨之時也. 而上六陰柔無應, 不離於險, 是安有亨之時哉. 坎爲血卦, 又爲加憂, '泣血漣如'之象也."[44]

양인이 말했다. "어려움의 끝은 바로 형통하게 되는 시기이다. 그런데 상육은 음의 부드러움으로 호응이 없어 험한 데서 벗어나지 못하고 있으니, 이것이 어찌 형통함이 있는 때이겠는가! 감(坎☵)괘는 피의 괘여서 또 근심을 보태는 것이 되니, '피눈물을 줄줄 흘리는' 상이다."

案

卦者時也, 爻者位也. 此聖經之明文, 而曆代諸儒所據以爲說者, 不可易也. 然沿襲之久, 每局於見之拘, 遂流爲說之誤. 何則. 其所曰爲時者, 一時也, 其所指爲位者, 一時之位也, 如屯則定爲多難之世, 而凡卦之六位, 皆處於斯世, 而有事於屯者也. 夫是以二爲初所阻, 五爲初所逼, 遂使一卦六爻, 止爲一時之用, 而其說亦多駁雜而不概於理, 此談經之敝也.

괘(卦)는 때이고 효(爻)는 자리이다. 이것은 성스러운 『역경』의 분명한 글로 역대의 여러 학자들이 근거로 해서 설명한 것이니 바꿀 수 없다. 그러나 그렇게 해온 지 오래되어 매번 그렇게 보는 것에 빠져 있으면 마침내 잘못 설명하고 만다. 왜 그런가? 그곳에서 때라고 한 것이 한 때이고, 그곳에서 자리라고 가리킨 것이 한 때의 자리라면, 어려운[屯] 경우는 반드시 어려움이 많은 시대여서 괘의 여섯 자리가 모두 이런 시대에 어려운 곳에서 일한다. 이 때문에

44) 양인(梁寅), 『주역참의(周易參義)』「준괘(屯卦)」.

이효가 초구에게 저지되고 오효가 초효에게 협박당해 마침내 한 괘의 여섯 효가 일시적인 쓰임만 되고 그 설명도 대부분 난잡하고 이치대로 하지 못하였으니, 이것이 『역경』을 논하는 폐단이다.

蓋易卦之所謂時者, 人人有之, 如屯則士有士之屯, 窮居未達者是也. 君臣有君臣之「屯」, 志未就、功未成者是也. 甚而庶民商賈之賤, 其不逢年而鈍於市者, 皆屯也. 聖人繫辭, 可以包天下萬世之無窮, 豈爲一時一事設哉. 苟達此義, 則初自爲初之屯, 德可以有爲而時未至也, 二自爲二之屯, 道可以有合而時宜待也, 五自爲五之屯, 澤未可以遠施, 則爲之宜以漸也.

『역』에서 말한 자리라는 것은 사람마다 있는데, 어려움이라면 선비에게는 선비의 어려움이 있는 것이니, 곤궁하게 살고 출세하지 못한 경우가 여기에 해당한다. 임금과 신하에게는 임금과 신하의 어려움이 있으니, 뜻이 성취되지 않고 일이 성공하지 않은 경우가 여기에 해당한다. 심지어 서민과 장사치들까지도 때를 만나지 못해 시장에서 어리석게 지내는 경우가 모두 어려움[屯]인 것이다.
성인이 설명 할 때는 천하와 모든 세대를 무궁하게 포괄했으니, 어찌 한 때와 한 가지 일을 위해 그렇게 한 것이겠는가? 이런 의미를 안다면, 초효는 본래 초효의 어려움[屯]이기에 덕으로는 어떤 일을 할 수 있으나 아직 때가 이르지 않은 것이고, 이효는 본래 이효의 어려움이기에 도리로는 합할 수 있으나 때가 아직 기다려야 하는 것이며, 오효는 본래 오효의 어려움이기에 은택을 멀리까지 시행할 수 없는 것이니, 그 일을 하는 데 차츰차츰 해야 한다.

其餘三爻, 義皆仿是, 蓋同在屯卦, 則皆有屯象. 異其所處之位,則各有處屯之理. 中間以承乘比應取義者, 亦虛象爾. 故二之乘剛, 但取多難之象, 初不指初之爲侯也. 五之屯膏, 但取未通之象, 亦不因初之爲侯也. 今日二爲初阻, 五爲初逼, 則初乃卦之大梗, 而易爲衰世之書, 豈聖人意哉. 六十四卦之理, 皆當以此例觀之, 庶乎辭無窒礙而義可得矣.

그 나머지 세 효도 의미는 모두 이와 같으니, 동일하게 준괘(屯卦)에 있을 때는 모두 어려움[屯]의 상이 있다. 처한 자리가 다르니, 각기 어려움에 대처하는 도리가 있다. 중간에 '계승[承]'·'올라 탐[乘]'·'나란히 함[比]'·'호응[應]'으로 의미를 취하는 경우는 또한 헛된 상(象)일 뿐이다. 그러므로 이효가 굳셈을 올라타고 있는 것에서는 단지 어려움이 많은 상을 취할 뿐이고, 초효에서는 초효가 제후가 된다고 가리키지 않았으며, 오효가 은택을 베풀기 어려운 데서는 단지 통하지 않는 상만 취했을 뿐이고 또한 초효가 제후가 된다는 것으로 말미암지 않았다. 오늘에 이효가 초구에게 저지되고 오효가 초효에게 협박당하는 것은 초효가 바로 괘의 대체이고 『역』이 말세를 위한 책이기 때문이니, 어찌 성인의 생각이겠는가! 64괘의 이치는 모두 이런 사례로 봐야 한다. 그러면 거의 말에 막히지 않고 의미를 알게 될 것이다.

4. 몽蒙괘

䷃ 艮上
坎下

程傳

蒙「序卦」, "屯者盈也, 屯者物之始生也. 物生必蒙, 故受之以蒙. 蒙者蒙也, 物之稚也". 屯者, 物之始生. 物始生稚小, 蒙昧未發, 蒙所以次屯也. 爲卦艮上坎下. 艮爲山爲止, 坎爲水爲險. 山下有險, 遇險而止, 莫知所之, 蒙之象也. 水必行之物, 始出未有所之, 故爲蒙, 及其進則爲亨義.

몽(蒙䷃)괘는 「서괘전」에서 "준(屯)은 가득 함이고, 준은 사물이 처음 생기는 것이다. 사물이 생기면 반드시 어리기 때문에 몽괘로 이어 받았다. 몽(蒙)은 어린 것이니 사물의 어린 것이다"라고 하였다. 준은 사물이 처음 생겨난 것이다. 사물이 처음 생겨나면 어리고 작으며 몽매하고 아직 계발이 되지 않았으니, 몽(蒙䷃)괘가 준(屯䷂)괘 다음에 있는 까닭이다. 괘의 모양이 간(艮☶)은 위에 있고, 감(坎☵)은 아래에 있다. 간은 산이고 그침이며, 감은 물이고 험함이다. 산 아래에 험한 것이 있고, 험한 것을 만나 멈추어 어디로 가야 할지 알지 못하는 것이 몽의 상이다. 물은 반드시 흘러가는 것인데, 처음 생겨나 아직 갈 곳이 없기 때문에 몽매함이지만 나아가게 되면 형통함이 된다는 의미이다.

蒙, 亨, 匪我求童蒙, 童蒙求我. 初筮告, 再三瀆. 瀆則不告. 利貞.

몽(蒙)은 형통하니, 내가 철부지 어린이에게 구하는 것이 아니라, 철부지 어린이가 나에게 구하는 것이다. 처음 점치거든 알려주고 두 번 세 번하면 욕되게 하는 것이다. 욕되게 하면 알려주지 않는다. 바르게 함이 이롭다.

本義

艮, 亦三畫卦之名. 一陽止於二陰之上, 故其德爲止, 其象爲山. 蒙, 昧也, 物生之初, 蒙昧未明也. 其卦以坎遇艮, 山下有險, 蒙之地也, 內險外止, 蒙之意也, 故其名爲蒙. '亨'以下, 占辭也. 九二內卦之主, 以剛居中, 能發人之蒙者, 而與六五陰陽相應, 故遇此卦者有亨道也. '我', 二也, '童蒙', 幼稚而蒙昧, 謂五也. 筮者明, 則人當求我而其亨在人, 筮者暗, 則我當求人而亨在我. 人求我者, 當視其可否而應之, 我求人者, 當致其精一而扣之. 而明者之養蒙, 與蒙者之自養, 又皆利於以正也.

간(艮☶)은 또한 세 획의 괘이름이다. 하나의 양이 두 음의 위에 머물러 있기 때문에 그 덕이 그침이고 그 상이 산이다. 몽(蒙)은 어두움이니, 만물이 생긴 처음에는 몽매해서 밝지 못한 것이다. 괘[蒙䷃]가 감(坎☵)으로써 간(艮☶)을 만났으니, 산 아래 험함이 있는 것이 몽의 처지이고, 안으로는 험하고 밖으로는 그치는 것이 몽의 의미이기 때문에 그 이름이 몽이다. '형통하니' 이하의 말은 점치는 말이다. 구이효는 내괘의 주인이자 굳셈으로 가운데 있으니 사람들의 몽매함을 계발할 수 있고, 육오효와는 음과 양이 서로 호응하기 때문에 이 괘를 만나는 경우에 형통한 도가 있다. '나'는 구이효이고, '철부지 어린이'는 유치하고 몽매한 것으로 육오효를 말한다. 점치는 사람이 현명하면 남이 나에게 구하기에 그 형통함이 남에게 있고, 점치는 사람이 우매하면 내가 남에게 구하기에 그 형통함이 내게 있다. 남이 나에게 구하는 경우에는 그 가부를 보아 호응해야 하고, 내가 남에게 구하는 경우에는 순수한 마음으로 물어야 하는데, 현명한 사람이 몽매한 사람을 가르치고, 몽매한 사람이 자신을 함양할 때 또한 모두 바름으로써 하는 것이 이롭다.

程傳

蒙有開發之理, 亨之義也, 卦才時中, 乃致亨之道. 六五爲蒙之主, 而九二發蒙者也. 我謂二也. 二非蒙主, 五旣順巽於二, 二乃發蒙者也. 故主二而言. '匪我求童蒙, 童蒙求我', 五居尊位, 有柔順之德, 而方在童蒙, 與二爲正應, 而中德又同, 能用二之道以發其蒙也. 二以剛中之德在下, 爲君所信嚮, 當以道自守, 待君至誠求己而後應之, 則能用其道, 匪我求於童蒙, 乃童蒙來求於我也. 筮, 占決也. '初筮告', 謂至誠一意以求己則告之. 再三則瀆慢矣, 故不告也. 發蒙之道, 利以貞正, 又二雖剛中, 然居陰, 故宜有戒.

몽(蒙)에 계발하는 이치가 있는 것이 형통한 의미이고, 괘의 재질이 때에 맞게 하는 것이 바로 형통함을 이루는 도이다. 육오효는 몽괘의 주인이고, 구이효는 몽매한 자들을 일깨우는 사람이다. 내[我]는 구이효를 이른다. 구이효가 몽괘의 주인이 아닌데 육오가 이미 구이에게 공손했던 것은 구이가 바로 몽매한 자들을 일깨우기 때문이다. 그러므로 구이를 주로 해서 말했다.

'내가 철부지 어린이에게 구하는 것이 아니라, 철부지 어린이가 나에게 구하는 것이다'라는 말은, 육오효는 높은 자리에 있으면서 유순한 덕이 있어 한창 철부지 어린이 시기인데, 구이효와 바르게 호응하고 알맞은 덕이 또한 같으니, 구이효의 도로 그 몽매함을 일깨울 수 있다는 뜻이다. 구이효가 강건하고 알맞은 덕으로 아래에 있어 임금이 신뢰하는 것은 도로써 스스로를 지키면서 임금이 지극한 정성으로 자기를 찾도록 기다린 다음에 부름에 호응하면 그 도를 쓸 수 있는 것이니, 내가 철부지 어린이에게 구하는 것이 아니라 바로 철부지 어린이가 나에게 와서 구하는 것이다.

점치는 것[筮]은 점으로 결단하는 일이다. '처음 점치거든 알려준다'는 것은 지극한 정성과 한결같은 뜻으로 나에게 구하면 가르쳐 줌을 말한다. 두 번 세 번 점치면 욕되게 하는 것이기 때문에 가르쳐 주지 않는다. 몽매함을 일깨우는 도는 바르게 하는 것을 이롭게 여기니, 또 구이효가 굳세고 알맞을지라도 음의 자리에 있기 때문에 경계함이 있어야 한다.

集說

● 『朱子語類』云: "人來求我, 我則當視其可否而告之. 蓋視其來求我之發蒙者, 有初筮之誠則告之, 再三煩瀆則不告之也. 我求人, 則當致其精一以叩之. 蓋我而求人以發蒙, 則當盡初筮之誠, 而不可有再三之瀆也."[1)]

『주자어류』에서 말했다. "다른 사람이 나에게 와서 구하면 나는 그 가부를 살펴서 일러주어야 한다. 나에게 와서 몽매함을 일깨우는 자를 보았을 때, 처음 점치는 성실함이 있으면 알려주고 두 번 세 번하면 알려주지 않는다. 내가 남에게 구한다면 내 마음을 정성스럽게 해서 구하여야 한다. 내가 남에게 구하여 몽매함을 일깨우려면 처음 점치는 정성스러움을 다 해야 하고 두 번 세 번 물어 모독해서는 안 된다."

● 項氏安世曰："待其求而後教之，由其心相應而不違，致一以導之，則其受命也如響."[2]

항안세(項安世)가 말했다. "구하기를 기다린 다음에 가르쳐 주고 그 마음이 서로 호응해 어긋나지 않는 것으로 말미암아 전일하게 해서 인도하면, 그가 명을 받드는 것이 메아리 같다."

● 胡氏炳文曰："有天地卽有君師，乾坤之後繼以屯．主震之一陽，而曰'利建侯'，君道也，又繼以蒙，主坎之一陽，而曰'童蒙求我'，師道也．君師之道，皆利於貞."[3]

호병문(胡炳文)이 말했다. "천지가 있으면 곧 임금과 스승이 있으니, 건(乾☰)괘와 곤(坤☷)괘의 다음에 준(屯☳)괘로 이었다. 진(震☳)괘에서 하나의 양을 주로 하여 '나라를 세우고 제후가 되는 것이 이롭다'고 했으니 임금의 도이고, 또 몽(蒙☶)괘로 이어 감(坎

1) 『주자어류』 권70, 19조목.
2) 항안세(項安世), 『주역완사(周易玩辭)』「몽(蒙)괘」.
3) 호병문(胡炳文), 『주역본의통석(周易本義通釋)』「몽(蒙)괘」.

☷)괘에서 하나의 양을 주로 하여 '철부지 어린이가 나에게 구하는 것이다'라고 했으니 스승의 도이다. 임금과 스승의 도는 모두 바르게 함이 이롭다."

● 兪氏琰曰: "'瀆', 與「少儀」'毋瀆神'之瀆同. 不告, 與『詩』「小旻」'我龜旣厭, 不我告猶'之義同. 初筮則其志專一, 故告, 再三則煩瀆, 故不告. 蓋童蒙之求師, 與人之求神, 其道一也."[4]

유염(兪琰)이 말했다. "'욕되게 한다'는 것은 『예기(禮記)』「소의(少儀)」의 '신명을 욕되게 하지 말라'고 할 때의 '욕되게 한다'는 것과 같다. '알려주지 않는다'는 것은 『시경(詩經)』「소욱(小旻)」의 '나의 거북이 이미 싫증이 나서 나에게 길흉을 알려주지 않는다'고 할 때의 의미와 같다. 처음 점칠 때는 뜻이 전일하기 때문에 알려주고, 두 번 세 번하면 번잡하고 욕되게 하기 때문에 알려주지 않는다. 철부지 어린이가 스승께 구하는 것과 내가 신명께 구하는 것은 그 방법이 동일하다."

● 林氏希元曰: "童蒙不我求, 則無好問願學之心, 安能得其來而使之信? 我求而誠或未至, 則無專心致志之勤, 安能警其惰而使之聽? 待其我求而發之, 則相信之深, 一投而卽入矣, 待其誠至而發之, 則求道之切, 一啟而卽通矣. 此蒙者所以得亨也."[5]

임희원(林希元)이 말했다. "철부지 어린이가 나에게 구하지 않는다면, 묻기를 좋아하고 싶은 마음이 없는 것이니, 어떻게 그를 오게

4) 유염(兪琰), 『주역집설(周易集說)』「몽(蒙)괘」.
5) 임희원(林希元), 『역경존의(易經存疑)』「몽(蒙)괘」.

해서 믿게 할 수 있겠는가? 나에게 구할지라도 혹 성실하게 다가오지 않는다면, 전심으로 뜻을 이루려는 노력이 없는 것이니, 어떻게 그 게으름을 경계해서 경청하게 만들 수 있겠는가? 나에게 구하기를 기다려 계몽시키면, 서로 믿는 것이 깊어 한 번만 가르쳐주어도 바로 받아들이고, 성실하게 다가오기를 기다려 계몽시키면, 도를 구하는 것이 절실하여 한 번만 깨우쳐주어도 바로 통하게 된다. 이렇게 하는 것이 몽매한 자가 형통하게 되도록 하는 일이다."

初六, 發蒙, 利用刑人, 用說桎梏, 以往, 吝.

초육효는 몽매함을 일깨우는데 사람에게 형벌을 주어 질곡을 벗겨주는 것이 이롭지만 그대로만 해나가면 부끄럽게 된다.

本義

以陰居下, 蒙之甚也. 占者遇此, 當發其蒙. 然發之之道, 當痛懲而暫舍之, 以觀其後. 若遂往而不舍, 則致羞吝矣. 戒占者當如是也.

음으로서 아래에 있으니 몽매함이 심하다. 점치는 사람이 이 효를 만나면 그 몽매함을 일깨워야 한다. 그런데 일깨우는 도는 통렬하게 징계하다가도 잠깐 멈추어 그 뒤의 태도를 살펴야 한다. 그대로 이어 그치지 않는다면 부끄럽게 될 것이니, 점치는 사람에게 이와 같이 해야 한다고 경계했다.

程傳

初以陰暗居下, 下民之蒙也. 爻言發之之道, 發下民之蒙, 當明刑禁以示之, 使之知畏, 後從而教導之. 自古聖王爲治, 設刑罰以齊其衆, 明教化以善其俗, 刑罰立而後教化行. 雖聖人尙德而不尙刑, 未嘗偏廢也. 故爲政之始, 立法居先. 治蒙之初, 威之以刑者, 所以說去其昏蒙之桎梏. 桎梏, 謂拘束也. 不去其昏蒙之桎梏, 則善教无由而入. 旣以刑禁率之, 雖使心未

能喩, 亦當畏威以從, 不敢肆其昏蒙之欲. 然後漸能知善道, 而革其非心, 則可以移風易俗矣. 苟專用刑以爲治, 則蒙雖畏而終不能發, 苟免而无恥, 治化不可得而成矣. 故以往則可吝.

초육효가 음의 우매함으로 아래에 있으니, 백성의 몽매함이다. 효사에서 몽매함을 일깨우는 도를 말하였으니, 백성의 몽매함을 일깨울 때는 형벌과 금법을 분명히 보여 두려움을 알게 하고 그 뒤에 이어 가르치고 인도해야 한다. 예로부터 성왕이 다스릴 때는 형벌을 베풀어 그 백성을 다스리고, 교화를 밝혀 그 풍속을 선하게 하셨으니, 형벌이 확립된 뒤에 교화가 행해지기 때문이다. 그러니 성인이 덕을 숭상하고 형벌을 숭상하지 않을지라도 일찍이 한쪽을 폐하지 않았었다. 그러므로 정치를 행하는 처음에 법을 먼저 세우고, 몽매함을 다스리는 처음에 형벌로 위엄 있게 하는 것은 어둡고 몽매한 질곡을 벗겨 제거하기 위한 것이다.
질곡은 구속함을 말한다. 그 어둡고 몽매한 질곡을 제거하지 않으면 선한 가르침이 들어갈 수 없다. 이미 형벌과 금법으로 이끌었으면, 마음으로 깨닫게 하지 못하였을지라도 위엄이 두려워 따르게 해야 하고, 감히 어둡고 몽매한 욕심을 펼치지 못하게 해야 한다. 그런 뒤에 차츰차츰 선한 도를 알아 그릇된 마음을 고치게 할 수 있으면, 풍속을 바꿀 수 있다. 오로지 형벌로만 다스린다면, 몽매한 사람이 두려워할지라도 끝내 몽매함을 일깨우지 못할 것이고, 구차하게 모면하고 부끄러운 마음이 없어 다스림의 교화가 이루어질 수 없다. 그러므로 그대로 해나가면 부끄럽게 된다.

集說

● 王氏安石曰："不辨之於蚤, 不懲之於小, 則蒙之難極矣, 當蒙之初, 不能正法以懲其小. 用說桎梏, 縱之以往, 則吝道也."

왕안석(王安石)이 말했다. "일찌감치 분별하지 못하고 작을 때에 징계하지 않으면 몽매함을 다하기 어려우니, 몽매한 초기에 바른 법으로 그 작은 것을 징계하지 않을 수 없다. 형벌로 질곡을 벗겨 주었다고 그대로 가면 부끄럽게 되는 길이다."

● 王氏宗傳曰 : "所謂'刑人'者, 正其法以示之, 立其防束, 曉其罪戾, 而豫以禁之. 使蒙蔽者知所戒懼, 欲有所縱而不敢爲, 然後漸知善道, 可得而化之也. 當是時也, 夫苟說其桎梏, 而不豫以禁之, 由過此以往, 不可復制矣. 故於發蒙之初, 用刑人則以爲利, 用說桎梏, 則以爲吝也."[6]

왕종전(王宗傳)[7]이 말했다. "이른바 '사람에게 형벌을 준다'는 것은 법을 바르게 함으로써 보여주고 대비할 것을 세움으로 죄를 알게 하여 미리 막는 것이다. 몽매하게 가려진 자들이 경계와 두려움을 알아 하고 싶은 것이 있으나 감히 못하게 한 다음에 선한 도리를 차츰차츰 알아 교화될 수 있게 한다. 이 때 진실로 질곡을 벗겨놓아 예방하고 금지하지 못한다면, 그 때문에 이후로는 다시 제압할 수 없다. 그러므로 몽매함을 일깨우는 초기에 사람에게 형벌을 사용하면 이롭고, 질곡을 벗겨주면 부끄럽게 되는 것이다."

6) 왕종전(王宗傳), 『동계역전(童溪易傳)』「몽(蒙)괘」.

7) 왕종전(王宗傳) : 자는 경맹(景孟)이고, 호는 동계(童溪)이다. 송대 영덕(寧德 : 현 복건성 영덕시) 사람으로, 1181년에 진사에 급제하여 소주교수(韶州教授)를 역임하였다. 역학에 밝아, 한(漢)대 양구하(梁丘賀)와 맹희(孟喜)의 학설을 계승하면서도 왕필의 의리역학을 추종하여 상수역학을 배척하였다. 저서에는 『동계역전(童溪易傳)』이 있다.

● 胡氏炳文曰: "'利用刑人', 痛懲之也. '用說桎梏', 暫舍之以觀其後也. 痛懲而不暫舍, 一於嚴以往, 是不知有敬敷五教在寬之道也, 故吝."[8)]

호병문(胡炳文)이 말했다. "'사람에게 형벌을 주는 것이 이롭다'는 것은 통렬하게 징계하는 일이다. '질곡을 벗겨준다'는 것은 잠시 놔두고 그 뒤의 태도를 살피는 일이다. 통렬히 징계하면서 잠시도 놔두지 않고 계속 혹독하게 한다면, 정중하게 다섯 가지 교화를 펴는 것이 너그럽게 하는 도에 있음을 알지 못하는 것이므로 부끄럽게 된다."

案

二王氏之說, 則利用刑人, 用說桎梏以往吝, 只是一正一反口氣, 正如'師出以律, 失律凶'之比爾.

두 왕씨의 설명은 "사람에게 형벌로 질곡을 벗겨주는 것이 이롭지만 그대로만 해나가면 부끄럽게 된다"는 것으로 오직 말의 기세를 한 번은 바르게 하고 한 번은 반대로 한 것이니, 이를테면 사(師䷆)괘 초육의 「상전」에서 "'군대가 출동하는 데 규율대로 한다'는 것은 규율대로 하지 않으면 흉하다"[9)]는 말에 비교될 뿐이다.

8) 호병문(胡炳文), 『주역본의통석(周易本義通釋)』「몽(蒙)괘」.

9) '군대가 출동하는 데 규율대로 한다'는 것은 규율대로 하지 않으면 흉하다: 『주역(周易)』「사괘(師卦)」에서 "象曰, '師出以律', 失律, 凶也.[「상전」에서 말했다. '군대가 출동하는 데에 규율대로 한다'는 것은 규율대로 하지 않으면 흉하다는 것이다.]"라고 하였다.

九二, 包蒙吉, 納婦吉, 子克家.

구이효는 몽매함을 포용하면 길하고, 부인을 받아들이면 길하며, 자식이 집안을 다스리는 것이다.

本義

九二以陽剛爲內卦之主, 統治群陰, 當發蒙之任者. 然所治旣廣, 物性不齊, 不可一槪取必, 而爻之德剛而不過, 爲能有所包容之象. 又以陽受陰, 爲納婦之象, 又居下位而能任上事, 爲子克家之象. 故占者有其德而當其事, 則如是而吉也.

구이가 굳센 양으로서 내괘의 주인이 되어 여러 음을 다스리니, 몽매함을 일깨우는 책임을 맡은 사람이다. 그런데 다스리는 것이 이미 넓고 만물의 성질이 동일하지 않으니, 반드시 한 가지로 밀어붙여 기필해서는 안 되고, 효의 덕이 굳세지만 지나치지 않으니, 포용할 수 있는 상이 있다. 또 양으로서 음을 받아들이니 부인을 받아들이는 상이고, 또 아랫자리에 있으면서 위의 일을 맡으니 자식이 집안을 다스리는 상이다. 그러므로 점치는 사람이 그 덕이 있어 그 일을 맡으면 이처럼 길하다.

程傳

'包', 含容也. 二居蒙之世, 有剛明之才, 而與六五之君相應, 中德又同, 當時之任者也, 必廣其含容, 哀矜昏愚, 則能發天下之蒙, 成治蒙之功. 其道廣, 其施博, 如是則吉也. 卦唯二陽爻, 上九剛而過, 唯九二有剛中之德而應於五, 用於時而獨明者也. 苟恃其明, 專於自任, 則其德不宏. 故雖婦人之柔暗, 尙當納其所善, 則其明廣矣. 又以諸爻皆陰, 故云'婦'. 堯舜之聖, 天下所莫及也, 尙曰'清問下民, 取人爲善也'. 二能包納, 則克濟其君之事, 猶子能治其家也. 五旣陰柔, 故發蒙之功, 皆在於二. 以家言之, 五, 父也, 二, 子也, 二能主蒙之功, 乃人子克治其家也.

'포용한다'는 것은 받아들여 포용함이다. 구이효는 몽매한 세상에 강건하고 현명한 재주가 있어 육오효의 임금과 호응하고 알맞은 덕이 또한 같아 당시의 책임을 맡은 자이니, 반드시 관용을 널리 하고 어둡고 우매함을 불쌍히 여기면, 천하의 몽매함을 일깨우고 몽매함을 다스리는 공을 이룬다. 그 도를 널리 하고 베풂을 두루 하기를, 이와 같이하니 길하다.
괘에 오직 두 양효가 있는데, 상구는 강하지만 지나치고, 구이만이 강하고 중도에 맞는 덕이 있어 육오효와 호응하니, 당시에 등용되고 홀로 밝은 자이다. 그런 밝음을 믿고, 전적으로 마음대로 하면 그 덕이 넓어지지 못한다. 그러므로 부인의 유약하고 우매함일지라도 오히려 그 선한 것을 받아들인다면 밝음이 넓어질 것이다. 또 여러 효가 음효이기 때문에 '부인[婦]'이라 하였다.
요임금과 순임금은 천하 사람들이 미치지 못할 만큼 뛰어난 성인인데도, 오히려 '백성에게 허심탄회하게 묻고, 다른 사람에게서 취하여 선을 행하였다'고 한다. 구이효가 포용하여 받아들일 수 있으면, 그 임금의 일을 해낼 수 있을 것이니, 자식이 집안일을 다스릴 수 있는 것과 같다. 육오효는 이미 유약한 음이기 때문에, 몽매함을 일깨우는 공이 모두 구이에게 있다. 집안으로 말하면 육오효는 아비이고, 구이는 자식인데, 구이효가 계몽의 공을 주도할 수 있으니, 바로 자식이 집안을 다스리는 것이다.

集說

● 楊氏萬里曰 : "五求二, 二匪求五, 乃曰子克家? 何也? 臣事君, 如子事父, 正使致君如伊周, 亦臣子分內事, 如子之克家耳, 非功也."[10]

양만리(楊萬里)[11]가 말했다. "오효는 이효에게 구하고 이효는 오효에게 구하지 않는데, 자식이 집안을 다스린다고 한 것은 무엇 때문인가? 신하가 임금을 섬기는 것은 자식이 아버지를 섬기는 것과 같으니, 바로 이윤과 주공처럼 임금에게 충성을 다하는 것도 신하로서 분수를 지키는 일로 자식이 집안을 다스리는 것과 같을 뿐이어서 일이 아니다."

10) 양만리(楊萬里), 『성재역전(誠齋易傳)』「몽괘(蒙卦)」.

11) 양만리(楊萬里, 1127~1206) : 자는 정수(廷秀)이고, 호는 성재(誠齋)이며, 시호는 문절(文節)이다. 남송대 길주 길수(吉州吉水 : 현 강서성 길수현 황교진〈吉水縣黃橋鎮〉) 사람이다. 소흥(紹興) 때 진사에 급제하여 보모각직학사(寶謨閣直學士), 영릉승(零陵丞)을 지냈고, 효종 때 국자감박사(國子監博士), 보문각대제(寶文閣待制)를 역임하였다. 영주(永州)에 귀양된 장준(張浚)에게 성리학을 사사하였다. 시문에 뛰어나 평생 2만 여 수의 시를 지었다고 한다. 저서에는 『성재역전(誠齋易傳)』, 『당언(唐言)』, 『천려책(千慮策)』, 『성재시화(誠齋詩話)』, 『성재집(誠齋集)』 등이 있다.

● 王氏申子曰 : "'包蒙'者, 包衆蒙而爲之主也. '納婦'者, 受衆陰而爲之歸也. 此通一卦而言也. 五, 尊也, 父也. 二, 卑也, 子也. 處卑而任尊者之事, 子克家之象也. 此以應五而言也."[12)]

왕신자(王申子)가 말했다. "'몽매함을 포용한다'는 것은 몽매한 자들을 포용하여 그들의 주인이 되는 일이다. '부인을 받아들인다'는 것은 여러 음을 받아들여 그것들의 귀의처가 된다는 말이다. 이것은 한 괘를 통괄하여 말한 것이다. 오효는 존귀한 자이고 아버지이다. 이효는 비천한 자이고 자식이다. 낮은 데 있으면서 존귀한 자의 일을 맡는 것은 자식이 집안을 다스리는 상이다. 이것은 오효와 호응하는 것으로 말하였다."

● 胡氏炳文曰 : "初爻統說治蒙之理. 餘三四五皆是蒙者, 治蒙只在陽爻, 而九二爲治蒙之主."[13)]

호병문(胡炳文)이 말했다. "초효에서는 몽매함을 다스리는 이치를 통괄하여 설명했다. 나머지 삼효·사효·오효는 모두 몽매한 자들로 몽매함을 다스리는 것은 양효에만 있으니, 구이가 몽매함을 다스리는 주인이다."

● 梁氏寅曰 : "陽剛明, 陰柔暗, 故陰爲蒙者, 而陽爲發蒙者. 卦唯二陽, 而九二以剛居中, 爲內卦之主, 與五相應, 當發蒙之任, 盡發蒙之道, 非九二其誰哉. 二中而不過, 爲能包蒙, 言其量之有容也. 以陽受陰, 是爲納婦, 言其志之相得也. 居下任事, 爲子

12) 왕신자(王申子), 『대역집설(大易集說)』「몽괘(蒙卦)」.

13) 호병문(胡炳文), 『주역본의통석(周易本義通釋)』「몽괘(蒙卦)」.

能克家, 言其才之有爲也. 其占如是, 吉可知矣."[14]

양인(梁寅)이 말했다. "양은 굳세고 밝으며, 음은 나약하고 어둡기 때문에 음이 몽매한 자이고, 양은 계몽하는 자이다. 괘에는 양효가 둘 뿐인데, 구이효가 굳셈이 가운데 있음으로 내괘의 주인이 되어 오효와 서로 호응하니, 계몽의 책임을 맡아 계몽의 도를 다하는 것을 구이가 아니면 누가 할 수 있겠는가! 이효가 중간에 있고 지나치지 않아 몽매함을 포용할 수 있으니, 그 도량이 포용력이 있다는 말이다. 양으로 음을 받아들이는 것은 바로 부인을 받아들이는 일이니, 그 뜻이 서로 맞는다는 말이다. 아래에서 일을 맡아 자식이 집안을 다스릴 수 있으니, 그 재주가 일을 할 수 있다는 말이다. 그 점이 이와 같으니, 길함을 알 수 있다."

14) 양인(梁寅), 『주역참의(周易參義)』「몽괘(蒙卦)」.

六三, 勿用取女. 見金夫, 不有躬, 無攸利.

육삼효는 여자를 맞이하지 말라. 돈이 많은 사내를 보고, 몸을 지키지 못하니, 이로울 것이 없다.

本義

六三陰柔, 不中不正, 女之見金夫, 而不能有其身之象也. 占者遇之, 則其取女必得如是之人, 無所利矣. 金夫, 蓋以金賂己而挑之, 若魯秋胡之爲者.

육삼효는 유약한 음으로 알맞지도 않고 바르지도 않으니, 여자가 돈 많은 사내를 보고 그 몸을 지킬 수 없는 상이다. 점치는 사람이 이 효를 만나면 여자를 취함에 반드시 이와 같은 사람을 얻을 것이니, 이로울 것이 없다. 돈 많은 사내가 돈을 자신에게 주면서 유혹하니, 노나라 추호(秋胡)[15]가 한 짓과 같다.

15) 추호(秋胡) : 노나라 추호가 부인을 맞아들인 지 5일 만에 진(陳)나라로 벼슬하러 갔다. 그 후에 돌아오다가 집에 미처 당도하기 전에 길옆에서 아름다운 부인이 뽕을 따는 것을 보았다. 추호가 색욕(色慾)이 동하여 수레에서 내려 그 부인에게 뽕나무 그늘 아래로 가자고 꼬드겼으나 부인이 뽕만 따고 돌아보지 않았다. 추호가 말하기를 "고생해서 농사를 짓는 것이 좋은 때를 만나는 것만 못하고, 고생해서 뽕을 따는 것이 사내를 잘 만나는 것만 못하다. 지금 내게 돈이 있는데 부인에게 주고 싶다." 하였는데, 부인이 받지 않았다. 추호가 집으로 돌아오자 모친이 며느리를 불러왔는데 바로 뽕을 따던 그 부인이었다. 부인이 추호의 죄를 꾸짖

程傳

三以陰柔處蒙暗, 不中不正, 女之妄動者也. 正應在上, 不能遠從, 近見九二爲群蒙所歸, 得時之盛. 故舍其正應而從之, 是女之見金夫也. 女之從人, 當由正禮, 乃見人之多金, 說而從之, 不能保有其身者也, 無所往而利矣.

육삼효는 유약한 음으로서 우매함에 있어 알맞지도 않고 바르지도 않으니, 여자가 함부로 움직이는 것이다. 바른 호응이 위에 있으나 멀어서 좇지를 못하고, 가까이서 여러 몽매한 것들이 구이효를 따르고 때의 성대함을 얻는 것을 보았다. 그러므로 바른 호응을 버리고 따르니, 여자가 돈 많은 사내를 본 것이다. 여자가 사람을 따를 때는 바른 예로 말미암아야 하는데, 사람이 돈이 많을 것을 보고 좋아서 따른다면 그 몸을 지킬 수 없는 것이니, 가서 이로울 것이 없다.

集說

● 王氏弼曰 : "童蒙之時, 陰求於陽, 晦求於明. 六三在下卦之上, 上九在上卦之上, 男女之義也. 上不求三, 而三求上, 女先求男者也. 女之爲體, 正行以待命者也. 見剛夫而求之, 行在不順, 故勿用取女, 而無攸利."[16]

왕필이 말했다. "철부지 어린아이 때에는 음이 양에게 구하고 어리

고는 하수(河水)에 몸을 던져 죽었다.

16) 왕필(王弼), 『주역주(周易註)』「몽괘(蒙卦)」.

석음이 밝음에게 구한다. 육삼효는 하괘의 위에 있고 상구효는 상괘의 위에 있으니, 남녀의 의로움이다. 상효는 삼효에게 구하지 않고 삼효가 상효에게 구하니, 여자가 먼저 남자에게 구하는 것이다. 여자의 몸가짐은 행실을 바르게 하여 명령을 기다리는 것이다. 굳센 남자를 보고 구하여 행실이 이치를 따르는 데 있지 않기 때문에 여자를 맞이하지 말라는 것이고, 이로움이 없다는 말이다."

● 趙氏汝楳曰:"人致蒙者多端, 故亨蒙非一術. 有不被教育而蒙者, 初是也. 有不能問學而蒙者, 四是也, 有性質未開而蒙者, 五是也. 如三則自我致蒙, 聖人戒之曰:'勿用取女'. 或發之, 或擊之, 教亦多術, 勿取非絕之, 不屑之教也."[17]

조여매(趙汝楳)가 말했다. "사람이 몽매하게 된 경우는 가지각색이기 때문에 몽매함을 형통하게 하는 방법도 하나가 아니다. 교육을 받지 못해 몽매한 경우는 초효가 여기에 해당한다. 묻고 배우지 않아 몽매한 경우는 사효가 여기에 해당한다. 성질이 아직 개발되지 않아 몽매한 경우는 오효가 여기에 해당한다. 삼효라면 본래 내가 몽매하게 되는 것이어서 성인이 경계하여 '여자를 취하지 말라'고 하였다. 혹은 일깨우고, 혹은 계도하며, 가르치는 것도 방법이 많으니, 취하지 말라는 것은 끊어버림이 아니라 탐탁하게 여기지 않는 태도를 보여 줌으로써 가르치는 일이다."

● 林氏希元曰:"六三又別取一義, 意因二爻取納婦一事, 故發此象."[18]

17) 조여매(趙汝楳), 『주역집문(周易輯聞)』「몽괘(蒙卦)」.

임희원(林希元)이 말했다. "육삼에서는 또 별도로 하나의 의미를 취했는데, 뜻이 이효의 부인을 받아들이는 하나의 일로 말미암기 때문에 이런 상을 말했다."

案

'金夫'本意不黏爻象. 『程傳』以爲九二, 然九二發蒙之主, 若三能從之, 正合彖辭'童蒙求我'之義, 不應謂之'不順'. 蓋『易』例陰爻居下體, 而有求於上位者皆凶, 王氏之說近是.

'돈 많은 사내'의 본래 의미는 효의 상과 관계가 없다. 『정전』에서는 구이효로 여겼지만 이효는 몽매함을 일깨우는 주인이니, 삼효가 이효를 따를 수 있다면 단사의 "철부지 어린이가 나에게 구한다"는 의미에 바로 합한다. 호응하지 않는다는 것은 '행실을 삼가지 않음'[19]을 말한다. 『역』의 사례에서 음효가 아래 괘에 있으면서 윗자리에 구하는 경우는 모두 흉하니, 왕필의 설명이 옳은 것에 가깝다.

18) 임희원(林希元), 『역경존의(易經存疑)』「몽괘(蒙卦)」.
19) 행실을 삼가지 않음 : 『주역(周易)』「몽괘(蒙卦)」에서 "象曰, '勿用取女', 行不順也.[「상전」에서 말했다. '여자를 맞이하지 말라'는 것은 행실을 삼가지 않기 때문이다.]"라고 하였다.

六四, 困蒙, 吝.

육사효는 몽매함으로 곤란하니 부끄럽다.

本義

旣遠於陽, 又無正應, 爲困於蒙之象. 占者如是, 可羞吝也. 能求剛明之德而親近之, 則可免矣.

이미 양에서 멀리 있고 또 바른 호응이 없으니, 몽매함으로 곤란한 상이다. 점치는 사람이 이와 같이 되면 부끄러워해야 한다. 굳세고 현명한 덕이 있는 사람을 구해 가까이 할 수 있다면 곤란함을 면할 수 있다.

程傳

四以陰柔而蒙暗, 無剛明之親援, 無由自發其蒙, 困於昏蒙者也, 其可吝甚矣. 吝, 不足也, 謂可少也.

육사효가 유약한 음으로서 몽매한데 굳세고 현명한 사람이 직접 이끌어 주지 않아 스스로 몽매함을 일깨우지 못하니, 어둡고 몽매하여 곤란을 겪는 자로 그 부끄러움이 심하다. 부끄러움은 부족함이니 하찮게 여겨야 함을 말한다.

集說

● 王氏弼曰 : "獨遠於陽, 處兩陰之中, 暗莫之發, 故曰'困蒙'也. 困於蒙昧, 不能比賢以發其志, 亦以鄙矣. 故曰'吝'也."[20]

왕필이 말했다. "홀로 양에서 멀리 떨어져 있고 두 음의 가운데 있어 어두움을 아무도 일깨우지 못하기 때문에 '몽매함으로 곤란하다'고 했다. 몽매함으로 곤란한데 현명한 사람을 가까이 하여 그 마음을 일깨울 수 없으니, 또한 어리석다. 그러므로 '부끄럽다'고 하였다."

● 胡氏炳文曰 : "初與三比二之陽, 五比上之陽, 初三五皆陽位, 而三五又皆與陽應. 唯六四所比所應所居皆陰, 困於蒙者也. 蒙豈有不可教者? 不能親師取友, 其困而吝也, 自取之也."[21]

호병문이 말했다. "초효와 삼효는 이효인 양을 가까이 하고, 오효는 상효인 양을 가까이 하며, 초효·삼효·오효는 모두 양의 자리이고, 삼효와 오효는 또 모두 양과 호응한다. 그런데 육사만은 가까이 하는 것과 호응하는 것과 있는 곳이 모두 음이니, 몽매함으로 곤란한 것이다. 몽매함에 어찌 가르칠 수 없는 경우가 있겠는가? 스승을 가까이 하고 친구를 받아들일 수 없으니, 곤란하고 부끄럽게 됨은 스스로 취한 것이다."

20) 왕필(王弼), 『주역주(周易註)』「몽괘(蒙卦)」.

21) 호병문(胡炳文), 『주역본의통석(周易本義通釋)』「몽괘(蒙卦)」.

六五, 童蒙, 吉.

육오효는 철부지 어린이니, 길하다.

本義

柔中居尊, 下應九二, 純一未發, 以聽於人, 故其象爲童蒙, 而其占爲如是則吉也.

부드럽고 알맞은 것이 존귀한 자리에 있으면서 아래로 구이에게 호응하는데, 순일(純一)하고 계몽되지 못하여 남을 따른다. 그러므로 그 상이 철부지 어린이인데, 그 점이 이와 같으면 길하다.

程傳

五以柔順居君位, 下應於二, 以柔中之德, 任剛明之才, 足以治天下之蒙, 故吉也. 童, 取未發而資於人也. 爲人君者, 苟能至誠任賢以成其功, 何異乎出於己也?

육오효가 유순함으로 임금의 자리에 있으면서 아래로 구이효에 호응하고, 부드럽고 알맞은 덕으로 강건하고 현명한 재주가 있는 신하에게 맡겨 천하의 몽매함을 다스릴 수 있기 때문에 길하다. 어린이는 계몽되지 못해 다른 사람에게 의지한다. 임금이 진실로 지극한 정성으로 어진 사람에게 맡겨서 그 공을 이루게 할 수 있으면, 어찌 자기에게서 나오는 것과 다르겠는가?

集說

● 胡氏炳文曰："屯所主在初，卦曰'利建侯'，而爻於初言之．蒙所主在二，卦曰'童蒙求我'，而爻於五言之，五應二者也．童蒙純一未發以聽於人，居尊位而能以童蒙自處，其吉可知．"[22]

호병문이 말했다. "준(屯䷂)괘가 주인으로 삼는 것은 초효에 있는데, 괘에서 '나라를 세워 제후가 됨이 이롭다'라고 하고 초효에서 그것을 말했다. 몽(蒙䷃)괘에서 주인으로 삼는 것은 이효에 있는데, 괘에서 '철부지 어린이가 나에게 구하는 것이다'라고 하고 오효에서 그것을 말했으니, 오효가 이효에 호응하기 때문이다. 철부지 어린이는 순일(純一)하고 계몽되지 못하여 남을 따르는데, 존귀한 지위에 있는데도 철부지 어린이로 자처할 수 있으니, 그 길함을 알만하다."

● 蔡氏清曰："柔中居尊，純一未發，此'童蒙'字，與卦辭'童蒙'字小不同．蓋卦辭只是說蒙昧而已，此之童蒙，言其有柔中之善，純一之心．純則不雜，一則不二．蓋有安己之心，而無自用之失，有初筮之誠，而無再三之瀆，信乎其吉矣．『程傳』'童取未發而資於人'者也，此語最切．"[23]

채청이 말했다. "부드럽고 알맞은 것이 존귀한 곳에 있고 순박하고 계몽되지 않았으니, 여기에서의 '철부지 어린이'라는 말은 괘사에서 '철부지 어린이'라는 말과 다소 다르다. 괘사에서는 단지 몽매함을 설명했을 뿐이고, 여기에서의 철부지 어린이는 부드럽고 알맞은 선함과 순일한 마음이 있음을 말한 것이다. 순수하면 잡되지 않고 하

22) 호병문(胡炳文), 『주역본의통석(周易本義通釋)』「몽괘(蒙卦)」.
23) 채청(蔡清), 『역경몽인(易經蒙引)』「몽괘(蒙卦)」.

나로 되어 있으면 다르지 않다. 자기에게 편안한 마음이 있으나 스스로 마음대로 하는 잘못이 없고, 처음 점치는 진실함이 있으나 두 번 세 번하여 욕되게 함이 없으니, 진실로 그것은 길하다.『정전』에서 '어린이는 계몽되지 못해 다른 사람에게 의지한다'는 이 말이 딱 들어맞는다."

又曰 : "宋敷文閣直學士李椿有曰 : '『易』以九居五, 六居二爲當位, 而辭多艱, 以六居五, 九居二爲不當位, 而辭多吉. 蓋君以剛健爲體, 而虛中爲用, 臣以柔順爲體, 而剛中爲用. 君誠以虛中行其剛健, 臣誠以剛中守其柔順, 則上下交而其志同矣, 實易爻之通例.'"[24]

또 말했다. "송(宋) 부문각(敷文閣) 직학사(直學士) 이춘유(李椿有)가 '『역』에서 구(九)가 오효에 있고, 육(六)이 이효에 있는 것은 마땅한 자리인데, 그 설명하는 말에 어려움이 많고, 육이 오효에 있고 구가 이효에 있는 것은 마땅하지 않은 자리인데 그 설명하는 말에 길함이 많다. 임금은 강건함을 몸체로 하고, 허중(虛中)을 작용으로 하고, 신하는 유순함을 몸체로 하고 강중(剛中)을 작용으로 한다. 임금이 진실로 허중으로 그 강건함을 실행하고, 신하가 진실로 유중으로 그 유순함을 지키면 상하가 사귀어 그 뜻이 하나로 되니, 실제 『역』의 효에서 통상적인 실례이다'라고 하였다."

24) 채청(蔡清), 『역경몽인(易經蒙引)』「몽괘(蒙卦)」.

上九, 擊蒙, 不利爲寇, 利禦寇.

상구효는 몽매함을 타파하는 것이지만 도적이 됨은 이롭지 않고, 도적을 막음이 이롭다.

本義

以剛居上, 治蒙過剛, 故爲'擊蒙'之象. 然取必太過, 攻治太深, 則必反爲之害. 唯捍其外誘, 以全其眞純, 則雖過於嚴密, 乃爲得宜. 故戒占者如此. 凡事皆然, 不止爲誨人也.

굳셈을 가지고 위에 있어 몽매함을 다스리는데 지나치게 굳세기 때문에 '몽매함을 타파하는' 상이 된다. 그러나 취하는 것이 반드시 너무 지나치고 공격하여 다스리는 것이 너무 심하면, 반드시 도리어 해가 된다. 오직 바깥의 유혹을 막아서 그 참되고 순수함을 온전히 하면, 지나치게 엄격하고 치밀할지라도 마땅함을 얻을 것이다. 그러므로 점치는 사람에게 이와 같이 하라고 경계하였다. 일이 모두 그러하니, 사람을 가르치는 일만이 아니다.

程傳

九居蒙之終, 是當蒙極之時, 人之愚蒙旣極, 如苗民之不率, 爲寇爲亂者, 當擊伐之. 然九居上, 剛極而不中, 故戒'不利爲寇'. 治人之蒙, 乃禦寇也, 肆爲剛暴, 乃爲寇也. 若舜之征有苗, 周公之誅三監, 禦寇也. 秦皇漢武窮兵誅伐, 爲寇也.

상구효는 몽(蒙☶☵)괘의 끝에 있으니, 몽매함이 지극한 때이다. 사람의 어리석고 몽매함이 이미 극에 달하여, 묘(苗)의 백성[25]이 따르지 않고 도적이 되고 난을 일으키는 것과 같으니, 정벌해야 한다. 그러나 상구효가 위에 있어 강한 것이 지나치고 알맞지 못하기 때문에, '도적이 됨은 이롭지 않다'고 경계하였다.

사람의 몽매함을 다스리는 것이 바로 도적을 막는 일이고, 마음대로 강포함을 행하는 일이 바로 도적이 되는 것이다. 순임금이 묘족을 친 것과 주공(周公)이 삼감(三監)을 벤 것[26]과 같은 사례가 도적을 막는 일이고, 진시황과 한무제가 무력을 남용하여 베고 정벌한 것과 같은 사례가 도적이 된 것이다.

集說

● 楊氏簡曰:"擊其蒙, 治之雖甚, 不過禦其爲寇者而已, 去其悖道之心而已. 擊之至於太甚, 而我反失乎道, 是擊之者又爲寇也, 故戒之曰, '不利爲寇, 利禦寇'."[27]

25) 묘(苗)의 백성 : 이들은 요순(堯舜) 시대 삼묘국(三苗國)을 가리키니, 순임금 때에 묘나라 사람들이 완악하여 천자의 명을 자주 거역했기 때문에 그들을 삼위(三危)로 내쫓았다.

26) 삼감(三監)을 벤 것 : 주(周)나라 무왕(武王)이 은(殷)나라를 멸한 다음 그 도읍을 동·서·북으로 나눠 주(紂)의 아들 무경(武庚)과 함께 그 아들들 관숙(管叔)·채숙(蔡叔)·곽숙(霍叔)에게 나눠 다스리게 했으니, 그 아들들을 삼감(三監)이라고 한다. 그런데 그 아들들이 무경을 끼고 유언비어를 퍼뜨리고 삼감(三監)의 난을 일으켜서 주공(周公)이 토벌했다.

27) 양간(楊簡, 『양씨역전(楊氏易傳)』「몽괘(蒙卦)」.

양간(楊簡)이 말했다. "몽매함을 타파하는 것은 다스리는 일로는 심할지라도 도적이 되는 것을 막고 도리에 벗어나려는 마음을 없애는 일에 불과할 뿐이다. 그런데 타파하는 것이 너무 심해 자신이 도리어 도리를 잃으면, 타파하는 것이 또 도적이 되므로 '도적이 됨은 이롭지 않고, 도적을 막음이 이롭다'라고 경계하였다."

● 吳氏澄曰 : "二剛皆治蒙者. 九二剛而得中, 其於蒙也能包之, 治之以寬者也. 上九剛極不中, 其於蒙也, 乃擊之, 治之以猛者也."

오징(吳澄)[28]이 말했다. "두 굳셈은 모두 몽매함을 다스리는 일들이다. 구이효는 굳세고 알맞음을 얻어 몽매한 것들을 포용할 수 있으니, 너그럽게 다스리는 일이다. 상구효는 굳셈의 끝이고 알맞지 않아 몽매한 것들을 바로 타파하니, 사납게 다스리는 일이다."

總論

● 項氏安世曰 : "六爻之義, 初常對上, 二常對五, 三常對四, 觀之, 則其義易明. 初用刑以發之, 上必至於用兵以擊之, 二爲包

28) 오징(吳澄, 1249~1333) : 자는 유청(幼淸)이고, 세칭 초려선생(草廬先生)이라 한다. 송원(宋元)교체기 숭인(崇仁 : 현 강서성 소속) 사람으로 국자감사업(國子監司業) · 한림학사(翰林學士)를 역임하였다. 시호는 문정(文正)이다. 그의 학문은 주로 주희와 육구연의 사상을 절충하는 경향이 있으며, 특히 주희 이래의 도통(道統)을 은연 중에 자임하고 있다. 저서는 『학기(學基)』, 『학통(學統)』, 『서 · 역 · 춘추 · 예기찬언(書 · 易 · 春秋 · 禮記纂言)』, 『오문정공집(吳文正公集)』, 『효경장구(孝經章句)』 등이 있고, 『황극경세서(皇極經世書)』, 『노자(老子)』, 『장자(莊子)』, 『태현경(太玄經)』, 『팔진도(八陣圖)』, 『곽박장서(郭璞葬書)』를 교정했다.

而接五, 則五爲童而巽二, 三爲見二而失身, 則四爲遠二而失實. 大約諸卦多然, 終始見於初上, 而曲折備於中爻也."[29]

항안세가 말했다. "여섯 효의 의미는 초효가 항상 상효를 마주하고 이효가 항상 오효를 마주하며 삼효가 항상 사효를 마주하는 것이니, 그로 본다면 의미가 쉽고 분명하다. 초효가 형벌로 계몽하니, 상효가 반드시 군대를 동원해 타파하고, 이효가 포용하여 오효를 만나니 오효는 어린이가 되어 이효에게 공손하며, 삼효가 이효를 보고 몸을 잃으니 사효는 이효를 멀리하여 실정을 잃는다. 대체로 여러 괘가 대부분 그렇게 되어 있으니, 끝과 시작은 초효와 상효에 나타나고, 복잡한 사정은 가운데 효들에서 나타난다."

● 蔡氏清曰: "詳觀蒙卦六爻, 在蒙者便當求明者, 在明者便當發蒙者, 而各有其道. 然要之不出卦辭數句矣, 故曰'智者, 觀其彖辭, 則思過半矣'. 若三四則自暴自棄, 雖聖人與居, 不能化而入者也."[30]

채청(蔡清)이 말했다. "몽괘(蒙卦䷃)의 여섯 효를 자세히 보면, 몽매한 상태에 있는 자들은 바로 밝게 되기를 구하는 자들이고, 밝은 상태에 있는 자들은 바로 몽매함을 일깨우는 자들이어서 제각기 그 도리가 있다. 그러나 그것을 요약하면, 괘사의 몇 구절을 벗어나지 않기 때문에 「계사전」 9장에서 '지혜로운 이가 단사(彖辭)를 보면 반 이상을 생각하게 될 것이다'라고 하였다. 삼효와 사효라면, 자포자기한 것이니, 성인이 함께 있을지라도 교화시켜 끌어들일 수 없

29) 항안세(項安世), 『주역완사(周易玩辭)』「몽괘(蒙卦)」.
30) 채청(蔡清), 『역경몽인(易經蒙引)』「몽괘(蒙卦)」.

는 자들이다."

● 吳氏曰愼曰 : "治蒙之道, 當發之養之, 又當包之. 至其圾乃擊之, 刑與兵所以弼教, 治蒙之道備矣."

오왈신(吳曰愼)[31]이 말했다. "몽매함을 다스리는 도는 계몽해서 길러야 하고 또 포용해야 한다. 위태롭게 타파하는 지경까지 간 것은 형벌과 군대로 교화를 도우면, 몽매함을 다스리는 도리가 갖추어진다.

31) 오왈신(吳曰愼) : 자는 휘중(徽仲)이고 흡현(歙縣 : 현 안휘성 黃山市) 사람으로 제생[諸生 : 명(明)·청(淸)시대 성(省)에서 실시하는 각종 고시(考試)에 합격한 다음 부(府), 주(州), 현(縣)의 학교에 들어가 공부하는 자들]을 지냈다. 북송오자의 책에 마음을 다 쏟았고, 학문을 논함에 경을 주로 하기 때문에 정암(靜菴)이라고 스스로 호를 붙였다. 초년에 양계(梁溪)를 유람하다가 동림(東林)서원에서 강학을 했다. 얼마 뒤 흡현으로 돌아와 자양서원과 환고서원 두 서원에서 제자들을 모아 강학했는데, 흥기하는 자들이 많았다.

5. 수需괘

䷄ 坎上 乾下

程傳

需「序卦」, "蒙者蒙也, 物之穉也. 物穉不可不養也, 故受之以需. 需者, 飮食之道也". 夫物之幼穉, 必待養而成. 養物之所需者, 飮食也, 故曰'需者飮食之道也'. 雲上於天, 有蒸潤之象. 飮食所以潤益於物, 故需爲飮食之道, 所以次蒙也. 卦之大意, 須待之義, 「序卦」取所須之大者耳. 乾健之性, 必進者也, 乃處坎險之下, 險爲之阻, 故須待而後進也.

수(需䷄)괘는 「서괘전」에서 "몽(蒙)은 어린 것으로 사물의 어린 것이다. 사물이 어리면 기르지 않을 수 없기 때문에 수(需䷄)로 받았다. 수(需)는 음식의 도이다"라고 하였다. 사물이 어린 것은 반드시 양육해야 성장한다. 사물을 양육하는 데 필요한 것은 음식이기 때문에, '수는 음식의 도이다'라고 하였다. 구름이 하늘에 있는 것은 김이 올라가 적시는 상이다. 음식은 사물을 적셔 유익하게 하는 것이므로, 수(需)괘가 음식의 도가 되고 몽괘 다음에 있는 까닭이다. 괘의 큰 뜻은 기다린다는 것이니, 「서괘전」에서는 기다림 중에서 큰 것을 취했을 뿐이다. 건(乾☰)은 굳센 성질로 반드시 나아가는데, 그야말로 험한 감(坎☵)의 아래에 있어 험한 것이 나아감을 막기 때문에 기다린 다음에 나아간다.

需有孚, 光亨, 貞吉, 利涉大川.

기다림이 믿음이 있으면 밝게 형통하고 곧으면 길하여, 큰 내를 건넘이 이롭다.

本義

'需', 待也. 以乾遇坎, 乾健坎險, 以剛遇險, 而不遽進以陷於險, 待之義也. '孚', 信之在中者也. 其卦九五以坎體中實, 陽剛中正而居尊位, 爲有孚得正之象. 坎水在前, 乾健臨之, 將涉水而不輕進之象. 故占者爲有所待而能有信, 則光亨矣. 若又得正, 則吉而利涉大川. 正固无所不利, 而涉川, 尤貴於能待, 則不欲速而犯難也.

'기다림[需]'은 대기하는 것이다. 건(乾☰)이 감(坎☵)을 만나 건이 굳세고 감이 험하니, 굳셈이 험함을 만나 험한 데 빠져 서둘러 나아가지 않고 대기하는 의미이다. '믿음[孚]'은 믿음이 속에 있는 것이다. 수괘(需卦䷄)의 구오효는 감(坎☵)의 몸체로서 가운데가 알차고, 양으로서 굳세고 중정하며 높은 자리에 있으니, 믿음이 있고 바름을 얻는 상이다. 감(坎☵)의 물이 앞에 있어 건(乾☰)의 굳셈으로 나아가니, 물을 건너겠지만 경솔하게 나아가지 않는 상이다. 그러므로 점치는 사람이 기다리면서 믿음을 지닐 수 있으면 빛나며 형통하다. 또 바름을 얻는다면 길하여 큰 내를 건넘이 이롭다는 것이다. 바르고 굳게 하면 이롭지 않음이 없으나, 내를 건널 때는 기다릴 줄 아는 것이 더욱 귀하니, 서둘다가 험난함을 당하지 않으려는 것이다.

程傳

‘需’者, 須待也. 以二體言之, 乾之剛健上進而遇險, 未能進也, 故爲需待之義. 以卦才言之, 五居君位, 爲需之主, 有剛健中正之德, 而誠信充實於中. 中實, 有孚也. 有孚則光明而能亨通, 得貞正而吉也. 以此而需, 何所不濟? 雖險无難矣, 故利涉大川也. 凡‘貞吉’, 有旣正且吉者, 有得正則吉者, 當辨也.

‘기다림[需]’은 대기하는 것이다. 두 괘의 몸체로 말하면, 건의 강건함이 위로 올라가다가 험함을 만나 나갈 수 없기 때문에, 기다린다는 의미가 된다. 괘의 재질로 말하면, 구오효가 임금의 자리에 있어 수(需☵☰)괘의 주인이 되고, 강건하고 중정한 덕이 있어 정성과 믿음이 가운데 가득 찼다. 가운데가 가득 찬 것은 믿음이 있다. 믿음이 있으면, 광명하여 형통할 수 있고 곧고 바름을 얻어 길하다. 이것으로써 기다리면 무엇인들 극복하지 못하겠는가? 험할지라도 곤란함이 없을 것이기 때문에, 큰 내를 건넘이 이롭다. 대체로 ‘길하여 이롭다[貞吉]’는 것에는, 이미 바르고 또 길한 경우가 있고, 바름을 얻으면 길한 경우가 있으니, 분별해야 한다.

集說

● 『朱子語類』云 : “需者寧耐之意. 以剛遇險, 時節如此, 只得寧耐以待之. 且如涉川者, 多以不能寧耐致覆溺之禍, 故需卦首言‘利涉大川’”.[1]

1) 『주자어류』 권70, 31조목.

『주자어류』에서 말했다. "기다림[需]은 인내한다는 의미이다. 굳셈으로 험난함을 만났는데, 시절이 이와 같다면 단지 인내하며 기다려야 할 뿐이다. 또 내를 건너는 자들이 대부분 인내할 수 없어 넘어져 물에 빠지는 화를 당하는 것과 같기 때문에 수괘(需卦)의 앞에서 '큰 내를 건넘이 이롭다'라고 했다."

● 項氏安世曰 : "需非終不進也, 抱實而遇險, 有待而後進也. 凡待者, 皆以其中有可待之實也. 我實有之, 但能少待, 必有光亨之理. 若其無之, 何待之有? 故曰, '需, 有孚, 光亨'. 光亨者, 不可以盈, 必敬慎以終之, 故曰, '貞吉'. 信能行此, 則其待不虛, 其進不溺, 故曰, '利涉大川'. 有孚, 光亨, 貞吉者, 需之道也, '利涉大川'者, '需'之效也."[2]

항안세가 말했다. "기다림은 끝내 나아가지 않음이 아니니, 가득함을 가슴에 품고 험함을 만나 기다린 다음에 나아간다. 기다리는 것은 모두 그 가운데 기다릴 만한 내용이 있기 때문이다. 내가 진실로 그것을 가지고 있으면서 조금 기다리고 있을 뿐이니, 반드시 밝게 형통하게 될 이치가 있다. 그것이 없다면 무엇 때문에 기다리겠는가? 그러므로 '기다림이 믿음이 있으면 밝게 형통하다'고 하였다. 밝게 형통한 것은 채워서는 안되고, 반드시 공경과 삼감으로 끝까지 해야 하기 때문에 '곧으면 길하다'고 하였다. 진실로 이것을 행할 수 있으면 기다림에 허무하지 않고 나아감에 빠짐이 없기 때문에 '큰 내를 건넘이 이롭다'고 하였다. '믿음이 있으면 밝게 형통하고 곧으면 길하다'는 것은 '기다림[需]'의 도이고, '큰 내를 건넘이 이롭다'는 것은 '기다림[需]'의 효과이다."

2) 항안세(項安世), 『주역완사(周易玩辭)』「수괘(需卦)」.

● 胡氏炳文曰 : "需而無實, 無光且亨之時, 需而非正, 無吉且利之理. 世有心雖誠實, 而處事或有未正者, 故曰'孚', 又曰'貞'."[3]

호병문이 말했다. "기다렸는데 내용이 없으면 밝고 또 형통한 때가 없으며, 기다렸는데 바름이 아니면 길하고 또 이로운 이치가 없다. 그런데 세상에는 마음이 성실했을지라도 처사에 간혹 바르지 못한 경우가 있기 때문에 '믿음'이라고 하고, 또 '곧음'이라고 하였다."

● 林氏希元曰 : "凡人作事, 皆責成於目前. 其間多有阻礙而目前不可成者, 其勢不容於不待. 然不容不待者, 其心多非所樂, 其待也, 未必出於中誠, 不免於急迫覬望之意. 如此則懷抱不開, 胸中許多暗昧抑塞, 而不光明豁達, 故聖人特發'有孚'之義. 蓋遇事勢之未可爲, 卽安於義命, 從容以待機會, 而不切切焉以厚覬望, 則其待也, 出於眞實而非虛假矣. 如此則心逸日休, 胸襟灑落而無滯礙, 不亦光明豁達乎! 然使心安於需, 而事或未出於正, 則將來亦未必可成. 必也所需之事, 皆出於正, 而無行險僥幸之爲, 則功深而效得, 時動而事起, 向者之所需, 而今皆就緖矣, 故吉."[4]

임희원이 말했다. "일반 사람들이 일을 하면 모두 눈앞에 이것을 이룰 책임이 있다. 그런데 그동안 험하게 막혀 눈앞에서 이룰 수 없는 경우가 많으니, 그런 상황에는 기다리지 않을 수 없다. 그러나 기다리지 않을 수 없는 상황은 그 마음이 대부분 기껍지 않아 그 기다림이 꼭 마음의 진실함에서 나온 것은 아니니, 급하게 바라

3) 호병문(胡炳文), 『주역본의통석(周易本義通釋)』「수괘(需卦)」.

4) 임희원(林希元), 『역경존의(易經存疑)』「수괘(需卦)」.

는 마음을 벗어나지 못한다. 그렇게 되면 생각이 막히고 가슴이 여러 가지의 어두운 생각으로 답답하여 밝게 통하지 못한다. 그러므로 성인이 특히 '믿음이 있으면'이라는 의미를 말했다.
일이 형편상 어쩔 수 없을 때는 곧 천명을 편안히 받아들이고 침착하게 기회를 기다리며 서두르지 않음으로 바라는 것을 두텁게 하면, 그 기다림이 진실함에서 나와 공연히 가식으로 하지 않게 된다. 이렇게 하면 마음이 한가로이 날로 편안해지고 흉금이 깨끗해져서 막힘이 없으니, 밝게 통하지 않겠는가! 그러나 마음이 기다림에 편안해져 일이 간혹 바른 데로 나아가지 못하게 되면, 앞으로도 반드시 성공하지는 못한다. 그러니 반드시 기다리는 일은 모두 바른 것에서 나오고, 험함을 행하면서 요행을 바라지 않으면, 공이 깊어지고 효과가 있으며 때에 따라 움직이고 일을 일으켜 지난 번에는 기다리던 것들이 이제는 모두 갈피가 잡히기 때문에 길하다."

初九, 需於郊, 利用恒, 無咎.

초구효는 교외에서 기다리니, 변하지 않음을 이롭게 여기면 허물이 없을 것이다.

本義

'郊', 曠遠之地, 未近於險之象也. 而初九陽剛, 又有能恒於其所之象, 故戒占者能如是則'无咎'也.

'교외'는 넓고 먼 땅이니 험함에 가까이 있지 않은 상이다. 그런데 초구효는 양의 굳셈이어서 또 자기의 자리에서 변하지 않을 수 있는 상이 있다. 그러므로 점치는 사람에게 이와 같이 할 수 있으면 '허물이 없을 것'이라고 경계하였다.

程傳

需者以遇險. 故需而後進. 初最遠於險, 故爲需于郊. 郊, 曠遠之地也. 處於曠遠, 利在安守其常, 則无咎也. 不能安常, 則躁動犯難, 豈能需於遠而无過也?

기다리는 것은 험함을 만났기 때문이다. 그러므로 기다린 다음에 나아간다. 초구효는 험한 데로부터 가장 멀리 있기 때문에 교외에서 기다리는 것이다. 교외는 넓고 멀리 있는 땅이다. 넓고 멀리 있어 이로움이 일정함을 편안히 지키는 데 있으니, 그렇게 하면 허물이 없다. 일정함을 편안히 여길 수 없으면, 조급하게 움직여 험난함을 범할 것이니, 어찌 먼 데서 기다리며 허물이 없게 할 수 있겠는가?

集說

孔氏穎達曰 : "難在於坎. 初九去難既遠, 故待於郊. 郊者, 境上之地, 去水遠也. '恒', 常也. 遠難待時, 以避其害, 故宜保守其常, 所以無咎."[5]

공영달이 말했다. "어려움이 감(坎☵)괘에 있다. 초구효는 어려움을 벗어나 이미 멀리 있기 때문에 교외에서 기다리는 것이다. 교외는 국경지대로 물에서 멀리 떨어져 있다. '변하지 않음'은 일정함이다. 어려움에서 멀리 떨어져 때를 기다림으로 그 해로움을 피하기 때문에 당연히 그 일정함을 지키니 허물이 없는 까닭이다."

● 梁氏寅曰, "需下三爻, 以去險遠近爲吉凶. 初以陽處下, 最遠於險, 故爲需於郊之象. 郊, 荒遠之地也, 而君子安處焉, 故云'利用恒'."[6]

양인이 말했다. "수(需䷄)괘 하체의 세 효는 험함을 벗어나 가까이 있고 멀리 있는 것으로 길함과 흉함을 삼는다. 초효는 양으로 아래에 있어 험함에서 가장 멀리 떨어져 있기 때문에 교외에서 기다리

5) 공영달(孔穎達), 『주역주소(周易注疏)』「수괘(需卦)」.
6) 양인(梁寅), 『주역참의(周易參義)』「수괘(需卦)」.

는 상이다. 교외는 아주 멀리 있는 곳으로 군자가 편안히 머물러 있기 때문에 '변하지 않음을 이롭게 여기면'이라 하였다."

九二, 需於沙, 小有言, 終吉.

구이효는 모래사장에서 기다리니, 약간의 말이 있으나 마침내 길하다.

本義

沙則近於險矣. 言語之傷, 亦災害之小者. 漸進近坎, 故有此象. 剛中能需, 故得終吉. 戒占者當如是也.

모래사장은 험한 곳과 가깝다. 말에 의한 상처는 또한 재해 중에서 작은 것이다. 점차 나아가 감(坎☵)괘에 가까워지기 때문에 이런 상이 있다. 굳셈과 알맞음으로 기다릴 수 있기 때문에 마침내 길하다. 점치는 사람에게 이와 같이 하라고 경계하였다.

程傳

坎爲水, 水近則有沙. 二去險漸近, 故爲需于沙. 漸近於險難, 雖未至於患害, 已小有言矣. 凡患難之辭, 大小有殊, 小者至於有言, 言語之傷, 至小者也. 二以剛陽之才, 而居柔守中, 寬裕自處, 需之善也. 雖去險漸近, 而未至於險, 故小有言語之傷而无大害, 終得其吉也.

감(坎☵)괘는 물인데, 물 가까이에는 모래사장이 있다. 이효가 험한 데로 점점 가까워지기 때문에, 모래사장에서 기다리는 것이다. 점점 험난한 데로 가까워지니, 근심되고 해롭게 되지는 않았을지라도 이미 약간의 말이 있다. 환난에 대한 말에는 크고 작은 차이가 있는데, 작은 것은 말을 듣는 정도이니, 말에 의한 상처는 아주 작다. 구이효가 굳센 양의 재질로서 부드러운 자리에 있으면서 알맞음을 지키고 너그러움을 자처하니 기다리기를 잘한다. 험한 데로 점점 가까워지고 있을지라도 아직 험하게 되지는 않았기 때문에, 약간의 말에 의한 상처가 있으나 큰 해로움은 없으니, 마침내 길하게 된다.

集說

● 孔氏穎達曰 : "沙是水旁之地. 去水漸近, 故難稍近, 而小有言, 但履健居中以待要會, 終得其吉也."[7]

공영달이 말했다. "모래사장은 물이 가까이 있는 곳이다. 물에 점점 가까워지기 때문에 약간 말이 있으나 다만 굳건함을 밟고 가운데 있으니, 마침내 길하게 된다."

● 胡氏炳文曰 : "初最遠坎, 利熙恒乃無咎. 九二慚近坎, 小有言矣, 而曰'終吉'者, 初九以剛居剛, 恐其躁急, 故雖遠險, 猶有戒辭. 九二以剛居柔, 寬而得中, 故雖近險而不害其爲吉."[8]

호병문이 말했다. "초효는 감(坎☵)괘와 가장 멀리 떨어져 있어 밝고 일정함을 이롭게 여겨야 허물이 없다. 구이효는 점점 감(坎☵)

7) 공영달(孔穎達), 『주역주소(周易注疏)』「수괘(需卦)」.
8) 호병문(胡炳文), 『주역본의통석(周易本義通釋)』「수괘(需卦)」.

괘와 가까워져 다소 말이 있는데도 '마침내 길하다'고 한 것은, 초구효가 굳셈으로 굳센 자리에 있어 그 조급함이 염려되기 때문에 험함과 멀리 떨어져 있을지라도 오히려 경계하는 말을 했고, 구이효가 굳셈으로 부드러운 자리에 있어 너그럽고 알맞음을 얻었기 때문에 험함에 가까이 있을지라도 그것이 길함에 방해가 되지 않는다."

九三, 需於泥, 致寇至.

구삼효는 진흙에서 기다리니, 도적이 오게 한다.

本義

泥, 將陷於險矣. 寇則害之大者. 九三去險愈近, 而過剛不中, 故其象如此.

진흙은 험한 곳에 빠지려고 함이다. 도적은 해로움이 큰 것이다. 구삼효가 험한 곳에 더욱 가까이 있는데, 지나치게 굳세고 가운데 자리가 아니기 때문에 그 상이 이와 같다.

程傳

泥, 逼於水也. 旣進逼於險, 當致寇難之至也. 三剛而不中, 又居健體之上, 有進動之象. 故致寇也, 苟非敬愼, 則致喪敗矣.

진흙은 물과 가까이 있다. 이미 험한 곳으로 나아가 가까우니, 당연히 도적과 환난이 오게 할 것이다. 삼효는 굳세지만 가운데 자리가 아니고, 또 강건한 몸체의 맨 위에 있어 움직여 나아가는 상이 있다. 그러므로 도적을 부를 것이니, 진실로 공경하고 삼가지 않으면 잃고 망하게 된다.

集說

● 王氏申子曰："泥則切近水矣，險已近，而又以剛用剛而進逼之，是招致寇難之至也."[9]

왕신자가 말했다. "진흙은 물과 아주 가까이 있는 것이다. 험함이 이미 가까운데 또 굳건함이 굳건함을 사용함으로 나아가 가까이 하니 도적을 불러들이게 된다."

● 龔氏煥曰："'郊'·'沙'·'泥'之象，視坎水遠近而爲言者也.『易』之取象如此."[10]

공환(龔煥)[11]이 말했다. "'교외'·'모래사장'·'진흙'이라는 상은 감(坎☵)괘가 뜻하는 물이 멀리 있고 가까이 있는 것을 보고 말한 것이다.『역』에서 상을 취하는 것이 이와 같다."

9) 왕신자(王申子),『대역집설(大易集說)』「수괘(需卦)」.

10) 정정조(程廷祚),『대역택언(大易擇言)』「수괘(需卦)」.

11) 공환(龔煥) : 자는 유문(幼文)이고, 천봉선생(泉峯先生)이라고 불렸다. 원(元)대 임천(臨川)사람이다. 현인에게 나아가 오경에 통달하고, 요응중(饒應中)에게 사사하여 본체를 밝히고 실천에 옮기는 데 힘썼다. 당시 아직 과거제도가 시행되지 못했는데, 시행되면 반드시 정자와 주자의 학문을 법식으로 삼아야 한다고 주장했다. 과연 뒤에 그의 말대로 시행되었다.

六四, 需於血, 出自穴.

육사효는 피에서 기다리나 구덩이에서 나온다.

本義

'血'者, 殺傷之地, '穴'者, 險陷之所. 四交坎體, 入乎險矣, 故爲需于血之象. 然柔得其正, 需而不進, 故又爲出自穴之象. 占者如是, 則雖在傷地而終得出也.

'피[血]'는 죽이고 해치는 곳이고, '구덩이[穴]'는 험하여 빠지는 곳이다. 사효가 감괘의 몸체와 사귀어 험한 데 빠졌기 때문에, 피에서 기다리는 상이다. 그러나 부드러운 것이 바른 자리를 얻어 기다리고 나아가지 않기 때문에, 구덩이에서 나오는 상이 된다. 점치는 사람이 이와 같이 하면, 상해를 당하는 곳에 있더라도 마침내 벗어날 수 있다.

程傳

四以陰柔之質處于險, 而下當三陽之進, 傷於險難者也, 故云'需于血'. 旣傷于險難, 則不能安處, 必失其居, 故云'出自穴'. '穴', 物之所安也, 順以從時, 不競於險難, 所以不至於凶也. 以柔居陰, 非能競者也. 若陽居之, 則必凶矣. 蓋无中正之德, 徒以剛, 競於險, 適足以致凶耳.

육사효는 부드러운 음의 자질로 험한 곳에 있고, 아래로 세 개의 양이 올라오는 것과 마주하여 험난한 것에서 해로움을 당하기 때문에 '피에서 기다린다'라고 하였다. 이미 험난한 것에서 해로움을 당했다면 편안히 있을 수 없고, 반드시 그 거처를 잃기 때문에, '구덩이에서 나온다'라고 하였던 것이다. '구덩이'는 사물이 편안한 곳이니, 순리대로 하여 때를 따르고 험난한 것에서 다투지 않아 흉한 지경까지 가지 않는다. 부드러움으로 음의 자리에 있으니 다툴 수 있는 것이 아니다. 양(陽)이 그 자리에 있었다면 반드시 흉하다. 중정(中正)의 덕이 없으면서 단지 굳센 것으로 험한 데서 다툰다면, 흉함을 불러오기에 충분할 뿐이다.

集說

● 『朱子語類』, 問 : "『程傳』釋'穴物之所安'."
曰 : "穴是陷處, 喚作所安不得. 柔得正了, 需而不進, 故能出於坎陷."[12)]

『주자어류』에서 물었다. "『정전』에서는 '구덩이는 사물의 편안한 곳이다'로 풀이하였습니다."
대답했다. "구덩이는 험난한 곳이어서 편안할 수 없는 곳으로 부를 수 없습니다. 부드러움이 바름을 얻어 기다리고 나아가지 않기 때문에 험난함에서 빠져나올 수 있는 것입니다."

---

12) 『주자어류』 권70, 38조목.

● 楊氏啟新曰 : "剛者能需, 柔亦能需, 何也. 剛柔皆有善惡, 剛之需, 猶'乾之健而知險'也, 柔之需, 猶'坤之簡而知阻'也."

양계신(楊啟新)이 말했다. "굳센 것이 기다릴 수 있고, 부드러운 것도 기다릴 수 있으니, 무엇 때문인가? 굳셈과 부드러움에는 모두 선함과 악함이 있으니, 굳셈의 기다림은 '건(乾)이 굳건해서 험함을 안다'[13]는 것과 같고, 부드러움의 기다림은 '곤(坤)이 간결해서 막힘을 안다'[14]는 것과 같다."

13) 『주역(周易)』「계사전하(繫辭傳下)」: "夫乾, 天下之至健也, 德行, 恒易以知險.[건(乾)은 천하의 지극한 강건함이니 덕행이 항상 평이해서 험함을 안다.]"라고 하였다.

14) 『주역(周易)』「계사전하(繫辭傳下)」: "夫坤, 天下之至順也, 德行, 恒簡以知阻.[곤(坤)은 천하의 지극한 유순함이니 덕행이 항상 간결해서 막힘을 안다.]"라고 하였다.

九五, 需於酒食, 貞吉.

구오효는 술과 음식으로 기다리니 바르면 길할 것이다.

本義

'酒食', 宴樂之具, 言安以待之. 九五陽剛中正, 需于尊位, 故有此象. 占者如是而貞固, 則得吉也.

'술과 음식'은 편안하게 즐기는 것이니, 편안히 기다린다는 말이다. 구오효는 굳센 양이 중정하면서 높은 자리에서 기다리기 때문에 이런 상이 있다. 점치는 사람이 이와 같이 하여 곧고 바르면 길할 것이다.

程傳

五以陽剛居中得正, 位乎天位, 克盡其道矣. 以此而需, 何需不獲? 故宴安酒食以俟之, 所須必得也. 旣得貞正而所需必遂, 可謂吉矣.

오효는 굳센 양이 가운데 자리에 있고 바름을 얻은 것으로 하늘의 자리에 있으니, 그 도를 다할 수 있다. 이렇게 해서 기다리니, 무엇을 기다린들 얻지 못하겠는가? 그러므로 술과 음식으로 편안히 기다리고 있으니, 기다리는 바를 반드시 얻을 것이다. 이미 바름을 얻어 기다리는 것을 반드시 이루니, 길하다고 말할 수 있다.

集說

● 鄭氏維嶽曰:"「序卦」傳[15]曰:'需者, 飮食之道也', 象曰:'君子以, 飮食宴樂', 爻曰:'需於酒食'. 以治道言, 使斯民樂其樂而利其利, 期治於必世百年之後, 而不爲近功者, 須待之義也."

정유악(鄭維嶽)이 말했다. "「서괘전」에서 '수는 음식의 도이다'라고 하였고, 「상전」에서 '군자가 그것을 본받아 마시고 먹으며 편안하게 즐긴다'[16]라고 하였으며, 「효사」에서 '술과 음식으로 기다린다'고 하였다. 다스리는 도리로 말하면, 여기의 백성들을 그 즐거움을 즐기도록 하고 그 이로움을 이롭게 여기도록 해서 반드시 몇 백 년 후까지 다스림을 기약하여 눈앞의 공적을 주장하지 않는 것이 기다림의 의미이다."

● 喬氏中和曰:"九五之貞吉也, 豈徒以酒食云哉? 險而不陷, 中自持也."

교중화(喬中和)가 말했다. "구오가 바르고 길한 것은 어찌 한갓 음식으로 말한 것이겠는가? 험한 데 빠지지 않고 알맞음을 스스로 유지하기 때문이다."

15) '계사(繫辭)'로 되어 있는 것을 '서괘(序卦)'로 바로 잡았다.

16) 『주역(周易)』「수괘(需卦)」:"象曰, '雲上於天, 需, 君子以, 飮食宴樂'. [「상전」에서 말했다. '구름이 하늘로 올라감이 수(需)이니, 군자가 그것을 본받아 마시고 먹으며 편안하게 즐긴다'.]"라고 하였다.

案

需之爲義最廣. 其大者莫如王道之以久而成化, 而不急於淺近之功, 聖學之以寬而居德, 而不入於正助之弊. 卦唯九五剛健中正以居尊位, 是能盡需之道者. 故「彖傳」特擧此爻, 以當彖辭之義, 而「大象傳」又特取此爻爻辭, 以蔽需義之全. 蓋繼屯蒙之後, 旣治且教, 而所謂休養生息, 使之樂樂而利利, 慚仁摩義, 使之世變而風移者, 其在於需乎. 觀需之卦而不知此爻之義, 但以諸爻處險之偏乎一義者概之, 則需與蹇困何異哉?

기다림의 의미가 가장 넓다. 그것이 큰 경우에는 왕도를 오래도록 하고 교화를 이루어 평범한 공에 급급해하지 않는 것만한 일이 없고, 성인의 학문을 그것으로 관대하게 하고 덕으로 처신하여 미리 기대하고 조장하는 폐단에 빠지지 않는 것 만한 일이 없다. 괘에서 구오효만이 강건하고 중정하면서 높은 지위에 있어 기다리는 도를 다할 수 있다. 그러므로 「단전」에서 특히 이 효로 단사의 의미에 맞추었고, 「대상전」에서 또 여기 효의 효사를 들어 기다림의 의미 전체를 포괄했다.
준(屯)괘와 몽(蒙)괘의 뒤를 이어 다스리고 또 교화시킨 다음에 이른바 백성들을 쉬게 하여 길러준다는 것은 기쁨을 기쁘게 여기고 이로움을 이롭게 여기며, 이른바 부끄러워 어질게 되고 노력하여 의롭게 된다는 것은 세상의 풍속을 변하도록 하는 일이니, 그것들이 기다림에 있다. 수(需䷄)괘를 보고도 여기 효의 의미를 모르고 단지 여러 효가 험한 데 있다는 한 가지 의미로 개괄한다면, 수(需)괘가 건(蹇)괘·곤(困)괘와 무엇이 다르겠는가?

上六, 入地穴, 有不速之客三人來, 敬之終吉.

상육효는 구덩이에 들어갔으나 초대하지 않은 세 사람이 오니, 그들을 공경하면 마침내 길할 것이다.

本義

陰居險極, 无復有需, 有陷而入穴之象. 下應九三, 九三與下二陽需極竝進, 爲不速客三人之象. 柔不能禦而能順之, 有敬之之象. 占者當陷險中, 然於非意之來, 敬以待之, 則得終吉也.

음(陰)이 험한 것의 끝에 있어 다시 기다릴 것이 없으니, 빠져서 구덩이로 들어가는 상이 있다. 아래로 구삼효와 호응하는데, 구삼효가 아래의 두 양과 함께 기다림이 다하여 함께 나아가니, 초대하지 않은 세 사람인 상이 된다. 부드러움은 이것들을 막을 수 없고 따를 수 있으니, 공경하는 상이 있다. 점치는 사람이 험한 가운데 빠졌으나, 뜻밖에 오는 사람을 공경으로 대하면, 끝내 길함을 얻을 것이다.

程傳

需以險在前, 需時而後進. 上六居險之終, 終則變矣, 在需之極, 久而得矣. 陰止於六, 乃安其處, 故爲入于穴. '穴', 所安

也. 安而旣止, 後者必至. '不速之客三人', 謂下之三陽. 乾之三陽, 非在下之物, 需時而進者也. 需旣極矣, 故皆上進, 不速不促之而自來也. 上六旣需得其安處, 群剛之來, 苟不起忌疾忿競之心, 至誠盡敬以待之, 雖甚剛暴, 豈有侵陵之理. 故終吉也.

기다림은 험한 것이 앞에 있어 때를 기다린 뒤에 나아가는 것이다. 상육효가 험한 것의 끝에 있는데 끝에서는 변하니, 기다림의 끝에서는 오래되면 얻는다. 음이 육의 자리에 머무름은 그 처소를 편안하게 여기는 것이기 때문에 구덩이에 들어감이 된다. '구덩이'는 편안한 곳이다. 편안해서 이미 머무르고 있었다면, 뒤의 것들이 반드시 온다.
'초대하지 않은 세 사람'은 아래의 세 양을 말한다. 건괘의 세 양은 아래에 있을 것들이 아니니, 때를 기다려 나아간다. 기다림이 이미 극도에 달했기 때문에 다 위로 나아가니, 초대하지 않고 재촉하지 않아도 스스로 온다. 상육은 이미 자신이 편안한 곳을 기다려서 얻었으니, 굳센 것들이 오더라도 진실로 시기하고 질투하며 다투려는 마음이 생기지 않아 지극한 정성과 극진한 공경으로 기다린다면, 매우 굳세고 사나운 것들일지라도 어찌 침범하고 능멸할 리가 있겠는가? 그러므로 마침내 길하다.

或疑"以陰居三陽之上, 得爲安乎?" 曰:"三陽乾體, 志在上進. 六陰位, 非所止之正, 故无爭奪之意. 敬之則吉也".

혹 "음(陰)으로서 세 양의 위에 있으니 편안할 수 있겠습니까?"라고 의심하면, "세 개의 양은 건(乾)괘의 몸체이니 뜻이 위로 올라가는

데 있습니다. 그런데 육(六)이라는 음의 자리는 그것들이 머무를 바른 곳이 아니기 때문에 다툴 생각이 없습니다. 그것들을 공경하면 길할 것입니다"라고 하겠다.

集說

● 胡氏炳文曰: "'入于穴', 險極而陷之象. '速'者, 主召客之辭. '三人', 乾三陽之象. 下三陽, 非皆與上應也, 有'不速'之象. 上柔順有敬之之象. 上獨不言需險之極, 無復有需也. 外卦險體, 二陰皆有穴象. 四出自穴而上, 則入于穴, 何哉. 六四柔正能需, 猶可出于險. 故曰'出'者, 許其將然也. 上六柔而當險之終, 無復能需. 惟入於險而已. 故曰'入'者, 言其已然也. 然雖已入於險, 非意之来敬之終吉, 君子未嘗無處險之道也."17)

호병문이 말했다. "'구덩이에 들어감'은 험함이 다했는데 빠지는 상이다. '초대함'은 주인이 손님을 부르는 말이다. '세 사람'은 건(乾☰)괘에서 세 양의 상이다. 아래의 세 양이 모두 위로 호응하는 것은 아니니, '초대하지 않은' 상이 있다. 상육은 유순하여 공경하는 상이 있다. 상육에서만 험함을 기다리는 끝에 대해 말하지 않았는데, 다시 기다리는 것은 없다. 외괘가 험한 몸체여서 두 음에 모두 구덩이의 상이 있다. 육사효가 구덩이에서 위로 올라갔는데 구덩이에 빠지는 것은 무엇 때문인가? 육사효는 부드럽고 곧아서 기다릴 수 있어 오히려 험함에서 나올 수 있다. 그러므로 '나온다'고 한 것은 그렇게 되리라는 말이다. 상육효는 부드러우면서 험한 끝에 있어 다시 기다릴 수 없으니, 험함에 빠질 뿐이다. 그러므로 '들어갔

17) 호병문(胡炳文), 『주역본의통석(周易本義通釋)』「수괘(需卦)」.

다'고 한 것은 이미 그렇게 되었음을 말한다. 그런데 험함에 들어갔을지라도 뜻밖에 오고 그들을 공경하면 마침내 길하니, 군자에게는 일찍이 험함에 대처하는 도가 없었던 적이 없다."

● 薛氏瑄曰 : "'有不速之客三人來, 敬之終吉', 處橫逆之道也."[18]

설훤(薛瑄)[19]이 말했다. "'초대하지 않은 세 사람이 오니, 그들을 공경하면 마침내 길할 것이다'라는 것은 무리한 처사에 대처하는 도이다."

● 谷氏家杰曰 : "三居下卦之終, 而示之以敬, 上居上卦之終, 而又示之以敬, 則知處需者貴敬也."

곡가걸(谷家杰)[20]이 말했다. "삼효는 하괘의 끝에 있어 공경을 보이고, 상육효는 상괘의 끝에 있어 또 공경을 보였으니, 기다리는 경우에는 공경을 귀하게 여김을 알겠다."

總論

蔣氏悌生曰 : "'需', 待也. 以剛健之才, 遇險陷在前, 當容忍待時, 用柔而主靜. 若不度時勢, 恃剛忿躁而驟進, 取敗亡必矣. 初九去險尚遠, 以用恒免咎, 九二漸近險, 亦以用柔守中而終吉, 九

18) 설훤(薛瑄), 『독서록(讀書錄)』 권2.
19) 설훤(薛煊) : 명나라 전기의 학자이다. 자(字)는 덕온(德溫)이고 호는 경헌(敬軒)으로 명나라 이학의 조종이라고 불린다.
20) 곡가걸(谷家杰) : 곡씨졸후(谷氏拙侯)를 말한다.

三已迫於險, 「象」言'敬愼不敗', 六四已傷於險, 以柔而不競, 能出自穴, 上六險陷之極, 亦以能敬終吉. 然則需待之時, 能含忍守敬, 皆可以免禍, 需之時義大矣.[21]

장제생(蔣悌生)[22]이 말했다. '기다림'은 대기하는 것이다. 강건한 재질로 험하게 빠지는 것이 앞에 있어 받아들여 참으며 대기해야 할 때이니, 부드러움을 사용하고 고요함을 주로 한다. 시기와 상황을 헤아리지 않고 굳셈을 믿고 화를 내며 조급하게 굴면서 서둘러 나아간다면 반드시 패망하게 된다. 초구효는 험함에서 오히려 멀리 있어 변하지 않음으로 허물을 면하고, 구이효는 차츰 험함에 가까워 또한 부드러움으로 알맞음을 지켜 마침내 길하며, 구삼효는 이미 험함에 가까워 「상전」에서 '공경하고 삼가면 패하지 않을 것이다'[23]라고 했고, 육사효는 이미 험함에서 상처를 입었으나 부드러움을 사용해서 다투지 않아 구덩이에서 나올 수 있으며, 상육효는 험함에 빠진 끝이어서 또한 공경하여 마침내 길할 수 있다. 그렇다면 기다리는 때에 참으면서 공경을 지킬 수 있으면, 모두 화를 면할 수 있다는 것이니, 기다리는 때의 의미가 크다."

---

21) 정정조(程廷祚), 『대역택언(大易擇言)』「수괘(需卦)」.

22) 장제생(蔣悌生) : 명(明)대 복건(福建) 복녕(福寧) 사람으로 자는 인숙(仁叔)이다. 홍무(洪武) 연간(1368~1398)에 명경(明經)으로 천거되어 복주훈도(福州訓導)를 지냈다. 저서에 『오경려측(五經蠡測)』이 있다.

23) 공경하고 삼가면 패하지 않을 것이다 : 『주역(周易)』「수괘(需卦)」에서 "象曰, '需于泥', 災在外也. 自我致寇, 敬愼不敗也.[「상전」에서 말했다. '진흙에서 기다림'은 재앙이 밖에 있어서이다. 내가 도적이 오게 했으니, 공경하고 삼가면 패망하지 않을 것이다.]"라고 하였다.

周易上經
주역상경

제2권

송訟䷅ 사師䷆ 비比䷇ 소축小畜䷈
리履䷉ 태泰䷊ 비否䷋ 동인同人䷌

6. 송訟괘

乾上
坎下

程傳

訟「序卦」, "飮食必有訟, 故受之以訟." 人之所需者飮食, 旣有所須, 爭訟所由起也, 訟所以次需也. 爲卦乾上坎下. 以二象言之, 天陽上行, 水性就下, 其行相違, 所以成訟也. 以二體言之, 上剛下險, 剛險相接, 能无訟乎. 又人內險阻而外剛强, 所以訟也.

송(訟)은 「서괘전」에 "음식에는 반드시 다툼이 있기 때문에 송(訟䷅)괘로 받았다"라고 하였다. 사람이 필요한 것은 음식이고, 이미 필요한 것이 있으면 다투고 송사가 이 때문에 일어나니, 송(訟䷅)괘가 수(需䷄)괘 다음에 왔다. '괘의 모양[䷅]'은 건(乾☰)이 위에 있고 감(坎이☵) 아래에 있다.

두 괘의 상으로 말하면, 양인 하늘은 위로 가고 물의 성질은 아래로 가서 가는 것이 서로 어긋나기 때문에 송사를 하는 것이다. 두 괘의 몸체로써 말하면, 위는 굳세고 아래는 험하니, 강한 것과 험한 것이 서로 만나면 송사가 없을 수 있겠는가? 또 사람이 안으로 험해서 막히고 밖으로 굳세고 강하기 때문에 송사를 하는 것이다.

訟, 有孚窒, 惕, 中, 吉, 終, 凶. 利見大人, 不利涉大川.

송(訟)은 믿음이 있으나 막히니, 두려워하여 중도를 지키면 길하고, 끝까지 하면 흉하다. 대인을 봄은 이롭고, 큰 내를 건너는 것은 이롭지 않다.

本義

訟, 爭辯也. 上乾下坎, 乾剛坎險. 上剛以制其下, 下險以伺其上. 又爲內險而外健, 又爲己險而彼健, 皆訟之道也. 九二中實, 上无應與, 又爲加憂. 且於卦變自遯而來, 爲剛來居二而當下卦之中, 有有孚而見窒, 能懼而得中之象. 上九過剛居訟之極, 有終極其訟之象. 九五剛健中正以居尊位, 有'大人'之象. 以剛乘險以實履陷, 有不利涉大川之象. 故戒占者必有爭辯之事, 而隨其所處爲吉凶也.

송사는 다투고 변론하는 것이다. 위는 건(乾☰)괘 아래는 감(坎☵)괘로 건은 굳세고 감은 험하다. 위는 굳세어서 아래를 제재하고 아래는 험해서 위를 엿본다. 또 안으로 험하고 밖으로 굳세며, 또 자신이 험하고 상대가 굳세니, 모두 송사하는 길이다. 구이는 가운데 자리에 있으면서 이어져 있으나 위로 호응하여 함께 함이 없으니 더욱 근심하는 것이다. 또 괘의 변화로는 둔(遯䷠)괘로부터 와서 굳셈이 이효의 자리에 있어 하괘의 가운데 자리에 해당하니, 믿음이 있으나 막힌 것을 보고 두려워하며 중도를 지키는 상이 있다. 상구효는 지나치게 강한 것이 송괘의 끝에 있으니, 송사를 끝까지 하는 상이 있다. 구오는 강건하고 중정한 것이 존귀한 자리에 있어 '대인'의 상이 있다. 굳셈으로 험한 것을 타고, 채워져 있는 것으로 빠지는 데를 밟으니, 큰 내를 건너는 것이 이롭지 않은 상이 있다. 그러므로 점치는 사람에게 반드시 다투고 변론하는 일이 있을 것이나, 그 처신에 따라 길하거나 흉하게 될 것이라고 경계하였다.

程傳

訟之道, 必有其孚實. 中无其實, 乃是誣妄, 凶之道也. 卦之中實, 爲有孚之象. 訟者, 與人爭辯而待決於人, 雖有孚, 亦須窒塞未通. 不窒則已明无訟矣. 事旣未辯, 吉凶未可必也, 故有畏惕. '中, 吉', 得中則吉也, '終, 凶', 終極其事則凶也. 訟者, 求辯其曲直也, 故'利見於大人'. 大人則能以其剛明中正決所訟也. 訟非和平之事, 當擇安地而處, 不可陷於危險, 故'不利涉大川也'.

송사를 하는 도리에는 반드시 믿을 만한 실질이 있어야 한다. 속에 실질이 없으면 속이고 함부로 하니 흉한 길이다. 괘의 속에 실질이 있으니 믿음이 있는 상이다. 송사는 다른 사람과 다투고 변론하여 남의 판결을 기다리는 것이니, 믿음이 있을지라도 막혀서 통하지 않는다. 막히지 않았다면 이미 분명하여 송사가 없다. 일이 이미 분변되지 못하여 길함과 흉함을 반드시 기필할 수 없기 때문에 두려움이 있다. '중도를 지키면 길하다'는 것은 중도를 얻으면 길하고, '끝까지 하면 흉하다'라는 것은 송사를 끝까지 하면 흉하다는 말이다. 송사는 잘못되고 잘된 것을 판별하는 것이기 때문에 '대인을 봄은 이롭다'는 뜻이다. 대인은 굳세고 현명하고 중정(中正)하여 송사를 판결할 수 있다. 송사는 화평한 일이 아니니, 안전한 곳을 가려서 처신해야 하고 위험한 데 빠져서는 안 되기 때문에 '큰 내를 건너는 것은 이롭지 않다'는 말이다.

集說

● 孔氏穎達曰："'窒', 塞也, '惕', 懼也. 凡訟之體, 不可妄興, 必有信實, 被物止塞, 而能惕懼, 中道而止, 乃得吉也. '終凶'者, 訟不可長. 若終竟訟事, 雖復窒惕, 亦有凶也. 物既有訟, 須大人決之, 故利見大人. 若以訟而往涉危難, 必有禍患, 故'不利涉大川'."[24]

공영달(孔穎達)이 말했다. "'막힘'은 궁색해지고, '두려움'은 위태롭게 되는 것이다. 송사라는 것은 함부로 일으켜서는 안 되고 반드시 믿는 내용이 있어야 하니, 저것이 막혀 두려우면 중도로 해서 멈추어야 길함을 얻는다. '끝까지 하면 흉하다'는 것은 송사는 길게 끌어서는 안 된다는 말이다. 송사를 끝까지 하면 다시 막혀 두려워할지라도 흉하게 된다. 사람들에게 이미 송사가 생겼다면, 반드시 대인이 판결하기 때문에 대인을 보는 것이 이롭다. 송사를 진행하면서 위험하고 어렵게 되면 반드시 고충이 있기 때문에 '큰 내를 건너는 것은 이롭지 않다'는 말이다."

● 胡氏瑗曰："孚者由中之信. 人所以興訟, 必有由中之信, 而

24) 공영달(孔穎達), 『주역주소(周易注疏)』「송괘(訟卦)」.

爲他人之所窒塞, 不得已而興訟. 然雖已有信實, 而爲人之窒塞, 亦須恐懼兢慎而不敢自安, 則庶幾免於凶禍, 又中道而止, 則可以獲吉也. 大川, 謂大險大難也. 凡曆險涉難, 必須物情相協, 志氣和同, 則可得而濟也. 今訟之時, 物情違忤而不相得, 欲濟涉險難, 必不可得."[25]

호원(胡瑗)[26]이 말했다. "믿음은 마음 가운데의 믿음으로 말미암는다. 사람들이 소송을 일으키는 까닭은 반드시 마음 가운데의 믿음으로 말미암는 것이 있는데, 남들 때문에 막히기 때문에 부득이하게 소송을 일으키는 것이다. 그러나 자신에게 믿는 내용이 있는데 남들에게 막힐지라도 반드시 두려워하고 삼가서 감히 스스로 편안하게 여기지 않으면 재앙을 면할 수 있고, 또 중도를 따라 그친다면 길함을 얻을 수 있다. 큰 내는 아주 험난한 것이다. 험난함을 건너가는 데는 반드시 인정으로 서로 협력하고 지기(志氣)로 화합하면 극복할 수 있다. 이제 소송을 할 때 인정에 어긋나 서로 얻을

25) 호원(胡瑗), 『주역구의(周易口義)』「송괘(訟卦)」.

26) 호원(胡瑗, 993~1059) : 자는 익지(翼之)이고 시호는 문소(文昭)로서, 북송시대 태주 해릉(泰州海陵 : 현 강소성 태주시) 사람이다. 13살에 오경(五經)을 통독하고, 20세에 손복(孫復)과 석개(石介)를 산동성 태산(泰山) 서진관(棲眞觀)에서 배알하고 10년 동안 사사하였다. 30세에 귀향하여 7번 과거에 응시했으나 낙방하여, 안정서원(安定書院)을 짓고 후학배양에 힘썼다. 이에 세칭 안정선생으로 불렸다. 42세에 범중엄(范仲淹)의 천거로 교서랑(校書郎)이 되고, 태자중사(太子中舍), 광록시승(光祿寺丞), 천장각시강(天章閣侍講), 태상박사(太常博士) 등을 역임하였다. 특히 관직 생활 중에도 강학에 힘을 쏟아 손복(孫復)·석개(石介)와 함께 송초삼선생(宋初三先生)으로 추숭되어 송대 리학의 선구가 되었다. 저서에 『주역구의(周易口義)』, 『홍범구의(洪範口義)』, 『춘추구의(春秋口義)』, 『논어설(論語說)』 등이 있다.

수 없는데, 험난함을 극복하려고 하면 반드시 얻을 수 없다."

● 『朱子語類』云: "大凡卦辭取義不一. 如'訟有孚窒惕中吉', 蓋取九二中實, 坎爲加憂之象. '終凶', 蓋取上九終極於訟之象. '利見大人', 蓋取九五剛健中正居尊之象. '不利涉大川', 又取以剛乘險以實履陷之象. 此取義不一也. 然亦有不必如此取者, 此特其一例也. 卦辭如此辭極齊整, 蓋所取諸爻義, 皆與爻中本辭協, 亦有雖取爻義, 而與爻本辭不同者."

『주자어류』에서 말했다. "대체로 괘사에서 의미를 취함이 동일하지 않다. 이를테면 '송(訟)은 믿음이 있으나 막히니, 두려워하여 중도를 지키면 길하다'는 것은 구이효에 알맞고 내용이 있는데 감(坎☵)괘가 더욱 근심하는 상을 취한 것이다. '끝까지 하면 흉하다'는 것은 상구효가 소송을 끝까지 하는 상을 취했다. '대인을 봄은 이롭다'는 것은 강건하고 중정한 구오효가 존귀한 자리에 있는 것을 취했다. '큰 내를 건너는 것은 이롭지 않다'는 것은 또 굳셈이 험함을 타고 차 있는 것이 빠지는 데서 상을 취한 것이다. 이것이 의미를 취함이 동일하지 않다는 것이다. 그러나 또한 굳이 이와 같이 취하지 않는 경우가 있으니, 이것은 단지 하나의 사례일 뿐이다. 괘사가 여기의 말처럼 극히 가지런한 것은 취한 여러 효의 의미가 모두 효에서 본래 있는 말과 맞기 때문이니, 또한 효의 의미를 취했을지라도 본래의 효사와 같지 않은 경우가 있다."[27]

● 項氏安世曰: "'利見大人', 或不與之校如直不疑, 或爲之和解

27) 『주자어류(朱子語類)』 권70, 43조목.

如卓茂, 或使其心化如王烈, 或爲之辨明如仲由, 皆訟者之利也. '不利涉大川', 涉險之道利在同心, 此豈相爭之時哉."[28]

항안세(項安世)가 말했다. "'대인을 보는 것은 이롭다'는 말은 간혹 상대와 함께 따지지 않는 것으로는 직불의(直不疑)[29]와 같이 하고, 간혹 어떤 일 때문에 화해하는 것으로는 탁무(卓茂)[30]와 같이 하는 것이며, 간혹 심복하게 하는 것으로는 왕열(王烈)[31]과 같이 하며,

28) 항안세(項安世), 『주역완사(周易玩辭)』「송괘(訟卦)」.

29) 직불의(直不疑, ? ~ B.C.138) : 전한 남양(南陽) 사람으로, 문제(文帝) 때 낭관(郎官), 중대부(中大夫)를 지냈고, 경제(景帝) 때 어사대부(御史大夫)가 되었다. 시호는 신(信)이다. 문제 때 낭관으로 있을 때 함께 근무하는 사람이 휴가를 가면서 동료의 금(金)을 자기 것으로 잘못 알고 가져갔다. 금을 잃은 사람이 직불의가 가져간 것으로 오해하자 그는 변명하지 않고 보상해 주었는데, 휴가 갔던 사람이 돌아와서 금을 돌려주자 직불의를 의심했던 사람은 사과하며 매우 부끄러워했다고 한다. 근거 없는 비방을 받는 것을 비유할 때 직불의(直不疑)의 고사가 흔히 인용된다.

30) 탁무(卓茂, B.C.53~28) : 후한 초기 남양(南陽) 완(宛) 사람으로 자는 자강(子康)이다. 전한 원제(元帝) 때 장안(長安)에서 박사 강생(江生)을 사사하여 『시경』과 『예기』 및 역산(曆算) 등을 배웠다. 통유(通儒)로 불렸다. 벼슬은 승상부사(丞相府吏), 시랑(侍郎), 급사황문(給事黃門), 밀현령(密縣令), 경도승(京都丞), 시중좨주(侍中祭酒) 등을 역임했다. 광무제(光武帝)가 즉위하자 태부(太傅)가 되고, 포덕후(褒德侯)에 봉해졌다.

31) 왕열(王烈, 142~219) : 후한 태원(太原) 사람으로 자는 언방(彥方) 또는 언고(彥考)라고 한다. 어릴 때 진식(陳寔)을 섬겨 의행(義行)으로 명성을 얻었다. 옳은 일만 한다는 칭송이 자자했다. 마을에서 소도둑을 잡았는데 그 소도둑이 주인에게 "무슨 벌이라도 달게 받겠으니 왕열에게만은 알리지 말라"고 하여 부끄러움을 아는 사람이라고 여겨 반드시 개과천선할 것이라면서 베[布] 한 단을 주어 보냈는데, 과연 새 사람이 되었다고 한다. 송사(訟事)도 잘 판결해 송사를 하려는 사람이 가다가 도중에서

간혹 어떤 일 때문에 옳고 그름을 가려 사리를 밝히는 것으로는 중유(仲由)[32]와 같이 하니, 모두 소송하는 자에게 이로운 것이다. '큰 내를 건너는 것은 이롭지 않다'는 말은 험난함을 건너는 방법이 마음을 합하는 데에서 이롭다는 것이니, 이것이 어찌 서로 다투는 때이겠는가?"

돌아가기도 하고 왕열의 집만 바라보고 되돌아갔다는 고사가 전한다. 효렴(孝廉)으로 천거되었지만 나가지 않고 요동(遼東)에서 일생을 마쳤다.

32) 중유(仲由, B.C.542~B.C.480) : 노(魯)나라 사람으로 자는 자로(子路), 계로(季路)이다. 춘추(春秋) 말기 공자(孔子)의 제자이자 효자, 정치가이다. 위(衛)나라 포읍(蒲邑)의 대부(大夫)이고, 계씨(季氏)와 공리(孔悝)의 가신을 지냈다. 공문십철(孔門十哲)과 공문칠십이현(孔門七十二賢) 중 한 사람이다. 『논어(論語)』「안연(顏淵)」에 "한마디 말로 옥송을 결단할 수 있는 사람은 아마도 중유(仲由)일 것이다.[片言可以折獄者, 其由也與.]"라는 말이 나온다.

初六, 不永所事, 小有言, 終吉.

초육효는 사건을 오래하지 않으니 약간의 말이 있으나 마침내 길하다.

本義

陰柔居下, 不能終訟, 故其象占如此.

유약한 음이 아래에 있어 소송을 끝까지 할 수 없기 때문에 그 상과 점이 이와 같다.

程傳

六, 以柔弱居下, 不能終極其訟者也, 故於訟之初, 因六之才, 爲之戒曰, '若不長永其事, 則雖小有言, 終得吉也', 蓋訟非可長之事, 以陰柔之才, 而訟於下, 難以吉矣. 以上有應援而能不永其事, 故雖小有言, 終得吉也. '有言', 災之小者也. 不永其事而不至於凶, 乃訟之吉也.

육은 유약함으로 아래에 있어 송사를 끝까지 할 수 없기 때문에 송괘의 초효에서 음[六]의 재질을 가지고 경계하여 "그 일을 오래 하지 않으면, 약간의 말이 있으나 마침내 길함을 얻는다"라고 했으니, 소송은 오래 할 만한 사건이 아니고, 음의 부드러운 재질로 아래에서 송사를 하면 길하기 어렵기 때문이다. 위에서 응원해도 그 사건을 오래 하지 않기 때문에 약간의 말이 있지만 마침내 길함을 얻는 것이다. '말이 있다'는 것은 재앙이 작은 것이다. 그 일을 오래 하지 않아 흉하게 되지 않는 것이 바로 송사의 길함이다.

集說

● 王氏弼曰 : "處訟之始, 訟不可終, 故不永所事, 然後乃吉. 凡陽唱而陰和, 陰非先唱者也. 處訟之始, 不爲訟先, 雖不能不訟而必辨明也."[33]

왕필(王弼)이 말했다. "송사의 시작에서 송사를 끝까지 하지 않아야 하기 때문에 사건을 오래하지 않는 것이고, 그런 다음에야 길하다. 양은 주창하고 음은 화답하니, 음은 앞서 주창하는 것이 아니다. 소송의 시작에 있으나 소송을 우선하지 않으니, 소송하지 않을 수 없을지라도 반드시 변명해야 한다."

● 楊氏簡曰 : "訟之初, 不深也, 有不永所事之象. 訟之初未深, 小有言而已, 旣不永其事, 故終吉."[34]

양간(楊簡)이 말했다. "소송의 처음에는 심각하지 않으니, 사건을 오래하지 않는 상이 있다. 소송의 처음에는 아직 심각하지 않아 약간의 말이 있을 뿐이고, 그 사건을 오래하지 않았기 때문에 마침내 길한 것이다."

33) 왕필(王弼), 『주역주소(周易注疏)』「송괘(訟卦)」.
34) 양간(楊簡), 『양씨역전(楊氏易傳)』「송괘(訟卦)」.

● 胡氏炳文曰 : "初不曰'不永訟', 而曰'不永所事', 事之初, 猶冀其不成訟也. '小有言'與需不同. 需'小有言', 人不能不小有言也, 此之小有言, 我不能已而小有言也."[35]

호병문(胡炳文)이 말했다. "초효에서 '송사를 오래하지 않는다'고 하지 않고 '사건을 오래하지 않는다'고 한 것은 일의 처음에는 오히려 송사가 되지 않기를 바라기 때문이다. '약간의 말이 있다'는 것은 수(需䷄)괘와 같지 않다. 수괘에서 '약간의 말이 있다'[36]는 것은 사람이 약간이라도 말하지 않을 수 없다는 것이고, 여기에서 '약간의 말이 있다'는 것은 내가 가만 있을 수 없어 말을 조금한다는 뜻이다."

35) 호병문(胡炳文), 『주역본의통석(周易本義通釋)』「송괘(訟卦)」.

36) 약간 말이 있다 : 『주역(周易)』「수괘(需卦)」에서 "九二, 需于沙, 小有言, 終吉.[구이효는 모래사장에서 기다리니, 약간의 말이 있으나 마침내 길하다.]"라고 하였다.

九二, 不克訟, 歸而逋, 其邑人, 三百戶, 无眚.
구이효는 송사를 하지 못하여 돌아가 숨으니, 그 읍의 사람이 삼백호이면 허물이 없다.

本義

九二, 陽剛爲險之主, 本欲訟者也. 然以剛居柔, 得下之中, 而上應九五, 陽剛居尊, 勢不可敵, 故其象占如此. '邑人, 三百戶', 邑之小者, 言自處卑約, 以免災患. 占者如是, 則无眚矣.

구이효는 굳센 양이 험함의 주인이 되었으니 본래 송사하려는 것이다. 그러나 굳셈이 유약한 자리에 있고 아래 괘의 가운데를 얻어 위로 구오에 호응하는데, 굳센 양이 높은 자리에 있어 세력으로 대적할 수 없기 때문에 그 상과 점이 이와 같다. '읍의 사람이 삼백호'는 읍이 작은 것으로 스스로 낮추고 오그라들게 처신해서 재앙과 근심을 면할 수 있다는 말이다. 점치는 사람이 이와 같이 한다면 허물이 없게 된다.

程傳

二五, 相應之地, 而兩剛不相與, 相訟者也. 九二, 自外來, 以剛處險, 爲訟之主, 乃與五爲敵, 五以中正, 處君位, 其可敵乎. 是爲訟而義不克也. 若能知其義之不可, 退歸而逋避, 以

寡約自處, 則得无過眚也. 必逋者, 避爲敵之地也. 三百戶, 邑之至小者. 若處强大, 是猶競也, 能无眚乎. '眚', 過也, 處不當也, 與知惡而爲, 有分也.

이효와 오효는 서로 호응하는 자리인데 굳센 두 양이 함께 하지 못해 서로 다투는 것이다. 구이는 밖에서 와 굳셈이 험함에 있는 것으로 송괘(訟卦)의 주인이 되어 곧 구오와 대적하지만, 오효가 중정으로 임금의 자리에 있으니 대적할 수 있겠는가? 이는 소송을 하더라도 의리상 이기지 못한다. 의리상 안 된다는 것을 알고 물러나 숨어서 작고 낮은 것을 자처하면, 허물이 없게 될 것이다. 반드시 피할 것은 적이 되는 상황을 피하는 일이다. 삼백호는 읍 가운데 매우 작은 것이다. 강대한 곳에 있었다면 오히려 다투었을 것이니, 허물이 없을 수 있었겠는가? '허물[眚]'은 잘못으로 대처가 합당하지 못한 것이니, 나쁜 줄 알면서 하는 일과는 구분이 있다.

集說

● 荀氏爽曰 : "二者下體之君, 君不爭, 則百姓無害也."[37]

순상(荀爽)[38]이 말했다. "이효는 하체의 임금이니, 그가 전쟁을 하

---

37) 이정조(李鼎祚), 『주역집해(周易集解)』「송괘(訟卦)」.

38) 순상(荀爽, 128~190) : 자는 자명(慈明)이고, 일명 서(諝)라고도 한다. 후한 영천 영음(潁川潁陰, 현 하남성 허창시〈許昌市〉) 사람으로, 상서령(尙書令) 순숙(荀淑)의 아들이다. 어릴 때부터 총명하여 12살 때 『춘추』와 『논어』에 정통했다고 한다. 환제(桓帝) 연희(延熹) 9년(166)에 지극한 효성으로 천거되어 낭중(郎中)에 임명되었지만, 대책(對策)을 올려

지 않으면 백성들은 피해가 없다."

● 王氏弼曰:"以剛處訟, 不能下物, 自下訟上, 宜其不克, 若能以懼, 歸竄其邑, 乃可以免災. 邑過三百, 竄而據強, 災未免也."[39]

왕필이 말했다. "굳셈으로 소송에 대처해 사물을 낮출 수 없고, 아래에서 위로 소송해 당연히 이길 수 없으니, 두려워하며 그 읍에 돌아가 숨을 수 있다면 재앙을 면할 수 있다. 읍이 삼백호 이상이면, 숨어서도 강함에 의지하고 있어 재앙을 면하지 못한다."

● 項氏安世曰:"一家好訟, 則百家受害. 言'三百戶無眚', 見安者之衆也."[40]

항안세가 말했다. "한 집안에서 소송을 좋아하면 백이나 되는 집안이 피해를 입는다. 그런데 '삼백호가 허물이 없다'고 한 것은 편안하게 된 자들이 많다는 뜻이다."

당시의 폐단을 상주(上奏)하고는 벼슬을 버리고 떠났다. 당고(黨錮)의 화(禍)가 일어나자 바닷가에 숨어 10여 년을 지냈다. 헌제(獻帝) 때 다시 등용되어 사공(司空)을 역임했으며, 사도(司徒) 왕윤(王允)과 함께 잔악한 동탁(董卓)을 제거하려 하였으나 뜻을 이루지 못하고 죽었다. 저서에 『역전(易傳)』, 『시전(詩傳)』, 『예전(禮傳)』, 『상서정경(尙書正經)』, 『춘추조례(春秋條例)』, 『공양문(公羊問)』 등이 있었지만 모두 없어졌고, 비직(費直)의 고문역학(古文易學)을 연구한 『주역순씨주(周易荀氏注)』의 일부가 옥함산방집일서 및 『한위이십일가역주(漢魏二十一家易注)』에 전해지고 있다.

39) 왕필(王弼), 『주역주소(周易注疏)』「송괘(訟卦)」.

40) 항안세(項安世), 『주역완사(周易玩辭)』「송괘(訟卦)」.

● 俞氏琰曰 : "九二以剛居柔, 或不克訟. '逋', 逃也. 旣逋則近己者, 皆無連坐之患, 故曰, '其邑人三百戶無眚'."[41]

유염(俞琰)이 말했다. "구이효가 굳셈으로 부드러운 자리에 있어 간혹 소송을 이기지 못할 수 있다. '숨는다'는 도망간다는 말이다. 이미 숨었으면 자신에게 가까운 자들은 모두 연좌되는 고통이 없기 때문에 '그 읍의 사람 삼백호가 허물이 없다'고 하였다."

案

'三百戶無眚', 傳義皆用王氏說, 荀氏項氏俞氏, 則以爲所居之邑, 托以安居, 義亦可從.

'삼백호이면 허물이 없다'에 대해 『정전』과 『주역본의』에서 모두 왕씨의 설을 적용했다. 순씨·항씨·유씨는 거처하는 읍에 의탁해 편안히 있는 것으로 여겼으니, 의미를 따를 만하다.[42]

41) 유염(俞琰), 『주역집설(周易集說)』「곤괘(坤卦)」.

42) '삼백호이면 허물이 없다'에 대해 … 의미를 따를 만하다 : 『주역본의』와 『정전』에서는 효사의 "其邑人, 三百戶, 无眚" 구절을 "그 읍의 사람이 삼백호이면 허물이 없다"는 의미로 풀이한 왕필의 견해를 따랐는데, 저자는 순상·항안세·유염이 "그 읍의 사람 삼백호가 허물이 없다"는 의미로 풀이한 것에도 의미가 있다고 보았다.

六三, 食舊德, 貞, 厲, 終吉. 或從王亨, 无成.
육삼효는 옛 덕을 녹봉으로 받아 곧게 하면 위태로우나 마침내 길하다. 간혹 왕의 일에 종사하더라도 이룸이 없다.

本義

'食', 猶'食邑'之'食', 言所享也. 六三, 陰柔, 非能訟者, 故守舊居正, 則雖危而終吉. 然或出而從上之事, 則亦必无成功, 占者守常而不出, 則善也.

'녹봉으로 받는다[食]'는 의미는 '조세를 받는 고을[食邑]'이라고 할 때의 '조세를 받는다[食]'는 것과 같으니 향유한다는 말이다. 육삼효는 유약한 음으로 송사할 수 있는 것이 아니기 때문에 옛 덕을 지키고 바르게 있으면 위태롭더라도 마침내 길하다. 그러나 때로 나서서 윗사람의 일에 종사하면 또한 반드시 이룸은 없을 것이니, 점을 치는 사람은 떳떳함을 지키고 나아가지 않는 것이 좋다.

程傳

三雖居剛而應上, 然質本陰柔處險, 而介二剛之間, 危懼, 非爲訟者也. 祿者, 稱德而受, '食舊德', 謂處其素分. '貞', 謂堅固自守. '厲, 終吉', 謂雖處危地, 能知危懼, 則終必獲吉也. 守素分而无求, 則不訟矣. 處危, 謂在險而承乘皆剛, 與居訟

之時也.

삼효가 비록 굳센 자리에 있고 상구와 호응하고 있지만 재질이 본래 유약한 음으로 험함에 있고 두 굳센 양 사이에 끼어 있으니, 위태롭고 두려워 송사를 하는 것이 아니다. 녹(祿)은 덕에 맞게 받으니 '옛 덕을 녹봉으로 받는다'는 것은 본래의 분수대로 함을 말한다. '곧게 한다[貞]'는 것은 견고하게 스스로 지킴이다. '위태로우나 마침내 길하다'는 것은 험한 처지에 있더라도 위태롭게 여기고 두려워할 줄 알면 마침내 반드시 길함을 얻게 된다는 말이다. 본래의 분수를 지켜 원하는 것이 없으면 소송하지 않는다. 위태롭게 되었다는 말은 험한 데 있어 받들고 올라탄 일이 모두 굳센데 그것들과 소송하는 시기에 있다는 말이다.

柔從剛者也, 下從上者也, 三不爲訟, 而從上九所爲. 故曰'或從王事无成', 謂從上而成不在己也. 訟者, 剛健之事. 故初則不永, 三則從上, 皆非能訟者也. 二爻, 皆以陰柔, 不終而得吉, 四亦以不克而渝, 得吉, 訟, 以能止爲善也.

유약함은 굳셈을 따르고, 아래는 위를 따르니, 삼효는 소송하지 않고 상구효가 하는 것을 따른다. 그러므로 '간혹 왕의 일에 종사하더라도 이룸이 없다'라고 했으니, 위를 따르지만 이룸이 자신에게 있지 않음을 말한다. 소송은 강건한 일이다. 그러므로 초효는 오래하지 못하고 삼효는 위를 따르니, 모두 송사할 수 있는 것들이 아니다. 두 효가 모두 유순한 음효로 끝까지 하지 않아 길함을 얻고, 사효도 하지 못하고 바꾸어서 길함을 얻었으니, 송사는 멈출 수 있는 것을 최선으로 여긴다.

集說

● 虞氏翻曰："道無成而代有終，故曰'無成'，坤三同義也."[43)]

우번(虞翻)[44)]이 말했다. "'도는 이룸이 없지만 대신 끝맺음이 있기'[45)] 때문에 '이룸이 없다'고 했으니, 곤(坤☷)괘 삼효[46)]와 같은 의미이다."

● 胡氏瑗曰："'無成'者，不敢居其成. 但從王事，守其本位本祿而已，故獲其吉也."[47)]

---

43) 이정조(李鼎祚), 『주역집해(周易集解)』「송괘(訟卦)」.
44) 우번(虞翻, 164~233) : 삼국시대 오나라 회계(會稽) 여요(餘姚) 사람으로, 자는 중상(仲翔)이다. 『역(易)』에 밝은 학자이다. 벼슬은 처음에 태수(太守) 왕랑(王郞)의 공조(功曹)가 되고, 나중에 손책(孫策)을 따라 부춘장(富春長)과 기도위(騎都尉) 등을 지냈다. 여몽(呂蒙)이 관우(關羽)를 공격하려고 할 때 자청하여 임무 수행에 도움을 주었다. 금문맹씨역(今文孟氏易)을 가전(家傳)했다. 『노자』, 『논어』, 『국어(國語)』의 훈주(訓注)와 『역주(易注)』를 지었지만 모두 없어졌다. 정현(鄭玄), 순상(荀爽)과 더불어 역학삼가(易學三家)로 일컬어진다. 저서에 당나라 이정조(李鼎祚)의 『주역집해(周易集解)』에 채록된 것과 청나라 황석(黃奭)의 『한학당총서(漢學堂叢書)』 및 손당(孫堂)의 『한위이십일가역주(漢魏二十一家易注)』에 집록된 것이 있다.
45) 도는 이룸이 없지만 대신 끝맺음이 있기 : 『주역(周易)』「곤괘(坤卦)」「문언전(文言傳)」에서 "地道无成，而代有終也.[땅의 도는 이룸은 없지만 대신 끝맺음은 있다.]"라고 하였다.
46) 곤(坤☷)괘 삼효 : 『주역(周易)』「곤괘(坤卦)」에서 "六三，含章可貞，或從王事，无成有終.[육삼은 아름다움을 머금어 곧을 수 있으나, 간혹 왕의 일에 종사하면 이룸은 없어도 끝맺음은 있을 것이다.]"라고 하였다.
47) 호원(胡瑗), 『주역구의(周易口義)』「송괘(訟卦)」.

호원이 말했다. "'이름이 없다'는 것은 감히 그 이름을 자처하지 않음 이다. 왕의 일에 종사해 본래의 직위와 본래의 녹봉을 지킬 뿐이기 때문에 그 길함을 얻는다."

● 徐氏幾曰 : "聖人於初三兩柔爻, 皆繫之以'終吉'之辭, 所以勉人之無訟也. 苟知柔而不喜訟者終吉, 則知剛而好訟者終凶矣."[48)]

서기(徐幾)[49)]가 말했다. "성인이 초효와 삼효의 유순한 두 효에 대해 모두 '마침내 길하다'라는 말로 설명했으니, 사람들에게 송사가 없도록 힘쓰게 하려는 것이다. 유순해서 송사를 즐기지 않는 사람이 마침내 길하다는 것을 알면, 억세어 송사하기 좋아하는 사람은 마침내 흉하다는 것을 안다."

● 李氏簡曰 : "'或從王事. 无成'者, 謂從王事而不以成功自居也. 夫訟生於其行之相違, 而天下之訟, 又起於矜功而伐善. 以柔而從剛, 以下而從上, 有功而不自居, 故能不失舊德, 而終又獲吉也."[50)]

---

48) 호광(胡廣) 등, 『주역전의대전(周易傳義大全)』「송괘(訟卦)」.

49) 서기(徐幾) : 자는 자여(子與)이고, 호는 진재(進齋)이다. 송대 숭안(崇安 : 현 복건성 무이산시〈武夷山市〉) 사람이다. 송 리종(理宗) 경정(景定) 5년(1264)에 적공랑(迪功郞)에 천거되고, 건녕부교수(建寧府教授) 겸 건안서원산장(建安書院山長) 겸 숭정전설서(崇政殿說書)를 제수 받았다. 박학다재(博學多才)하였고 특히 역학에 정통하여 『역집(易輯)』, 『역의(易義)』 등을 저술하였다.

50) 이간(李簡), 『학역기(學易記)』「송괘(訟卦)」.

이간(李簡)이 말했다. "'간혹 왕의 일에 종사하더라도 이룸이 없다'는 것은 왕의 일에 종사할지라도 공을 이룬 것을 자처하지 않음을 말한다. 소송은 행한 것이 서로 어긋나는 데서 생기는데, 천하의 소송은 또 공을 자랑하고 선을 뽐내는 데서 일어난다. 부드러움으로 굳셈을 따르고 아래로 위를 따르며, 공이 있는데도 자처하지 않기 때문에 옛 덕을 잃지 않고, 마침내 길함을 얻는다."

● 胡氏炳文曰："'食舊德', 與'位乎天德'語同. 位必稱德而居, 故寧德過其位, 毋位過其德. 食必稱德而食, 故寧德浮於食, 毋食浮於德. '食', 猶'食邑'之'食'. 九二, '邑人, 三百戶', 食之最約者也. 二剛險, 本欲訟者, 能退處於分之小, 僅可無眚. 三陰柔, 本不能訟者, 能守其分之常, 雖厲猶吉."[51]

호병문이 말했다. "'옛 덕을 녹봉으로 받는다'는 '하늘의 덕에 자리한다'[52]와 말이 같다. 직위는 반드시 덕에 맞게 있기 때문에 차라리 덕을 지위보다 지나치게 할지언정 직위를 덕보다 지나치게 하지 않는다. 녹봉은 반드시 덕에 맞추어 받기 때문에 차라리 덕을 녹봉보다 크게 할지언정 녹봉을 덕보다 크게 하지 않는다. '녹봉으로 받는다[食]'는 것은 '조세를 받는 고을[食邑]'이라고 할 때의 '조세를 받는다[食]'는 것과 같다. 구이효의 '읍의 사람이 삼백호'라는 것은 봉록으로 받음이 가장 작다는 뜻이다. 이효는 굳세고 험해서 본래 소송을 하려는 것이지만 물러나 작은 본분대로 처신할 수 있으니, 겨우 허물이 없을 수 있다. 삼효는 음의 유약함으로 본래 소송을 할 수

51) 호병문(胡炳文), 『주역본의통석(周易本義通釋)』「송괘(訟卦)」.
52) 하늘의 덕에 자리한다 : 『주역(周易)』「건괘」에서 "飛龍在天, 乃位乎天德.['나는 용이니 하늘에 있음'은 곧 하늘의 덕에 자리함이다.]"라고 하였다.

없는 것이니, 그 본분의 떳떳함을 지킬 수 있으면, 위태로울지라도 오히려 길하다."

● 楊氏啟新曰 : "'食舊德', 安其分之所當得, 是不與人競利也, '或從王事'者, 分之所不得越, 是不與人競功也. 蓋不必告訐之風, 乃謂之訟, 一有爭競之心亦訟也."[53]

양계신(楊啟新)이 말했다. "'옛 덕을 녹봉으로 받는다'는 분수대로 얻음을 편안하게 여기는 것이니, 남들과 이익을 다투지 않고, '간혹 왕의 일에 종사한다'는 분수에서 넘을 수 없음이니, 남들과 공을 다투지 않는 것이다. 알리고 폭로하는 풍조를 기필하지 않는데, 바로 그것을 소송이라고 함은 한 번이라도 다투려는 마음이 있으면 또한 소송이기 때문이다."

附錄

徐氏幾曰 : "'王事'卽訟事, '无成', 卽象之'訟不可成'也."[54]

서기가 말했다. "'왕의 일'은 송사이고, '이룸이 없다'는 「단전」의 '송사를 이루어서는 안 되기 때문이다'[55]는 것이다."

53) 정정조(程廷祚), 『대역택언(大易擇言)』「송괘(訟卦)」.

54) 장헌익(張獻翼), 『독역기문(讀易紀聞)』「송괘(訟卦)」.

55) 송사를 이루어서는 안 되기 때문이다 : 『주역(周易)』「송괘(訟卦)」에서 "'終凶', 訟不可成也.['끝까지 함이 흉하다'는 것은 송사를 이루어서는 안 되기 때문이다.]"라고 하였다.

案

『本義』是戒人以不可從王事也, 但此爻與坤三之文, 大同小異, 不應其義差殊. 故諸家之說, 可以與『本義』相參, 而楊氏尤爲明暢也. 徐氏卽以'訟不可成'爲解, 亦可備一說.

『주역본의』에서는 왕의 일에 종사해서는 안 된다고 사람들에게 경계하는 것인데, 다만 여기의 효사가 곤(坤)괘 삼효의 효사[56]와 대동소이하여 그 의미의 차이에 호응하지 않았다. 그러므로 여러 학자들의 설명은 『주역본의』와 서로 비슷하다고 할 수 있는데 양씨의 것이 더욱 명백하다. 서씨가 '송사를 이루어서는 안 되기 때문이다'로 해석한 것도 하나의 설명이 된다.

56) 곤(坤)괘 삼효의 효사 : 『주역(周易)』「곤괘(坤卦)」에서 "六三, 含章可貞, 或從王事, 无成有終.[육삼은 아름다움을 머금어 곧을 수 있으나, 간혹 왕의 일에 종사하면 이룸은 없어도 끝맺음은 있을 것이다.]"라고 하였다.

九四, 不克訟, 復卽命, 渝, 安貞, 吉.

구사효는 송사를 하지 못하니 돌아와 바른 이치에 나아가 마음을 바꾸어 곧음을 편안히 여기면 길하다.

本義

'卽', 就也, '命', 正理也, '渝', 變也. 九四剛而不中, 故有訟象. 以其居柔, 故又爲不克, 而復就正理, 渝變其心, 安處於正之象. 占者如是則吉也.

'즉(卽)'은 나아감[就]이고, '명(命)'은 바른 이치이며, '유[渝]'는 바꾸는 것이다. 구사효는 굳세지만 가운데 있지 않기 때문에 다툼의 상이 있다. 그것이 유약한 자리에 있기 때문에 또 할 수 없어 돌아와 바른 이치에 나아가고 그 마음을 바꾸어 바른 곳에 편안히 있는 상이다. 점치는 사람이 이와 같이 하면 길할 것이다.

程傳

四, 以陽剛而居健體, 不得中正, 本爲訟者也, 承五履三而應初. 五君也, 義不克訟, 三居下而柔, 不與之訟, 初正應而順從, 非與訟者也. 四雖剛健欲訟, 无與對敵, 其訟无由而興, 故不克訟也. 又居柔以應柔, 亦爲能止之義. 旣義不克訟, 若能克其剛忿欲訟之心, 復卽就於命, 革其心平其氣, 變而爲安貞則吉矣. '命'謂正理. 失正理, 爲方命, 故以卽命爲'復'也. 方, 不順也, 書云, '方命圮族', 孟子曰, '方命虐民'. 夫剛健而不中正, 則躁動, 故不安, 處非中正, 故不貞. 不安貞, 所以好訟也. 若義不克訟而不訟, 反就正理, 變其不安貞, 爲安貞, 則吉矣.

사효는 굳센 양으로 굳건한 몸체에 있으면서 중정(中正)을 얻지 못해 본래 소송하려는 자로 오효를 받들고 삼효를 밟고 초효와 호응하고 있다. 그런데 오효는 임금이어서 의리상 소송할 수 없고, 삼효는 아래에 있어 유순하니 그와 소송하지 못하며, 초효가 바르게 호응하고 순종해서 그와 소송할 것이 아니다. 사효가 강건해서 소송하려고 하더라도 대적할 곳이 없어 그 소송을 어떻게 일으킬 수 없기 때문에 소송할 수 없다. 또 유순한 자리에 있으면서 유순함과 호응하는 것도 소송을 그칠 수 있다는 뜻이다. 이미 의리상 소송을 이길 수 없으니, 강하게 분노하여 송사하려는 마음을 극복하고 돌아와 바른 이치에 나아가 그 마음을 바꾸고 그 기운을 평안하게 하여 편하고 곧게 할 수 있다면 길할 것이다.
'명(命)'은 바른 이치를 말한다. 바른 이치를 상실하는 것은 명을 어기는 일이기 때문에 명에 나아가는 일을 '돌아오는 것[復]'으로 여겼다. 어기는 것은 순종하지 않음이니, 『서전(書傳)』에서는 '왕명을 어기고 종족을 해친다[方命圮族]'[57]라고 하였고, 『맹자』에서는 '왕명을 어기고 백성을 학대했다'라고 하였다. 강건하면서 중정하지 않으면, 조급하게 움직이기 때문에 편안하지 않고, 처신이 중정하지 않기 때문에 곧지 않다. 곧음을 편안하게 여기지 않는 것이 송사를

57) 왕명을 어기고 종족을 해친다[方命圮族] : 『서(書)』「우서(虞書)·요전(堯典)」.

좋아하는 까닭이다. 의리상 송사할 수 없어 그렇게 하지 않고 돌아와 바른 이치에 나아가 그 편하고 곧지 않은 것을 바꾸어 편하고 곧게 하면 길하다.

集說

● 龔氏原曰 : "二與五訟, 四與初訟, 其與爲敵者強弱不同. 而皆曰'不克'者, 蓋二以下訟上, 其不克者勢也, 四以上訟下, 其不克者理也. 二見勢之不可, 故歸而逋竄, 四知理之不可, 故復而卽命. 二四皆剛居柔, 故能如此."[58]

공원(龔原)이 말했다. "이효와 오효가 소송을 하고, 사효와 초효가 소송을 하니, 그것들이 함께 적으로 함에 강약이 같지 않다. 그런데 모두 '송사를 하지 못한다'고 했는데 이효가 아래에서 위에 송사하여 이길 수 없는 것은 형세이고, 사효가 위에서 아래에 송사하여 이길 수 없는 것은 이치이다. 이효는 형세가 불가하다는 것을 알기 때문에 돌아와 숨고, 사효는 이치가 불가하다는 것을 알기 때문에 돌아와 바른 이치에 나아간 것이다. 이효와 사효는 모두 굳셈이 부드러운 자리에 있기 때문에 이와 같이 되는 것이다."

● 楊氏簡曰 : "九剛四柔, 有始訟終退之象. 人唯不安於命, 故以人力爭訟, 今不訟而卽於命, 變而安於貞, 吉之道也."[59]

58) 장헌익(張獻翼), 『독역기문(讀易紀聞)』「송괘(訟卦)」.
59) 양간(楊簡), 『양씨역전(楊氏易傳)』「송괘(訟卦)」.

양간이 말했다. "구인 양효는 굳세고 사효는 부드러워 소송을 시작했으나 끝내고 물러나는 상이 있다. 사람이 단지 바른 이치에 불안하기 때문에 사람의 힘으로 다투어 소송하는데, 이제 소송하지 않고 바른 이치에 나아가 마음을 바꾸어 곧음에 편안하니 길한 도이다."

九五, 訟, 元吉.
구오효는 송사에 크게 길하다.

本義

陽剛中正, 以居尊位, 聽訟而得其平者也. 占者遇之, 訟而有理, 必獲伸矣.

양의 굳셈이 중정함으로 높은 자리에 있어 송사를 다스려 공평함을 얻은 것이다. 점을 치는 사람이 이 괘를 만나면 송사를 해도 이치가 있어 반드시 억울함을 풀 수 있다.

程傳

以中正居尊位, 治訟者也. 治訟, 得其中正, 所以元吉也. '元吉', 大吉而盡善也. 吉大而不盡善者, 有矣.

중정(中正)으로 높은 자리에 있으니 송사를 다스리는 것이다. 송사를 다스림에 중정을 얻었기 때문에 크게 길하다. '크게 길하다'는 크게 길하여 선을 지극히 하는 것이다. 길함이 크면서도 선을 지극하게 하지 못하는 경우가 있다.

集說

- 王氏肅曰 : "以中正之德, 齊乖爭之俗, 元吉也."[60]

왕숙(王肅)이 말했다. "중정의 덕으로 분쟁하는 풍속을 다스리니 크게 길하다."

● 王氏弼曰 : "處得尊位, 爲訟之主, 用其中正, 以斷枉直. 中則不過, 正則不邪, 故訟元吉."[61]

왕필이 말했다. "자리잡은 곳에서 존귀한 지위를 얻어 송괘의 주인이 되었으니, 알맞음과 곧음으로 굽고 곧음을 결단한다. 알맞으면 지나치지 않고 곧으면 나쁘게 되지 않기 때문에 송사에 크게 길하다."

● 趙氏汝楳曰 : "大人在上, 平諸侯萬民之訟, 至於見遜畔遜路而息爭, 吉孰大焉!"[62]

조여매(趙汝楳)가 말했다. "대인이 위에서 제후와 모든 백성의 송사를 공평하게 함으로 논밭의 경계와 길을 양보하여 다툼이 사라지게 되었다면 길한 것이 무엇이 이보다 크겠는가!"

● 俞氏琰曰 : "九五以剛明之德居尊, 而又中正, 彖辭所謂大人, 是也. 訟之有理者, 見之必獲伸矣. '元吉', 乃吉之盡善者也."[63]

유염(俞琰)이 말했다. "구오는 굳건하고 밝은 덕으로 존귀한 자리

60) 정정조(程廷祚), 『대역택언(大易擇言)』「송괘(訟卦)」.
61) 왕필(王弼), 『주역주소(周易注疏)』「송괘(訟卦)」.
62) 조여매(趙汝楳), 『주역집문(周易輯聞)』「송괘(訟卦)」.
63) 유염(俞琰), 『주역집설(周易集說)』「송괘(訟卦)」.

에 있고 또 중정하니, 단사에서 말한 대인이 여기에 해당한다. 소송에 이치가 있는 경우에는 무슨 소송을 당하든 반드시 풀 수 있다. '크게 길하다'는 바로 길함에 선을 다하는 것이다."

上九, 或錫之鞶帶, 終朝三褫之.

상구효는 간혹 관복의 띠를 하사받더라도 아침이 끝날 때까지 세 번 빼앗긴다.

本義

鞶帶, 命服之飾, '褫', 奪也. 以剛居訟極, 終訟而能勝之, 故有錫命受服之象. 然以訟得之, 豈能安久. 故又有終朝三褫之象. 其占爲終訟, 无理而或取勝, 然其所得, 終必失之, 聖人爲戒之意深矣.

관복의 띠는 임금이 명으로 내려주는 복식이다. '빼앗긴다'는 없어지는 것이다. 굳셈이 송괘의 끝에 있어 송사를 끝까지 하여 이길 수 있기 때문에 명으로 관복을 하사받는 상이 있다. 그러나 소송으로 얻었으니, 어찌 편안히 오래도록 가질 수 있겠는가? 그러므로 아침이 끝날 때까지 세 번 빼앗기는 상이 있다. 그 점은 송사를 끝까지 하여 무리하게 혹시 이길지라도 그 얻은 것을 마침내 반드시 잃게 되니, 성인이 경계 한 뜻이 깊다.

程傳

九, 以陽居上, 剛健之極, 又處訟之終, 極其訟者也. 人之肆其剛强, 窮極於訟, 取禍喪身, 固其理也. 設或使之善訟能勝,

窮極不已, 至於受服命之賞, 是亦與人仇爭所獲, 其能安保之乎. 故終一朝而三見褫奪也.

구(九)가 양으로 위에 있으니 강건함의 궁극이고, 또 송괘의 마지막에 있으니 송사를 끝까지 하는 것이다. 사람이 굳세고 강건함을 마음대로 휘둘러 소송을 끝까지 하면 화를 취하고 몸을 상하게 되는 것이 진실로 그 이치이다. 가령 그 사람이 송사를 잘하여 이길 수 있을지라도 끝까지 하고 그치지 않았다면, 관복의 상을 받아도 이 또한 남과 원수지면서 얻을 것을 다투니, 어찌 안전하게 보존할 수 있겠는가? 그러므로 아침이 끝날 때까지 세 번 빼앗기는 것이다.

集說

● 王氏弼曰 : "處訟之極, 以剛居上, 訟而勝得者也. 以訟受錫, 榮何可保. 故終朝之間, 褫帶者三也."[64]

왕필이 말했다. "송괘의 끝에 있고 굳셈으로 꼭대기에 있으니, 소송을 하여 이겨서 얻는다. 소송으로 하사를 받았으니, 영화를 어찌 보존할 수 있겠는가? 그러므로 아침이 끝나는 사이에 관복의 띠를 빼앗기는 것이 세 번이다."

● 胡氏炳文曰 : "上九以剛極處訟終, 卦所謂'終凶'者也. 故設此以戒之."[65]

64) 왕필(王弼), 『주역주소(周易注疏)』「송괘(訟卦)」.
65) 호병문(胡炳文), 『주역본의통석(周易本義通釋)』「송괘(訟卦)」.

호병문이 말했다. "상구는 굳셈의 궁극으로 송괘의 끝에 있으니, 괘사에서 이른바 '끝까지 하면 흉하다'[66]는 것이다. 그러므로 이 말을 하여 경계하였다."

總論

● 邱氏富國曰: "九五居尊, 爲聽訟之主, 故訟元吉. 餘五爻則皆訟者也. 然天下唯剛者訟, 柔者不訟. 初與三柔也, 故初不永所事而終吉, 三食舊德而終吉. 二四上剛也, 二與五對, 揆勢不敵而不訟, 四與初對, 顧理不可而不訟, 亦以其居柔, 故二無眚而四安貞也. 獨上九處卦之窮, 下與三對, 柔不能抗, 故有錫鞶帶之辭焉. 然一日三褫, 辱亦甚矣, 訟之勝者, 何足敬乎."

구부국(邱富國)[67]이 말했다. "구오효는 존귀한 자리에 있어 소송을 다스리는 주인이 되었기 때문에 송사에 크게 길한 것이다. 나머지 다섯 효는 모두 소송을 하는 것들이다. 그러나 천하에서 오직 굳센 자가 소송을 하고 유순한 자는 소송을 하지 않는다. 초효와 삼효는 유순하기 때문에 일을 오래하지 않아 마침내 길하고, 삼효는 옛 덕을 녹봉으로 받아 마침내 길하다. 이효·사효·상구효는 굳센 데,

66) 『주역(周易)』「송괘(訟卦)」: "訟, 有孚窒, 惕中吉, 終凶.[송(訟)은 믿음이 있으나 막히니, 두려워하여 중도를 지키면 길하고, 끝까지 하면 흉하다.]"

67) 구부국(丘富國): 자는 행가(行加)이고, 남송 건안(建安: 현 복건성 건구〈建甌〉) 사람이다. 주자의 문인으로 주자의 역학사상을 주로 계승 발전시켰다. 이종(理宗) 순우(淳祐) 7년(1247)에 진사에 급제하여 벼슬은 단주첨판(端州僉判)을 역임했다. 남송이 망하자 은거하고 벼슬하지 않았다. 저서에는 『주역집해(周易輯解)』, 『역학설약(易學說約)』, 『경세보유(經世補遺)』가 있다.

이효와 오효는 마주하면서 세력이 적이 되지 않음을 헤아려 소송하지 않고, 사효와 초육은 마주하면서 이치상 불가하다는 것을 알고 소송하지 않으니, 또한 부드러운 자리에 있기 때문에 이효는 허물이 없고 사효는 곧음을 편안히 여기는 것이다. 상구만이 괘의 끝에 있으면서 아래로 육삼효와 마주하면서 부드러움이 저지할 수 없기 때문에 관복의 띠를 하사받는다는 말이 있다. 그러나 하루에 세 번 빼앗기면 치욕이 또한 심하니, 소송의 승자를 어찌 공경할 수 있겠는가?"

7. 사師괘

䷆ 坤上 坎下

程傳

師「序卦」, "訟必有衆起, 故受之以師". 師之興由有爭也, 所以次訟也. 爲卦坤上坎下. 以二體言之, 地中有水, 爲衆聚之象. 以二卦之義言之, 內險外順, 險道而以順, 行師之義也. 以爻言之, 一陽而爲衆陰之主, 統衆之象也. 比以一陽爲衆陰之主而在上, 君之象也. 師以一陽爲衆陰之主而在下, 將帥之象也.

사(師)는 「서괘전」에서 "송사(訟事)는 반드시 무리지어 일어나기 때문에 사괘로 받았다"라고 하였다. 군대가 일어나는 것은 다툼이 있기 때문이니, 송괘 다음에 두었다. 사(師䷆)괘는 곤(坤☷)괘가 위에 있고 감(坎☵)괘가 아래에 있다. 두 몸체로 말하면, 땅 속에 물이 있는 것이니, 무리지어 모이는 상이다. 두 괘의 의미로 말하면, 안은 험하고 밖은 순하여 험난한 도(道)이나 순함으로 하는 것이니, 군대를 움직이는 뜻이다. 효로 말하면 하나의 양으로 여러 음의 주인이되니, 무리를 통솔하는 상이다. 비(比䷇)괘는 하나의 양이 여러 음의 주인이 되어 위에 있으니, 임금의 상이다. 사(師䷆)괘는 하나의 양이 여러 음의 주인이 되어 아래에 있으니, 장수의 상이다.

師, 貞, 丈人, 吉無咎.

군대는 바르게 하고 장인(丈人)이어야 길하고 허물이 없다.

本義

師兵衆也. 下坎上坤, 坎險坤順, 坎水坤地. 古者寓兵於農, 伏至險於大順, 藏不測於至靜之中. 又卦惟九二一陽, 居下卦之中, 爲將之象, 上下五陰, 順而從之, 爲衆之象. 九二以剛居下而用事, 六五以柔居上而任之, 爲人君命將出師之象. 故其卦之名曰'師'. 丈人長老之稱. 用師之道, 利於得正, 而任老成之人, 乃得吉而无咎, 戒占者, 亦必如是也.

군대는 병사의 무리이다. 아래는 감(☵)괘이고 위는 곤(☷)괘이니, 감괘는 험하고 곤괘는 순하며, 감괘는 물이고 곤괘는 땅이다. 옛날에 병사를 농촌에 머무르게 했으니, 아주 험한 것을 크게 순한 데 숨겨두고, 측량할 수 없는 것을 지극히 고요한 가운데 감춰두었다. 또 사(師䷆)괘 구이효 하나의 양만이 아래괘의 가운데에 있어 장수의 상이 되니, 위아래의 다섯 음이 순종하고 따르는 것은 무리 짓는 상이다. 구이효는 굳센 양으로 아래에 있으면서 일을 하고, 육오효는 부드러운 음으로 위에 있으면서 그에게 맡기니, 임금이 장수에게 명하여 군대를 출동시키는 상이다. 그러므로 이 괘의 이름을 '사(師)'라고 하였다. 장인은 장로(長老)의 호칭이다. 군대를 쓰는 도는 바름을 얻는 것이 이롭고, 노성한 사람에게 맡기는 것이 길하고 허물이 없으니, 점치는 자에게 또한 반드시 이와 같이 하라고 경계하였다.

程傳

師之道以正爲本. 興師動衆, 以毒天下而不以正, 民弗從也, 强驅之耳. 故師以貞爲主, 其動雖正也, 帥之者必丈人, 則吉而无咎也. 蓋有吉而有咎者, 有无咎而不吉者, 吉且无咎乃盡善也. '丈人'者尊嚴之稱. 帥師總衆, 非衆所尊信畏服, 則安能得人心之從. 故司馬穰苴擢自微賤, 授之以衆, 乃以衆心未服, 請莊賈爲將也. 所謂'丈人'不必素居崇貴, 但其才謀德業, 衆所畏服, 則是也. 如穰苴旣誅莊賈, 則衆心畏服, 乃丈人矣. 又如淮陰侯起於微賤, 遂爲大將, 蓋其謀爲, 有以使人尊畏也.

군대의 도는 바른 것을 근본으로 한다. 군대를 일으키고 무리를 움직여 천하에 해독을 끼치면서 바름으로 하지 않으면, 백성이 따르지 않아 억지로 몰아갈 뿐이다. 그러므로 군대는 곧은 것[貞]을 위주로 하니, 그 움직임이 비록 바르더라도 거느리는 자가 반드시 장인(丈人)이면 길하고 허물이 없다. 길하지만 허물이 있는 경우가 있고, 허물은 없지만 길하지 않은 경우도 있으니, 길하고 또 허물이 없어야 최선을 다한 것이다. '장인'은 존엄한 것에 대한 칭호이다. 군대를 거느리고 무리를 통솔하는 일은 사람들이 높이고 믿으며 두려워서 복종하는 것이 아니라면 어떻게 사람들이 마음으로 따르게 할 수 있겠는가?
옛날 사마양저(司馬穰苴)[1]는 미천한 신분에서 발탁되어 군사들을

1) 사마양저(司馬穰苴) : 전국시대 제(齊)나라 사람으로 본래 성은 전(田)씨다. 대부(大夫)를 지냈다. 제나라 경공(景公) 때 진(晉)나라와 연(燕)나라가 쳐들어 왔는데, 안영(晏嬰)의 추천으로 장군이 되어 나가 물리치고 실지(失地)를 회복했다. 경공이 교외로 나가 맞으며 노고를 위로하고 대사마(大司馬)로 높여 '사마양저'라 부르게 되었다. 나중에 다른 대부들

맡게 되었는데, 이에 군사들이 마음으로 복종하지 않을 것으로 생각되었기 때문에 장고(莊賈)[2]를 청하여 장수로 삼았다. 그러니 이른바 '장인'은 군이 평소에 높고 귀한 자리에 있을 필요는 없고, 그 재주와 지모(智謀), 덕업(德業)을 사람들이 두려워하고 복종할 뿐이라는 것이 여기에 해당한다. 사마양저가 이미 장고를 베어 죽여 버리니, 군사들이 마음으로 두려워하여 복종한 것이 바로 장인이다. 또 이를테면 회음후(淮陰侯) 한신(韓信)이 미천한 신분에서 입신(立身)하여 마침내 대장이 된 것이니, 그 지모와 행동에서 사람들이 높이고 두려워하였던 것이다.

集說

● 王氏弼曰 : "興役動衆, 無功罪也, 故吉乃無咎."[3]

왕필(王弼)이 말했다. "병역을 일으키고 사람들을 동원함에 공이

의 참소를 당하여 쫓겨나자 병이 나서 죽었다. 전국시대 제위왕(齊威王)이 그의 용법 전술을 본받아 제후(諸侯) 사이에서 위세를 보였다. 대부들에게 옛날의 사마병법(司馬兵法)을 추론하게 하고 양저를 그 안에 넣었는데, 이 때문에 『사마양저병법』이라 불렀다. 일설에는 전국 시대 말기 제민왕(齊湣王)의 장수가 되어 집정(執政)했는데, 용병술이 뛰어났지만 나중에 민왕에게 살해당했다고 한다. 지금 『사마법(司馬法)』의 잔본이 남아 있는데, 춘추 시대의 병법과 병제(兵制)를 엿볼 수 있다.

2) 장고(莊賈) : 사마양저가 미천한 신분으로 장군이 되어 전군을 통솔하기 어렵다는 판단 아래 임금에게 총애를 받는 신하 장고를 감군에 충당하고, 다음날 정오에 군영입구에서 만나기를 했다. 그런데 교만한 장고가 시간을 어기고 늦게 나타나자 군법에 따라 처형했다.

3) 왕필(王弼), 『주역주소(周易注疏)』「사괘(師卦)」.

없는 것은 죄이기 때문에 길해야 허물이 없다."

● 『朱子語類』云 : "'吉無咎', 謂如一件事自家作出來好, 方得無罪咎. 若作得不好, 雖是好事, 也則有咎."[4]

『주자어류』에서 말했다. "'길하고 허물이 없다[吉無咎]'는 것은 이를테면 하나의 일이 자신에게 잘 되어 죄나 허물이 없음을 말한다. 만약 한 일이 잘 되지 않았으면 좋은 일이라도 또한 허물이 있게 된다."

4) 『주자어류』, 권70, 56조.

初六, 師出以律, 否臧凶.

초육효는 군대가 출동하는 데 규율대로 하니, 잘하지 않으면 흉하다.

本義

'律', 法也, '否臧'謂'不善'也. 晁氏曰, '否'字, 先儒多作'不', 是也. 在卦之初, 爲師之始, 出師之道, 當謹其始, 以律則吉, 不臧則凶. 戒占者, 當謹始而守法也.

'규율(律)'은 법이고, '잘하지 않음[否臧]'은 '훌륭하게 하지 않은 것[不善]'을 말한다. 조씨(鼂氏)는 '~하지 않다[否]'는 말을 선유(先儒)들은 대부분 '~아니하다[不]'는 말로 여겼는데, 맞다. 괘의 처음이 군대의 시작인데, 군대를 출동시키는 방법은 그 시작을 삼가야 하니, 규율대로 하면 길하고 잘하지 않으면 흉하다. 점치는 자가 시작을 삼가고 법을 지켜야 함을 경계했다.

程傳

初師之始也, 故言出師之義及行師之道. 在邦國興師而言, 合義理則是以律法也, 謂以禁亂誅暴而動. 苟動不以義, 則雖善亦凶道也. '善'謂克勝, 凶謂殃民害義也. 在行師而言, '律'謂號令節制. 行師之道以號令節制爲本, 所以統制於衆, 不以律則雖善亦凶, 雖使勝捷猶凶道也. 制師无法, 幸而不敗且勝者, 時有之矣, 聖人之所戒也.

초효는 사괘(師卦)의 시작이기 때문에 군대를 출동시키는 의리와 군대를 움직이는 방법을 말했다. 나라의 군대를 일으키는 입장에서 말하면, 의리에 부합하는 것은 법률로 하니, 난리를 억제하고 포악한 이를 주벌하기 위하여 군대를 움직이는 것을 말한다. 그런데 그 움직임을 의리에 합당하게 하지 않는다면 비록 잘했을지라도 흉한 길이 된다. '잘함[善]'은 이기는 것을 말하고, 흉함은 백성에게 재앙을 끼치고 의리를 해치는 것을 말한다. 군대를 운용하는 입장에서 말하면 '규율[律]'은 호령과 절제이다. 군대를 운용하는 방법은 호령과 절제를 근본으로 하기 때문에 무리의 통제를 규율대로 하지 않으면 잘했을지라도 또한 흉하고, 싸움에 이기더라도 여전히 흉한 길이 된다. 군대를 통제하는데 법도가 없는데도 요행히 패하지 않고 이기는 경우가 때로 있으니, 성인이 경계한 것이다.

集說

● 王氏弼曰 : "爲師之始, 齊師者也, 齊衆以律, 失律敗散."[5)]

왕필이 말했다. "군대를 부리는 시작은 군사를 다스리는 것이니, 규율대로 군사를 다스림에 규율을 잃으면 패배해서 흩어진다."

● 程子曰 : "律有二義, 有出師不以義者, 有行師而無號令節制者, 皆失律也."[6)]

5) 왕필(王弼), 『주역주소(周易注疏)』「사괘(師卦)」.

정자(程子)가 말했다. "규율에는 두 가지 의미가 있으니, 군대를 동원함에 의리로 하지 않는 경우가 있고, 군대를 동원하면서 호령과 절제가 없는 경우가 있으니, 모두 규율을 잃은 것이다."

● 胡氏炳文曰:"初六才柔, 故有否臧之戒. 然以律不言吉, 否臧則言凶者, 律令謹嚴, 出師之常, 其勝負猶未可知也, 故不言吉. 出而失律, 凶立見矣."[7]

호병문이 말했다. "초육효는 재질이 유약하기 때문에 잘하지 않는다는 경계가 있다. 그런데 규율대로 한 것을 길하다고 하지 않고, 잘하지 않은 것을 흉하다고 함은 규율과 명령을 근엄하게 하는 것이 군대를 부리는 떳떳함이지만 그 승부를 여전히 알 수 없기 때문에 길하다고 하지 않았다. 군대를 부리면서 규율을 잃으면 흉하게 됨을 보인 것이다."

6) 정호·정이, 『하남정씨유서(河南程氏遺書)』 권19.
7) 호병문(胡炳文), 『주역본의통석(周易本義通釋)』「사괘(師卦)」.

九二, 在師中吉, 無咎, 王三錫命.

구이효는 사괘의 가운데 있어 길하고 허물이 없으니, 왕이 세 번 명령을 내린다.

本義

九二在下, 爲衆陰所歸, 而有剛中之德, 上應於五而爲所寵任. 故其象占如此.

구이효가 아래에 있어 여러 음들이 귀의하고 굳세고 알맞은 덕이 있으며, 위로 오효와 호응하여 총애와 신임을 받는다. 그러므로 그 상(象)과 점(占)이 이와 같다.

程傳

師卦, 唯九二一陽爲衆陰所歸. 五居君位, 是其正應, 二乃師之主, 專制其事者也. 居下而專制其事, 唯在師則可. 自古命將, 閫外之事, 得專制之, 在師專制, 而得中道, 故吉而无咎. 蓋恃專則失爲下之道, 不專則无成功之理. 故得中爲吉. 凡師之道, 威和並至則吉也. 旣處之盡其善, 則能成功而安天下, 故王錫寵命至于三也, 凡事至于三者極也.

사(師䷆)괘는 오직 구이효 하나의 양에 여러 음이 귀의한다. 그런데 오효가 임금 자리에 있는 것은 바른 호응이니, 이효가 바로 사괘의 주인으로 그 일을 전적으로 제어한다. 아래에 있으면서 그 일을 전적으로 제어하는 것은 군대에서만 가능하다. 예로부터 장수에게 나라 밖의 일을 전적으로 제어하게 명령하여 군대에서 전적으로 제어하는데, 중도를 얻었기 때문에 길하고 허물이 없다. 전적으로 하는 것만 믿으면 아랫사람의 도리를 잃게 되고, 전적으로 하지 못하면 공을 이룰 도리가 없기 때문에 중도를 얻어야 길하게 된다. 군대의 도는 위엄과 온화함이 함께 하면 길하다. 이미 대처함에 최선을 다했으면 공을 이루고 천하를 편안하게 할 수 있기 때문에 왕이 은혜로운 특별한 명령을 세 번까지 내리니, 일이 세 번까지 이른 것은 최선을 다함이다.

六五在上, 旣專倚任, 復厚其寵數, 蓋禮不稱, 則威不重而下不信也. 他卦九二, 爲六五所任者有矣, 唯師專主其事, 而爲衆陰所歸, 故其義最大. 人臣之道, 於事无所敢專, 唯閫外之事則專制之, 雖制之在己, 然因師之力而能致者, 皆君所與而職當爲也.

육오효가 위에서 이미 전적으로 의지하여 맡기고, 다시 그 총애를 자주 두터이 하니, 예(禮)가 걸맞지 않으면 위엄이 무겁지 못하여 아랫사람이 믿지 않게 된다. 다른 괘의 구이효도 육오효의 임무를 받는 경우가 있지만, 오직 사괘(師卦)에서는 그 일을 전적으로 주관하고 여러 음이 귀의하기 때문에 그 의미가 가장 크다. 신하된 도리로는 일에 감히 전적으로 할 것이 없으나, 오직 나라밖의 일에서는 전적으로 제어할 수 있으니, 제어하는 것이 자기에게 있지만 군대의 힘으로 이룰 수 있는 일은 모두 임금이 주었고, 직분상 해야 한다.

世儒有論魯祀周公以天子禮樂, 以爲周公能爲人臣不能爲之功, 則可用人臣不得用之禮樂, 是不知人臣之道也. 夫居周公之位, 則爲周公之事, 由其位而能爲者, 皆所當爲也, 周公乃盡其職耳, 子道亦然. 唯孟子爲知此義, 故曰"事親若曾子者, 可也", 未嘗以曾子之孝爲有餘也, 蓋子之身, 所能爲者, 皆所當爲也.

세상의 선비들이 노(魯)나라에서 주공을 천자의 예와 악으로 제사지낸 것에 대해 논하면서 주공이 신하로 할 수 없는 공을 세워 신하가 쓸 수 없는 예악을 써야 한다고 하니, 신하의 도리를 알지 못하는 것이다. 주공의 지위에서 주공의 일을 하는 것은 그 자리 때문에 할 수 있고 모두 해야 하니, 주공은 바로 그 직분을 다했을 뿐이고 자식의 도리로 그런 것이다. 맹자만이 그러한 의리를 알았기 때문에 "어버이 섬기기를 증자(曾子)처럼 하는 것이 옳다"라 하고, 증자의 효가 충분하다고 하지 않았으니, 자식의 몸으로 할 수 있는 것은 모두 해야 한다.

集說

● 孔氏穎達曰 : "承上之寵, 爲師之主, 任大役重, 無功則凶, 故吉乃無咎. '王三錫命'者, 以其有功, 故王三加錫命."[8]

공영달이 말했다. "위의 총애를 받들어 군대의 주인이 되었으니, 임무와 역할이 중대하여 공이 없으면 흉하기 때문에 길한 것은 허물

8) 공영달(孔穎達), 『주역주소(周易注疏)』「사괘(師卦)」.

이 없다. '왕이 세 번 명령을 내린다'는 것은 그에게 공이 있기 때문에 왕이 세 번씩이나 더하면서 명령을 내린다는 말이다."

● 『朱子語類』云 : "在師中吉, 言以剛中之德在師中, 所以爲吉."[9]

『주자어류』에서 말했다. "사괘의 가운데 있어 길한 것은 굳건하고 알맞은 덕으로 군대의 가운데에 있기 때문에 길하다는 말이다."

● 胡氏炳文曰 : "卦辭'師貞丈人吉, 無咎', 爻在'師中吉, 無咎', 卽卦辭意也. 中則無過不及, 所以爲貞. 以師而中, 所以爲丈人. 故師六爻, 唯九二吉無咎."[10]

호병문이 말했다. "괘사에서 '군대는 바르게 하고 장인이라야 길하고 허물이 없다'는 것은 효사에서 '군대에서 중도로 하여 길하고 허물이 없다'는 말로 곧 효사의 뜻이다. 가운데는 과불급이 없기 때문에 곧다. 군대를 거느리고 중도로 하기 때문에 장인이 되었다. 그러므로 사괘의 여섯 효에서 구이효만이 길하고 허물이 없다."

9) 『주자어류』 권70, 58조.

10) 호병문(胡炳文), 『주역본의통석(周易本義通釋)』「사괘(師卦)」.

六三, 師或輿屍, 凶.

육삼효는 군대가 간혹 시체를 싣고 오니, 흉하다.

本義

'輿尸', 謂師徒撓敗, 輿尸而歸也. 以陰居陽, 才弱志剛, 不中不正, 而犯非其分. 故其象占如此.

'시체를 싣고 오는 것[輿尸]'은 군대가 패배하여 수레에 시체를 싣고 돌아오는 것을 말한다. 음이 양의 자리에 있고 재질이 약하며 뜻이 굳세고, 가운데 있지 않고 바르지도 못하여 자신의 분수가 아닌 것을 범한다. 그러므로 그 상과 점이 이와 같다.

程傳

三居下卦之上, 居位當任者也, 不唯其才陰柔不中正. 師旅之事, 任當專一. 二旣以剛中之才爲上信倚, 必專其事乃有成功. 若或更使衆人主之, 凶之道也. '輿尸'衆主也, 蓋指三也. 以三居下之上, 故發此義, 軍旅之事, 任不專一, 覆敗必矣.

육삼효는 하괘의 위에 있으니, 지위가 있고 책임을 맡은 사람인데, 그 재질이 음으로 유약할 뿐만 아니라 중정하지 못하다. 군대의 일은 임무에 전일해야 한다. 이효는 이미 굳세고 알맞은 재질로 윗사람이 신임하고 의지하는 것이 되었으니, 반드시 그 일을 전적으로 해야 공을 이룰 수 있다. 그런데 혹시라도 다시 여러 사람이 주관하게 하면 흉한 도이다. '시체를 싣고 오는 것[輿尸]'은 여럿이 주장한 것이니, 삼효를 가리킨다. 삼효가 하괘의 맨 위에 있기 때문에 이 뜻을 밝혔으니, 군대의 일은 맡김에 전일하게 하지 않으면 반드시 패망한다.

集說

王氏申子曰："三不中不正，以柔居剛，是小人之才弱志剛者，而居二之上，是二爲主將，三躐而尸之也．凡任將不專，偏裨擅命，權不出一者，皆輿尸也，軍旅何所聽命乎．其取敗必矣．"[11]

왕신자(王申子)가 말했다. "삼효가 중정하지 않고 유약함으로 굳센 자리에 있는 것은 소인의 재주가 빈약하고 뜻이 굳세고, 이효의 위에 있는 것은 이효의 사령관인데, 삼효가 밟아 죽이게 된 일이다. 책임을 맡은 장수가 전일하게 처리하지 못하고 비장이 명령을 함부로 내려 권력이 하나로 나오지 않을 경우에는 모두 시체를 싣고 오게 된다. 군대의 경우 어째서 명령을 따르는 것인가? (그렇게 하지 않으면) 반드시 패배하기 때문이다".

11) 왕신자(王申子), 『대역집설(大易集說)』「사괘(師卦)」.

六四, 師左次, 无咎.

육사효는 군대가 높고 험한 곳에 머물러 있으니, 허물이 없다.

本義

'左次', 謂退舍也. 陰柔不中, 而居陰得正, 故其象如此. 全師以退, 賢於六三遠矣, 故其占如此.

'높고 험한 곳에 머물러 있다[左次]'는 퇴각한다는 것을 말한다. 음이 유약하고 알맞지 않으나 음의 자리에 있어 바름을 얻었기 때문에 그 상이 이와 같다. 군대를 온전히 하면서 물러나 육삼효보다 뛰어나기 때문에 그 점(占)이 이와 같다.

程傳

師之進以强勇也. 四以柔居陰, 非能進而克捷者也. 知不能進而退, 故左次. '左次'退舍也. 量宜進退, 乃所當也, 故无咎. 見可而進, 知難而退, 師之常也. 唯取其退之得宜, 不論其才之能否也. 度不能勝, 而完師以退, 愈於覆敗遠矣. 可進而退乃爲咎也. 『易』之發此義, 以示後世, 其仁深矣.

군대의 나아감은 강함과 용맹으로 한다. 그런데 사효는 부드러운 음으로 음의 자리에 있어 나아가 이길 수 있는 것이 아니다. 나아갈 수 없음을 알고 물러나기 때문에 높고 험한 곳에 머물러 있다. '높고 험한 곳에 머물러 있다[左次]'는 퇴각한다는 것이다. 마땅함을 헤아려 나아가거나 물러나는 것이 바로 합당한 일이기 때문에 허물이 없다. 가능함을 보고 나아가고 어려움을 알아 물러나는 것은 군대의 떳떳한 도리이다. 오직 그 물러남에 마땅함을 얻는 것을 취할 뿐이고, 그 재질의 할 수 있고 없음에 대해서는 논하지 않았다. 이길 수 없음을 헤아려 군대를 보전하여 물러남이 패배하는 것보다 낫다. 그러나 나아갈 수 있는데도 물러나는 것은 바로 허물이 된다. 『주역』에서 이런 의미를 드러내 후세에 보여준 것은 그 어짊이 깊기 때문이다.

集說

吳氏澄曰 : "按兵家尚右, 右爲前, 左爲後. 故「八陣圖」天前沖、地前沖在右, 天後沖、地後沖在左."

오징(吳澄)이 말했다. "살펴보건대, 병가에서는 오른쪽을 숭상하는데, 오른쪽은 앞이고 왼쪽이 뒤이다. 그러므로 「팔진도(八陣圖)」[12)]

12) 「팔진도(八陣圖)」 : 팔진도는 종군(從軍)을 가운데에 두고 여덟 가지 모양으로 진을 배치(配置)한 진법(陳法)의 그림이다. 보통 천(天) · 지(地) · 풍(風) · 운(雲) · 용(龍) · 호(虎) · 조(鳥) · 사(蛇)의 여덟 가지로 나타내지만, 병가(兵家)에 따라 그 형상(形狀)은 서로 같지 않다. 손자(孫子)는 방(方) · 원(圓) · 빈(牝) · 모(牡) · 충방(衝方) · 부저(罘罝) · 거륜(車輪) · 안항(雁行)이라 하였고, 제갈공명(諸葛孔明)은 동당(洞當) · 중황(中黃) · 용등(龍騰) · 조비(鳥飛) · 연횡(連衡) · 악기(握奇) · 호익(虎翼) · 절충(折衝)이라 하였으며, 오자(吳子)는 거상(車箱) · 거헌(車軒) · 곡진(曲陣) · 예진(銳進) · 직진(直陣) · 괘진(卦陣) · 충진(衝陣) · 아관진(鵞鸛陣)이라 했다.

를 보면 하늘에서 앞으로 부딪히고 땅에서 앞으로 부딪히는 것은 오른쪽에 있고, 하늘에서 뒤로 부딪히고 땅에서 뒤로 부딪히는 것은 왼쪽에 있다."

六五, 田有禽, 利執言, 无咎. 長子帥師, 弟子輿尸, 貞凶.

육오효는 밭에 새가 있으니 그것을 잡는 것이 이롭고 허물이 없다. 장자들에게 군대를 거느리게 하고 제자들에게 수레에 시체를 싣게 하면 바르더라도 흉하다.

本義

六五用師之主, 柔順而中, 不爲兵端者也. 敵加於己, 不得已而應之, 故爲田有禽之象, 而其占利以搏執而无咎也. 言語辭也. 長子九二也, 弟子三四也. 又戒占者專於委任, 若使君子任事而又使小人參之, 則是使之輿尸而歸. 故雖貞而亦不免於凶也.

육오효는 군대를 부리는 주인이지만 부드럽고 유순하며 알맞아 군대를 일으킬 단서를 만들지 않는 자이다. 적이 자신에게 침범하면 부득이 하게 대응하기 때문에 밭에 새가 있는 상이고, 그 점은 잡는 것이 이롭고 허물이 없다. ('잡는 것이 이롭다[利執言]'라고 할 때의) 언(言)은 보조로 쓰인 말이다. 장자는 구이효이고 제자(弟子)는 삼효와 사효이다. 또 점치는 자에게 위임을 전적으로 할 것을 경계하였으니, 군자에게 일을 맡기고 또 소인을 참여시키면, 이것은 수레에 시체를 싣고 돌아오게 하는 것이다. 그러므로 곧더라도[貞] 흉함을 면치 못한다는 것이다.

程傳

五君位, 興師之主也. 故言興師任將之道. 師之興, 必以蠻夷猾夏, 寇賊姦宄, 爲生民之害, 不可懷來, 然後奉辭以誅之. 若禽獸入于田中, 侵害稼穡, 於義宜獵取, 則獵取之, 如此而動, 乃得无咎. 若輕動以毒天下, 其咎大矣. '執言'奉辭也, 明其罪而討之也. 若秦皇漢武, 皆窮山林以索禽獸者也, 非田有禽也. 任將授師之道, 當以長子帥師. 二在下而爲師之主, 長子也. 若以弟子衆主之, 則所爲雖正, 亦凶也. 弟子凡非長者也. 自古任將不專而致覆敗者, 如晉荀林父邲之戰, 唐郭子儀相州之敗, 是也.

오효는 임금의 자리로 군대를 일으키는 주인이다. 그러므로 군대를 일으키고 장수를 임명하는 도리를 말했다. 군대를 일으킴은 반드시 오랑캐가 나라 가운데를 어지럽히고 도적들이 간사한 짓을 한 것이 백성들에게 폐해가 되는데도 회유하여 오게 할 수 없게 된 뒤에 명령을 받들어 토벌하는 일이다. 이것은 금수가 밭 가운데 들어와 농사를 침해하여 의리상 사냥하여 잡아야 한다면 사냥하여 잡는 것과 같으니, 이렇게 움직여야 이에 허물이 없다. 가볍게 움직여 천하 사람에게 해독을 끼치면 그 허물이 크게 될 것이다. '명령을 지킨다[執言]'[13]는 명령을 받든다는 말로 그 죄를 밝혀 토벌하는 것이다. 진시황이나 한무제처럼 모두 산림을 다 뒤져서 금수를 찾아 잡은 경우는 밭에 새가 있었던 것이 아니었다. 장수를 임명하고 군대를 맡기는 도리는 장자로 군대를 거느리게 해야 하는 것이다. 이효가 아

13) 주자는 육오효의 '言(언)'자를 보조로 쓰인 말로 보았지만 정자는 임금의 명령으로 보았다.

래에 있어 사괘의 주인이 되니, 장자이다. 만약 제자(弟子)들 여럿이 주장하게 하면 하는 바가 바르더라도 흉하다. 제자(弟子)는 장자가 아닌 모든 사람들이다. 예로부터 장수를 임명했음에도 전적으로 하지 않아 패배한 경우로는 진(晉)나라의 순림보(荀林父)[14]가 필(邲) 땅에서 싸운 것[15]과 당나라의 곽자의(郭子儀)[16]가 상주(相州)

14) 순임보(荀林父, ?~B.C.593) : 춘추시대 진(晉)나라의 정치가이며, 6경(卿)의 일원으로 관직은 중군원수(中軍元帥)에 이르렀다. 필(邲) 땅 전투에서 대장을 맡았다가 패배해 진나라가 쥐고 있던 패권을 초 장왕에게 헌납했다. 중항(中行 : 진나라의 군대 편제의 한 단위)의 대장을 맡았기 때문에 중항(中行)을 성씨로 삼아, 진나라의 6경 중 중항씨의 시조가 되었다. 시호는 환(桓)으로, 순환자(荀桓子), 중항환자(中行桓子)라고도 한다. 순서오(荀逝敖)의 아들이며, 순경(荀卿)의 아버지이다.

15) 진(晉)나라의 순림보(荀林父)가 필(邲) 땅에서 싸운 것 : 춘추시대(春秋時代)에 진(晉)나라와 초(楚)나라가 패권을 다투면서 대립하고 있는데 초나라가 약소국인 정(鄭)나라를 쳐들어갔다. 진나라의 장군 순임보(荀林父)가 대군을 이끌고 정나라를 도우려고 가는데 황허강[黃河] 근처에 이르러 이미 정나라가 초나라에 항복하였으며 초나라 군대는 물러갔다는 소식을 듣고 군사를 돌리라고 명했다. 그런데 부장 선진(先軫)이 명령을 어기고 일부 군사를 몰래 데리고 황하를 건너 초나라군을 추격했다. 진나라군이 이렇게 둘로 갈라지게 되었는데 순림부는 선진의 군대를 통제할 수가 없었다. 이에 순림부는 마음을 크게 먹고 삼군에 명령을 내려 황하를 건넜고 초나라 주력부대와 결전을 벌였다. 이 결전에서 초나라 장왕은 직접 북을 두드리며 군사들의 사기를 고무시켰다. 초나라군은 진나라군을 향해 밀물처럼 돌진했다. 그런데 진나라군은 의견과 지휘가 통일되지 않아 초나라군을 막을 수가 없었다. 대패한 진나라군은 급히 황하로 도망쳤고, 그러다가 짓밟혀서 죽고 황하에 빠져 죽은 자가 부지기수였다. 진나라군은 이 때문에 다시는 세력을 회복하지 못했다.

16) 곽자의(郭子儀, 697~781) : 화주(華州) 정현(鄭縣) 사람으로 자는 자의(子儀), 별명은 곽령공(郭令公), 곽분양(郭汾陽)이다. 당(唐)나라 때 명

에서 패한 것[17]이 여기에 해당한다.

集說

● 孔氏穎達曰:"陰不先唱, 柔不犯物, 犯而後應. 故往卽有功, 猶如田中有禽而來犯苗, 若往獵之則無咎過."[18]

공영달이 말했다. "음이 선창하지 않고 유순한 것은 사물을 침범하지 않아 침범당한 다음에 대응하기 때문이다. 그러므로 가면 공이

장(名將)으로 어려서부터 무예가 출중하여 종군(從軍)하여 공을 쌓아 구원태수(九原太守)가 되었다. 하지만 중앙에서 중용 받지 못하고 있다가 안사(安史)의 난(亂)이 폭발한 후 삭방절도사(朔方節度使)가 되어 군대를 이끌고 하북(河北), 하동(河東)을 수복하여 병부상서(兵部尙書), 동중서문하평장사(同中書門下平章事)가 되었다. 757년 광평왕(廣平王) 이숙(李俶)과 더불어 서경(西京) 장안(長安), 동도(東都) 낙양(洛陽)을 수복했다. 그 공으로 사도(司徒)가 되고, 대국공(代國公)에 봉해졌다.

17) 당나라의 곽자의(郭子儀)가 상주(相州)에서 패한 것 : 사사명(史思明)은 안록산(安祿山)과 같은 고향 사람으로 서로 가까이 지내며 출세가도를 달리다가 755년 안녹산이 반란을 일으키자 이에 가담했다. 757년 안녹산이 아들인 안경서(安慶緖)에게 살해되자, 하북 13군(郡)을 장악하고 8만 명의 병사와 함께 당에 투항했다가 758년 다시 반기를 들고 안경서를 살해했으며, 안경서의 군대를 합쳐 낙양을 함락시키며 세력을 떨쳤다. 이에 당군은 곽자의, 이광필, 왕사례, 노경, 허숙기 등을 장수로 보병과 기병을 합쳐 60만에 달하는 규모로 토벌하려고 하였다. 당군은 9명의 절도사들이 군대를 지휘하였는데, 문제는 그들을 전체적으로 지휘하는 최고사령관이 없어 지휘통제가 제 각각이었으니, 결국 상주의 전투에서 참패하게 된다.

18) 공영달(孔穎達), 『주역주소(周易注疏)』「사괘(師卦)」.

있는 것은 밭에 새가 와서 싹을 쪼아 먹기에 가서 잡아버리니 허물이 없는 것과 같다.

● 『朱子語類』, 問 : "『易』爻取義, 如師之五'長子帥師', 乃是本爻有此象, 又卻說'弟子輿尸', 何也."
曰 : "此假設之辭也, 言若弟子輿尸則凶矣."

『주자어류』에서, 물었다. "『역』의 효에서 의미를 취함에 사(師)괘 육오효의 '장자에게 군대를 거느리게 한다'는 것은 여기의 효에 이런 상이 있다는 것인데, 또 도리어 '제자에게 시체를 수레에 싣고 돌아오게 한다'고 한 것은 무엇 때문입니까?"
대답했다. "이 부분은 가정하는 말로 '제자에게 시체를 수레에 싣고 돌아오게 하면 흉하다'는 말입니다."

問 : "此例恐與'家人嗃嗃'而繼以'婦子嘻嘻'同."
曰 : "然."[19]

물었다. "여기의 사례는 가인(家人☲)괘의 '집안사람들이 원망하는데 아내와 자식이 희희덕거린다'로 이어받는 것과 같습니까?"
대답했다. "그렇습니다."

● 胡氏炳文曰 : "長子卽彖所謂丈人也. 自衆尊之則曰'丈人', 自君稱之則曰長子, 皆長老之稱"[20]

19) 『주자어류』 권70, 61조.
20) 호병문(胡炳文), 『주역본의통석(周易本義通釋)』「사괘(師卦)」.

호병문이 말했다. "장자는 단사에서 말한 장인이다. 군중의 입장에서 존경하면 '장인'이라 하고, 임금의 입장에서 부르면 '장자'라고 하니, 모두 장로에 대한 칭호이다."

● 蔣氏悌生曰："'輿屍',『程傳』訓'衆主',『朱義』訓'撓敗'. 但訓作'衆主', 則與'長子帥師'爲反對, 其義尤切. 禽在山林, 固無事於獵取, 今入於田, 則害我禾稼, 畋而執之宜也. 長子帥師可也. 又使弟子衆主之, 是自取凶咎也."

장제생(蔣悌生)이 말했다. "'시체를 싣고 오게 한다'는 것에 대해 『정전』에서는 '여럿이 주장한다'로 풀이하고,[21] 『주역본의』에서는 '패배하다'로 풀었다.[22] 다만 '여럿이 주장한다'로 풀이하면 '장자에게 군대를 거느리게 한다'와 반대가 되어 그 의미가 더욱 절실하다. 금수가 산림에 있으면 진실로 사냥하여 잡을 일이 없는데, 이제 밭으로 오면 나의 농사에 해가 되니 사냥해서 잡아야 한다. 장자에게 군대를 거느려야 하는데, 제자들 여럿이 주장하는 것은 스스로 흉함과 허물을 취하는 것이다."

● 蔡氏清曰："'田有禽利執言', 是'師貞'意. '長子帥師', 是丈人意."[23]

21) '시체를 싣고 오게 한다'는 것에 대해 『정전』에서는 '여럿이 주장한다'로 풀이하고 : 삼효의 『정전』에서 "'輿尸'衆主也, 蓋指三也.['시체를 싣고 오는 것[輿尸]'은 여럿이 주장한 것이니, 삼효를 가리킨다.]"라고 하였다.

22) 『주역본의』에서는 '패배하다'로 풀었다 : 삼효의 『주역본의』에서 "'輿尸', 謂師徒撓敗, 輿尸而歸也.['시체를 싣고 오는 것[輿尸]'은 군대가 패배하여 수레에 시체를 싣고서 돌아오는 것을 말한다.]"라고 하였다.

채청(蔡清)이 말했다. "'밭에 새가 있으니 그것을 잡는 것이 이롭다'는 것은 '군대를 바르게 한다'는 의미이다. '장자에게 군대를 거느리게 한다'는 것은 장인의 의미이다."

23) 채청(蔡清), 『역경몽인(易經蒙引)』「사괘(師卦)」.

上六, 大君有命, 開國承家, 小人勿用.

상육효는 대군이 명이 있어 나라를 열고 가문을 이으니, 소인은 쓰지 말아야 한다.

本義

師之終, 順之極, 論功行賞之時也. 坤爲土, 故有開國承家之象. 然小人則雖有功, 亦不可使之得有爵土, 但優以金帛可也. 戒行賞之人, 於小人則不可用此占, 而小人遇之, 亦不得用此爻也.

사괘의 끝이고 순함의 지극함이니, 공을 논하고 상을 시행하는 때이다. 곤괘는 땅이기 때문에 나라를 열고 가문을 잇는 상이 있다. 그러나 소인은 공이 있을지라도 작위와 땅을 갖게 해서는 안 되고, 단지 금이나 비단으로 우대하는 것이 옳다. 상을 시행하는 사람은 소인에게 이 점괘를 사용해서는 안 되고, 소인이 이 점을 얻었을지라도 이 효를 쓸 수 없다고 경계한 것이다.

程傳

上, 師之終也, 功之成也, 大君以爵命賞有功也. '開國', 封之爲諸侯也. '承家', 以爲卿大夫也. '承'受也. '小人'者, 雖有功不可用也, 故戒使勿用. 師旅之興, 成功非一道, 不必皆君子也. 故戒以小人有功不可用也, 賞之以金帛祿位可也, 不可使有國家而爲政也. 小人平時易致驕盈, 況挾其功乎! 漢之英彭所以亡也, 聖人之深慮遠戒也. 此專言師終之義, 不取爻義, 蓋以其大者. 若以爻言, 則六以柔居順之極, 師旣終而在无位之地, 善處而无咎者也.

맨 위는 사괘의 끝이고 공이 이루어진 것이니, 대군이 벼슬로써 명하여 공이 있는 사람에게 상을 주는 것이다. '나라를 연다'는 제후로 봉하는 것이다. '가문을 잇는다'는 경과 대부로 삼는 것이다. '잇는다'는 받는다는 것이다. '소인'은 비록 공이 있더라도 등용해서는 안 되기 때문에 쓰지 말라고 경계하였다. 군대가 일어남에 공을 이루는 것은 한 가지 방법이 아니니, 꼭 모두 군자일 필요는 없다. 그러므로 소인은 공이 있더라도 쓸 수 없다고 경계하였으니, 금이나 비단, 녹봉이나 지위로써 상을 주는 것은 괜찮지만 나라와 가문을 두어서 정치를 하게 해서는 안 된다. 소인은 평상시에도 교만하고 넘치기 쉬운데, 하물며 그 공을 끼고 있음에야 말해 무엇 하겠는가! 한나라의 영포(英布)[24]와 팽월(彭越)[25]이 이 때문에 망했으니, 성

24) 영포(英布) : 한고조(漢高祖)가 항우(項羽)와 팽성(彭城)에서 크게 싸우다 불리해지자 구강왕(九江王) 영포(英布)에게 수하를 보내 초(楚)를 배반하게 하였다. 그런데 영포가 3일 동안이나 수하를 만나 주지 않자, 수하가 태재(太宰)를 유인해 영포를 만난 뒤에 설득해서 그의 마음을 돌린 후 마침 초나라의 사신이 오자 그가 이미 한(漢) 나라에 귀부(歸附)했다고 공공연히 선언을 하여 꼼짝없이 배반하도록 만들었다. 그 후 전공으로 회남왕으로 봉해졌는데, 한신과 팽월의 죽음을 보고 두려운 나머지 반란을 일으켰다가 죽었다.

25) 팽월(彭越) : 팽월은 항우(項羽)를 섬기다 한(漢) 나라에 귀순하여 기공(奇功)을 세우고 양왕(梁王)에 봉해졌는데, 한신의 죽음을 보고 두려워한 나머지 병력을 동원하여 자신을 보호하다가 고조(高祖)의 노여움을

인이 깊이 생각하여 멀리까지 경계하신 것이다. 이는 오로지 사괘가 끝나는 뜻으로 말하였고 효의 뜻을 취하지 않았으니, 큰 것으로 말한 것이다. 효로써 말한다면 상육은 부드러운 음으로 순함의 끝에 있으니, 군대의 일이 이미 끝난 다음에 지위가 없는 곳에 있으면서 잘 대처하여 허물이 없다.

集說

● 『朱子語類』云 : "'開國承家, 小人勿用', 舊時說只作論功行賞之時, 不可及小人. 今思他旣一例有功, 如何不及他得. 看來開國承家一句, 是公共得底, 未分別君子小人在. '小人勿用', 則是勿更用他與之謀議經畫耳. 漢光武能用此義, 自定天下之後, 一例論功行封. 其所以用之在左右者, 則鄧禹耿弇賈復數人, 他不與焉. 此義方思量得如此, 未曾改入『本義』, 且記取."[26]

『주자어류』에서 말했다. "'나라를 열고 가문을 이으니, 소인은 쓰지 말아야 한다'는 것에 대해 과거에는 논공행상(論功行賞)을 할 때 소인에게까지 미쳐서는 안 된다고 했는데, 지금 생각해 보면, 그들에게 한 가지라도 공이 있다면 어찌 그들에게 미칠 수 없겠는가? '나라를 열고 가문을 잇는다'는 한 구절을 보면, 다 함께 그것을 얻는다는 것으로, 군자와 소인을 구별하지 않았다.
'소인은 쓰지 말아야 한다'는 그들을 등용해 함께 경서를 의론하지 말라는 것일 뿐이다. 한(漢)나라의 광무제가 이와 같은 의론을 잘 활용하여 천하를 안정시킨 뒤에 동일하게 공을 논하여 봉지를 주었

받아 마침내 효수(梟首)되었다.
26) 『주자어류』 권70, 64조.

다. 주변의 인물을 등용한 경우는 등우(鄧禹)[27], 경엄(耿弇)[28], 가복(賈復)[29] 등 몇 명으로 그들과는 함께 하지 않았다. 이런 의미를 이제 이렇게 생각하고 있어 아직 『주역본의』에는 고쳐 넣지 못했으니, 또 기록하고 취하라."

● 趙氏汝楳曰 : "'大君', 六五也. 周官軍將皆命卿, '開國'者, 出封爲諸侯, 師帥皆中大夫, 旅帥皆下大夫. '承家'者, 大夫之采邑."[30]

조여매(趙汝楳)가 말했다. "'대군'은 육오효이다. 『주례』에 군대의 장수는 모두 천자에게 명령을 받는 경(卿)이니, '나라를 여는 것'은 나라에 봉해져 제후가 되는 것이고, 사수(師帥)는 모두 중대부이며, 여수(旅帥)는 모두 하대부이다. '가문을 있는 것'은 대부의 채읍이다."

又曰 : "知勇之人, 不能皆全材, 用於戎行, 有將師節制於上, 未見其害. 今爲國爲家, 有民人, 有社稷, 則不可屬之小人."[31]

27) 등우(鄧禹) : 후한(後漢) 광무제(光武帝)를 도와 천하를 평정한 논공제일(論功第一)의 개국공신. 24세 때 광무제가 즉위하자 삼공(三公)의 하나인 대사도(大司徒)에 임명되고 고밀후(高密侯)에 봉(封)해졌다.
28) 경엄(耿弇) : 등우보다 한 살이 적었던 경엄(耿弇)은 27세에 대장(大將)이 되어 정벌을 전담하였다.
29) 가복(賈復) : 오교(五校)를 격파하다가 크게 상처를 입었는데, 광무제(光武帝)가 크게 놀라 나의 명장을 잃을 뻔했다고 할 정도로 신임한 신하이다.
30) 조여매(趙汝楳), 『주역집문(周易輯聞)』「사괘(師卦)」.
31) 조여매(趙汝楳), 『주역집문(周易輯聞)』「사괘(師卦)」.

또 말했다. "용맹을 아는 사람들은 모두 자질을 온전하게 구현할 수 없으나, 군대에 등용되면 위에서 군대를 거느리고 절제하여 피해를 당하지 않는다. 그러니 이제 나라를 다스리고 가문을 다스려 백성이 있고 사직이 있으면, 그들을 소인으로 취급해서는 안 된다."

● 胡氏炳文曰 : "初, 師之始, 故紀其出師而有律, 上, 師之終, 故紀其還師而賞功, 六爻中, 將兵將將, 伐罪賞功, 靡所不載. 末曰, '小人勿用', 則又戒辭也, 雖然, 亦在於謹其始焉耳. 曰'丈人', 曰'長子', 用以行師者得其人, 及其開國承家, 自不至於用小人矣."[32]

호병문이 말했다. "초육효는 군대의 시작이기 때문에 출병을 중심으로 규율이 있고, 상육효는 군대의 끝이기 때문에 회군을 중심으로 논공행상을 하였다. 여섯 효 중에서 사병을 거느리고 장군을 거느리는 일에 죄를 벌하고 공을 상주어 기재하지 않는 것이 없다. 끝에서 '소인을 쓰지 말아야 한다'고 한 것은 또 경계하는 말이니, 그렇게 했을지라도 시작을 삼가는 데 있을 뿐이다. '장인'이라고 하고 '장자'라고 하는 것은 그를 등용해 군대를 부리는 자가 그 사람을 얻는다는 뜻이니, 나라를 열고 가문을 잇는 데는 미치지만 소인을 등용하는 데까지는 본래 이르지 않는다."

● 林氏希元曰 : "小人立功, 不得不一例賞以爵邑. 若一例賞以爵邑, 又恐播惡於衆, 不若於行師之初, 不用之爲愈也. 故象傳謂'其必亂邦', 彖辭於'師貞'之下, 卽言'宜用丈人', 五爻之辭又戒

32) 호병문(胡炳文), 『주역본의통석(周易本義通釋)』「사괘(師卦)」.

用弟子, 卽此意也. 師之始旣言之, 師之終而復言, 正戒人當謹於其始也."[33]

임희원(林希元)이 말했다. "소인이 공을 세우면 작위와 봉지를 상으로 똑같이 주지 않을 수 없다. 똑같이 작위와 봉지를 상으로 주면, 또 사람들에게 악을 전파하는 것이 염려되니, 군대를 동원하는 초기에 그들을 등용하지 않아 나은 것만 못하다, 그러므로 「상전」에서 '반드시 나라를 어지럽히기 때문이다'[34]라고 했고, 「괘사」에서 '군대를 바르게 한다'[35]는 말 아래에 곧 '장인을 써야 한다'라고 했으며, 오효의 말에서 또 제자들을 쓰는 것을 경계하였으니,[36] 바로 이런 의미이다. 사괘의 시작에서 이미 말하고 나서 사괘의 끝에서 다시 말했으니, 바로 사람들에게 시작에서 삼가야 됨을 경계한 것이다."

33) 임희원(林希元), 『역경존의(易經存疑)』「사괘(師卦)」.

34) 반드시 나라를 어지럽기 때문이다 : 『주역(周易)』「사괘(師卦)」에서 "象曰, '大君有命', 以正功也. '小人勿用', 必亂邦也.[「상전」에서 말했다 : '대군이 명이 있다'는 것은 공을 바르게 하는 것이고, '소인을 쓰지 말아야 한다'는 것은 반드시 나라를 어지럽히기 때문이다.]"라고 하였다.

35) 군대를 바르게 한다 : 『주역(周易)』「사괘(師卦)」에서 "師, 貞, 丈人, 吉无咎.[군대는 바르게 하고 장인(丈人)이어야 길하고 허물이 없다.]"라고 하였다.

36) 오효의 말에서 또 제자들을 쓰는 것을 경계하였으니 : 『주역(周易)』「사괘(師卦)」에서 "六五, 田有禽, 利執言, 无咎. 長子帥師, 弟子輿尸, 貞凶.[육오효는 밭에 새가 있으니 그것을 잡는 것이 이롭고 허물이 없다. 맏아들에게 군대를 거느리게 하고 제자들에게 수레에 시체를 싣게 하면 바르더라도 흉하다.]"라고 하였다.

案

'小人勿用', 非旣用而不封, 亦非旣封而不用, 乃是從初不用. 所謂'丈人吉', '弟子凶'者, 自其出師之始而已然也. 胡氏林氏之說, 皆合卦意, 但此處'小人勿用', '小人'二字, 又似所包者廣, 蓋非專論在師立功之人, 乃是謂亂定之後, 建官惟賢, 不可復用小人. 恐爲他日之亂本爾. 如解卦難旣平矣, 必曰'小人退', 旣濟卦'三年克之'矣, 又必曰'小人勿用', 皆此意也.

'소인을 쓰지 말아야 한다'는 등용한 다음에 봉지를 주지 않는 것도 아니고, 또한 봉지를 준 다음에 등용하지 않는 것도 아니라 바로 처음에 등용하지 않는 것이다. 그러니 이른바 '장인이라야 길하고' '제자들이라면 흉하다'는 그 군대를 동원하는 처음에 이미 그런 것이다. 호씨와 임씨의 설명은 모두 괘의 의미에 합치한다.
그런데 다만 이곳에서 '소인을 쓰지 말아야 한다'에서 '소인'이라는 말은 또 포괄하는 뜻이 넓은 것 같으니, 군대에서 오로지 공을 세운 사람을 말한 것은 아니라 바로 혼란이 안정된 다음에 관직을 설립할 때 현인을 오로지 하고 다시 소인을 등용해서는 안 된다는 말이다. 아마도 다른 때의 혼란 때문에 본래 그렇게 하는 것 같다. 이를테면 해(解䷧)괘에서 혼란이 이미 평정된 다음에 반드시 '소인이 물러났다'[37]라 하는 것이고, 기제(旣濟䷾)괘의 '삼년 만에 이겨서', 또 반드시 '소인을 쓰지 말아야 한다'[38]라 하는 것은 모두 이런 의미이다.

37) 『주역(周易)』「해괘(解卦)」: "象曰, '君子有解', 小人退也.[「상전」에 말했다: '군자가 풀음이 있음'은 소인이 물러가는 것이다.]"라고 하였다.
38) 『주역(周易)』「기제괘(旣濟卦)」: "九三, 高宗伐鬼方, 三年克之, 小人勿用.[구삼은 고종(高宗)이 귀방(鬼方)을 정벌하여 삼년 만에 이겼으니, 소인을 쓰지 말아야 한다.]"라고 하였다.

8. 비比괘

坎上
坤下

程傳

比, 「序卦」, "衆必有所比, 故受之以比". 比親輔也. 人之類, 必相親輔, 然後能安. 故旣有衆, 則必有所比, 比所以次師也. 爲卦, 上坎下坤. 以二體言之, 水在地上, 物之相切比无間, 莫如水之在地上, 故爲比也. 又衆爻皆陰, 獨五以陽剛, 居君位, 衆所親附, 而上亦親下, 故爲比也.

비(比)는 「서괘전」에서 "무리는 반드시 친한 것이 있기 때문에 비(比䷇)괘로 받았다"고 하였다. 비(比)는 친하여 돕는 것이다. 사람의 무리는 반드시 서로 친하여 도운 뒤에 편안할 수 있다. 그러므로 이미 무리가 있으면 반드시 친한 것이 있으니, 비괘가 이 때문에 사(師䷆)괘 다음에 있다. 괘의 모양䷇이 위는 감(坎☵)괘이고 아래는 곤(坤☷)괘가 된다. 두 몸체로 말하면, 물이 땅 위에 있어 물건이 서로 지극히 가까워 틈이 없는 것으로는 물이 땅 위에 있는 것 만한 관계가 없기 때문에 친함[比]이 되었다. 또 여러 효가 모두 음인데 오효만이 굳센 양으로 임금의 자리에 있어 무리가 친하게 따르고, 위에서도 아래와 친하기 때문에 친함[比]이 되었다.

比, 吉, 原筮, 元永貞, 无咎. 不寧, 方來, 後夫, 凶.
비는 길하나 두 번 점쳐 크고 영원하며 곧아야 허물이 없다. 편안하지 못한 이가 올 것이고 뒤에 오는 장부는 흉할 것이다.

本義

比親輔也. 九五以陽剛, 居上之中, 而得其正, 上下五陰, 比而從之, 以一人而撫萬邦, 以四海而仰一人之象. 故筮者得之, 則當爲人所親輔. 然必再筮以自審, 有元善長永正固之德, 然後可以當衆之歸而无咎, 其未比而有所不安者, 亦將皆來歸之. 若又遲而後至, 則此交已固, 彼來已晩, 而得凶矣. 若欲比人, 則亦以是而反觀之耳.

비(比)는 친하여 돕는 것이다. 구오효가 굳센 양으로 위의 괘 가운데에 있으면서 그 바름을 얻었고, 위아래의 다섯 음이 친하여 따르니, 한 사람이 온 나라를 어루만지고 온 세상이 한 사람을 우러러보는 상이다. 그러므로 점친 자가 이 괘를 얻으면, 당연히 사람들이 친하여 돕는다. 그러나 반드시 두 번 점쳐 스스로 살펴 크게 착하고 길이 영원하며 바르고 굳은 덕이 있은 뒤에 무리가 귀의함을 감당할 수 있어 허물이 없고, 아직 친하지 않아 불안한 것이 있는 사람도 모두 와서 귀의할 것이다. 또 늦어서 뒤에 오면 이 사람들의 사귐은 이미 견고하고 저 사람들이 온 것은 이미 늦어서 흉하다. 남과 친하고자 한다면, 또한 이것을 가지고 돌이켜 볼 뿐이다.

程傳

比, 吉道也. 人相親比, 自爲吉道, 故「雜卦」云, "比樂師憂". 人相親比, 必有其道. 苟非其道, 則有悔咎, 故必推原占決其可比者而比之. '筮'謂占決卜度, 非謂以蓍龜也. 所比, 得元永貞則无咎. '元'謂有君長之道, '永'謂可以常久, '貞'謂得正道.

비는 길한 도이다. 사람이 서로 친한 것은 본래 길한 도이기 때문에 「잡괘전」에서 "비(比䷇)괘는 즐겁고 사(師䷆)괘는 근심스럽다"라고 하였다. 사람이 서로 친함에는 반드시 그 도가 있다. 그 도로써 하지 않으면, 후회와 허물이 있기 때문에 반드시 친할만한 자를 근본적으로 미루고 점쳐 결단해서 친하게 되는 것이다. '서(筮)'는 점술과 복술로 결단하고 헤아림을 말하니, 시초점과 거북점을 말하는 것이 아니다. 친한 것이 크고 영원하고 곧음을 얻으면 허물이 없다. '크다[元]'는 우두머리의 도가 있는 것을 말하고, '영원하다[永]'는 것은 항상되고 오래할 수 있는 것을 말하며, '곧다[貞]'는 바른 도를 얻은 것을 말한다.

上之比下, 必有此三者, 下之從上, 必求此三者, 則无咎也. 人之不能自保其安寧, 方且來求親比, 得所比, 則能保其安. 當其不寧之時, 固宜汲汲以求比, 若獨立自恃, 求比之志, 不速而後, 則雖夫亦凶矣. 夫猶凶, 況柔弱者乎! '夫'剛立之稱, 『傳』曰, "子南夫也", 又曰, "是謂我非夫."

윗사람이 아랫사람과 친함에 반드시 이 세 가지가 있는 경우와 아랫사람이 윗사람을 따름에 반드시 이 세 가지를 구하는 경우에는 허물이 없다. 사람이 스스로 그 편안함을 보존할 수 없으면, 비로소 와서 친하기를 구하니, 친하게 되면 그 편안함을 보존할 수 있다. 편안하지 못할 때는 진실로 급급하게 친할 것을 구해야 하는데, 만약 홀로 서서 자신만을 믿어 친하게 되려는 마음을 빨리 하지 않고 뒤에 하면 장부일지라도 흉하다. 장부일지라도 오히려 흉한데, 하물며 유약한 자에 대해서는 말해 무엇 하겠는가! '장부'는 굳세게 서 있는 자의 칭호이니, 『춘추좌전』에서 "공자 남(南)은 장부이다"[1]라 하였고, 또 "이는 내가 장부가 아님을 말한다"[2]라고 하였다.

凡生天地之間者, 未有不相親比而能自存者也, 雖剛强之至, 未有能獨立者也. 比之道, 由兩志相求, 兩志不相求, 則睽矣. 君懷撫其下, 下親輔於上. 親戚朋友鄕黨, 皆然, 故當上下合志以相從. 苟无相求之意, 則離而凶矣. 大抵人情, 相求則合, 相持則睽. 相持, 相待莫先也. 人之相親, 固有道, 然而欲比之志, 不可緩也.

천지에 사는 것 가운데 서로 친하지 않고 스스로 보존할 수 있는 것은 없으니, 굳세고 강함이 지극하더라도 홀로 서 있을 수 없다. 비괘의 도는 둘의 뜻이 서로 구해야 하니, 둘의 뜻이 서로 구하지 않으면 어긋난다. 임금은 그 아랫사람을 품고 어루만지며, 아랫사람은 윗사람과 친하여 돕는다. 친척과 친구, 마을사람이 모두 그렇기 때문에 위아래가 뜻을 합하여 서로 따라야 한다. 서로 구하는 뜻이 없으면 떠나서 흉하다. 대개 인정이 서로 구하면 합하고, 서로 버티면 어긋난다. 서로 버팀은 서로 기다리고 먼저 하지 않는 것이

1) 『춘추좌전』「소공(昭公)」, 2년.

2) 이는 내가 장부가 아님을 말한다 : 『예기주소(禮記注)』「곡례상(曲禮上)」.

다. 사람이 서로 친함에는 진실로 도가 있지만, 친하고자 하는 뜻은 늦추어서는 안 된다.

集說

● 郭氏雍曰: "一陽之卦得位者, 師比而已, 得君位者爲比, 得臣位者爲師."[3]

곽옹(郭雍)이 말했다. "양이 하나인 괘에서 지위를 얻은 것은 사(師䷆)괘와 비(比䷇)괘뿐이니, 임금의 지위를 얻은 것은 비괘이고, 신하의 지위를 얻은 것은 사괘이다.

● 馮氏椅曰: "萃與比, 下體坤順同, 上體水澤不相遠. 唯九四一爻, 有分權之象, 故'元永貞'言於五, 比下無分權者, 故'元永貞'言於卦, 義各有在也."[4]

풍의(馮椅)가 말했다. "취(萃䷬)괘와 비(比䷇)괘는 아래 괘인 곤(☷)의 순함이 같고, 위의 괘는 수(☵)와 택(☱)이 서로 멀지 않다. 그런데 취괘 구사 하나의 효에만 권력을 나누는 상이 있기 때문에 구오에서 '크고 영원하며 곧다'[5]라 하였고, 비괘의 아래 괘에는 권력을 나누는 것이 없기 때문에 괘사에서 '크고 영원하며 곧다'라 하

3) 곽옹(郭雍), 『곽씨전가역설(郭氏傳家易說)』「비괘(比卦)」.

4) 풍의(馮椅), 『후재역학(厚齋易學)』「비괘(比卦)」.

5) 『주역(周易)』「췌괘(萃卦)」: "九五, 萃有位, 无咎, 匪孚, 元永貞, 悔亡. [구오는 모임에 지위가 있고 허물이 없는데, 믿지 않을 경우에는 크고 영원하며 곧으니 뉘우침이 없다.]"라고 하였다.

였으니, 의미가 각기 있다."

● 胡氏一桂曰："六十四卦, 唯蒙比以筮言. 蒙貴初而比貴原者, 蓋發蒙之道, 當視其'初筮'之專誠, 顯比之道, 當致其'原筮'而謹審, 所以不同也."[6]

호일계(胡一桂)가 말했다. "64괘에서 몽(蒙䷃)괘와 비(比䷇)괘만이 점[筮]으로 말했다. 몽괘에서 '처음[初]'[7]을 귀하게 여기고, 비괘에서 '두 번[原]'을 귀하게 여긴 것은, 철부지 어린이를 일깨우는 도는 처음 점치는 전일한 정성을 보아야 하는 것이고, 친함을 드러내는 도는 두 번 점쳐서 삼가 살핌을 이루어야 하는 것이기 때문에 같지 않은 것이다."

● 胡氏炳文曰："'原筮', 『本義』讀如'原蠶'·'原廟'·'原田'之'原', 義皆訓再. 曰'吉', 曰'无咎', 曰'凶' 皆占辭. '吉', 上下相比之占, 統言也. '无咎', 所比者之占, '凶', 比人者之占. 分言也.

호병문(胡炳文)이 말했다. "'두 번 점친다[原筮]'다는 것에 대해 『주역본의』에서는 '일 년에 누에를 두 번 침[原蠶]'·'원래의 정묘(正廟) 외에 거듭 지은 사당[原廟]'·'토지를 거듭 함[原田]'이라고 할 때의

6) 동진경(董眞卿), 『주역회통(周易會通)』「비괘(比卦)」.

7) 몽괘에서 '처음[初]' : 『주역(周易)』「몽괘(蒙卦)」에서 "蒙, 亨, 匪我求童蒙, 童蒙求我. 初筮告, 再三瀆. 瀆則不告. 利貞.[몽(蒙)은 형통하니, 내가 철부지 어린이에게 구하는 것이 아니라, 철부지 어린이가 나에게 구하는 것이다. 처음 점치거든 알려주고 두 번 세 번하면 욕되게 하는 것이다. 욕되게 하면 알려주지 않는다. 바르게 함이 이롭다.]"라고 하였다.

'거듭 함[原]'과 같이 읽었으니, 의미를 모두 두 번으로 풀이한 것이다. '길하다'라 하고, '허물이 없다'라 하며, '흉하다'라 하는 것은 모두 점치는 말이다. '길하다'는 것은 상하가 서로 길하다는 점으로 총괄해서 한 말이다. '허물이 없다'는 것은 친하게 지내려고 하는 자의 점이고, '흉하다'는 것은 친하게 지내려는 사람의 점이니, 나누어서 한 말이다.

蒙比卦辭, 特發'兩筮'字, 以示占者之通例. 筮得蒙卦辭, 蒙求亨者, 與亨蒙者, 皆可用, 筮得此卦辭, 爲人所比, 與求比者, 皆可用, 顧其所處所存者, 何如耳. 蒙之筮, 問之人者也, 不一則不專, 比之筮, 問其在我者也, 不再, 則不審. '不寧方來', 指下四陰而言. '來'者, 自來, '後'者, 自後. 吾惟問我之可比不可比, 彼之來比不來比, 吾不問也. 此固王者大公之道, 而爲九五之顯比者也."[8]

몽(蒙䷃)괘와 비(比䷇)괘의 괘사에서 특히 '두 번 점친다'는 말을 드러내어 점치는 자의 일반적인 사례를 보여 주었다. 점에서 몽괘의 괘사를 얻었으면, 어린이가 형통함을 구하는 경우와 어린이를 형통하게 하는 경우에 모두 사용해도 되고, 점에서 여기 비괘의 괘사를 얻었으면, 사람들에 의해 친하게 되려는 경우와 친하게 지내려는 것을 구하는 경우에 모두 사용해도 되니, 그 처신과 마음에 가진 것이 어떤지를 볼 뿐이다.
몽괘의 점은 사람이 묻는 것을 한 번으로 끝내지 않으면 전일하게 하지 않은 것이고, 비괘의 점은 나에게서 묻는 것을 거듭하지 않으면 자세하게 하지 않은 것이다.

8) 호병문(胡炳文), 『주역본의통석(周易本義通釋)』「비괘(比卦)」.

'편안하지 못한 이가 올 것이다'는 아래의 네 음을 가리켜서 말한 것이다. '올 것이다'는 스스로 오는 것이고, '뒤에 한다'는 스스로 뒤에 하는 것이다. 나는 단지 내가 친하게 해야 할지 말아야 할지를 물을 뿐이고, 저들이 와서 친하게 할지 그렇게 하지 않을지를 나는 묻지 않는다. 이것은 진실로 임금의 크게 공평한 도이니, 구오가 친하게 함을 드러낸 것이다."

初六, 有孚比之, 无咎. 有孚盈缶, 終, 來有它吉.
초육효는 믿음으로 친하니 허물이 없다. 믿음으로 하는 것이 질그릇에 가득하면 마침내 달리 길함이 있을 것이다.

本義

比之初, 貴乎有信, 則可以无咎矣. 若其充實, 則又有它吉也.

친하여 돕는 처음에는 믿음을 두는 것을 귀하게 여기니, 허물이 없을 수 있다. 만약 믿음이 가득 차면, 또 달리 길함이 있을 것이다.

程傳

初六, 比之始也. 相比之道, 以誠信爲本, 中心不信而親人, 人誰與之? 故比之始, 必有孚誠, 乃无咎也. '孚', 信之在中也. 誠信, 充實於內, 若物之盈滿於缶中也. '缶'質素之器, 言若缶之盈實其中, 外不加文飾, 則終能來有它吉也. '它'非此也, 外也. 若誠實充於內, 物无不信, 豈用飾外以求比乎? 誠信中實, 雖它外, 皆當感而來從, 孚信, 比之本也.

초육효는 친하게 지내려는 시작이다. 서로 친하게 지내는 도는 정성과 믿음을 근본으로 하니, 마음 안에서 믿지 않으면서 남과 친하게 지내려고 한다면, 남들 중에서 누가 함께 하겠는가? 그러므로 친하게 지내려는 처음에 반드시 믿음과 정성이 있어야 허물이 없다.

'믿음[孚]'은 믿는 것이 안에 있는 것이다. 정성과 믿음이 안에 가득한 것은 물건이 질그릇 안에 가득한 것과 같다. '질그릇[缶]'은 질박한 그릇이니, 질그릇에 가득 담은 것처럼 밖에서 꾸미지 않으면 마침내 달리 길함을 오게 할 수 있다는 말이다. '달리[它]'는 이것이 아니라 밖이다. 성실함이 안에 가득하여 사람이 믿지 않음이 없다면, 무엇 때문에 밖을 꾸며 친해지기를 구하겠는가? 성실과 믿음이 안에 차면, 달리 밖의 것일지라도 모두 감동하여 와서 따를 것이니, 믿음은 친하게 되는 근본이다.

集說

● 鄭氏汝諧曰: "五爲比之主, 初最遠而非其應, 何以有吉義? 蓋幾生於應物之先, 而誠出於志之未變. 故以信求比, 何咎之有? '盈', 充也, '缶', 素器也. 居下而位卑, 擴吾之信以充之, 雖遠而非其應, 終必應而有它吉矣. '有它吉'者, 非期於必得而得之也."[9]

정여해(鄭汝諧)[10]가 말했다. "오효가 비(比䷇)괘의 주인인데, 초효가 가장 멀리 있고 그 호응도 아니니, 어떻게 길한 의미가 있겠는

9) 정여해(鄭汝諧), 『역익전(易翼傳)』「비괘(比卦)」.

10) 정여해(鄭汝諧, 1126~1205): 자가 순거(舜擧)이고, 호는 동곡거사(東谷居士)이다. 청전현성(青田縣城) 사람이다. 송나라 소흥(紹興) 27년(1157)에 진사가 되어 건도(乾道) 4년(1168) 양절(兩浙) 전운판관(轉運判官)에 임명되었다. 여러 관직을 거쳐 고향으로 돌아가 석개서원(介石書院)을 세웠다. 개희(開禧) 원년(1205)에 죽었다. 저술로는 『동곡역익전(東谷易翼傳)』, 『논어의원(論語意源)』, 『동곡집(東谷集)』 등이 있다.

가? 대개 기미는 사물에 호응하기에 앞서 나오고, 정성은 뜻이 아직 변하기 전에 나온다. 그러므로 믿음으로 친하기를 구하니, 무슨 허물이 있겠는가? '가득함'은 채워짐이고 '질그릇'은 질박한 그릇이다. 아래에 있어 자리가 낮은데, 나의 믿음을 널리 해서 채우니, 멀리 있어 그 호응이 아닐지라도 마침내 반드시 응하여 달리 길함이 있을 것이다. '달리 길함이 있을 것이다'는 반드시 얻는다고 기약해서 얻는 것이 아니다."

● 胡氏炳文曰 : "與人交止於信. 親比之初, 能有誠信, 所以比之無咎. 及其誠信充實, 則非特無咎, 又有它吉. 初六不與五應, 故曰'有它'. 大過九四中孚初九, 皆曰有'它', 彼則戒其有它向之心, 此則許其有它至之吉也."[11]

호병문(胡炳文)이 말했다. "남들과 사귄다는 것은 믿음에 머무는 일이다. 친하게 되는 초기에 정성과 믿음이 있을 수 있기 때문에 친함에 허물이 없는 것이다. 정성과 믿음이 가득하면 허물이 없을 뿐만 아니라 또 달리 길함 있다. 초육은 오효와 호응하지 않기 때문에 '달리'라고 하였다. 대과(大過䷛)괘의 구사효와 중부(中孚䷼)괘의 초구효에서 모두 '달리'라고 했는데,[12] 저것들에서는 달리 향하는 마음이 있음을 경계한 것이고, 여기에서는 달리 오는 길함을 받아들인 것이다."

11) 호병문(胡炳文), 『주역본의통석(周易本義通釋)』「비괘(比卦)」.

12) 대과(大過䷛)괘의 구사효와 중부(中孚䷼)괘의 초구효에서 모두 '달리'라고 했는데 : 『주역(周易)』「대과괘(大過卦)」에서 "九四, 棟隆, 吉, 有它, 吝.[구사는 들보가 솟아 있어 길하지만 달리 마음을 두면 부끄럽게 될 것이다.]"라 했고, 「중부괘(中孚卦)」에서 "初九, 虞, 吉, 有他, 不燕.[초구는 헤아리면 길하니, 달리 마음이 있으면 편안하지 못하다.]"라고 하였다.

六二, 比之自內, 貞吉.

육이효는 친하기를 안에서 하여 곧으니 길하다.

本義

柔順中正, 上應九五, 自內比外而得其貞, 吉之道也. 占者如是, 則正而吉矣.

유순하고 중정하여 위로 구오에 호응하고 안에서 밖을 도와 그 곧음을 얻었으니, 길한 도이다. 점치는 자가 이와 같이 하면 바르고 길하다.

程傳

二與五爲正應, 皆得中正, 以中正之道相比者也. 二處於內, '自內'謂由己也. 擇才而用, 雖在乎上, 而以身許國, 必由於己. 己以得君, 道合而進, 乃得正而吉也. 以中正之道, 應上之求, 乃'自內'也, 不自失也, 汲汲以求比者, 非君子自重之道, 乃自失也.

이효와 오효가 바르게 호응하여 모두 중정함을 얻었으니, 중정의 도로 서로 친해지는 것이다. 이효는 안에 있으니, '안에서 한다'는 것은 자신에게서 말미암는다는 말이다. 인재를 가려 쓰는 것은 윗사람에게 있을지라도 자신을 나라에 허락하는 것은 반드시 나에게서 말미암는다. 자신이 임금을 얻고 도가 합하여 나아가면, 이에 바름을 얻어 길하다. 중정의 도로써 윗사람의 구함에 호응함이 바로 '안에서 하는 것'이고 자신을 잃지 않는 것이지만, 급급하게 해서 친해지기를 구하는 일은 군자의 자중하는 도리가 아니라 바로 자신을 잃는 것이다.

集說

● 梁氏寅曰 : "二與五爲比, 由內而比外者也. 凡'貞吉', 有爻之本善者, 有爻非貞而爲之戒者. 此曰'貞吉', 爻之本善也. 言自內比外而得其正, 是以吉也."[13]

양인(梁寅)이 말했다. "이효와 오효는 친하게 되니 안에서 밖으로 친한 것이다. '곧으니 길하다'는 것에는 효가 본래 선한 경우가 있고, 효가 곧지 않아 그 때문에 경계하는 경우가 있다. 여기서 '곧으니 길하다'는 효가 본래 선한 것이다. 안에서 밖으로 친하고 그 바름을 얻었기 때문에 길하다."

● 谷氏家杰曰, "自內之所有者以比之, 達不變塞也, 卽此是正, 故吉."[14]

곡가걸(谷家杰)이 말했다. "안에서 가지고 있는 것으로 친해지면, 통달함이 변하고 막히지 않아 곧 이것으로 바르기 때문에 길하다."

13) 양인(梁寅), 『주역참의(周易參義)』「비괘(比卦)」.
14) 조계서(趙繼序), 『주역도서질의(周易圖書質疑)』「비괘(比卦)」.

六三, 比之匪人.

육삼효는 친한 것이 사람이 아니다.

本義

陰柔不中正, 承乘應, 皆陰, 所比, 皆非其人之象. 其占大凶, 不言可知.

부드러운 음으로 중정하지 못하고, 계승하는 것·올라타는 것·호응하는 것이 모두 음이니, 친한 것이 모두 그 사람이 아닌 상이다. 그 점이 크게 흉함은 말하지 않아도 알 수 있다.

程傳

三不中正, 而所比, 皆不中正. 四陰柔而不中, 二存應而比初, 皆不中正, 匪人也. 比於匪人, 其失可知, 悔吝, 不假言也, 故可傷. 二之中正, 而謂之'匪人', 隨時取義, 各不同也.

삼효도 중정하지 못하고 친한 것들도 모두 중정하지 못하다. 사효는 부드러운 음으로 가운데 있지 못하고, 이효는 호응이 있는데도 초효와 가까이 하여 모두 중정하지 못하니, 사람이 아니다. 사람이 아닌 것과 친해지면 그 잃음을 알 만하고, 후회를 말할 필요도 없기 때문에 해롭다. 이효는 중정한데도 '사람이 아니다'라고 한 것은 때에 따라 의리를 취하는 일이 각기 같지 않기 때문이다.

集說

● 王氏弼曰：四自外比，二爲五應，近不相得，遠則無應．所與比者，皆非己親，故曰，'比之匪人'."[15]

왕필이 말했다. "사효는 밖에서 친하고, 이효는 오효의 호응이니, 가까이로는 서로 얻지 못하고 멀리서는 호응이 없다. 함께 친한 것들이 모두 자신의 친한 것이 아니기 때문에 '친한 것이 사람이 아니다'라고 하였다."

● 『朱子語類』云："初應四，爲比得其人．二應五，亦爲比得其人．唯三乃應上，上爲比之無首者，故爲比之匪人也."[16]

『주자어류』에서 말했다. "초효가 사효와 호응함은 그 사람과 친해져 얻는 것이다. 이효와 오효가 호응함도 그 사람과 친해져 얻은 것이다. 다만 삼효가 그야말로 상효와 호응함은 것은 친함에 머리가 없기 때문에 친한 것이 사람이 아니다."

● 趙氏彦肅曰："初比於五，先也，二應也，四承也，六三無是三者之義，將不能比五矣."[17]

조언숙(趙彦肅)[18]이 말했다. "초효가 오효와 친하게 지냄은 앞서는

15) 왕필(王弼), 『주역주소(周易注疏)』「비괘(比卦)」.
16) 『주자어류』 권70, 74조.
17) 조언숙(趙彦肅), 『복재역설(復齋易說)』「비괘(比卦)」.
18) 조언숙(趙彦肅) : 자는 자흠(子欽)이고 호는 복재(復齋)이다. 송(宋) 태조의 후예이고 일찍이 진사(進士)로 천거되었다. 저작으로는 『광잡학변(廣

것이고, 이효는 호응하는 것이며 사효는 계승하는 것인데, 육삼효는 이런 세 가지 의리가 없으니, 오효와 친하게 될 수가 없다."

雜學辨)』, 『사관례혼례궤식도(士冠禮婚禮饋食圖)』 등이 있는데 주희가 높이 평가했다. 오직 『역』을 논하는데 주희와 합치하지 않지만, 『주자어류』에서는 그 학설이 정미하다고 말하여 의미를 취한 것이 많다. 조언숙이 말하는 『역』은 상수(象數)에서 의리(義理)를 구하는 것이기 때문에 6획을 중시한다. 『복재역설(復齋易說)』이 있다.

六四, 外比之, 貞, 吉.
육사는 밖에서 친해 곧으니, 길할 것이다.

本義

以柔居柔, 外比九五, 爲得其正, 吉之道也. 占者如是, 則正而吉矣.

부드러운 음으로 음의 자리에 있고, 밖에서 구오와 친해 그 바름을 얻었으니, 길한 도이다. 점치는 자가 이와 같이 하면, 바르고 길할 것이다.

程傳

四與初不相應而五比之. 外比於五, 乃得貞正而吉也. 君臣相比, 正也, 相比, 相與宜也. 五剛陽中正, 賢也, 居尊位, 在上也, 親賢從上, 比之正也, 故爲貞吉. 以六居四, 亦爲得正之義. 又陰柔不中之人, 能比於剛明中正之賢, 乃得正而吉也, 又比賢從上, 必以正道則吉也. 數說相須, 其義始備.

사효는 초효와 서로 호응하지 않지만 오효가 친하게 한다. 밖에서 오효와 친한 것이 바로 곧고 바름을 얻어 길한 것이다. 임금과 신하가 서로 친함은 바른 것이니, 서로 친함은 함께 하여 마땅한 것이다. 오효는 굳센 양으로 중정하니 어진 사람이고, 높은 자리에 있으니 위에 있는 자인데, 어진 이와 친하게 지내고 윗사람을 따르는 것은 비괘의 바름이기 때문에 곧고 길하다. 음이 사효의 자리에 있는 것도 바름을 얻은 뜻이다. 또 부드러운 음으로 가운데 있지 못하는 사람으로 굳세고 밝으며 중정한 어진 이와 친할 수 있는 것은 바름을 얻어 길하고, 또 어진 이와 친하고 윗사람을 따르는 것을 반드시 바른 도로 하면 길할 것이다. 여러 해설을 서로 맞추어 봐야 그 의미가 비로소 갖추어진다.

集說

● 易氏祓曰 : "易以上卦爲外, 下卦爲內, 而二體亦各有內外. 四與五同體, 而言外比者, 亦所以比五也."[19]

이불(易祓)[20]이 말했다. "『역』에서는 위의 괘를 밖으로 보고 아래

19) 이불(易祓), 『주역총의(周易總義)』「비괘(比卦)」.

20) 이불(易祓, 1156~1240) : 자는 언장(彦章)이고 후에 언상(彦祥)으로 바꾸었다. 호는 산재(山齋)이다. 남송(南宋) 중후기 저명한 학자이다. 호남(湖南) 장사(長沙) 저향현(宁鄉縣) 사람이다. 효종(孝宗), 저종(宁宗), 이종(理宗) 삼조에 걸쳐 관직을 했다. 동군탕숙(同郡湯璹), 왕용(王容)과 더불어 장사삼준(長沙三俊)으로 칭해진다. 박학다식하고 시사(詩詞)에 뛰어나서 문인박사들이 흠모하였고 모두 포의거사(布衣居士)로 칭했다. 벼슬은 저작랑 겸 실록검토관(著作郎兼實錄檢討官), 상서좌랑(尙書佐郎), 추밀원검토(樞密院檢討), 국자사업(國子司業), 중서사인(中書舍人), 좌사간의관 겸 시강(左司諫議官兼侍講), 우간의대부(右諫議大夫), 예부상서(禮部尙書) 등 여러 관직을 두루 역임하였다. 시호는 문창(文昌)이다. 저서에 『주역총의(周易總義)』, 『주례주역석의(周禮周易釋義)』, 『역학거우(易學擧隅)』, 『산재집(山齋集)』 등이 있다.

의 괘를 안으로 보는데, 두 괘에도 각기 안과 밖이 있다. 그러니 사효와 오효가 같은 위의 괘인데 '밖에서 친하다'고 한 것도 오효와 친하기 때문이다."

● 李氏過曰 : "二與四皆比於五, 二應五, 在卦之內, 故言'比之自內', 四承五, 在卦之外, 故言'外比之'. 外內雖異, 而得其所比, 其義一也, 故皆言'貞吉'."[21]

이과(李過)가 말했다. "이효와 사효가 모두 오효와 친한데, 이효가 오효와 호응하는 것은 괘의 안에 있기 때문에 '친하기를 안에서 한다'고 하였고, 사효가 오효를 계승하는 것은 괘의 밖에 있기 때문에 '밖에서 친하다'고 하였다. 안과 밖이 다를지라도 친함을 얻은 것에서는 그 의미가 같기 때문에 '곧으니 길할 것이다'라고 하였다."

21) 안사성(晏斯盛), 『역익종(易翼宗)』「비괘(比卦)」.

九五, 顯比, 王用三驅, 失前禽, 邑人不誡, 吉.

구오효는 친하게 함을 드러내는 것이 왕이 세 군데로 몰아 앞으로 도망가는 짐승을 놓치는데도 읍의 사람들이 경계하지 않으니, 길하다.

本義

一陽居尊, 剛健中正, 卦之羣陰, 皆來比已. 顯其比而无私, 如天子不合圍, 開一面之綱, 來者不拒, 去者不追. 故爲用三驅失前禽而邑人不誡之象. 蓋雖私屬, 亦喩上意, 不相警備, 以求必得也, 凡此皆吉之道. 占者如是則吉也.

하나의 양이 높은 자리에 있으면서 강건하고 중정하니, 괘의 여러 음이 모두 와서 자신과 친하게 지낸다. 그 친함을 드러내지만 사사로움이 없음은 천자가 모두 에워싸지 않고 한쪽의 그물을 열어 놓아 들어오는 것을 막지 않고 도망가는 것을 쫓지 않음과 같다. 그러므로 세 군데로 몰아가 앞으로 도망가는 짐승을 놓치는데도 읍의 사람들이 경계하지 않는 상이다. 사사로운 무리[私屬]일지라도 윗사람의 뜻을 깨달아 서로 경계하고 대비함으로써 반드시 얻으려고 하지 않으니, 이것이 모두 길한 도이다. 점치는 자가 이와 같이 하면 길할 것이다.

程傳

五居君位, 處中得正, 盡比道之善者也. 人君比天下之道, 當顯明其比道而已. 如誠意以待物, 恕己以及人, 發政施仁, 使天下蒙其惠澤, 是人君親比天下之道也. 如是, 天下孰不親比於上. 若乃暴其小仁, 違道干譽, 欲以求下之比, 其道亦狹矣, 其能得天下之比乎? 故聖人以九五盡比道之正, 取三驅爲喩曰, '王用三驅, 失前禽, 邑人不誡, 吉, 先王以四時之畋, 不可廢也, 故推其仁心, 爲三驅之禮, 乃『禮』所謂'天子不合圍也', 成湯祝網, 是其義也.

오효가 임금의 자리에 있으면서 가운데에 있고 바름을 얻었으니, 친하게 하는 도에 최선을 다하는 것이다. 임금이 천하와 친하게 되는 도는 그 친하게 하는 도를 드러내어 밝게 하는 일일 뿐이다. 이를테면 성의로써 남을 대하고 자기를 미루어 남에게 미치며 정사를 일으키고 어짊을 베풀어 천하 사람이 그 혜택을 입게 하는 것은 임금이 천하와 친해지는 도이다. 이와 같이 하면, 천하에서 누구인들 윗사람과 친하게 되려고 하지 않겠는가? 그 하찮은 어짊을 드러내어 도를 어기고 명예를 얻으려고 아랫사람의 친함을 구하려 한다면, 그 도는 또한 협소할 것이니, 어찌 천하의 친함을 얻을 수 있겠는가?

그러므로 성인은 구오효가 친하게 되는 도의 바름을 극진하게 함을 가지고 세 군데로 모는 것을 비유로 하여 '왕이 세 군데로 몰아 앞으로 도망가는 짐승을 놓치고, 읍의 사람들에게만 기약하지 않으니, 길하다'라고 하였다. 선왕이 사시(四時)에 사냥하는 것을 폐할 수 없었기 때문에 어진 마음을 미루어 세 군데로 모는 예를 만들었으니, 바로 『예기』에서 이른바 '천자가 완전히 포위하지 않는다'는 것이고, 성탕(成湯)이 그물을 쳐놓았는데도 축원한다는 것[22]이 바로 그 의미이다.

天子之畋, 圍合其三面, 前開一路, 使之可去, 不忍盡物, 好生之仁也. 只取其不用命者, 不出而反入者也, 禽獸前去者, 皆免矣. 故曰'失前禽也'. 王者顯用其比道, 天下自然來比. 來者撫之, 固不煦煦然求比於物, 若田之三驅, 禽之去者, 從而不追, 來者則取之也. 此王道之大, 所以其民皥皥而莫知爲之者也.

천자가 사냥할 때는 그 세 군데로 포위하고 앞의 한쪽 길은 열어 주어 도망가게 함으로 차마 모두 잡지 않으니, 살리기를 좋아하는 어짊이다. 단지 명령을 따르지 않는 것과 나가지 않고 도로 들어오는 것만 잡았을 뿐이니, 짐승이 앞으로 도망가는 것들은 모두 죽음을 면하였다. 그러므로 '앞으로 도망가는 짐승을 놓친다'라고 하였다. 왕이 가까이 하는 도를 드러내 밝게 하니, 천하가 자연히 와서 친해진다. 오는 자를 어루만짐에 진실로 은혜를 느끼도록 하면서 만물에게 친함을 구하지 않으니, 마치 사냥에서 세 군데로 몰아 짐승이 도망가는 것을 놓아주고 쫓지 않으며, 들어오는 것을 잡는 일과 같이 한다. 이는 왕도의 큰 것이기 때문에 그 백성이 만족하면서도 왜 그렇게 되었는지 알지 못한다.

22) 성탕(成湯)이 그물을 쳐놓았는데도 축원한다는 것 : 『사기(史記)』「은본기(殷本紀)」에 "성탕이 밖에 나갔다가 사면에 그물을 쳐놓고 짐승을 모두 잡으려는 자를 보고 삼면을 풀어놓고 '짐승들아! 왼쪽으로 도망가려거든 왼쪽으로 도망가고 오른쪽으로 도망가려거든 오른쪽으로 도망가고, 내 명령을 따르지 않는 것들은 내 그물로 들어오라'라고 하였다. 제후들이 이 말을 듣고 '탕왕의 덕이 짐승들에게도 미친다'라고 하였다."는 말이 있다.

'邑人不誡, 吉', 言其至公不私, 无遠邇親疏之別也. '邑'者, 居邑. 『易』中所言'邑', 皆同, 王者所都, 諸侯國中也. '誡', 期約也, 待物之一, 不期誡於居邑, 如是則吉也. 聖人以大公无私, 治天下, 於顯比見之矣, 非唯人君比天下之道如此.

'읍의 사람들에게만 기약하지 않으니, 길하다'는 것은 지극히 공변되어 사사롭지 않고, 멀고 가까우며 친하고 소원한 구별이 없다는 말이다. '읍'이란 거주하는 마을이다. 『역』에서 말한 '읍'은 모두 같으니, 왕이 도읍한 곳이고 제후의 수도이다. '기약하다[誡]'는 약속한다는 것이니, 사물 대하기를 한결같이 하여 거주하는 마을에만 기약하지 않는 것이다. 이와 같이 하면 길하다. 성인이 크게 공변되어 사사로움이 없음으로 천하를 다스리는 일은 친하게 함을 드러내는 것에서 볼 수 있으니, 임금이 천하와 친하게 되는 도만 이와 같은 것은 아니다.

大率人之相比莫不然. 以臣於君言之, 竭其忠誠, 致其才力, 乃顯其比君之道也. 用之與否, 在君而已, 不可阿諛逢迎, 求其比己也. 在朋友, 亦然, 修身誠意以待之. 親己與否, 在人而已, 不可巧言令色, 曲從苟合, 以求人之比己也. 於鄉黨親戚, 於衆人, 莫不皆然, 三驅失前禽之義也.

대체로 사람이 서로 친해질 때 그렇지 않은 것이 없다. 신하를 가지고 임금에 대해 말하면, 충성을 다하고 재주와 힘을 다하는 일이 바로 임금과 친하게 하는 도를 드러내는 것이다. 등용의 여부는 임금에게 있을 뿐이니, 아첨하고 영합하여 임금이 자신과 가까이 하도록 구해서는 안 된다. 벗에게서도 그러하니, 몸을 닦고 뜻을 성실히

하여 기다린다. 자기와 친하게 하는 여부는 상대에게 있을 뿐이니, 말을 잘하고 얼굴빛을 좋게 하여 굽혀 따르고 구차하게 합하여 상대가 자신과 가까이 하도록 구해서는 안 된다. 고향사람과 친척, 여러 사람에게서도 모두 그렇지 않음이 없으니, 세 군데로 몰아 앞으로 도망가는 새를 놓친다는 뜻이다.

集說

● 『朱子語類』, 問 : "伊川解'顯比王用三驅失前禽', 所謂來者撫之, 去者不追, 與失前禽而殺不去者, 所譬頗不相類, 如何?"[23]
曰 : "田獵之禮, 置旃以爲門, 刈草以爲長圍. 田獵者, 自門驅而入, 禽獸向我而出者皆免, 唯被驅而入者皆獲, 故以前禽比去者不追. 獲者譬來則取之, 大意如此, 無緣得一一相似. 伊川解此句不須疑, 但'邑人不誡吉'一句似可疑, 恐『易』之文義不如此耳."[24]

『주자어류』에서 물었다. "정이천의 '친하게 함을 드러내는 것이 왕이 세 군데로 몰아 앞으로 도망가는 새를 놓친다'는 해석은 이른바 오는 것을 어루만지고 가는 것을 쫓지 않는다는 말과 앞으로 도망가는 새를 놓치고 가지 않는 것을 죽인다는 말과 비유가 거의 같은 부류가 아닌 것 같은데 어떻습니까?"
대답했다. "사냥하는 예법은 깃발을 세워 문을 삼고, 풀을 베어놓아 길게 에워쌉니다. 사냥하는 사람은 문으로 짐승을 몰아넣는데, 짐승이 내 쪽으로 뛰어나가는 것은 모두 살려주고, 몰아서 들어오는

23) 『주자어류』 권70, 75조.
24) 『주자어류』 권70, 75조.

것들만 붙잡기 때문에 앞으로 도망가는 짐승이 가까이 있어도 쫓지 않습니다. 붙잡는 것은 들어오면 붙잡는 짐승을 비유한 말입니다. 대강의 의미는 이와 같고 하나하나 서로 다 같지는 않습니다. 정이천의 이 구절 해석은 의심할 필요가 없으나, 다만 '읍의 사람들에게만 기약하지 않으니 길하다'는 구절은 의심해도 될 것 같으니, 아마도 『역』의 글 뜻이 이와 같지는 않은 것 같습니다."

又云: "邑人不誡, 如'有聞無聲', 言其自不消相告誡. 又如'歸市者不止, 耕者不變'相似."[25]

또 말했다. "'읍의 사람들이 경계하지 않는다'는 이를테면 '간다는 말은 있는데 가는 소리는 없다'[26]는 것이니, 본래 서로 알려줄 필요가 없다는 말입니다. 또 이를테면 '저자거리로 돌아가는 자가 끊이지 않고, 밭가는 자가 변치 않는다'[27]는 것과 서로 유사합니다."

● 胡氏炳文曰: "諸陰爻皆言比之, 陰比陽也. 五言'顯比', 陽爲陰所比也. 師比之五, 皆取田象, 師之田有禽, 害物之禽也, 比之失前禽, 背己之禽也, 在師則執之, 王者之義也. 在比能失之, 王者之仁也."[28]

25) 『주자어류』 권70, 77조.

26) 간다는 말은 있는데 가는 소리는 없다: 『시경(詩經)』「거공(車攻)」에서 "저 분이 가심이여, 간다는 말은 들었는데 가는 소리는 없구나.[之子于征, 有聞無聲.]"라고 하였다.

27) 저자거리로 돌아가는 자가 끊이지 않고, 밭가는 자가 변치 않는다: 『맹자(孟子)』「양혜왕 하(梁惠王 下)」.

28) 호병문(胡炳文), 『주역본의통석(周易本義通釋)』「비괘(比卦)」.

호병문이 말했다. "여러 음효에서 모두 친하게 한다는 것을 말했으니, 음이 양과 친하게 지내려고 하기 때문이다. 구오효에서 '친하게 함을 드러낸다'고 말한 것은 양과 음이 친하게 지내려고 하기 때문이다. 사(師☷)괘와 비(比☷)괘의 오효에서 모두 사냥의 상을 취했는데, 사괘에서 밭에 새가 있는 것[29]은 사물에 피해를 입히는 새이고, 비괘에서 앞으로 도망가는 짐승을 놓치는 것은 나에게서 도망가는 짐승이니, 사괘에서 잡는 것은 임금의 의로움이고, 비괘에서 놓치는 것은 임금의 어짊이다."

● 梁氏寅曰 : "九五陽剛中正, 爲比之主. 陽剛則明而不暗, 中正則公而不私, 此其所以爲顯比也. 以象言之, 如田狩而用三驅失前禽, 來者不拒, 去者不追, 此上之比下也, 固顯比也. 比下旣得其道, 則雖私屬, 亦唯上意, 而不待告誡, 此下之比上也, 亦顯比也. 上下之相比, 同一顯明之道, 又安有不吉乎?"[30]

양인이 말했다. "구오효는 양의 굳셈이 중정하여 비(比☷)괘의 주인이 된 것이다. 양이 굳세면 밝아 어둡지 않고, 중정하면 공변되어 사사롭게 하지 않으니, 이것이 친하게 함을 드러내는 까닭이다. 상(象)으로 말하면 사냥하면서 세 군데로 몰아 앞으로 도망가는 짐승을 놓치는 것처럼 들어오는 것을 막지 않고 도망가는 것을 좇지

29) 사괘에서 밭에 새가 있는 것 : 『주역(周易)』「사괘(師卦)」에서 "六五, 田有禽, 利執言, 无咎. 長子帥師, 弟子輿尸, 貞凶.[육오효는 밭에 새가 있으니 그것을 잡는 것이 이롭고 허물이 없다. 장자들에게 군대를 거느리게 하고 제자들에게 수레에 시체를 싣게 하면 바르더라도 흉하다.]"라고 하였다.

30) 양인(梁寅), 『주역참의(周易參義)』「비괘(比卦)」.

않으니, 이는 위에서 아래와 친하게 되는 것으로 진실로 친하게 함을 드러낸다. 아래와 친하게 하는 데 이미 그 도를 얻었다면, 사사로운 무리들일지라도 윗사람의 뜻을 깨달아 경고할 필요가 없으니, 이는 아래에서 위와 친하게 되는 것으로 또한 친하게 함을 드러낸다. 상하가 서로 친하게 되는 것이 동일하게 드러나는 도이니, 또 어찌 길하지 않겠는가?"

● 林氏希元曰 : "顯與隱對. 光明正大, 而無隱伏回曲, 暗昧褊窄者, 顯也. 隱伏回曲, 暗昧褊窄, 而不光明正大者, 隱也. 王者以父母天下爲職, 生養教誨, 但知吾分所當爲, 盡其道而爲之, 至於民之感恩與否, 則聽其在彼, 初不屑屑焉暴其私恩小惠, 違道干譽, 以求百姓之我親. 此其施爲擧措, 何等光明正大. 而豈有隱伏回曲暗昧褊窄之病. 故謂之'顯比'. 譬如王者解一面之網, 用三驅之田, 禽獸向我而入者取之, 背我而前去者則失之, 初不求於必得. 至於私屬亦喻上意, 不相警備以求必得焉. 夫'王用三驅失前禽'者, 王道之得, '邑人不誡'者, 王化之行, 凡此皆吉之道也. 王者能如九五之顯比, 則亦王道得而王化行矣."[31]

임희원(林希元)이 말했다. "드러냄은 숨김과 반대이다. 광명정대하여 엎드려 숨고 돌려서 왜곡하며 어두워 캄캄하고 좁아서 조그마한 것도 드러냄이다. 엎드려 숨고 돌려서 왜곡하며 어두워 캄캄하고 좁아서 작은데 광명정대하지 않은 것이 숨김이다. 임금은 천하의 부모인 것을 직분으로 하여 길러주고 가르치는데, 자신의 분수대로 해야할 것만 알아 그 도를 다하여 행하고, 백성들이 감사하고 은혜로 느끼는 것에 대한 여부는 저들에게서 듣고, 처음부터 신경 쓰며

31) 임희원(林希元), 『역경존의(易經存疑)』 권1.

그 사사롭고 작은 은혜를 드러내지 않으며, 도를 어기고 명예를 얻으려고 백성들이 나와 친하게 되는 것을 구하지 않는다. 이렇게 하는 것은 시행하여 행하는 것과 행동거지를 얼마나 광명정대하게 한 것이겠는가? 그런데 어찌 엎드려 숨고 돌려서 왜곡하며 어두워 캄캄하고 좁아서 작은 병폐가 있겠는가? 그러므로 '친하게 함을 드러낸다'고 하였다.

비유하면 임금은 한 군데의 그물을 터놓아 세 군데로 몰이하는 사냥을 하면서 짐승이 나에게로 들어오는 것은 잡고 나에게서 도망가는 것은 앞에 있어도 놓아주는 것처럼 애초에 반드시 구하려고 하지 않는다. 그러니 사사로운 무리들까지 윗사람의 뜻을 깨달아 서로 경계하고 대비함으로써 반드시 얻으려고 하지 않는 것이다. '임금이 세 군데로 몰아 앞으로 도망가는 짐승을 놓친다'는 것은 왕도(王道)를 얻은 것이고, '읍의 사람들이 경계하지 않는다'는 것은 왕의 교화가 시행된 것이니, 이것들은 모두 길한 도이다. 임금이 구오효의 친하게 함을 드러내는 것처럼 할 수 있으면, 또한 왕도를 얻어 왕의 교화가 시행된다."

● 陸氏振奇曰 : "三驅失禽, 置失得於勿恤者, 狀蕩平之王心. 邑人不誡, 泯知識於大順者, 狀熙皥之王化."

육진기(陸振奇)[32]가 말했다. "세 군데로 몰아 짐승을 놓치는 것은 근심하지 않은 상태에서 잘잘못을 놔두는 일이니, 탕평하려는 왕의 마음을 나타낸다. 읍의 사람들이 경계하지 않는 것은 크게 순종하

32) 육진기(陸振奇) : 자는 용성(庸成)이고 명(明)대 전당(錢塘 : 현 절강성 항주〈杭州〉) 사람이다. 만력(萬曆) 34년(1606)에 거인(擧人)이 되었다. 저서에 『역개(易芥)』가 있다.

는 상태에서 분별이 사라지는 상황이니, 요임금과 순임금의 교화를 나타낸다."

案

『本義』, 解'邑人不誡', 謂'不相警備以求必得', 似以爲求所失之前禽也. 然『語類』只作'有聞無聲'之意, 尤爲精切, 蓋言王者田獵, 而近郊之處, 略不驚擾耳. 『本義』係朱子未修改之書, 故其後來講論, 每有不同者, 皆此類也. 大抵爻意是以田獵喻王者皡皡之氣象. 前禽失而不追, 邑人居而不誡, 遠去者若不知有王者之親, 乃所以爲親之至也, 近附者若不知有王者之尊, 乃所以爲尊之至也. 顯比之世, 凡有血氣, 莫不尊親, 而所謂大順大化, 不見其跡者又如此.

『주역본의』에서 '읍의 사람들이 경계하지 않는다'에 대한 해석을 '서로 경계하고 대비함으로써 반드시 얻으려고 하지 않는다'로 말한 것은 놓쳐버려 앞으로 도망가는 짐승을 구함으로 여긴 것 같다. 그런데 『주자어류』에서 단지 '간다는 말은 있는데 가는 소리는 없다'는 의미로 여긴 것은 더욱 정밀하고 간절하니, 임금이 사냥하면서 근교에 있는 때는 거의 경계하여 소란하게 하지 않을 뿐이라는 말이다.
『주역본의』는 주자가 미처 수정하지 못한 책이기 때문에 그 후의 강론에 매번 같지 않은 경우가 있는 것도 모두 이와 같다.
대체로 효의 의미는 사냥으로 임금의 밝은 기상을 비유한 것이다. 앞으로 도망가는 짐승을 놓쳤는데도 읍의 사람들이 그곳에 있으면서 경계하지 않으니, 멀리 떨어져 있는 자가 임금이 친하게 함을 모르는 것과 같아야 바로 친하게 함이 지극하게 되는 까닭이고, 가까이 있는 자가 임금이 높여줌을 모르는 것과 같아야 높여줌이 지극하게 되는 까닭이다. 친하게 함을 드러내는 시대에는 혈기 있는 것들은 어떤 것이건 높이고 친하게 하지 않음이 없게 하니, 이른바 크게 따르고 크게 감화되어 그 흔적이 드러나지 않는 것이 또 이와 같다.

上六, 比之无首, 凶.

상육은 친하게 함에 머리가 없으니, 흉하다.

本義

陰柔居上, 无以比下, 凶之道也. 故爲无首之象, 而其占則凶也.

음의 부드러움으로 맨 위에 있어 아랫사람과 친하지 못하니 흉한 도이다. 그러므로 머리가 없는 상이고, 그 점괘가 흉하다.

程傳

六居上, 比之終也. '首'謂始也. 凡比之道, 其始善則其終善矣. 有其始而无其終者, 或有矣, 未有无其始而有終者也. 故比之无首, 至終則凶也. 此據比終而言. 然上六, 陰柔不中, 處險之極, 固非克終者也. 始比, 不以道, 隙於終者, 天下多矣.

육인 음이 맨 위에 있으니, 비괘의 끝이다. '머리'는 시작을 말한다. 친하게 하는 도는 그 시작이 좋으면 끝도 좋다. 시작이 있으나 그 끝이 없는 경우는 간혹 있지만, 시작이 없는데 그 끝이 있는 경우는 있지 않다. 그러므로 친하게 함에 시작이 없는 것은 끝에 이르면 흉하다. 이는 비괘의 끝에 근거하여 말한 것이다. 그러나 상육이 유약한 음으로 가운데 있지 못하고 험한 끝에 있으니, 진실로 마무리를 할 수 있는 자가 아니다. 처음에 친하게 하기를 도로 하지 않아 끝에 틈이 벌어지는 것이 세상에는 많다.

集說

● 王氏弼曰: "無首, 後也. 處卦之終, 是'後夫'也. 爲時所棄, 宜其凶也."[33]

왕필이 말했다. "머리가 없는 것은 뒤이다. 괘의 끝에 있는 것은 '뒤에 오는 장부'[34]이다. 때에 따라 버려지니 당연히 흉하다."

● 王氏申子曰: "王以一陽居尊, 四陰比之於下, 故彖傳曰'下順從也. 而上六孤立於外而不從, 豈非後夫之象."[35]

왕신자(王申子)가 말했다. "왕이 하나의 양으로 존귀한 자리에 있어 네 음이 아래에서 친하게 지내려고 하기 때문에 「단전」에서 '아랫사람이 순종하여 따른다'[36]고 하였다. 그런데 상육은 밖에 고립되어 있어 따르지 않으니, 어찌 뒤에 오는 장부의 상이 아니겠는가?"

---

33) 왕필(王弼), 『주역주소(周易注疏)』「비괘(比卦)」.
34) 뒤에 오는 장부: 『주역(周易)』「비괘(比卦)」에서 "不寧, 方來, 後夫, 凶. [편안하지 못한 이가 올 것이고, 뒤에 오는 장부는 흉할 것이다.]"라고 하였다.
35) 왕신자(王申子), 『대역집설(大易集說)』「비괘(比卦)」.
36) 아랫사람이 순종하여 따른다: 『주역(周易)』「비괘(比卦)」에서 "彖曰, 比, 吉也, 比輔也, 下順從也.[「단전」에서 말했다: 비(比)는 길하며, 비(比)는 돕는 것이니, 아랫사람이 순종하여 따른다.]"라고 하였다.

9. 소축小畜괘

䷈ 巽上
乾下

程傳

小畜「序卦」, "比必有所畜, 故受之以小畜." 物相比附則爲聚. 聚, 畜也. 又相親比則志相畜, 小畜所以次比也. 畜, 止也. 止則聚矣. 爲卦巽上乾下. 乾在上之物, 乃居巽下. 夫畜止剛健莫如巽順. 爲巽所畜, 故爲畜也. 然巽陰也, 其體柔順, 唯能以巽順柔其剛健, 非能力止之也, 畜道之小者也. 又四以一陰得位爲五陽所說. 得位, 得柔巽之道也, 能畜羣陽之志, 是以爲畜也. 小畜, 謂以小畜大. 所畜聚者小, 所畜之事小, 以陰故也. 彖專以六四畜諸陽爲成卦之義, 不言二體, 蓋擧其重者.

소축은 「서괘전」에 "친하면 반드시 쌓이는 것이 있기 때문에 소축괘로 받았다"라고 하였다. 사물이 서로 친하여 따르면 모이게 된다. 모임은 쌓이는 것이다. 또 서로 친하면 뜻이 서로 쌓이니, 소축(小畜䷈)괘가 비(比䷇)괘의 다음에 있는 이유이다. 쌓이는 것은 멈추한다. 멈추게 하면 모인다. 괘의 모양은 손(巽☴)괘가 위에 있고 건(乾☰)괘가 아래에 있다. 건괘는 위에 있는 것인데 오히려 손괘의 아래에 있다. 강건함을 멈추게 하는데 손(巽)의 유순함 같은 것이 없다. 손괘가 멈추게 했기 때문에 멈춤[畜]이다. 그러나 손괘는 음이고, 그 몸체가 유순하여 단지 손(巽)의 유순함으로 그 강건함을 부드럽게 할 수 있을 뿐이고, 힘으로 멈추게 할 수 있지 않으니, 멈추게 하는 도의 작은 것이다. 또 사효는 하나의 음이 제자리를 얻어 다섯 양이 기뻐하는 것이 되었다. 제자리를 얻은 것이 부드럽고 공손한 도를 얻어 여러 양의 뜻을 멈추게 할 수 있기 때문에 멈춤[畜]이다. 소축(小畜)은 작은 것으로 큰 것을 멈추게 함을 말한다. 멈춰 모이는 것이 작고 멈추는 일이 작은 것은 음(陰)이기 때문이다. 「단전」에서는 오로지 육사가 여러 양을 멈추게 하는 것으로 괘를 이루는 뜻을 삼아 두 몸체에 대해서는 말하지 않았으니, 그 중요한 것만을 들었다.

小畜, 亨, 密雲不雨, 自我西郊.

소축은 형통하나 빽빽하게 구름이 끼고 비가 오지 않음은 나의 서쪽 들에서 오기 때문이다.

本義

巽, 亦三畫卦之名. 一陰伏於二陽之下, 故其德爲巽爲入, 其象爲風爲木. 小, 陰也, 畜, 止之之義也. 上巽下乾, 以陰畜陽, 又卦唯六四一陰, 上下五陽, 皆爲所畜, 故爲'小畜'. 又以陰畜陽, 能係而不能固, 亦爲所畜者小之象. 內健外巽, 二五皆陽, 各居一卦之中而用事, 有剛而能中, 其志得行之象. 故其占當得亨通. 然畜未極而施未行. 故有'密雲不雨自我西郊'之象. 蓋'密雲', 陰物, '西郊', 陰方, '我'者, 文王自我也. 文王演『易』於羑里, 視岐周爲西方, 正小畜之時也. 筮者得之, 則占亦如其象云.

손(巽☴)괘는 또한 세 획의 괘 이름이다. 하나의 음이 두 양의 아래에 엎드려 있기 때문에 그 덕은 공손함이고 들어감이며, 그 상은 바람이고 나무이다. 소(小)는 음이고, 축(畜)은 멈추게 한다는 뜻이다. 위가 손(巽☴)괘이고 아래가 건(乾☰)괘여서 음으로 양을 멈추게 하고, 또 괘에서 오직 육사의 한 음이 위아래의 다섯 양을 모두 멈추게 하기 때문에 '소축(小畜)'이다. 또 음이 양을 멈추게 하여 붙잡아둘 수는 있으나 확고하게 할 수 없으니, 또한 멈추게 하는 것이 작은 상이다. 안은 굳건하고 밖은 공손하며, 이효와 오효가 모두 양으로 각기 한 괘의 가운데에 있어 일을 하니, 굳세면서도 중도로 할 수 있어 그 뜻을 행할 수 있는 상이 있다. 그러므로 그 점이 당연히 형통함을 얻는다. 그러나 멈추게 함을 끝까지 하지 못하여 베푸는 일을 행하지 못한다. 그러므로 '빽빽하게 구름이 끼고 비가 오지 않음은 나의 서쪽 들에서 오기 때문이다'라는 상이 있다. '빽빽하게 구름이 끼는 것'은 '음의 것[陰物]'이고 '서쪽 들'은 음의 방향이며 '나'는 문왕 자신이다. 문왕이 유리(羑里)의 옥에 갇혀 『주역』을 지을 때 기산의 주나라[岐周]를 보면 서쪽 방향이니, 바로 소축의 때였다. 점치는 자가 이 괘를 얻으면 점이 또한 그 상과 같을 것이다.

程傳

'雲', 陰陽之氣. 二氣交而和, 則相畜固而成雨. 陽倡而陰和順也, 故和. 若陰先陽倡, 不順也, 故不和. 不和則不能成雨. 雲之畜聚雖密而不成雨者, 自西郊故也. 東北, 陽方, 西南, 陰方, 自陰倡, 故不和而不能成雨. 以人觀之, 雲氣之興皆自四遠, 故云'郊', 據四而言, 故云'自我'. 畜陽者四, 畜之主也.

'구름'은 음양의 기운이다. 두 기운이 사귀어 화합하면 서로 멈추게 함이 확고해져 비가 온다. 양이 부르고 음이 화답함은 이어받는 것이기 때문에 화합한다. 음이 양에 앞서 부르면 이어받지 않는 것이기 때문에 화합하지 못한다. 화합하지 못하면 비가 올 수 없다. 구름이 멈춰 모인 것이 빽빽할지라도 비가 오지 않음은 서쪽에서 오기 때문이다. 동쪽과 북쪽은 양의 방향이고 서쪽과 남쪽은 음의 방향이다. 음에서 부르기 때문에 화합하지 못하고 비가 내릴 수 없다. 사람의 입장에서 보면 구름의 기운이 일어나는 것이 모두 멀리 사방으로부터 오기 때문에 '들[郊]'이라 하였고, 육사효에 근거하여 말했기 때문에 "나의 ~에서"라고 하였다. 양을 멈추게 하는 것은 육사효이니, 멈춤의 주인이다.

集說

● 胡氏瑗曰 : "陰陽交, 則雨澤乃施. 若陽氣上升, 而陰氣不能固蔽, 則不雨. 若陰氣雖能固蔽, 而陽氣不交, 亦當不雨, 猶若釜甑之氣, 以物覆之, 則蒸而爲水也. '自我西郊', 是雲氣起於西郊之陰位, 必不能爲雨也."[1]

호원(胡瑗)이 말했다. "음과 양이 사귀면, 단비의 혜택이 내린다. 양기가 위로 올라가는데 음기가 확고히 멈추게 하지 않으면 비가 내리지 않는다. 음기가 확고히 멈추게 할지라도 양기가 사귀지 않을 경우 당연히 비가 내리지 않으니, 가마나 시루의 수증기가 뚜껑으로 덮어놓으면 올라가다가 물이 되는 것과 같다. '나의 서쪽 들에서 오기 때문이다'는 것은 구름의 기운이 서쪽 들인 음의 자리에서 일어나 반드시 비가 내릴 수 없다는 말이다."

● 程子語錄 : "或以小畜爲臣畜君, 以大畜爲君畜臣. 曰, 不必如此, 大畜只是所畜者大, 小畜只是所畜者小. 不必指定一件事, 便是君畜臣臣畜君, 皆是這道理隨大小用."[2]

1) 호원(胡瑗), 『주역구의(周易口義)』「소축괘(小畜卦)」.
2) 주자(朱子), 『하남정씨유서(河南程氏遺書)』 권19.

『정자어록(程子語錄)』에서 말했다. "간혹 소축(小畜䷈)괘는 신하가 임금을 멈추게 하는 것으로 여기고, 대축(大畜䷙)괘는 임금이 신하를 멈추게 하는 것으로 여긴다. 그런데 굳이 그럴 필요가 없으니, 대축괘는 멈추게 하는 것이 클 뿐이고, 소축괘는 멈추게 하는 것이 작을 뿐이다. 굳이 하나의 일로 지정할 필요가 없으니, 임금이 신하를 멈추게 하고 신하가 임금을 멈추게 하는 것은 모두 이런 이치를 대소에 따라 사용하기 때문이다."

● 張氏浚曰 : "臣之誠意雖通於上, 而君德未孚, 若天氣未應, 曰'密雲不雨'. 西郊陰位, '自我西郊', 言陽氣未應也."[3]

장준(張浚)이 말했다. "신하의 정성스런 마음이 위로 통할지라도 임금의 덕이 아직 미더워하지 않는 것은 하늘의 기운이 아직 호응하지 않아 '빽빽하게 구름이 끼고 비가 오지 않는다'고 말하는 것과 같다. 서쪽 들은 음의 자리인데, '나의 서쪽 들에서 오기 때문이다'는 양기가 아직 호응하지 않는 것을 말한다."

● 『朱子語類』, 問 : "密雲不雨, 自我西郊."
曰 : "凡雨者皆是陰氣盛, 凝結得密, 方濕潤, 下降爲雨. 今乾上進, 一陰止他不得, 所以象中云'尙往'也, 是指乾欲上進之象. 到上九則以卦之始終言, 畜極則散, 遂爲旣雨旣處. 陰德盛滿如此, 所以有'君子征凶'之戒."[4]

『주자어류』에서 물었다. "'빽빽이 구름이 끼고 비가 오지 않음은 나

3) 장준(張浚), 『자암역전(紫巖易傳)』「소축괘(小畜卦)」.
4) 『주자어류』, 권70, 81조.

의 서쪽 들에서 오기 때문이다'라는 것은 무슨 의미입니까?"
대답했다. "비는 모두 성대한 음기가 빽빽이 응결하여 축축하게 된 것이니 아래로 내리면 비가 됩니다. 지금 건(乾☰)괘가 위로 올라가는데 하나의 음이 멈추게 할 수 없기 때문에 「단전」에서 '위로 올라간다'[5]라고 한 것은 건괘가 위로 올라가려고 하는 상을 가리킵니다. 상구효에 도달하면 괘의 시종으로 말했으니, 멈추게 하는 것이 다하면, 흩어져 마침내 이미 비가 내리고 이미 처리한 것입니다. 음의 덕이 이처럼 가득 넘치기 때문에 '군자가 가면 흉하다'[6]는 경계가 있습니다."

● 邱氏富國曰:"乾本在上之物. 今在巽下, 則爲柔所畜, 故曰'小畜'. 但六四以一陰而畜止五陽, 能係其志, 而不能固其志, 此又畜道之小者也. 夫物畜則止, 止極則行, 故小畜亦有亨義. '密雲', 陰氣也. 自二至四互兌, 屬西方, 故曰'西郊'. 四以柔居柔, 故有此象. 凡雲自東而西則雨. 自西而東則不雨, 陰先倡也. 小畜以柔爲主, 不能固陽而止之. 故雲雖密而不雨."

구부국(邱富國)이 말했다. "건(乾☰)괘는 본래 위에 있는 것이다. 그런데 이제 손(巽☴)괘의 아래에 있는 것은 유순함이 멈추게 한 일이기 때문에 '소축'이라 하였다. 다만 육사효가 유일한 음으로 다

5) 위로 올라간다 : 『주역(周易)』「소축괘(小畜卦)」에서 "密雲不雨, 尙往也. '自我西郊', 施未行也.['구름이 빽빽이 끼고 비가 오지 않음'은 위로 올라감이고, '나의 서쪽 들에서 옴'은 베풀어 행해지지 못함이다.]"라고 하였다.

6) 군자가 가면 흉하다 : 『주역(周易)』「소축괘(小畜卦)」에서 "月幾望, 君子征凶.[달이 보름에 가까우니, 군자가 가면 흉하다.]"라고 하였다.

섯 양을 멈추게 함은 그 마음을 묶어둘 수는 있으나 그 뜻을 확고하게 할 수 없으니, 이는 멈추게 하는 도의 작은 것이다. 사물을 멈추게 하면 멈추나 멈춤이 다하면 떠나가기 때문에 소축에 또한 형통한 의미가 있다. '빽빽하게 구름이 낀 것'은 음의 기운이다. 이효에서 사효까지 호괘가 태(兌☱)괘로 서쪽 방향에 속하기 때문에 '서쪽 들'이라고 했다. 육사효는 부드러운 것이 부드러운 자리에 있기 때문에 이런 상이 있다. 구름이 동쪽에서 서쪽으로 가면 비가 온다. 그런데 서쪽에서 동쪽으로 가면 비가 오지 않는 것은 음이 선창했기 때문이다. 소축은 부드러움이 주인이라 양을 단단히 붙들어 멈추게 할 수 없다. 그러므로 구름이 빽빽할지라도 비가 내리지 않는다."

● 林氏希元曰 : "小畜有二義, 一是以小畜大, 一是所畜者小. 亦唯以小畜大, 故所畜者小, 其歸一而已矣."[7]

임희원(林希元)이 말했다. "소축에는 두 가지 의미가 있으니, 하나는 작은 것이 큰 것을 멈추게 함이고, 하나는 멈추게 함이 작은 것이다. 또한 오직 작은 것이 큰 것을 멈추게 하기 때문에 멈추게 하는 것이 작고 하나로 돌아갈 뿐이다."

問 : "天氣屬陽, 地氣屬陰, 今以陰畜陽, 反以天氣爲陰, 地氣爲陽, 何也?"
曰 : "以兩儀之分言, 則位乎下而氣上騰者爲陰, 位乎上而氣下降者爲陽. 自四象之交言, 則陰之騰上者又爲陽, 陽之下降者又

7) 임희원(林希元), 『역경존의(易經存疑)』「소축괘(小畜卦)」.

爲陰. 此『蒙引』之說也, 可以發朱子之所未發."[8]

물었다. "하늘의 기운은 양에 속하고 땅의 기운은 음에 속하는데, 이제 음이 양을 멈추게 하는 것은 도리어 하늘의 기운을 음으로 여기고 땅의 기운을 양으로 여긴 것이니 어떻게 된 것입니까?" 대답했다. "양의(兩儀)로 나눠 말하면 아래에 있으면서 기운이 위로 올라가는 것은 음이고, 위에 있으면서 기운이 아래로 내려오는 것은 양입니다. 사상(四象)의 효로 말하면, 음이 올라가는 것은 또 양이고, 양이 내려오는 것은 또 음입니다. 이것은 『몽인(蒙引)』[9]에 있는 설명으로 주자가 말하지 못한 것을 말했다고 할 수 있습니다."

8) 임희원(林希元), 『역경존의(易經存疑)』「소축괘(小畜卦)」.

9) 몽인(蒙引) : 명대의 학자 채청(蔡清)이 남긴 『역경몽인(易經蒙引)』을 말한다.

案

此卦須明取象之意, 則卦義自明. 「彖」言'密雲不雨'者, 地氣上騰, 而天氣未應, 以其雲之來自我西郊, 陰倡而陽未和故也. 蓋以上下之陰陽言之, 則地氣陰也, 天氣陽也. 以四方之陰陽言之, 則西方陰也, 東方陽也. 陰感而陽未應, 乃卦所以爲「小畜」之義. 彖傳'尙往', 謂陰氣上升, '施未行', 謂陰氣未能成雨而降也. 以人事擬之, 則是臣子志存國家, 未能得君父和合之象. 諸家或以地氣上升者爲陽, 天氣下應者爲陰, 故於彖傳'尙往', 亦屬陽說. 唯張氏以爲天氣未應者, 於卦義極相合也.

이 괘에서 상을 취하는 의미를 반드시 밝히면, 괘의 의미가 저절로 분명해진다. 「단사」에서 '빽빽하게 구름이 끼고 비가 오지 않는다'고 한 것은 땅의 기운이 위로 올라가는데 하늘의 기운이 아직 호응하지 않은 것이니, 구름이 나의 서쪽에서 오며 음이 선창하여 양이 화합하지 않기 때문이다. 상하의 음양으로 말하면 땅의 기운은 음이고 하늘의 기운은 양이다. 사방의 음양으로 말하면 서쪽은 음이고 동쪽은 양이다. 음이 움직이는데 양이 아직 호응하지 않는 것이 바로 괘가 소축의 의미가 된 이유이다.
「단전」에서 '위로 올라간다'는 음기가 위로 올라가는 것을 말하고, '베풀어 행해지지 못했다'[10]는 음기가 비가 되어 내리지 못했음을 말한다. 사람의 일로 비교하면, 신하와 자식이 나라와 집을 보존하는 데 마음이 있으나 아직 임금과 아버지가 화합하지 못한 상이다. 학자들 가운데 간혹 땅의 기운이 올라가는 것을 양으로 여기고 하

10) 베풀어 행해지지 못했다 : 『주역(周易)』「소축괘(小畜卦)」에서 "'密雲不雨', 尙往也. '自我西郊', 施未行也.['구름이 빽빽이 끼고 비가 오지 않음'은 위로 올라감이고, '나의 서쪽들에서 옴'은 베풀어 행해지지 못함이다.]"라고 하였다.

늘의 기운이 내려오는 것을 음으로 여기기 때문에 「단전」의 '위로 올라간다'는 것도 양에 소속시켜 설명하였다. 그런데 장씨만이 하늘의 기운이 호응하지 않는다고 여겼으니, 괘의 의미로 볼 때 아주 서로 합하는 것이다.

初九, 復自道, 何其咎. 吉.

초구효는 회복함을 도로 하니, 무엇이 허물이겠는가? 길하다.

本義

下卦乾體, 本皆在上之物, 志欲上進而爲陰所畜. 然初九體乾居下, 得正前遠於陰, 雖與四爲正應, 而能自守以正, 不爲所畜, 故有進復自道之象. 占者如是, 則无咎而吉也.

하괘는 건의 몸체로 본래 모두 위에 있는 것이니, 뜻이 위로 올라가려고 하는데 음이 멈추게 하고 있다. 그러나 초구는 몸체가 건이고 아래에 있으면서 바름을 얻었고 앞으로 음과도 멀리 떨어져 있으니, 사효와 바르게 호응할지라도 스스로 바르게 지킬 수 있고 저지당하지 않기 때문에 나아가 회복함을 도로 하는 상이 있다. 점치는 자가 이와 같이 하면 허물이 없고 길하다.

程傳

初九, 陽爻而乾體. 陽在上之物, 又剛健之才, 足以上進而復, 與在上同志. 其進復於上, 乃其道也. 故云'復自道'. 復旣自道, 何過咎之有? 无咎而又有吉也. 諸爻言'无咎'者, 如是則无咎矣. 故云'无咎'者, 善補過也. 雖使爻義本善, 亦不害於不如是, 則有咎之義. 初九乃由其道而行, 无有過咎, 故云'何其咎', 无咎之甚明也.

초구효는 양효이고 건괘의 몸체이다. 양은 위에 있고, 또 강건한 재질이니, 충분히 위로 올라가고 회복하여 위에 있는 사람과 뜻을 같이한다. 그것이 나아가 위로 회복함이 바로 그 도이기 때문에 '회복함을 도로 한다'라고 하였다. 회복함을 이미 도로 하였으니, 무슨 허물이 있겠는가? 허물이 없고 또 길함이 있다. 여러 효에서 '허물이 없다'고 한 것은 이와 같이 하면 허물이 없다는 말이다. 그러므로 '허물이 없다'고 하는 말은 허물을 잘 보완하는 일이다. 효의 뜻이 본래 좋더라도 이와 같이 하지 않으면 허물이 있다는 의미로 보아도 무방하다. 초구효는 바로 그 도로 행해 허물이 없기 때문에 '무엇이 허물이겠는가?'라고 하였으니, 허물이 없는 것이 아주 분명하다.

集說

● 王氏申子曰:"復, 反也. 初以陽剛居健體, 志欲上行, 而爲四得時得位者所畜, 故復. 然初剛而得正, 雖爲所畜而復, 如自守以正, 不爲所畜者, 故曰'復自道', 言雖爲彼所畜, 而吾實自復於道也."[11]

왕신자(王申子)가 말했다. "회복함은 되돌아가는 일이다. 초구효는 양의 굳셈으로 굳건한 몸체에 있어 뜻이 위로 올라가려고 하는데, 때를 만나고 지위가 있는 사효가 막고 있기 때문에 회복한다. 그러나 초구가 굳세고 바름을 얻어 막힐지라도 회복하는 일이 스스로 바르게 지켜 막히지 않는 것과 같기 때문에 '회복함을 도로 한다'고

11) 왕신자(王申子), 『대역집설(大易集說)』「소축괘(小畜卦)」.

하였으니, 저것이 막을지라도 나는 실로 스스로 도를 회복한다는 말이다."

● 兪氏琰曰 : "復, 謂返於本位也. 以初九之剛, 往應六四之柔而受其制, 豈不失其道而有咎. 今也返而以正道自守, 故能轉咎而爲吉."[12]

유염(兪琰)이 말했다. "회복함은 본래의 자리로 돌아감을 말한다. 초구의 굳셈으로 육사의 부드러움으로 가서 호응하는데 제재를 받았으니, 어찌 도를 잃고 허물이 있지 않겠는가? 이제 되돌아가 바른 도리로 스스로 지키기 때문에 허물을 길함으로 바꿀 수 있다."

● 何氏楷曰 : "天地間氣化人事, 皆有陰畜陽之時. 陽旣爲陰所畜, 便不宜過剛躁動. 初以陽才居陽位, 潛伏於下, 何咎之有. 先言'何其咎'而後言'吉'者, 以無咎爲吉也."[13]

하해(何楷)가 말했다. "천지에서 사람의 일을 기운으로 변화시키는 데는 모두 음이 양을 막는 때가 있다. 양이 이미 음에게 막혀버리고 나면 지나치게 굳세게 하거나 조급하게 날뛰어서는 안 된다. 초효는 양의 재질로 양의 자리에 있으면서 아래에 잠복하고 있으니, 무슨 허물이 있겠는가? 먼저 '무엇이 허물이겠는가?'라고 말하고 뒤에 '길하다'고 말한 것은 허물이 없음을 길한 것으로 여겼다.

12) 유염(兪琰), 『주역집설(周易集說)』「소축괘(小畜卦)」.
13) 하해(何楷), 『고주역정고(古周易訂詁)』「소축괘(小畜卦)」.

案

『傳』『義』皆以復爲上進, 沿王弼舊說也. 以大畜初二爻比例觀之, 則王氏龔氏諸說爲長.

『정전』과 『주역본의』에서 모두 회복함을 위로 올라가는 것으로 여김은 왕필의 구설에 따랐다. 대축괘 초효와 이효의 대조되는 사례로 보면, 왕씨와 공씨의 여러 설이 뛰어나다.

九二, 牽復, 吉.

구이효는 이끌면서 회복하니, 길하다.

本義

三陽志同, 而九二漸近於陰, 以其剛中, 故能與初九牽連而復, 亦吉道也. 占者如是則吉矣.

세 양은 뜻이 같고, 구이효는 점차 음에 가까워지고 있으나 굳세고 알맞기 때문에 초구와 함께 이끌면서 연합하여 회복할 수 있으니, 또한 길한 도이다. 점치는 자가 이와 같이 하면 길하다.

程傳

二以陽居下體之中, 五以陽居上體之中, 皆以陽剛居中, 爲陰所畜, 俱欲上復. 五雖在四上, 而爲其所畜則同, 是同志者也. 夫同患相憂, 二五同志, 故相牽連而復. 二陽並進, 則陰不能勝, 得遂其復矣, 故吉也.

이효가 양으로 아래 괘의 가운데에 있고, 오효가 양으로 위의 괘 가운데에 있음은 모두 양의 굳셈이 가운데 있는 것을 음이 멈추게 한 것이니, 같이 위로 올라가 회복하려는 뜻이다. 오효가 사효의 위에 있을지라도 멈추게 된 것에서는 같아 뜻을 같이한다. 근심이 같아 서로 걱정하니, 이효와 오효는 뜻을 같이 하기 때문에 서로 이끌면서 연합하여 회복한다. 두 양이 함께 나아가면 음이 이길 수 없어 회복함을 이룰 수 있기 때문에 길하다.

曰 : "遂其復則離畜矣乎?"
曰 : "凡爻之辭, 皆謂如是則可以如是. 若已然則時已變矣, 尙何敎誡乎?"
五爲巽體, 巽畜於乾, 而反與二相牽何也?
曰 : "擧二體而言則巽畜乎乾. 全卦而言則一陰畜五陽也. 在『易』隨時取義, 皆如此也."

물었다. "그 회복함을 이루면 멈추게 함을 벗어날 수 있습니까?"
대답했다. "효사의 말에서는 모두 이와 같이 하면 이와 같이 할 수 있다고 말합니다. 만약 그렇다면 때가 이미 변한 것이니, 무엇을 가르치고 경계하겠습니까?"
물었다. "오효는 손(巽☴)괘의 몸체이고, 손(巽☴)괘가 건(乾☰)괘를 멈추게 하는 것인데 도리어 이효와 서로 이끄는 것은 무엇 때문입니까?"
대답했다. "두 몸체로 말하면 손괘가 건괘를 멈추게 하고, 괘를 전체로 말하면 하나의 음이 다섯 양을 멈추게 하는 것입니다. 『역』에서 때에 따라 의리를 취하는 것은 모두 이와 같습니다."

集說

● 王氏申子曰 : "二所乘之初, 爲陰所畜, 亦旣復矣, 所承之三, 又爲陰所畜, 說輻而不進矣. 二以陽處陰, 居下得中, 上又無應,故不待畜, 卽與同類牽連而復, 是不自失其中者也. 自能審進退而不失其中, 故吉."[14]

왕신자가 말했다. "이효가 올라타고 있는 초효는 음이 멈추게 했으나 또한 이미 회복했고, 이어받고 있는 삼효는 또한 음이 멈추게 하니, 바퀴살이 빠져 나아가지 못하고 있다. 이효는 양으로 음의 자리에 있고, 아래에 있으면서 알맞음을 얻었으며, 위로 호응함이 없기 때문에 멈추게 함을 기다리지 않고 바로 같은 것들과 이끌면서 연합하여 회복하니, 알맞음을 스스로 잃지 않는다. 스스로 진퇴를 살펴 알맞음을 잃지 않기 때문에 길하다."

● 何氏楷曰 : "與初相牽連而復居於下, 故吉."[15]

하해가 말했다. "초구와 서로 이끌면서 연합하고 회복하여 아래에 있기 때문에 길하다."

14) 왕신자(王申子), 『대역집설(大易集說)』「소축괘(小畜卦)」.
15) 하해(何楷), 『고주역정고(古周易訂詁)』「소축괘(小畜卦)」.

九三, 輿說輻, 夫妻反目.

구삼효는 수레에 바큇살이 빠지고 부부가 반목하는 것이다.

本義

九三亦欲上進, 然剛而不中, 迫近於陰, 而又非正應, 但以陰陽相說, 而爲所係畜, 不能自進. 故有輿說輻之象. 然以志剛, 故又不能平, 而與之爭, 故又爲夫妻反目之象. 戒占者如是, 則不得進而有所爭也.

구삼효가 또한 위로 나아가려고 하지만 굳세되 가운데 있지 않고, 음과 매우 가까운데 또 바른 호응이 아니며, 단지 음과 양이 서로 좋아해서 매이고 멈추게 되어 스스로 나아갈 수 없다. 그러므로 수레에 바큇살이 빠지는 상이 있다. 그런데 뜻이 굳세기 때문에 또 화평할 수 없고, 함께 하며 다투기 때문에 또 부부가 반목하는 상이 된다. 점치는 자에게 이와 같이 하면 나아감을 얻지 못하고 다투게 됨을 경계하였다.

程傳

三以陽爻居不得中, 而密比於四, 陰陽之情, 相求也, 又暱比而不中, 爲陰畜制者也. 故不能前進, 猶車輿說去輪輻, 言不能行也. '夫妻反目', 陰制於陽者也, 今反制陽, 如夫妻之反目也. '反目', 爲怒目相視, 不順其夫而反制之也. 婦人爲夫寵惑, 旣而遂反制其夫. 未有夫不失道而妻能制之者也. 故說輻反目, 三自爲也.

삼효는 양효로서 알맞음을 얻지 못한 자리에 있는데, 사효와 매우 가까워 음과 양이 마음으로 서로 구하고, 또 친하고 가까운데 알맞지 않음이 멈추게 하는 것이다. 그러므로 앞으로 나아갈 수 없음이 수레에 바퀴통이 빠진 것과 같으니, 갈 수 없음을 말한다. '부부가 반목함'은, 음은 양에게 제재를 받는 것인데 이제 도리어 양을 제재하고 있으니, 부부가 반목하는 것과 같다. '반목'은 성난 눈으로 서로 째려보는 것이니, 그 남편에게 순종하지 않고 도리어 남편을 제재하는 일이다. 부인은 남편의 총애와 미혹이어서 이윽고 마침내 도리어 그 남편을 제재한다. 남편이 도를 잃지 않았는데, 아내가 남편을 제재할 수 있는 경우는 없다. 그러므로 바퀴살이 빠지고 반목함은 삼효가 자초한 것이다.

集說

● 項氏安世曰 : "輻, 陸氏『釋文』云, '本亦作輹'. 按輻, 車轑也. 輹, 車軸轉也. 輻以利輪之轉, 輹以利軸之轉. 然輻無說理, 必輪破轂裂而後可說. 若輹則有說時, 車不行則說之矣. 大畜大壯, 皆作輹字."

항안세(項安世)가 말했다. "바퀴살 복[輻]은 육덕명(陸德明)[16]의

16) 육덕명(陸德明, 추정550~630) : 소주(蘇州) 오(吳) 사람으로 이름은 원랑(元朗)이고, 자는 덕명(德明)이다. 진(陳)나라, 수(隋)나라, 당(唐)나라 때의 관리이자 경학자(經學者), 훈고학자이다. 벼슬은 남조(南朝) 진

『경전석문(經典釋文)』에서는 '본래 복(輹)으로 되어 있다'[17]라고 했다. 살펴보건대, 복(輻 : 뱃대끈)은 수레의 끌채[轅]이고, 복(輹 : 바퀴살)은 수레의 축[軸]이 구르는 것이다. 뱃대끈[輻]은 수레[輪]가 구르는 것을 편하게 하고, 바퀴살[輹]은 축(軸)이 구르는 것을 편하게 한다. 그런데 뱃대끈[輻]은 빠질 까닭이 없으니 반드시 수레가 파괴되고 바퀴가 망가진 다음에 벗겨질 수 있다. 바퀴살[輹]이라면 빼놓을 때가 있으니 수레가 가지 않을 때 빼놓는다. 대축(大畜☶)괘와 대장(大壯☳)괘에서는 모두 바퀴살[輹]로 되어 있다."

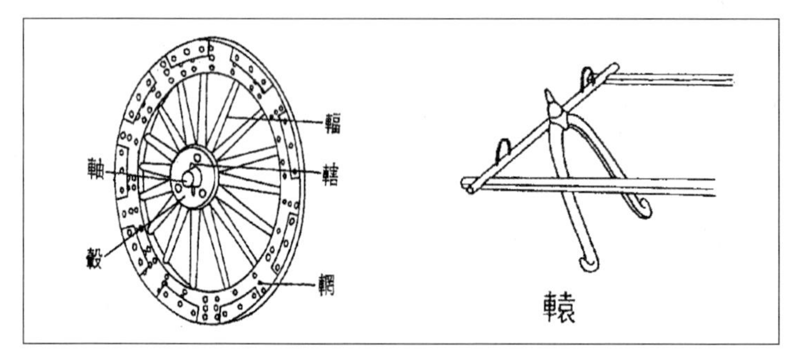

[그림] 수레바퀴와 끌채

나라에서 시흥국좌상시(始興國左常侍), 국자조교(國子助教)를 지냈고, 수나라에서 비서학사(秘書學士), 국자조교(國子助教)를 지냈다. 당나라에서 문학관학사(文學館學士), 태학박사(太學博士), 국자박사(國子博士) 등을 지내고, 오현남(吳縣男)으로 봉해졌다. 진왕부(秦王府) 18학사(學士) 가운데 한 사람이다. 당태종 이세민이 진왕부에 문학관을 설치하고 뛰어난 인재들을 끌어모았는데, 그 중 18학사가 제일 유명했다. 방현령, 두여회 등 뛰어난 인물들이 많았다. 저서로 『경전석문(經典釋文)』, 『노자소(老子疏)』, 『역소(易疏)』 등이 있다.

17) 육덕명(陸德明), 『경전석문(經典釋文)』「주역음의(周易音義) · 소축괘(小畜卦)」: "輻, 音福, 本亦作輹, 音服.[복(輻)은 음이 복(福)으로 본래 복(輹)으로 되어 있고 음이 복(服)이다.]"라고 하였다.

又曰 : "九三'反目'稱妻, 言相敵也. 上九'旣雨'稱婦, 言相順也."[18]

또 말했다. "구삼효의 '반목'은 아내를 일컬으니, 서로 적으로 대한다는 말이다. 상구의 '이미 비가 왔다'[19]는 것은 부인을 일컬으니 서로 따른다는 말이다."

案

九三比近六四, 故有夫妻之象. 過剛不能自制其動, 雖有六四比近畜之, 不能止也. 進不利於行, 故曰'輿說輻', 退不安其室, 故曰'夫妻反目'.

구삼효는 육사에 가깝기 때문에 부부의 상이 있다. 지나치게 굳세면 스스로 그 움직임을 자제할 수 없으니, 육사가 가까이에서 막을지라도 저지할 수 없다. 나아가면 가는 데 이롭지 않기 때문에 '수레에 바큇살이 빠졌다'고 했다. 물러나면 그 집을 불안하게 하기 때문에 '부부가 반목한다'고 했다.

18) 항안세(項安世), 『주역완사(周易玩辭)』「소축괘(小畜卦)」.

19) 이미 비가 왔다 : 『주역(周易)』「소축괘(小畜卦)」에서 "上九, 旣雨旣處, 尙德, 載, 婦貞, 厲.[상구효는 이미 비가 왔고 이미 그쳤음은 덕을 숭상하여 가득함이니, 아내가 곧더라도 위태롭다.]"라고 하였다.

六四, 有孚, 血去, 惕出, 无咎.

육사효는 믿음이 있어 피가 사라지고 두려움에서 나오니, 허물이 없다.

本義

以一陰畜衆陽, 本有傷害憂懼. 以其柔順得正, 虛中巽體, 二陽助之, 是有孚而血去惕出之象也. 无咎宜矣, 故戒占者, 亦有其德, 則无咎也.

하나의 음으로 여러 양을 멈추게 해 본래 피해를 당할 걱정이 있다. 그런데 그 유순함으로 바름을 얻어 마음을 비우고 몸을 공손히 함에 두 양이 도우니, 믿음이 있어 피가 사라지고 두려움에서 나오는 상이다. 허물이 없음이 당연하기 때문에 점치는 자에게 또한 이러한 덕이 있으면 허물이 없다고 경계하였다.

程傳

四於畜時, 處近君之位, 畜君者也. 若內有孚誠, 則五志信之, 從其畜也. 卦獨一陰, 畜衆陽者也. 諸陽之志係于四, 四苟欲以力畜之, 則一柔敵衆剛, 必見傷害. 惟盡其孚誠以應之, 則可以感之矣, 故其傷害遠, 其危懼免也. 如此則可以无咎, 不然則不免乎害矣, 此以柔畜剛之道也, 以人君之威嚴而微細之臣, 有能畜止其欲者, 蓋有孚信以感之也.

사효는 멈추게 하는 때에 임금과 가까운 자리에 있어 임금을 멈추게 하는 것이다. 그런데 마음에 믿음과 정성이 있으면 오효의 뜻이 사효를 믿어 멈추게 하는 것을 따른다. 괘에서 홀로 하나의 음이 여러 양을 저지하는 경우이다. 여러 양의 뜻이 사효에 매여 있는데, 사효가 힘으로 멈추려고 한다면, 하나의 부드러운 음이 여러 굳센 양을 대적하는 것이니, 반드시 상해를 당한다. 오직 그 믿음과 정성을 다하여 호응하면 감동시킬 수 있기 때문에 상해를 멀리 피하고 두려움을 면하게 된다. 이와 같이 하면 허물이 없고, 그렇지 않으면 상해를 면치 못하니, 이것은 부드러움으로써 굳셈을 멈추게 하는 도이다. 임금의 위엄을 가지고 있는데 미천한 신하가 하려는 것을 멈추게 할 수 있는 경우는 믿음과 정성으로 감동시키는 일이다.

集說

● 項氏安世曰 : "以陰畜陽, 以小包大, 能無憂乎? 獨恃與五有孚, 故能離其血惕 去而出之, 以免於咎. 臣之畜君, 必信而後濟, 非與上合志, 不可爲也."[20]

항안세가 말했다. "음이 양을 멈추게 하고 작은 것이 큰 것을 싸안고 있는데 근심이 없겠는가? 오직 오효에게 믿음이 있는 것을 믿기 때문에 피가 사라지고 두려움에서 벗어나 허물을 면할 수 있다. 신하가 임금을 멈추게 하는 경우는 반드시 믿게 한 다음에 이룰 수 있으니, 위와 뜻이 합하지 않으면 할 수 없다."

20) 항안세(項安世), 『주역완사(周易玩辭)』「소축괘(小畜卦)」.

案

此爻『程傳』之說獨明. 蓋唯此爻與『傳』『義』合者, 以其爲卦之事故也.

이 효에서는 『정전』의 설명이 유독 분명하다. 오직 이 효에서 『정전』과 『주역본의』가 합하는데 그것이 괘의 일이기 때문이다.

九五, 有孚, 攣如, 富以其鄰.

구오효는 믿음이 있어 잡아당기듯이 하고 부유해서 그 이웃을 거느린다.

本義

巽體三爻, 同力畜乾, 鄰之象也. 而九五居中處尊, 勢能有爲, 以兼乎上下. 故爲有孚攣固, 用富厚之力, 而以其鄰之象. '以', 猶『春秋』'以某師'之'以', 言能左右之也. 占者有孚, 則能如是也.

손(巽☴)괘의 세 효가 힘을 합쳐 건(乾☰)괘를 멈추게 하니, 이웃하는 상이다. 그런데 구오는 가운데 있고 높은 자리에 있어 세력이 일을 할 수 있음으로 위아래를 겸한다. 그러므로 믿음이 있고 이끌음이 견고해 부유한 힘으로 그 이웃을 거느리는 상이다. '거느린다[以]'는 것은 『춘추좌전』에서 "누구의 군대를 거느린다고[以]"고 할 때의 '거느린다[以]'는 말과 같으니, 좌지우지할 수 있음을 말한다. 점치는 자가 믿음이 있으면 이와 같이 할 수 있다.

程傳

小畜, 衆陽爲陰所畜之時也. 五以中正, 居尊位而有孚信, 則其類皆應之矣. 故曰'攣如', 謂牽連相從也. 五必援挽, 與之相濟, 是'富以其鄰'也. 五以居尊位之勢, 如富者推其才力, 與鄰比共之也. 君子爲小人所困, 正人爲羣邪所厄, 則在下者必攀挽於上, 期於同進, 在上者必援引於下, 與之戮力. 非獨推己力, 以及人也, 固資在下之助, 以成其力耳.

소축괘는 여러 양을 음이 멈추게 하는 때이다. 오효는 중정으로 높은 자리에 있고 믿음이 있으니, 그 동류들이 모두 호응한다. 그러므로 '잡아당기듯이 한다'고 하였으니, 이끌고 연합하여 서로 따르는 것을 말한다. 오효가 반드시 끌어당겨 함께 구제하니, '부유해서 그 이웃을 거느린다'는 뜻이다. 오효가 높은 자리에 있는 기세가 부유한 자가 그 재력을 미루어 이웃과 친하게 함께 하는 것과 같다. 군자가 소인에게 곤궁함을 당하고 올곧은 사람[正人]이 간사한 무리에게 불운을 당하면, 아래에 있는 자는 반드시 윗사람을 잡아끌어 함께 나아가기를 기약하고, 위에 있는 자는 반드시 아랫사람을 끌어당겨 함께 힘을 다해야 한다. 이는 자신의 힘만을 미루어 남에게 미치게 하는 일일 뿐만 아니라 진실로 아래에 있는 자의 도움에 의지하여 그 힘을 이루는 일이다.

集說

● 『朱子語類』云, "孚有在陽爻, 有在陰爻, 伊川謂, '中虛, 信之本, 中實, 信之質.'"[21]

『주자어류』에서 말했다. "믿음[孚]은 양효에도 있고 음효에도 있다.

21) 『주자어류』 권70, 88조목.

정이천은 '마음이 비어 있는 것[中虛]은 믿음[信]의 근본이고, 마음이 충실한 것[中實]은 믿음의 바탕이다'[22]라고 했다."

案

此爻之義, 從來未明. 今以卦意推之, 則六四者近君之位也, 所謂小畜者也. 九五者君位也, 能畜其德以受臣下之畜者也. 四曰'有孚', 是積誠以格其君. 五亦曰'有孚', 是推誠以待其下, 上下相孚而後畜道成矣. 故四曰'上合志'者, 指五也, 五曰以'其鄰'者, 指四也, 四與五相近, 故曰'鄰'. 又鄰卽臣也, 『書』曰'臣哉'鄰哉是也. '富'者, 積誠之滿也. 積誠之滿, 至於能用其鄰, 則其鄰亦以誠應之矣. 故「象傳」曰'不獨富也', 以誠感誠之謂也. 大抵上下之間, 不實心, 則不能相交, 故曰'富以其鄰', 不虛心, 則亦不能相交, 故曰'不富以其鄰'. 所取象者, 本於陽實陰虛, 而其義一也.

이 효의 의미를 종래에는 밝히지 못했다. 그런데 이제 괘의 의미로 미루어보면, 육사효는 임금을 가까이 하는 지위이니, 이른바 작게 멈추게 하는 자이고, 구오효는 임금의 자리이니, 그 덕을 쌓아 신하의 멈추게 함을 받아들일 수 있는 자이다. 사효에서 '믿음이 있다'라고 한 것은 정성을 쌓아 임금을 바로 잡는 일이고, 오효에서 또한 '믿음이 있다'라고 한 것은 정성을 미루어 그 아래를 기다리는 일이니, 상하가 서로 미덥게 된 이후에 멈추게 하는 도가 이루어진다.

그러므로 사효에서 '위와 뜻이 합한다'[23]고 한 것은 오효를 가리켰

22) 정자(程子), 『이천역전(伊川易傳)』「중부괘(中孚卦)」.

23) 위와 뜻이 합한다 : 『주역(周易)』「소축괘(小畜卦)」에서 "象曰, '有孚惕出', 上合志也.[「상전」에서 말했다 : '믿음이 있어서 두려움에서 나옴'은

고, 오효에서 '그 이웃'이라고 한 것은 사효를 가리키니, 사효와 오효는 서로 가깝기 때문에 '이웃'이라고 하였다. 또 이웃은 신하이니, 『서경(書經)』「익직(益稷)」에서 '신하는 이웃이다'라고 한 것이 여기에 해당한다. '부유하다'는 것은 정성을 쌓아 가득한 것이다. 정성을 쌓아 가득하면 그 이웃을 쓸 수 있으니, 그 이웃도 정성으로 호응하기 때문이다. 그러므로 「상전」에서 '홀로 부유하지 않다'[24]고 했으니, 정성으로 정성에 감동함을 말한다. 대체로 상하 사이에 마음을 진실로 하지 않으면 서로 사귈 수 없기 때문에 '부유해서 그 이웃을 거느린다'고 하였고, 마음을 비우지 않으면 또한 서로 사귈 수 없기 때문에 '부유하지 않으면서도 그 이웃이 된다'[25]고 하였다. 상을 취한 것은 양이 충실하고 음이 비어 있는 것을 근본으로 했으니, 그 의미는 하나이다.

위와 뜻이 합하기 때문이다.]"라고 하였다.

24) 홀로 부유하지 않다 : 『주역(周易)』「소축괘(小畜卦)」에서 "象曰, '有孚攣如', 不獨富也.[「상전」에서 말했다. '믿음이 있어 이끌음'은 홀로 부유하지 않는 것이다.]"라고 하였다.

25) 부유하지 않으면서도 그 이웃이 된다 : 『주역(周易)』「태괘(泰卦)」에서 "六四, 翩翩, 不富以其鄰, 不戒以孚.[육사효는 훨훨 날아 내려오니, 부유하지 않아도 이웃이 되고 경계하지 않아도 믿는다.]"라고 하였다.

上九, 旣雨旣處, 尙德, 載, 婦貞, 厲. 月幾望, 君子征凶.

상구효는 이미 비가 왔고 이미 그쳤음은 덕을 숭상하여 가득함이니, 아내가 곧더라도 위태롭다. 달이 보름에 가까우니, 군자가 가면 흉하다.

本義

畜極而成, 陰陽和矣. 故爲旣雨旣處之象, 蓋尊尙陰德, 至於積滿而然也. 陰加於陽, 故雖正亦厲. 然陰旣盛而抗陽, 則君子亦不可以有行矣. 其占如此, 爲戒深矣.

멈추게 함이 다하고 이루어져서 음과 양이 화합한다. 그러므로 이미 비가 왔고 이미 그친 상이니, 음의 덕을 높이고 숭상하여 가득참에 이르러 그런 것이다. 음이 양에게 더하기 때문에 바르더라도 또한 위태롭다. 그러나 음이 이미 왕성해져 양을 막으니, 군자가 또한 가서는 안 된다. 그 점이 이와 같으니, 경계함이 깊다.

程傳

九以巽順之極, 居卦之上, 處畜之終, 從畜而止者也, 爲四所止也. '旣雨'和也, '旣處'止也. 陰之畜陽, 不和則不能止, 旣和而止, 畜之道成矣. 大畜, 畜之大, 故極而散, 小畜, 畜之小, 故極而成.

구(九)는 유순하고 공손함[巽順]의 끝으로 괘의 맨 위에 있어 멈추게 하는 끝에 멈추게 함을 따라 멈추는 것이니, 사효가 멈추게 한 것이다. '이미 비가 온 것'은 화합함이고, '이미 그친 것'은 멈추게 함이다. 음이 양을 멈추게 함에 화합하지 않으면 멈추게 할 수 없으니, 이미 화합하여 멈추게 함은 멈추게 하는 도가 이루어진 것이다. 대축(大畜)은 멈추게 함이 크기 때문에 끝까지 가면 흩어지고, 소축(小畜)은 멈추게 함이 작기 때문에 끝까지 가면 이루어진다.

'尙德載', 四用柔巽之德, 積滿而至於成也. 陰柔之畜剛, 非一朝一夕能成, 由積累而至, 可不戒乎. '載', 積滿也, 『詩』云, "厥聲載路". '婦貞厲', '婦', 謂陰, 以陰而畜陽, 以柔而制剛. 婦若貞固守此, 危厲之道也. 安有婦制其夫, 臣制其君而能安者乎?

'덕을 숭상하여 가득함'은 사효가 부드럽고 공손한 덕을 써서 가득 채워 이룬 것이다. 음의 부드러움이 굳센 양을 저지하는 것은 하루아침이나 하루저녁에 이룰 수 있는 일이 아니고, 누적해서 이룬 것이니, 경계하지 않을 수 있겠는가? '가득함[載]'은 가득 채움이니, 『시경』「대아(大雅)」에서 "그 소리가 길에 가득하다"라고 한 것이다. '아내가 곧더라도 위태롭다'에서 '아내'는 음을 말하니, 음으로써 양을 멈추게 하고 부드러움으로써 굳셈을 제재하는 것이다. 아내가 만약 굳게 고집하여 이것을 지키면 위태롭게 되는 도이다. 어떻게 아내가 남편을 제재하고, 신하가 임금을 제재하면서 편안할 수 있겠는가?

月望則與日敵矣, '幾望', 言其盛將敵也. 陰已能畜陽, 而云

'幾望', 何也. 此以柔巽畜其志也, 非力能制也. 然不已則將盛於陽而凶矣, 於幾望而爲之戒曰, '婦將敵矣, 君子動則凶也'. 君子謂陽. 征動也. '幾望', 將盈之時. 若已望, 則陽已消矣, 尙何戒乎.

달이 보름이 되면 해와 맞서니, '보름에 가깝다'는 것은 달이 성대해져 맞서려함을 말한다. 음이 이미 양을 멈추게 할 수 있는데, '보름에 가깝다'라고 말한 것은 무엇 때문인가? 이는 부드럽고 공손함으로 양의 뜻을 멈추게 함이 힘으로 제재할 수 있는 일이 아니라는 뜻이다. 그런데 그만두지 않으면 양보다 성대해져 흉하게 될 것이니, 보름이 가까워지자 '아내가 맞서려고 할 때는 군자가 움직이면 흉하다'라고 경계하여 말한 것이다. 군자는 양을 말한다. 간다[征]는 움직이는 것이다. '보름에 가깝다'는 것은 가득 차려는 때이다. 이미 보름이라면 양은 벌써 사라졌을 것이니, 오히려 무엇을 경계하겠는가?

集說

● 楊氏時曰: "三陽下進, 一陰畜之不能固. 故'密雲不雨, 尙往也'. 至上九則往極矣, 故旣處. 夫陰陽和則雨, 而婦以順爲正. 雖畜而至於雨, 以是爲正則厲矣. 月遡日以爲明者也, 望則與日敵, 故幾望則不可過. 君子至此而猶征焉, 則凶之道也. 小畜以陰畜陽爲主, 其極必疑陽, 故戒之如此."[26]

26) 정정조(程廷祚), 『대역택언(大易擇言)』「소축괘(小畜卦)」.

양시(楊時)가 말했다. "세 양이 아래에서 나아가는데, 하나의 음이 멈추게 하는 것은 견고할 수 없다. 그러므로 '구름이 빽빽하게 끼고 비가 오지 않음은 위로 올라감이다.' 그런데 상구가 되면 가는 것이 다했기 때문에 이미 그쳤다. 음양이 화합하면 비가 오지만 부인은 따르는 것을 바른 일로 여긴다. 그러니 멈추게 하여 비가 올지라도 이를 바름으로 여기면 위태롭다. 달이 해를 거슬러 올라가 밝은 것이 보름이면 해와 맞서기 때문에 보름이 가까우면 지나쳐서는 안 된다. 그러니 군자가 이런 상태에서도 여전히 간다면, 흉하게 되는 도이다. 소축은 음이 멈추게 함을 위주로 해서 그 궁극에서는 반드시 양을 의심하기 때문에 이처럼 경계한 것이다."

● 項氏安世曰 : "上九居畜之極, 畜道已成, 昔之不雨者, 今旣雨矣, 昔之尙往者, 今旣處矣. 「彖「之所謂亨, 於是見之. '載'者, 積也. 畜至於上, 其德積而成載, 則所畜大矣. 然以小畜大, 非可常之事也, 婦道貞此而不變, 則爲危, 君子過此而復行, 則爲凶. 蓋月望則昃, 陰極則消, 自然之理也."[27]

항안세가 말했다. "상구는 멈추게 하는 끝에 있어 멈추게 하는 도가 이미 이루어짐이니, 전에 비가 오지 않던 것이 이제 이미 비가 내렸고, 전에 위로 올라가던 것이 이제 이미 그친 것이다. 「단사」에서 이른바 형통하다고 한 것을 여기에서 알 수 있다. '가득 함'은 쌓인 것이다. 멈추게 함에 상구에 와서는 그 덕이 쌓여 가득함을 이루니, 멈추게 하는 것이 크다. 그러나 작은 것이 큰 것을 멈추게 함은 일상적인 일이 아니니, 부인의 도가 이것을 곧게 여길지라도 변하지 않으면 위태롭다. 군자가 이것을 지나치고 다시 간다면 흉

27) 항안세(項安世), 『주역완사(周易玩辭)』「소축괘(小畜卦)」.

하게 된다. 달이 보름이 되면 기울고 음이 다하면 사라지는 것은 자연의 이치이다."

● 王氏應麟曰 : "小畜上九'月幾望則凶', 陰疑陽也. 歸妹六五'月幾望則吉', 陰應陽也. 中孚六四'月幾望則無咎', 陰從陽也."[28)]

왕응린(王應麟)[29)]이 말했다. "소축(小畜☴)괘의 상구는 '달이 보름에 가까워지면 흉한 것이니', 음이 양을 의심하기 때문이다. 귀매(歸妹☳)괘의 육오는 '달이 보름에 가까워지면 길한 것이니',[30)] 음이 양에 호응하기 때문이다. 중부(中孚☴)의 육사는 '달이 보름에 가까우면 허물이 없는 것이니',[31)] 음이 양을 따르기 때문이다."

---

28) 안사성(晏斯盛), 『역익종(易翼宗)』「소축괘(小畜卦)」.

29) 왕응린(王應麟, 1223~1296) : 자는 백후(伯厚)이고, 호는 심녕거사(沈寧居士)이다. 남송(南宋) 때의 학자로 박학하고 경사백가(經史百家)·천문지리 등에 조예가 깊었다. 장고제도(掌故制度)에 익숙하고 고증에 능했다. 저서로는 『곤학기문(困學紀聞)』, 『옥해(玉海)』, 『시고(詩考)』, 『시지리고(詩地理考)』, 『한예문지고증(漢藝文志考證)』, 『옥당류고(玉堂類稿)』, 『심녕집(深寧集)』, 『삼자경(三字經)』 등이 있다. 그중에서 『옥해』 200권은 남송에서 가장 완비된 『유서(類書)』, 이른 바 곧 백과사전이다.

30) 달이 보름에 가까워지면 길한 것이니 : 『주역(周易)』「귀매괘(歸妹卦)」에서 "六五, 帝乙歸妹, 其君之袂, 不如其娣之袂良, 月幾望, 吉.[육오는 제을이 여동생을 시집보내니, 정처의 소매가 잉첩의 소매보다 아름답지 못하고, 달이 거의 보름에 가까우니, 길하다.]"라고 하였다.

31) 달이 보름에 가까우면 허물이 없는 것이니 : 『주역(周易)』「중부괘(中孚卦)」에서 "六四, 月幾望, 馬匹亡, 无咎.[육사는 달이 거의 보름이고 말의 짝이 없어짐이니, 허물이 없을 것이다.]"라고 하였다.

案

此爻亦以畜道旣成言之耳, 楊氏說最完善.

이 효에서도 멈추게 하는 도가 이미 이루어진 것으로 말했을 뿐이니, 양씨의 설명이 가장 완벽하게 좋다.

10. 리履괘

☰ 乾上
☱ 兌下

程傳

履,「序卦」, "物畜然後有禮, 故受之以履". 夫物之聚則有大小之別, 高下之等, 美惡之分, 是物畜然後有禮, 履所以繼畜也. '履', 禮也, 禮, 人之所履也. 爲卦天上澤下. 天而在上, 澤而處下, 上下之分, 尊卑之義, 理之當也, 禮之本也, 常履之道也. 故爲'履'. '履', 踐也, 藉也, 履物爲'踐', 履於物爲'藉'. 以柔藉剛, 故爲'履'也. 不曰'剛履柔', 而曰'柔履剛'者, 剛乘柔, 常理, 不足道. 故『易』中, 唯言'柔乘剛', 不言'剛乘柔'也. 言'履藉於剛', 乃見卑順說應之義.

리(履䷉)괘는 「서괘전」에서 "만물이 멈춰 있은 뒤에 예가 있기 때문에 리괘(履卦)로 받았다"라고 하였다. 만물이 모이면 크고 작은 구별과 높고 낮은 등급과 아름답고 추한 구분이 있으니, 만물이 멈춰 있은 뒤에 예가 있고, 리괘가 소축괘를 이어받는 까닭이다. '리(履)'는 예이고, 예는 사람이 따르는 것이다. 괘의 모양은 하늘이 위에 있고 못이 아래에 있다. 하늘인데 위에 있고 못인데 아래에 있는 것은 위아래의 분수·귀천의 의리·이치의 마땅함·예의 근본·떳떳이 행해야 할 도리이기 때문에 '리(履)'이다. '리(履)'는 밟는 것[踐]이고, 깔리는 것[藉]이니, 사물에 실행될 때 '밟는 것[踐]'이고 사물에 밟힐 때 '깔리는 것[藉]'이다. 유약한 음은 굳센 양에게 깔리기 때문에 '리(履)'이다. 그런데 '굳센 양이 유약한 음을 밟았다'고 하지 않고, '유약한 음이 굳센 양을 밟았다'고 하는 것은 굳센 양이 유순한 음을 타고 있어 떳떳한 이치이므로 굳이 말할 필요가 없기 때문이다. 그러므로 『주역』에서는 '유약한 음이 굳센 양을 탄 것'을 말할 뿐이고, '굳센 양이 유약한 음을 탄 것'을 말하지는 않는다. '굳센 양에게 밟히고 깔림'을 말한 것은 바로 낮추어 따르고 기뻐하여 호응하는 뜻을 나타낸다.

履虎尾, 不咥人, 亨.

호랑이 꼬리를 밟았는데도 사람을 물지 않으니, 형통하다.

本義

兌, 亦三畫卦之名. 一陰, 見於二陽之上, 故其德爲說, 其象爲澤. '履'有所躡而進之義也. 以兌遇乾, 和說以躡剛强之後, 有履虎尾而不見傷之象. 故其卦爲履, 而占如是也. 人能如是, 則處危而不傷矣.

태(兌☱)괘 또한 세 획의 괘 이름이다. 하나의 음이 두 양의 위에 나타났기 때문에 그 덕은 기뻐하는 것이고, 그 상은 못이다. '리(履)'에는 밟아 나가는 뜻이 있다. 태(兌☱)괘로서 건(乾☰)괘를 만나 화합하고 기뻐함으로 굳세고 강한 것의 뒤를 밟으니, 호랑이 꼬리를 밟는데도 상해를 입지 않는 상이 있다. 그러므로 그 괘가 리(履)이고, 점이 이와 같다. 사람이 이와 같이 할 수 있다면 위험에 빠져도 상해를 입지 않는다.

程傳

履, 人所履之道也. 天在上而澤處下, 以柔履藉於剛, 上下各得其義, 事之至順, 理之至當也. 人之履行, 如此, 雖履至危之地, 亦无所害. 故履虎尾而不見咥嚙, 所以能亨也.

리(履)는 사람이 밟아가는 도이다. 하늘은 위에 있고 못은 아래에 있음으로 유약한 음이 굳센 양에게 밟히고 깔려서 위아래가 각각 그 뜻을 얻었으니, 일은 지극히 순조롭고 이치는 지극히 마땅하다. 사람이 밟아가며 실행하는 것이 이와 같다면, 아주 위험한 곳으로 갈지라도 해로울 것이 없다. 그러므로 호랑이 꼬리를 밟는데도 물리지 않고, 이 때문에 형통하게 될 수 있다.

集說

● 『朱子語類』云 : "履上乾下兌. 以陰躡陽, 是隨後躡他, 如踏他脚跡相似, 所以云'履虎尾'. 卦之三四爻, 發虎尾義, 便是陰去躡他陽後處."[1]

『주자어류』에서 말했다. "리(履☰)괘는 위가 건(乾☰)이고 아래가 태(兌☱)이다. 음으로서 양을 밟음은 뒤를 따라가며 그것을 밟는 것으로 마치 그 발자취를 밟는 것과 비슷하기 때문에 '호랑이 꼬리를 밟는다'고 하였다. 괘의 세 번째 효와 네 번째 효에서 호랑이 꼬리의 의미를 드러낸 것은 음(陰)이 그 양(陽)의 등 뒤로 간다는 말이다."

● 李氏簡曰 : "履, 禮也. 行之以和, 故能進退履衆剛而不見傷. '禮之用和爲貴', 其是之謂乎."[2]

1) 『주자어류』 권70, 95조.
2) 이간(李簡), 『학역기(學易記)』「리괘(履卦)」.

이간(李簡)이 말했다. "리(履)는 예이다. 그것을 행하여 조화롭기 때문에 나아가고 물러가며 여러 양을 밟아도 상해를 당하지 않는다. '예의 쓰임은 조화가 귀하다'[3]고 한 것은 이를 말한다."

● 胡氏炳文曰："『程傳』訓履爲踐爲藉，以上下論也，『本義』云，有所躡而進，以前後論也，於尾字爲切. 諸家多以兌爲虎，『本義』從『程傳』以乾爲虎，本夫子「彖傳」意也. '不咥人，亨'，大抵人之涉世，多是危機，不爲所傷，乃見所履. 「大傳」曰，'『易』之興也，其當文王與紂之事邪，是故其辭危'. 危莫危於履虎尾之辭矣，故九卦處憂患，以履爲首."[4]

호병문(胡炳文)이 말했다. "『정전』에서 리(履)를 밟음과 깔림으로 풀이한 것은 위와 아래로 말하였고, 『주역본의』에서 밟아서 나아감이 있음으로 말한 것은 앞과 뒤로 논했으니, 꼬리[尾]라는 말에서 절실하다. 여러 학자들은 대부분 태괘를 호랑이로 여겼는데, 『주역본의』에서는 『정전』을 따라 건괘를 호랑이로 여겼으니, 공자의 「단전」에 의미의 근거를 두었다. '사람을 물지 않으니, 형통하다'는 것은 대체로 사람이 세상을 살면서 대부분 위기에서 피해를 입지 않는 경우 바로 밟는 곳을 보기 때문이다.
「계사전」에서 '『주역』이 생긴 것은 문왕(文王)과 주(紂)의 일에 해당된다. 이런 까닭으로 그 말이 위태로운 상황에 대한 것이다'고 하였다. 위태로운 상황으로는 호랑이 꼬리를 밟았다는 표현보다 위태로운 것이 없기 때문에 아홉 괘에서 우환을 다룸에 리괘를 우선으로 하였다."

3) 『논어(論語)』「학이(學而)」.

4) 호병문(胡炳文), 『주역본의통석(周易本義通釋)』「리괘(履卦)」.

● 梁氏寅曰 : "履者踐履也. 人之於禮, 亦踐行其天理者, 故履爲禮也. 夫虎, 剛猛之獸, 乾三陽, 虎之象也. 上爲虎之首, 則四爲虎之尾. 兌履乾之後, 履虎尾之象也. 虎咥人者也, 然以和說履之, 則不見咥而反至亨. 以是觀之, 人之踐履卑遜, 何往而不亨乎? 然和非阿容也, 說非佞媚也, 亦恭順而不失其正耳. 兌之「傳」曰, '剛中而柔外', 此其道也."[5]

양인(梁寅)이 말했다. "리(履)는 밟아 실천하는 것이다. 사람이 예로 또한 그 천리를 실천하기 때문에 리(履)가 예이다. 호랑이는 굳세고 사나운 짐승이니, 건(乾☰)괘의 세 양이 호랑이의 상이다. 상구가 호랑이의 머리라면, 사효는 호랑이의 꼬리이다. 태(兌☱)괘는 건(乾☰)괘의 뒤를 밟고 있어 호랑이의 꼬리를 밟는 상이다. 호랑이가 사람을 무는 것이지만, 조화롭고 기쁘게 하면서 밟는다면, 물리지 않고 도리어 형통하게 된다. 이렇게 보면 사람이 공손하게 처신한다면, 어떻게 한들 형통하지 않겠는가? 그러나 조화로운 것은 치우치게 너그러움이 아니고, 기쁘게 하는 것은 아첨하는 일이 아니니, 또한 공손하게 하면서 바름을 잃지 않을 뿐이다. 태(兌䷹)괘의 「단전」에서 '굳센 양이 가운데 있고 유순한 음이 밖에 있다'[6]라 했으니, 이것이 그 도이다."

● 蔡氏清曰 : "八卦唯兌爲至弱, 唯乾爲至健. 今以至弱者而躡

---

5) 양인(梁寅), 『주역참의(周易參義)』「리괘(履卦)」.

6) 굳센 양이 가운데 있고 유순한 음이 밖에 있다 : 『주역(周易)』「태괘(兌卦)」에서 "彖曰, '兌, 說也, 剛中而柔外, 說以利貞.'[「단전」에서 말했다. '태(兌)는 기뻐함이니, 굳센 양이 가운데 있고 유순한 음이 밖에 있어 기뻐함으로 바르게 함이 이롭다.']"라고 하였다.

於至健者之後, 自是危機. 故獨以履名卦, 而「彖傳」復取其德, 而謂之'履虎尾, 不咥人亨也.'"[7]

채청(蔡淸)이 말했다. "팔괘에서 오직 태(兌☱)괘가 지극히 약하고, 오직 건(乾☰)괘가 지극히 강건하다. 그런데 이제 지극히 약한데 지극히 강건한 것의 뒤를 밟고 있으므로 본래 위기이다. 그러므로 오직 리(履)로 괘의 이름을 붙였고 「단전」에서 그 덕을 취해 '호랑이 꼬리를 밟는데도 사람을 물지 않으니, 형통하다'고 하였다."

7) 채청(蔡淸), 『역경몽인(易經蒙引)』「리괘(履卦)」.

初九, 素履, 往, 无咎.

초구효는 원래 그대로 하니, 가도 허물이 없을 것이다.

本義

以陽在下, 居履之初, 未爲物遷, 率其素履者也. 占者如是, 則往而无咎也.

양으로써 아래에 있고 리괘(履卦)의 초효에 있어 사물에 끌려 다니지 않으니, 원래 그대로 하는 것이다. 점이 이와 같으면 가도 허물이 없다.

程傳

履不處者, 行之義. 初處至下, 素在下者也, 而陽剛之才, 可以上進. 安其卑下之素而往, 則无咎矣. 夫人不能自安於貧賤之素, 則其進也, 乃貪躁而動, 求去乎貧賤耳, 非欲有爲也. 旣得其進, 驕溢必矣, 故往則有咎. 賢者則安履其素, 其處也樂, 其進也將有爲也. 故得其進, 則有爲而无不善, 乃守其素履者也.

밟으면서 머무르지 않는 것이 간다는 뜻이다. 초효는 지극히 낮은 곳에 있어 원래 아래에 자리하지만 굳센 양의 재질이어서 위로 나아갈 수 있다. 낮은 바탕 그대로 편안히 여기면서 나아가면 허물이 없다. 사람이 빈천한 그대로 스스로 편안하지 못하면, 나아가는 것에 탐욕으로 조급하게 행동하여 빈천을 벗어나려고 할 뿐이고 훌륭한 일을 하려고 하지 않는다. 이미 나아가게 되었다면 틀림없이 교만해진다. 그러므로 나아가면 허물이 생기는 것이다. 현명한 사람은 원래 그대로 편안히 이행하여 그냥 있을 때는 즐겁고 나아갈 때는 훌륭한 일을 하려고 한다. 그러므로 나아갈 때는 일을 해서 훌륭하지 않음이 없으니, 바로 원래 그대로 하는 것이다.

集說

● 胡氏炳文曰: "初未交於物, 有素象. 案『本義』與蔡氏皆曰, '居履之初, 不爲物遷'. 蔡氏則曰'素者无文之謂', 蓋履禮也. 履初言'素', 禮以質爲本也. 賁, 文也, 賁上言'白', 文之極反而質也. '白賁无咎', 其卽'素履, 往, 无咎'與."[8)]

호병문이 말했다. "초효는 아직 사람들과 사귀지 않아 원래 그대로의 상이 있다. 살펴보건대, 『주역본의』와 채씨는 모두 '리괘의 초효에 있어 사물에 끌려 다니지 않는다'[9)]고 하였다. 채칙(蔡則)은 '원래 그대로는 꾸밈[文]이 없는 것을 말한다'[10)]라고 하였다.
대개 리(履☰)는 예이다. 그런데 리괘 초효에서 '원래 그대로'를 말

8) 호병문(胡炳文), 『주역본의통석(周易本義通釋)』「리괘(履卦)」.
9) 리괘의 초효에 있어 사물에 끌려 다니지 않는다 : 채청(蔡清), 『역경몽인(易經蒙引)』「리괘(履卦)」에서 "양이 아래의 자리에 있고 나아가려는 처음이기 때문에 사물에 끌려 다니지 않고 원래 그대로 할 뿐이다.[以陽在下位, 而當方進之始也, 故未為物遷, 而但循其素履.]"라고 하였다.
10) 채연(蔡淵), 『주역괘효경전훈해(周易卦爻經傳訓解)』「리괘(履卦)」.

한 것은 예는 질박함을 근본으로 하기 때문이다, 비(賁䷕)는 꾸밈이다. 그러데 비괘 상구에서 '희게 한다'[11]고 한 것은 꾸밈이 다해 되돌아가서 질박하게 되었기 때문이다. '꾸밈을 희게 하면 허물이 없을 것이다'[12]는 '원래 그대로 하니 가도 허물이 없을 것이다'라는 말이다."

11) 희게 한다 : 『주역(周易)』「비괘(賁卦)」에서 "上九, 白賁, 无咎.[상구효는 꾸밈을 희게 하면 허물이 없을 것이다.]라고 하였다.

12) 꾸밈을 희게 하면 허물이 없을 것이다 : 『주역(周易)』「비괘(賁卦)」에서 "上九, 白賁, 无咎.[상구효는 꾸밈을 희게 하면 허물이 없을 것이다.]"라고 하였다.

九二, 履道坦坦, 幽人, 貞吉.

구이효는 다니는 길이 평탄하고 은자이니 곧고 길하다.

本義

剛中在下, 无應於上. 故爲履道平坦, 幽獨守貞之象. 幽人履道而遇其占, 則貞而吉矣.

굳센 양이 아래 괘의 가운데 있으면서 위와 호응하지 않는다. 그러므로 다니는 길이 평탄하고, 고요히 홀로 곧음을 지키는 상이다. 은자가 도를 행하면서 이 점을 만나면, 곧고 길할 것이다.

程傳

九二居柔, 寬裕得中, 其所履坦坦然平易之道也. 雖所履得坦易之道, 亦必幽靜安恬之人處之, 則能貞固而吉也. 九二, 陽志上進, 故有幽人之戒.

구이효가 유순한 자리에 있으면서 관대함으로 알맞음을 얻었으니, 그 밟는 것이 평탄하고 쉬운 길이다. 밟는 것이 평탄하고 쉬운 길일지라도 반드시 조용하고 편안한 사람이 처신하는 것이라면 곧고 굳세어 길할 수 있다. 구이효는 양으로 뜻이 위로 나아가기 때문에 은자의 경계가 있다.

集說

● 梁氏寅曰 : "行於道路者, 由中則平坦, 從旁則崎險. 九二以剛居中, 是履道而得其平坦者也. 持身如是, 不輕自售, 故爲幽人貞吉."[13]

양인이 말했다. "길을 가는 자가 가운데로 가면 평탄하고 길가로 가면 험하여 위태롭다. 구이효가 굳셈으로 알맞은 자리에 있음은 도를 행하면서 평탄한 것이다. 몸을 이와 같이 지키고 가볍게 처신하지 않기 때문에 은자이니 곧고 길한 것이다."

13) 양인(梁寅), 『주역참의(周易參義)』「리괘(履卦)」.

六三, 眇能視, 跛能履. 履虎尾, 咥人, 凶, 武人爲于大君.

육삼효는 애꾸눈이 볼 수 있고, 절름발이가 걸을 수 있다. 하지만 호랑이 꼬리를 밟아 사람을 무니 흉하고, 무인이 대군이 될 것이다.

본의

六三, 不中不正, 柔而志剛, 以此履乾, 必見傷害. 故其象如此, 而占者凶. 又爲剛武之人得志而肆暴之象, 如秦政項籍, 豈能久也.

육삼효는 중정하지 않고 유약하지만 뜻이 굳세어 이것으로 건(乾☰)을 밟아 반드시 상해를 입는다. 그러므로 그 상은 이와 같고, 점친 자는 흉하다. 또 굳세고 무인 기질이 있는 사람이 뜻을 얻어 포악함을 부리는 상이니, 진나라의 정(政)[14]과 항적(項籍)[15]같은 이

14) 진정(秦政, B.C.259~B.C.210) : 이름이 영정(嬴政)이고, 별호는 진왕정(秦王政), 시황제(始皇帝), 조룡(祖龍) 등이다. 진시황을 가리키며, 조국(趙国)의 수도(首都)인 감단(邯鄲)에서 태어났다. 장양왕(莊襄王)의 아들로 13세에 왕위에 오르고, 진(秦)나라의 강성함을 이용해 6국을 통일하고 39세에 황제라 칭하였다.

15) 항적(項籍, B.C.232~B.C.202) : 자는 우(羽), 진시황이 세운 진제국을 초나라의 강성함을 이용해 멸하고 패자(覇者)가 되었으나, 그 포학한 정치에 백성이 이반함으로써 한고조에게 패하여 자살하였다.

가 어찌 오래 갈 수 있겠는가?

程傳

三, 以陰居陽, 志欲剛而體本陰柔, 安能堅其所履? 故如盲眇之視, 其見不明, 跛躄之履, 其行不遠. 才旣不足而又處不得中, 履非其正. 以柔而務剛, 其履如此, 是履於危地. 故曰'履虎尾'. 以不善履, 履危地, 必及禍患, 故曰'咥人, 凶'. '武人爲于大君', 如武暴之人而居人上, 肆其躁率而已, 非能順履而遠到也. 不中正而志剛, 乃爲羣陽所與, 是以剛蹈危而得凶也.

삼효는 음으로서 양의 자리에 있어 뜻이 굳건하지만 몸체가 본래 음으로 유약하니, 어찌 그 실천하는 것을 굳게 지킬 수 있겠는가? 그러므로 애꾸눈이 보는 것과 같아 분명하게 보지 못하고, 절름발이가 걷는 것과 같아 멀리 가지 못한다. 재질이 이미 부족하고 또 처신이 알맞지 않아 실천하는 것이 바른 일이 아니다. 유약한 것으로 굳센 것을 힘쓰고 실천하는 것이 이와 같아 위험한 곳을 밟고 있기 때문에 '호랑이 꼬리를 밟았다'라고 했다. 잘 실천하지 못하고 위험한 곳을 밟아 반드시 재앙과 근심이 미치기 때문에 '사람을 무니, 흉하다'라고 하였다. '무인이 대군이 될 것'이라는 말은 무력을 행사하는 포악한 사람이 사람들 위에 있는 것과 같아 조급하고 경솔하게 행동할 뿐이니, 순리대로 행하여 멀리 갈 수 있는 것이 아니다. 중정하지 못한데 뜻이 굳세어 마침내 여러 양과 함께 하는 것을 행하기 때문에 억세고 조급함으로 위험한 곳을 밟아 흉하게 되었다.

集說

● 耿氏南仲曰："視欲正, 視而不正, 則眇者也, 行欲中, 行而不中, 則跛者也. 故歸妹初九不中則爲跛, 九二不正則爲眇. 履, 六三不中又不正, 故跛眇兼焉. 歸妹履, 皆兌下也."[16]

경남중(耿南仲)[17]이 말했다. "바르게 보려 하면서 아무리 봐도 바르지 못하다면 애꾸눈이고, 가운데로 가려 하면서 아무리 해도 가운데로 가지 못한다면 절름발이다. 그러므로 귀매(歸妹䷵)괘의 초구가 가운데에 있지 않으니 절름발이고,[18] 구이는 바르지 않으니 애꾸눈인 것이다.[19] 리(履䷉)괘의 육삼은 가운데 있지도 않고 또

16) 경남중(耿南仲), 『주역신강의(周易新講義)』「리괘(履卦)」.

17) 경남중(耿南仲, ?~1129) : 자는 희도(晞道)이고, 송(宋)대 개봉(開封 : 형 하남성 개봉) 사람이다. 신종(神宗) 원풍(元豊) 5년(1082)에 진사에 급제하여, 벼슬은 양절제거(兩浙提擧), 하북서로상평(河北西路常平), 형호·강서로전운사(荊湖·江西路轉運使), 호부원외랑(戶部員外郎), 태자우서자(太子右庶子), 태자첨사(太子詹事), 보문각직학사(寶文閣直學士), 자정전대학사(資政殿大學士), 첨서추밀원사(簽書樞密院事), 상서좌승(尙書左丞), 문하시랑(門下侍郎) 등을 역임하였다. 금나라 사람들이 공격해오자 적극 화친을 주장해 이강(李綱) 등과 충돌했다. 고종(高宗)이 즉위하자 화친을 주장해 나라를 그르쳤다고 하는 언관들의 상소로 별가(別駕)로 좌천되고 남웅주(南雄州)에 안치되었는데, 가는 도중 길주(吉州)에서 죽었다. 저서에 『주역신강의(周易新講義)』가 있다.

18) 귀매(歸妹䷵)괘의 초구가 가운데에 있지 않으니 절름발이고 : 『주역(周易)』「귀매괘(歸妹卦)」에서 "初九, 歸妹以娣, 跛能履, 征吉.[초구효는 여동생을 잉첩으로 시집보내니, 절름발이가 걸을 수 있어 가면 길하다.]"라고 하였다.

19) 구이는 바르지 않으니 애꾸눈인 것이다 : 『주역(周易)』「귀매괘(歸妹卦)」에서 "九二, 眇能視, 利幽人之貞.[구이효는 애꾸눈으로 볼 수 있으니, 그윽하고 조용한 자의 곧음이 이롭다.]"라고 하였다.

바르지도 않기 때문에 절름발이와 애꾸눈이 함께 있다. 귀매(歸妹䷵)괘와 리(履䷉)괘는 모두 태(兌☱)괘가 아래의 괘이다."

● 王氏申子曰 : "三以陰居陽, 以柔履剛. 謂其明耶, 則衆陽而獨陰, 謂其不明耶, 則又居於陽, 眇能視之象也. 謂其能行耶, 則衆剛而獨柔, 謂其不能行耶, 則又履乎剛, 跛能履之象也. 是體暗而用明, 才弱而志剛者也. 而又不中不正, 故不自度量而一於進, 敢於蹈危而取禍, 如履虎尾, 而受咥人之凶也. 若不顧強弱, 勇猛直前, 唯武人用之, 以有爲于大君之事, 則可. 然「彖」亦主三而言, 曰'不咥人亨', 此曰'咥人凶', 何也. 蓋「彖」總言一卦之體, 爻則據其時與位而言, 所以不同."[20]

왕신자(王申子)가 말했다. "삼효는 음으로 양의 자리에 있고 유약함으로 굳셈을 밟고 있다. 그것을 밝다고 하면, 여러 양에 홀로 음이고, 그것을 밝지 않다고 하면, 또 양의 자리에 있으니, 애꾸눈이 볼 수 있는 상이다. 그것을 갈 수 있다고 하면, 여러 굳센 것에 홀로 유약한 것이고, 그것을 갈 수 없다고 하면, 또 굳센 자리에 있으니, 절름발이가 걸을 수 있는 상이다. 몸체는 어둡고 작용은 밝으며, 재질은 유약하고 뜻은 굳세다. 그런데 또 중정하지 않기 때문에 스스로 역량을 살펴 나아가는 데 전일하지 못하고 감히 위험을 무릅쓰고 화를 취하니, 호랑이 꼬리를 밟아 사람이 물리는 흉함을 당하는 것과 같다. 굳셈과 유약함을 살피지 못하고 용맹하게 곧바로 나아가면, 오직 무인이 그렇게 대군의 일을 하는 것은 괜찮다. 그러나 「단전」에서는 또한 삼효를 위주로 말하여 '사람을 물지 않으니 형통하다'[21]고 해놓고, 여기서는 '사람이 물리니 흉하다'고 하

20) 왕신자(王申子), 『대역집설(大易集說)』「리괘(履卦)」.

는 것은 무엇 때문인가? 「단전」에서는 한괘의 몸체를 총괄하여 말했고, 효에서는 그 때와 지위를 가지고 말했기 때문에 같지 않다."

● 吳氏澄曰 : "「彖」通指一卦而言. 則上九虎之首也, 虎口實而合, 有不咥之象. 此專據一爻而言. 則三爲兌之上畫也, 兌口虛而開, 故有咥人之象."

오징(吳澄)이 말했다. "「단전」에서는 한 괘를 통괄하여 말했다. 그렇다면 상구는 호랑이의 머리이니, 호랑이의 입에 무엇인가 가득하게 담고 있어 물지 못하는 상이 있다. 여기에서는 오직 한 효를 가지고 말했다. 그렇다면 삼효는 태괘의 꼭대기에 있고, 태괘의 입은 비어서 벌리고 있기 때문에 사람이 물리는 상이 있다."

● 胡氏炳文曰 : "凡卦辭以爻爲主, 則爻辭與卦同, 如屯卦'利建侯', 而初爻亦'利建侯'. 以卦上下體論, 則爻辭與卦不同, 如此卦云'履虎尾不咥人', 而六三則曰'咥人', 是也. 卦書'不咥人', 兌三爻說體, 自與乾三爻健體相應也. 爻書'咥人', 六三一爻, 與上九一爻獨相應, 履虎尾而首應也."[22)]

호병문이 말했다. "괘사가 효를 위주로 하면, 효사와 괘사는 동일하

21) 사람을 물지 않으니 형통하다 : 『주역(周易)』「리괘(履卦)」에서 "彖曰, '履, 柔履剛也, 說而應乎乾. 是以履虎尾, 不咥人, 亨'.[「단전」에서 말했다. '리(履)는 유약한 음이 굳센 양의 뒤를 밟으니, 기뻐하며 건과 호응한다. 이 때문에 호랑이 꼬리를 밟아도 사람을 물지 않으니, 형통하다.']"라고 하였다.

22) 호병문(胡炳文), 『주역본의통석(周易本義通釋)』「리괘(履卦)」.

니, 이를테면 준(屯䷂)괘의 괘사에서 '나라를 세우고 제후가 되는 것이 이롭다'[23]고 하고, 효사에서도 '나라를 세우고 제후가 되는 것이 이롭다'[24]라고 한 말이다.
괘에서 상체와 하체로 논하면 효사가 괘사와 같지 않으니, 이를테면 이 괘에서 '호랑이 꼬리를 밟았는데도 사람을 물지 않는다'라고 말해놓고, 육삼효에서 '사람이 물린다'라고 한 것이 여기에 해당한다. 괘사에서 '사람을 물지 않는다'라고 말한 것은 태괘의 삼효가 기뻐하는 몸체여서 저절로 건괘 세 효의 강건한 몸체와 서로 호응하기 때문이다. 효사에서 '사람이 물린다'라고 말한 것은 육삼 한 효는 상구 한 효와 홀로 서로 호응하니, 호랑이 꼬리를 밟아 머리가 호응하기 때문이다."

案

'武人爲于大君', 王氏之說得之. 蓋三非大君之位, 且'爲于'兩字語氣亦不順也. 子曰, "暴虎馮河, 死而無悔者, 吾不與也." 卽此句之意.

'무인이 대군이 될 것이다'라는 말은 왕씨의 설명이 옳다. 삼효는 대군의 지위가 아니고, 또 '~에 한다[爲于]'는 구절은 말투가 또한 순조롭지 않다. 공자가 "맨주먹으로 범을 치고 맨발로 강을 건너면

23) 나라를 세우고 제후가 되는 것이 이롭다 : 『주역(周易)』「준괘(屯卦)」에서 "屯, 元亨, 利貞, 勿用有攸往, 利建侯.[준은 크게 형통하고 바름이 이로우니, 갈 곳을 두지 말고 제후를 세우는 것이 이롭다.]"라고 하였다.
24) 나라를 세우고 제후가 되는 것이 이롭다 : 『주역(周易)』「준괘(屯卦)」에서 "初九, 磐桓, 利居貞, 利建侯.[초구효는 주저함이니, 바름에 머물러 있는 것이 이롭고 나라를 세워서 제후가 됨이 이롭다.]"라고 하였다.

서 죽어도 뉘우치지 않는 사람과는 내가 함께 하지 않을 것이다"[25] 라고 한 말이 이 구절의 의미이다.

25) 『논어(論語)』「술이(述而)」.

九四, 履虎尾, 愬愬, 終吉.

구사효는 호랑이 꼬리를 밟으나, 두려워하고 조심하면 마침내 길할 것이다.

本義

九四亦以不中不正, 履九五之剛, 然以剛居柔, 故能戒懼而得終吉.

구사효도 중정하지 않음으로 구오의 굳센 양을 밟지만 굳센 양이 유약한 음의 자리에 있다. 그러므로 경계하고 두려워하여 마침내 길함을 얻을 수 있는 것이다.

程傳

九四陽剛而乾體, 雖居四, 剛勝者也. 在近君多懼之地, 无相得之義, 五復剛决之過. 故爲履虎尾. '愬愬', 畏懼之貌. 若能畏懼, 則當終吉. 蓋九雖剛而志柔, 四雖近而不處. 故能兢愼畏懼, 則終免於危而獲吉也.

구사효는 굳센 양이면서 건괘에 있으니, 사효의 자리에 있을지라도 굳셈이 뛰어난 것이다. 임금의 자리와 가까워 위태로움이 많은 곳인데, 서로 뜻이 맞는 의리가 없고 오효가 다시 과감하게 결단[剛決]하는 것이 지나치다. 그러므로 호랑이 꼬리를 밟는 것이다. '두려워하고 조심하는 것'은 벌벌 떠는 모양이다. 두려워하고 조심하면 마침내 길하게 된다. 양이 굳셀지라도 뜻이 유순하고, 사효가 임금과 가까울지라도 자처하지 않는다. 그러므로 조심하고 두려워할 수 있으니, 마침내 위태로움에서 벗어나 길함을 얻을 수 있다.

集說

● 王氏弼曰 : "逼近至尊, 以陽承陽, 處多懼之地. 故曰'履虎尾, 愬愬也'. 然以陽居陰, 以謙爲本, 雖處危懼, 終獲其志. 故終吉也."[26]

왕필(王弼)이 말했다. "지극히 존엄한 것에 가깝고 양으로 양을 계승하여 위태로움이 많은 자리에 있다. 그러므로 '호랑이 꼬리를 밟으나, 두려워하고 조심한다'고 하였다. 그러나 양으로 음의 자리에 있어 겸손으로 근본을 삼으니 위태로운 곳에 있을지라도 마침내 그 뜻을 얻는다. 그러므로 마침내 길하다."

● 王氏宗傳曰 : "經曰'四多懼', 處多懼之地, 而復以恐懼自處, 所謂'愬愬'也. 四處三陽之後, 故亦曰'履虎尾'. 無忘其愬愬之戒, 故曰'終吉'. 在卦德曰'履虎尾, 不咥人, 亨', 其九四之謂乎."[27]

왕종전(王宗傳)이 말했다. "「계사전」에서 '사효에 두려움이 많다'고 한 말은 두려움이 많은 곳에 있어 다시 두려워하는 것으로 스스로

26) 왕필(王弼), 『주역주소(周易注疏)』「리괘(履卦)」.
27) 왕종전(王宗傳), 『동계역전(童溪易傳)』「리괘(履卦)」.

처신하니, 이른바 '두려워하고 조심한다'는 것이다. 사효는 세 양의 뒤에 있기 때문에 또한 '호랑이 꼬리를 밟는다'라고 하였다. 두려워하고 조심하는 경계를 잃지 않기 때문에 '마침내 길할 것이다'라고 하였다. 괘의 덕에서 '호랑이 꼬리를 밟았는데도 사람을 물지 않으니, 형통하다'라고 한 것은 구사효를 말한다."

● 『朱子語類』云 : "履二爻正, 是躡他虎尾處, 四上躡五, 亦爲虎尾之象."[28]

『주자어류』에서 말했다. "두 효를 밟는 것은 그 호랑이 꼬리는 밟는 곳이다. 사효가 위로 오효를 밟는 것도 호랑이 꼬리의 상이다."

● 胡氏炳文曰 : "『本義』於三之履虎尾, 曰'不中不正以履乾', 是以乾爲虎而三在其後也. 於四之履虎尾, 則曰'亦以不中不正履九五之剛', 是以九五爲虎, 而四在其後也. 三四皆不中正, 而占有不同者, 三多凶, 以柔居剛, 其凶也宜, 四多懼, 以剛居柔, 所以終吉."[29]

호병문이 말했다. "『주역본의』에서 삼효가 호랑이 꼬리를 밟음에 대해 '중정하지 않으면서 건괘를 밟고 있다'고 한 것은 건괘를 호랑이로 여겼는데 삼효가 그 뒤에 있기 때문이고, 사효가 호랑이 꼬리를 밟음에 대해 '중정하지 않음으로 구오의 굳센 양을 밟았다'고 한 것은 구오를 호랑이로 봤는데 사효가 그 뒤에 있기 때문이다. 삼효와 사효는 모두 중정하지 않은데 점에 같지 않은 경우가 있으니,

28) 『주자어류』 권70, 102조목.

29) 호병문(胡炳文), 『주역본의통석(周易本義通釋)』「리괘(履卦)」.

삼효에 흉함이 많은 것은 유약함으로 굳센 자리에 있으면 당연히 흉하기 때문이고, 사효에 두려움이 많은 것은 굳셈으로 유약한 자리에 있으면 마침내 길하기 때문이다."

九五, 夬履, 貞厲.

구오효는 과감하게 결단하여 실천하니, 곧게 하더라도 위태롭다.

本義

九五以剛中正, 履帝位, 而下以兌說應之, 凡事必行, 无所疑礙. 故其象, 爲夬決其履. 雖使得正, 亦危道也, 故其占, 爲雖正而危, 爲戒深矣.

구오효는 굳센 양으로 중정하고 임금의 자리를 밟고 있는데, 아래에서 태괘의 즐거움으로 호응하니, 모든 일을 반드시 실행하며 의심과 꺼림이 없다. 그러므로 그 상(象)이 밟은 것을 과감하게 결단한다. 바름을 얻었을지라도 위험한 도이기 때문에 그 점이 바를지라도 위태롭다는 것이니, 경계함이 깊다.

程傳

'夬', 剛決也. 五以陽剛乾體, 居至尊之位, 任其剛決而行者也, 如此則雖得正, 猶危厲也. 古之聖人, 居天下之尊, 明足以照, 剛足以決, 勢足以專, 然而未嘗不盡天下之議. 雖芻蕘之微, 必取, 乃其所以爲聖也, 履帝位而光明者也. 若自任剛明, 決行不顧, 雖使得正, 亦危道也, 可固守乎? 有剛明之才, 苟專自任, 猶爲危道, 況剛明不足者乎! 『易』中云'貞厲', 義各不同, 隨卦可見.

'과감하게 결단함[夬]'은 굳세게 결단하는 것이다. 오효는 양의 굳센 건괘로 지극히 높은 지위에 있어 굳세게 결단하여 실천하는 것에게 맡기니, 이와 같이 하면 바름을 얻을지라도 오히려 위태롭다. 옛 성인이 천하의 높은 지위에 있어 밝음은 비추기에 충분하고, 굳셈은 결단하기에 충분하며, 세력은 마음대로 하기에 충분했지만 일찍이 천하의 의논을 다 받아들이지 않은 적이 없다.
꼴 베고 나무하는 미천한 자들일지라도 반드시 그 의견을 취했으니, 이것이 성인이 된 이유이고, 임금의 자리에 올라 빛나고 밝았던 것이다. 자임하여 밝음을 굳세게 하고 과감하게 행하면서 뒤돌아보지 않는다면, 바름을 얻었을지라도 위태한 도이니, 굳게 지킬 수 있겠는가?
굳세고 밝은 재주가 있더라도 전적으로 자임하면 오히려 위태로운 도가 되는데, 하물며 굳세고 밝음이 부족한 자들에게서야 말해 무엇 하겠는가! 『주역』에서 '곧게 하더라도 위태롭다[貞厲]'라고 한 것은 뜻이 제각기 다르니, 괘에 따라 살펴야 한다.

集說

● 項氏安世曰 : "六三於「彖辭」爲亨者, 以下卦言之, 有和說之德也. 於本爻爲凶者, 資本陰柔, 履位不正, 宜其凶也. 九五於彖辭爲不疚者, 以上卦言之, 有剛健中正之德也, 於本爻爲厲者, 以剛行剛, 志在夬決, 其理雖正, 其事則危也. 凡「彖」多言卦德, 凡爻多論爻位."[30]

30) 항안세(項安世), 『주역완사(周易玩辭)』「리괘(履卦)」.

항안세(項安世)가 말했다. "육삼효가 「단전」에서 형통한 것[31]은 아래의 괘로 말하면 화합하고 기뻐하는 덕이 있기 때문이다. 그런데 본래의 효에서 흉한 것은 자질이 본디 음으로 유약하고 밟고 있는 자리가 부정하여 흉함이 당연하기 때문이다. 구오효가 「단전」에서 흠이 없는 것[32]은 위의 괘로 말하면 강건하고 중정한 덕이 있기 때문이다. 그런데 본래의 효에서 위태로운 것은 굳센 것으로 굳셈을 행하고 뜻이 과감하게 결단하는 데 그 이치는 바를지라도 그 일은 흉하기 때문이다. 「단전」에서는 대부분 괘의 덕을 말했고, 효사에는 대부분 효의 자리를 논하였다."

● 王氏申子曰 : "履之卦義, 履剛也. 履剛之道, 尙柔不尙剛也. 五雖中正以履帝位, 然以剛居剛, 是一於尙剛者也. '夬履', 謂決於行也. 一於任剛, 決行而不顧, 則於中正之道, 豈能無咎乎? 若貞固守此, 危道也, 故曰'貞厲'."[33]

왕신자가 말했다. "리(履☰)의 의미는 굳셈을 밟은 것이다. 굳셈을 밟는 도는 부드러움을 숭상하고 굳셈을 숭상하지 않는 것이다. 오

31) 육삼효가 「단전」에서 형통한 것 : 『주역(周易)』「리괘(履卦)」에서 "彖曰, '履, 柔履剛也, 說而應乎乾. 是以履虎尾, 不咥人, 亨.[「단전」에서 말했다. '리(履)는 유약한 음이 굳센 양의 뒤를 밟으니, 기뻐하며 건과 호응한다. 이 때문에 호랑이 꼬리를 밟아도 사람을 물지 않으니, 형통하다.']"라고 하였다.

32) 구오효가 「단전」에서 흠이 없는 것 : 『주역(周易)』「리괘(履卦)」에서 "彖曰, '履, …, 亨. 剛中正, 履帝位, 而不疚, 光明也'.[「단전」에서 말했다. '리(履)는 …, 형통하다. 굳센 양이 중정하고 임금의 자리를 밟아 흠이 없으니 빛나고 밝다.']"라고 하였다.

33) 왕신자(王申子), 『대역집설(大易集說)』「리괘(履卦)」.

효가 중정하여 임금의 지위를 밟고 있을지라도 굳셈으로 굳센 자리에 있으니 오로지 굳셈을 숭상하는 것이다. '과감하게 결단하여 실행하는 것'은 행동에 과감함을 말한다. 맡겨진 굳셈을 전일하게 하여 결행하면서 뒤돌아보지 않는다면, 중정한 도에 어찌 허물이 없겠는가? 곧고 굳게 이것을 지킨다면 위태로운 도이기 때문에 '곧게 하더라도 위태롭다'고 하였다."

案

凡彖傳中所贊美, 則其置辭無凶厲者, 何獨此爻不然? 蓋履道貴柔. 九五以剛居剛, 是決於履也. 然以其有中正之德, 故能常存危厲之心, 則雖決於履, 而動可無過擧矣. 書云, "心之憂危, 若蹈虎尾", 此其所以履帝位而不疚也與. 凡『易』中'貞厲''有厲', 有以常存危懼之心爲義者, 如噬嗑之'貞厲無咎', 夬之其'危乃光', 是也. 然則此之'貞厲', 兌五之'有厲', 當從此例也.

「단전」에서 찬미한 것은 말을 함에 흉하고 위태로움이 없는 경우이니, 어찌 오효에서만 그렇지 않겠는가? 리괘의 도는 부드러움을 귀하게 여긴다. 그런데 구오는 굳셈이 굳센 자리에 있어 밟음을 과감하게 실행하는 것이다. 그러나 중정한 도가 있기 때문에 위태로운 마음을 언제나 지니고 있을 수 있으니, 밟은 것을 과감하게 실행할지라도 움직임에 잘못이 없을 수 있다.
『서경』「군아(君牙)」에서 "내 마음의 근심되고 위태로운 것이 마치 범의 꼬리를 밟은 듯하다"고 했으니, 이는 임금의 자리에 있으면서 잘못하지 않으려는 것이다. 『주역』에서 '곧게 하더라고 위태롭다[貞厲]'와 '어려움이 있다[有厲]'는 것은 언제나 위태롭게 여기는 마음을 가지고 있음을 의미로 여긴 말이니, 이를테면 서합(噬嗑䷔)괘 육오의 '곧고 위태롭게 여겨야 허물이 없다[貞厲無咎]'와 쾌(䷪卦)괘 「단전」의 '그 위태로움이 이에 빛남이다[其危乃光]'라는 것이 여기에 해당한다. 그렇다면 여기에서 '곧게 하더라도 위태롭다[貞厲]'와 태(兌䷹)괘 오효의 '위태로움이 있다[有厲]'는 것은 여기의 사례를 따라야 한다.

上九, 視履, 考祥, 其旋, 元吉.

상구효는 밟아 온 것을 보아 상서로운 것을 상고하는데, 두루 했으면 크게 길할 것이다.

本義

視履之終, 以考其祥, 周旋无虧, 則得元吉. 占者禍福, 視其所履, 而未定也.

밟아온 것의 끝을 보아 그 상서로운 것을 상고하는데, 두루 하여 이지러짐이 없었으면 크게 길함을 얻는다. 점치는 자의 화복은 그 밟아온 것을 살펴보니, 아직 정해지지 않은 것이다.

程傳

上處履之終, 於其終, 視其所履行, 以考其善惡禍福, 若其旋, 則善且吉也. '旋', 謂周旋完備, 无不至也. 人之所履考視其終, 若終始周完无疚, 善之至也, 是以元吉. 人之吉凶, 係其所履, 善惡之多寡, 吉凶之小大也.

상효는 리괘(履卦)의 맨 끝에 있으니, 그 끝에서 밟아온 것을 살펴보아 선악과 화복을 상고하는데, 두루 한 것이라면 선하고 또 길하다. '두루 한다[旋]'는 것은 두루두루함이 완전히 갖추어져 지극하지 않음이 없음을 말한다. 사람이 밟아 온 것은 그 끝을 상고하여 보고, 끝과 시작이 두루 완전하여 흠이 없다면 선이 지극하기 때문에 크게 선하고 길한 것이다. 사람의 길흉은 그 밟아온 바에 달려 있으니, 선과 악의 많음과 적음은 바로 길흉의 작음과 큼이다.

集說

● 王氏弼曰 : "禍福之祥, 生乎所履, 處履之極, 履道成矣. 故可視履而考祥也. 居極應說, 高而不危, 是其旋也, 履道大成. 故元吉."[34)]

왕필이 말했다. "화복의 징조는 밟고 있는데서 생기니, 리괘의 끝에 있으면 밟는 도가 이루어진 것이다. 그러므로 밟아 온 것을 보아 상서로운 것을 상고할 수 있다. 끝에 있어도 기쁨에 호응하고 높아도 위태롭지 않으면 두루 하여 밟는 도가 크게 이루어진 것이다. 그러므로 크게 길하다."

● 梁氏寅曰 : "上, 履之終也. 人之所履, 觀之於始, 則誠僞未可見. 惟觀之於終, 然後見也, 故視其所履, 以考其善. 若周旋無虧, 則其吉大矣, 是爻也, 豈非動容周旋中禮之至與?"[35)]

양인이 말했다. "상구효는 리괘의 끝이다. 사람이 밟는 것에서 시작을 보고서는 진실과 거짓을 알 수 없다. 오직 끝을 보고 그런 다음에 알기 때문에 밟아 온 것을 보고 그 선함을 상고하는 것이다.

34) 왕필(王弼), 『주역주소(周易注疏)』「리괘(履卦)」.
35) 양인(梁寅), 『주역참의(周易參義)』「리괘(履卦)」.

두루 하여 이지러짐이 없다면, 길함이 큰 것이니, 이 효는 어찌 몸가짐과 처사가 예에 맞는 지극함이 아니겠는가?"

總論

● 項氏安世曰: "一陰一陽之卦, 在下者, 爲復姤, 在上者, 爲夬剝, 其義主於消長也. 在二五者, 陽在二, 爲師之將, 在五爲比之主, 陰在二爲同人之君子, 在五爲大有之君子, 其義主於得位也. 在三四者, 陽在三, 則以剛行柔爲'勞謙', 在四則以剛制柔爲'由豫', 陰在三, 則以柔行剛爲'履', 在四, 則以柔制剛爲'小畜', 其義主於用事也. 大抵用事之爻, 在下者爲行己之事, 在上者爲制人之事."36)

항안세가 말했다. "한 효가 음이거나 한 효가 양인 괘가 아래에 있는 경우는 복(復☷)괘와 구(姤☰)괘이고, 위에 있는 경우는 쾌(夬☰)와 박(剝☶)괘이니, 그 의미는 소장(消長)을 주로 한 것이다. 이효와 오효에 있는 경우로, 양이 이효에 있으면 사(師☷)괘의 장군이고, 오효에 있으면 비(比☵)괘의 주인이며, 음이 이효에 있으면 동인(同人☰)괘의 군자이고, 오효에 있으면 대유(大有☲)괘의 군자이니, 그 의미는 자리 얻은 것을 주로 한 것이다.
삼효와 사효에 있는 경우로, 양이 삼효에 있으면 굳셈이 부드러움을 행하는 것은 겸(謙☷)괘의 '공로가 있으며 겸손한 것[勞謙]'으로 여긴 것이고, 사효에 있으면 굳셈이 부드러움을 제압하는 것은 예(豫☳)괘의 '자신으로 말미암아 즐거워하는 것[由豫]'으로 여긴 것이며, 음이 삼효에 있으면 부드러움이 굳셈을 행하는 것은 '밟는 것

36) 항안세(項安世), 『주역완사(周易玩辭)』「리괘(履卦)」.

[履]'으로 여긴 것이고, 사효에 있으면 부드러움이 굳셈을 제압하는 것은 '작게 멈추게 하는 것[小畜]'으로 여긴 것이니, 그 의미는 일을 처리하는 것을 주로 한 것이다. 대체로 일을 처리하는 효로, 아래에 있을 경우에는 자신이 행하는 일이고 위에 있을 경우에는 남을 제압하는 일이다."

又曰 : "履之六爻, 皆以履柔爲吉. 故九二爲'坦坦', 九四爲'愬愬終吉', 上九爲'其旋元吉', 皆履柔也. 六三卦辭本善, 終以履剛爲'凶'. 初九九五所履皆正, 然初僅能無咎, 五不免於'厲', 皆履剛也. 是故初則懼其失初心之正, 而敎之以保其素, 五則懼其恃勢位之正, 而敎之以謹其決. 蓋剛者, 喜動而好決, 任剛而行者, 後多可悔之事也."[37]

또 말했다. "리(履☰)괘의 여섯 효에서는 모두 부드러움을 밟는 것을 길하다고 여겼다. 그러므로 구이는 '평탄한 것'이고, 구사는 '두려워하고 조심하면 마침내 길한 것'이며, 상구는 '두루 하면 크게 길한 것'이니, 모두 부드러움을 밟는 것이다. 육삼의 괘사는 본래 선한데, 끝내 굳셈을 밟은 것을 '흉함'으로 여겼다. 초구와 구오는 밟은 것이 모두 바르지만, 초구는 겨우 허물이 없을 수 있을 뿐이고, 구오는 '위태로움'을 면한 것이니, 모두 굳셈을 밟고 있기 때문이다. 이 때문에 초효에서는 처음 마음에 새긴 바름을 잃을 것을 염려해 그 평소의 본분을 유지하라고 가르쳤고, 오효에서는 세력과 지위의 바름을 믿는 것을 염려해 결단을 삼가라고 가르쳤다. 대개 굳셈은 움직이기를 기뻐하고 결단하기를 좋아하니, 굳셈을 맡아 행할 경우에는 뒤에 후회할 일이 많다."

37) 항안세(項安世), 『주역완사(周易玩辭)』「리괘(履卦)」.

11. 태泰괘

䷊ 坤上 乾下

程傳

泰,「序卦」, "履而泰然後, 安, 故, 受之以泰". 履得其所則舒泰, 泰則安矣, 泰所以次履也. 爲卦坤陰在上, 乾陽居下. 天地陰陽之氣相交而和, 則萬物生成. 故爲通泰.

태(泰)는 「서괘전」에 "밟아서 태평하게 된 뒤에 편안해지기 때문에 태(泰䷊)괘로 받았다"고 하였다. 밟는 것이 제자리를 얻으면 여유로워 태평해지고, 태평하면 편안해지니, 리(履)괘 다음에 태(泰)괘가 오게 되었다. 태괘의 모양은 곤(坤☷)괘의 음이 위에 있고 건(乾☰)괘의 양이 아래에 있다. 천지음양의 기운이 서로 사귀어 조화를 이루면 만물이 생성된다. 그러므로 통하여 태평하게 된 것이다.

泰, 小往, 大來, 吉亨.

태괘는 작은 것이 가고 큰 것이 오니, 길하고 형통하다.

本義

泰, 通也. 爲卦天地交而二氣通, 故爲泰. 正月之卦也. '小', 謂陰, '大', 謂陽, 言坤往居外, 乾來居內. 又自歸妹來, 則六往居四, 九來居三也. 占者有剛陽之德, 則吉而亨矣.

태는 통하는 것이다. 괘의 모양은 천지가 사귀어 두 기운이 통하기 때문에 태평하게 된다. 정월의 괘이다. '작은 것[小]'은 음을 말하고 '큰 것[大]'은 양을 말하는데, 곤괘는 가서 외괘에 자리하고 건괘는 와서 내괘에 자리한다는 뜻이다. 또 귀매(歸妹䷵)괘에서 왔으니, 육삼효는 사효의 자리로 가 있고, 구사효는 삼효의 자리로 와 있다. 점치는 자가 굳센 양의 덕이 있으면 길하고 형통하다.

程傳

'小', 謂陰, '大', 謂陽, '往', 往之於外也, '來', 來居於內也. 陽氣下降, 陰氣上交也, 陰陽和暢, 則萬物生遂, 天地之泰也. 以人事言之, '大'則君上, '小'則臣下. 君推誠以任下, 臣盡誠以事君, 上下之志通, 朝廷之泰也. 陽爲君子, 陰爲小人. 君子來處於內, 小人往處於外, 是君子得位, 小人在下, 天下之泰也. 泰之道, 吉而且亨也, 不云'元吉''元亨'者, 時有汙隆, 治

有小大, 雖泰, 豈一槩哉. 言'吉亨'則可包矣.

'작은 것'은 음을 말하고 '큰 것'은 양을 말하며, '가는 것[往]'은 외괘로 가고 '오는 것[來]'은 내괘로 와 있다. 양기가 아래로 내려오고 음기가 위로 올라가 사귀어 음양이 화창하면 만물이 생성되니, 천지의 기운이 태평한 것이다. 사람의 일로 말하면, '큰 것'은 임금이고, '작은 것'은 신하이다. 임금이 정성스럽게 아랫사람에게 맡기고, 신하가 정성을 다하여 임금을 섬기면, 위아래의 뜻이 통해 조정이 태평해진다.
양은 군자이고 음은 소인이다. 군자가 와서 내괘에 있고 소인이 가서 외괘에 있으니, 군자가 지위를 얻고 소인이 낮은 자리에 있어 천하가 태평한 것이다. 태괘의 도는 길하고 또 형통한데, '크게 길하다' 또는 '크게 형통하다'라고 말하지 않은 것은 때에 낮은 것과 높은 것이 있고 다스림에 큰 것과 작은 것이 있기 때문이니, 태평하더라도 어찌 한결같겠는가? '길하고 형통하다'고 말했다면 이 모두를 포함할 수 있다.

集說

● 劉氏牧曰 : "往來者, 以內外卦言之, 由內而之外爲往, 由外而復內爲來."[1]

유목(劉牧)이 말했다. "가고 옴은 내외의 괘로 말했으니, 내괘에서 외괘로 감이 가는 것이고 외괘에서 내괘로 돌아옴이 오는 것이다."

1) 심기원(沈起元), 『주역공의집설(周易孔義集說)』「문언전(文言傳)」.

● 蔡氏清曰 : "卦名曰泰, 以天地交而二氣通, 就造化之本不可相無上取也. 卦辭曰, '小往, 大來', 以內君子外小人而言, 就淑慝之分上取也. 然則泰有二乎? 曰, 一也. 但是天地交而二氣通, 則決然內陽而外陰矣."[2)]

채청(蔡清)이 말했다. "괘의 이름을 태(泰)라고 한 것은 천지가 교감하고 두 기운이 통함을 가지고 조화의 본원이 서로 없어서는 안 됨을 취한 것이다. 괘사에서 '작은 것이 가고 큰 것이 온다'고 했는데, 군자가 내괘이고 소인이 외괘인 것을 가지고 말하였으니, 선악의 갈라짐을 취한 것이다. 그렇다면 태괘에는 두 가지가 있는 것인가? 말하자면 하나이다. 다만 천지가 교감하여 음양의 두 기운이 통하면 확고하게 양을 내괘로 하고 음을 외괘로 한다."

2) 『易經蒙引(역경몽인)』「태괘(泰卦)」.

初九, 拔茅茹, 以其彙, 征吉.

초구효는 띠 풀의 뿌리가 뽑히는 것이니, 그 무리를 거느리면 가는 것이 길하다.

本義

三陽在下, 相連而進, 拔茅連茹之象, 征行之吉也. 占者陽剛, 則其征吉矣. 郭璞, 『洞林』, 讀至彙字, 絶句. 下卦放此.

세 양이 아래에서 서로 연합하여 밀어주는 것이 띠 풀이 뽑히면서 서로 얽혀있는 상이니, 가는 것이 길하다. 점친 자가 양으로 굳세면 가는 것이 길하다. 곽박(郭璞)[3]의 『동림(洞林)』에서는 무리[彙]라는

3) 곽박(郭璞, 276~324) : 동진(東晉) 하동(河東, 산서성) 문희(聞喜) 사람으로 자는 경순(景純)이다. 박학하여 천문과 고문기자(古文奇字), 역산(曆算), 복서술(卜筮術)에 밝았고, 특히 시부(詩賦)에 뛰어났다. 서진(西晉) 말에 장강(長江)을 지나다가 선성태수(宣城太守) 은우(殷祐)의 참군(參軍)이 되어 왕도(王導)의 존중을 받았다. 진원제(晉元帝) 때 저작좌랑(著作佐郎)이 되어 왕은(王隱)과 함께 『진사(晉史)』를 편찬하고 상서랑(尙書郎)으로 옮겼다. 나중에 왕돈(王敦)의 기실참군(記室參軍)이 되었다. 점을 쳐서 불길하다며 왕돈의 모반 계획을 만류했다가 왕돈에게 피살당했다. 홍농태수(弘農太守)에 추존되었다. 저서에 『이아주(爾雅注)』와 『삼창주(三蒼注)』, 『방언주(方言注)』, 『산해경주(山海經注)』, 『도찬(圖贊)』, 『목천자전주(穆天子傳注)』, 『수경주(水經注)』, 『주역동림(周易洞林)』, 『초사주(楚辭注)』 등이 있다. 그밖에도 『주역체(周易體)』와 『주역림(周易林)』, 『역신림(易新林)』, 『모시습유(毛詩拾遺)』

말에서 구두를 끊었다. 아래의 비괘(否卦)도 이와 같다.

程傳

初以陽爻居下, 是有剛明之才而在下者也. 時之否, 則君子退而窮處, 時旣泰則志在上進也. 君子之進, 必與其朋類相牽援, 如茅之根然, 拔其一則牽連而起矣. '茹', 根之相牽連者, 故以爲象. '彙', 類也, 賢者以其類進, 同志以行其道, 是以吉也. 君子之進, 必以其類, 不唯志在相先, 樂於與善, 實乃相賴以濟. 故君子小人, 未有能獨立不賴朋類之助者也. 自古君子得位, 則天下之賢, 萃於朝廷, 同志協力, 以成天下之泰, 小人在位, 則不肖者竝進然後, 其黨勝而天下否矣, 蓋各從其類也.

초효가 양효로서 아래에 있으니, 굳세고 밝은 재질이 있으면서 아랫자리에 있는 것이다. 때가 막히면 군자가 물러나 곤궁하게 있고, 때가 이미 태평해지면 뜻은 위로 나아가는 데 있다. 군자가 나아갈 때는 반드시 같은 무리들과 서로 이끌어주기를 띠 풀의 뿌리처럼 하나를 뽑으면 서로 연결되어 나오는 것과 같이 한다. '뿌리[茹]'는 근본이 서로 연결된 것이기 때문에 상으로 삼았다.

'무리[彙]'는 동류이다. 현자가 무리들을 이끌고 나아가 뜻을 함께 하여 도를 행하기 때문에 길하다. 군자가 나아갈 때에는 반드시 동류들을 이끌고 가면서 뜻을 서로 먼저 하여 함께 선을 행하는 것을 즐길 뿐만 아니라, 실로 서로 의지하여 이룬다. 그러므로 군자와 소

등이 있었지만 전해지지 않는다. 문집에 『곽홍농집(郭弘農集)』이 있다.

인이 혼자 서 있으면서 친구들의 도움에 의지하지 않는 경우가 없다. 예로부터 군자가 제자리를 얻으면 세상의 현자가 조정에 모여 같은 마음으로 힘을 합하여 세상의 태평을 이루지만, 소인이 지위에 있으면 불초한 자가 함께 나온 뒤에 그 무리들이 득세하여 세상이 막히니, 각기 그 무리를 따르기 때문이다.

集說

● 劉氏向曰："賢人在上位，則引其類，而聚之於朝，在下位則思與其類俱進. 在上則引其類，在下則推其類，故湯用伊尹，不仁者遠，而衆賢至，類相致也."[4]

유향(劉向)[5]이 말했다. "현인이 윗자리에 있으면 그 무리를 이끌어

4) 반고(班固), 『전한서(前漢書)』 권36.

5) 유향(劉向, B.C.79?~B.C.8?) : 자는 자정(子政)이며, 서한(西漢)의 경학자·목록학자·문학자이다. 유흠(劉歆)의 부친이다. 한나라 고조(高祖)의 배다른 동생 유교(劉交, 楚元王)의 4세손이다. 젊었을 때부터 재능을 인정받아 선제(宣帝)에게 기용되어 간대부(諫大夫)가 되었으며, 수십 편의 부송(賦頌)을 지었다. 신선방술(神仙方術)에도 관심이 많았으며, 황금 주조를 진언하고 이를 추진하다가 실패하여 투옥되었으나, 부모형제의 도움으로 죽음을 면하였다. 재차 선제에게 기용되어 석거각(石渠閣, 궁중도서관)에서 오경(經)을 강의하였다. 다음 황제인 원제(元帝)·성제(成帝) 때는 유씨(劉氏)의 족장으로서 외척과 환관(宦官)의 횡포를 막으려고 노력하였다. 성제 때에 이름을 향(向)으로 고쳤으며, 이 무렵 외척의 횡포를 견제하고 천자(天子)의 감계(鑑戒)가 되도록 하기 위하여 상고(上古)로부터 진(秦)·한(漢)에 이르는 부서재이(符瑞災異)의 기록을 집성하여 『홍범오행전론(洪範五行傳論)』 11편을 저술하였다. 그 밖의

조정에 모이게 하고, 아랫자리에 있으면 무리들과 함께 나아가기를 생각한다. 위에 있으면 그 무리를 이끌고 아래에 있으면 그 무리를 밀어주기 때문에 탕이 이윤을 등용함에 어질지 않은 자들이 멀리 가고 여러 현자들이 오니, 무리끼리 서로 모인 것이다."

● 『朱子語類』云: "以其彙屬上文. 嘗見郭璞『洞林』, 亦如此作句, 便是那時人已自恁地讀了. 蓋拔茅連茹者, '物象'也, 以其彙者, 人也."[6]

『주자어류』에서 말했다. "무리라는 말을 위의 구절로 붙인다. 곽박의 『동림』에서 본 것이 있는데 또한 그렇게 구두하였으니, 그 당시의 사람들이 이미 그렇게 읽었던 것이다. 띠 풀을 뽑음에 얽혀 있다는 것은 '사물의 모양[物象]'이고 그 무리를 거느린다는 것은 사람이다."

● 林氏希元曰: "『程傳』曰, '茹, 根之相牽者.' 以『本義』三陽在下, 相連而進推之, 乃別茅之根, 非本茅之根也. 蓋一陽進而二陽與之相連, 猶一茅拔而別茅之根與之相連也."[7]

임희원(林希元)이 말했다. "『정전』에서 '뿌리는 근본이 서로 연결된

편저서에 『설원(說苑)』, 『신서(新序)』, 『열녀전(烈女傳)』, 『전국책(戰國策)』과 궁중도서를 정리할 때 지은 『별록(別錄)』이 있다. 그의 아들 흠(歆)은 이 책을 이용하여 『칠략(七略)』을 저술하였으며, 『한서(漢書)』「예문지(藝文志)」에 거의 그대로 수록되어 전한다.

6) 『주자어류』 권70, 112조.

7) 임희원(林希元), 『역경존의(易經存疑)』「태(泰)괘」.

것'이라고 했다. 『주역본의』로는 세 양이 아래의 괘에서 서로 연합해서 이끌고 밀어주는 것은 다른 띠 풀의 뿌리이지 본래 띠 풀의 뿌리가 아니다. 하나의 양이 나아가는데 두 양이 함께 서로 연합하는 것은 하나의 띠 풀을 뽑는데 다른 띠 풀의 뿌리가 함께 서로 연결된 것과 같다는 말이다."

九二, 包荒, 用馮河, 不遐遺, 朋亡, 得尙于中行.
구이효는 거친 것을 포용해주면서도 황하를 맨몸으로 건너는 용맹을 쓰며, 멀리 있는 사람을 버리지 않으면서도 붕당을 없애면, 중용에 합할 수 있다.

本義

九二以剛居柔, 在下之中, 上有六五之應, 主乎泰而得中道者也. 占者能包容荒穢而果斷剛決, 不遺遐遠而不昵朋比, 則合乎此爻中行之道矣.

구이효는 굳셈으로 부드러운 음의 자리에 있고 아래의 괘 가운데에 자리하여 위로 육오효의 호응이 있으니, 태평함을 주관하여 중도를 얻은 것이다. 점치는 자가 거침과 더러움을 포용해 주면서도 과감하고 굳세게 결단하며, 멀리 있는 사람을 버리지 않으면서도 붕당을 지어 자기편을 두둔하는 이들과 가깝게 지내지 않는다면, 이 효의 중용의 도에 합할 수 있다.

程傳

二以陽剛得中, 上應於五, 五以柔順得中, 下應於二, 君臣同德. 是以剛中之才, 爲上所專任, 故二雖居臣位, 主治泰者也, 所謂'上下交而其志同也'. 故治泰之道, 主二而言. '包荒'·'用馮河'·'不遐遺'·'朋亡,' 四者, 處泰之道也.

구이효가 굳센 양으로 알맞음을 얻어 위로 오효와 호응하고, 오효가 유순함으로 알맞음을 얻어 아래로 구이효와 호응하니, 임금과 신하가 덕을 함께 하는 것이다. 이는 굳세며 알맞은 재질로 윗사람에게 전적으로 신임을 받는 것이기 때문에 구이효가 신하의 자리에 위치하였을지라도 태평함을 주관하여 다스리는 것이니, 이른바 '위 아래가 사귀어 그 뜻이 같아지는 것이다.'[8] 그러므로 태평함을 다스리는 도는 구이효를 주인으로 하여 말했다. '거친 것을 포용해주는 것'·'황하를 맨몸으로 건너는 용맹을 쓰는 것'·'멀리 있는 사람을 버리지 않는 것'·'붕당을 없애는 것' 이 네 가지는 태평함에 대처하는 도리이다.

人情安肆, 則政舒緩而法度廢弛, 庶事无節. 治之之道, 必有包含荒穢之量, 則其施爲 寬裕詳密, 弊革事理而人安之. 若无含弘之度, 有忿疾之心, 則无深遠之慮, 有暴擾之患, 深弊未去而近患已生矣. 故在包荒也.

사람의 마음은 안락하고 방종하면 정사가 느슨해지고 법도가 해이해져 모든 일이 절도가 없게 된다. 이것을 다스리는 방법은 반드시 거칠고 더러움을 포용해 주는 도량이 있으면, 그 시행함이 여유롭고 상세하여 폐단이 고쳐지며 일이 다스려져서 사람들이 편안해진다. 만일 포용해주는 큰 도량이 없어 분노하고 미워하는 마음이 있

8) 『주역(周易)』「태괘(泰卦)」: "彖曰, '泰, 小往大來, 吉亨', 則是天地交而萬物通也, 上下交而其志同也.[「단전」에서 말했다. '태(泰)는 작은 것이 가고 큰 것이 오니, 길하고 형통함'은 천지가 사귀어 만물이 형통하고 위아래가 사귀어 그 뜻이 같아지는 것이다.]"라고 하였다.

다면, 심원한 생각이 없고 사납게 어지럽히는 근심이 생겨 깊은 폐단이 제거되지 않았는데도 눈앞에 근심이 벌써 생겨난다. 그러므로 거친 것을 포용하는 데 달려 있다.

'用馮河', 泰寧之世, 人情, 習於久安, 安於守常, 惰於因循, 憚於更變, 非有馮河之勇, 不能有爲於斯時也. '馮河', 謂其剛果足以濟深越險也. 自古, 泰治之世, 必漸至於衰替, 蓋由狃習安逸因循而然, 自非剛斷之君, 英烈之輔, 不能挺特奮發, 以革其弊也, 故曰'用馮河'. 或疑上云'包荒', 則是包含寬容, 此云'用馮河', 則是奮發改革, 似相反也, 不知以含容之量, 施剛果之用, 乃聖賢之爲也.

'황하를 맨몸으로 건너는 용맹을 쓴다'는 것은 태평한 세상에서는 인정이 오랫동안의 편안함에 익숙하고 일상을 지킴에 편안하며 그대로 따르는 것에 게을러지고 변경하는 것에 못마땅하니, 황하를 맨몸으로 건너는 용맹이 없으면 이러한 때에 큰일을 하지 못한다. '황하를 맨몸으로 건너는 것'은 굳셈과 과단성으로 깊은 곳을 건널 수 있고 험한 곳을 뛰어넘을 수 있음을 말한다.
예로부터 편안히 다스려지는 세상이 반드시 점점 쇠퇴하여 침체되는 원인은 안일함에 익숙하여 그대로 따라서 그렇게 된 것이니, 스스로 강단이 있는 임금과 뛰어나고 밝은 보필이 아니면 특출하게 분발해서 그 병폐를 개혁하지 못하기 때문에 '황하를 맨몸으로 건너는 용맹을 쓴다'고 했다. 어떤 이는 위에서 말한 '거친 것을 포용해준다'는 것은 포용함이 여유롭고, 여기에서 말한 '황하를 맨몸으로 건넌다'는 것은 분발하여 개혁하는 일이어서 서로 반대되는 것 같다고 의심하는데, 포용하는 도량으로 굳세고 과감한 쓰임을 시행하는 일이 바로 성현의 하는 일임을 알지 못하였다.

'不遐遺', 泰寧之時, 人心狃於泰, 則苟安逸而已, 惡能復深思遠慮, 及於遐遠之事哉? 治夫泰者, 當周及庶事, 雖遐遠, 不可遺. 若事之微隱, 賢才之在僻陋 皆遐遠者也, 時泰則固遺之矣.

'멀리 있는 사람을 버리지 않는 것'은 태평한 시기에 인심이 편안함에 익숙하게 되면 구차하고 안일하게 될 뿐이니, 어찌 다시 심원하게 생각하여 먼 일에까지 미칠 수 있겠는가? 태평함을 다스리는 경우에는 여러 일에 두루 미쳐야 하고, 멀리 있을지라도 버려두어서는 안 된다. 은미한 일과 미천한 곳에 있는 현명한 이들과 같은 자들이 모두 멀리 있는 사람들이니, 때가 편안하면 진실로 이들을 버려두게 된다.

'朋亡', 夫時之旣泰, 則人習於安, 其情肆而失節, 將約而正之, 非絶去其朋與之私, 則不能也, 故云'朋亡'. 自古, 立法制事, 牽於人情, 卒不能行者, 多矣. 若夫禁奢侈則害於近戚, 限田産則妨於貴家. 如此之類, 旣不能斷以大公而必行, 則是牽於朋比也, 治泰, 不能朋亡, 則爲之難矣. 治泰之道 有此四者, 則能合於九二之德, 故曰'得尙于中行', 言能配合中行之義也. '尙', 配也.

'붕당을 없애는 것'은 때가 이미 편안하면 사람들이 편안함에 익숙하여 그 마음이 방자해져 절도를 잃으니, 이것을 묶어 바로잡으려 하면, 무리들의 사사로움을 끊어버리지 않으면 불가능하기 때문에

'붕당을 없앤다'고 한 것이다.
예로부터 법을 세우고 일을 제정함에 인정에 끌려 끝내 행하지 못한 경우가 많았다. 그런데 사치를 금하면 가까운 친척들에게 해롭고, 토지와 재산을 제한하면 귀족들에게 해롭다. 이와 같은 무리들이 이미 크게 공정함으로 결단하여 기필코 시행하지 못한다면, 이는 붕당에 끌려 다니는 것이니, 태평함을 다스릴 때에 붕당을 없앨 수 없으면 다스리기 어렵다. 태평함을 다스리는 방법에 이 네 가지가 있는 것은 구이의 덕과 합하기 때문에 '중용에 합할 수 있다'고 하였으니, 중용의 뜻에 합할 수 있다는 말이다. '합함[尙]'은 짝함이다.

集說

● 龔氏煥曰 : "初九以其彙, 九二則欲其朋亡, 何也? 初九在下之賢, 則欲其引類而進, 九二大臣, 所以進退天下之人才者, 故欲亡其朋類. 唯亡其朋類, 則能用天下之賢, 若獨私其朋, 則天下之賢, 有不得進用者矣. 此其所以不同也."[9]

공환(龔煥)[10]이 말했다. "초구효는 그 무리를 거느리는데, 구이효에서 붕당을 없애려고 하는 것은 무엇 때문인가? 초구는 아래에 있

9) 웅량보(熊良輔), 『주역본의집성(周易本義集成)』「태괘(泰卦)」.
10) 공환(龔煥) : 자는 유문(幼文)이고, 천봉선생(泉峯先生)이라고 불렸다. 원(元)대 임천(臨川)사람이다. 요응중(饒應中)에게 사사하여 본체를 밝히고 실천에 옮기는 데 힘썼다. 당시 아직 과거제도가 시행되지 못했는데, 시행되면 반드시 정자와 주자의 학문을 법식으로 삼아야 한다고 주장했다. 과연 뒤에 그의 말대로 시행되었다.

는 현인이니, 그 무리를 이끌고 나오려고 하고, 구이효는 대신으로 천하의 인재를 밀어주고 물리치는 자이기 때문에 그 붕당의 무리를 없애려는 것이다. 그 붕당의 무리를 없애기만 하면 천하의 현명한 자들을 등용할 수 있고, 붕당을 사사롭게 할 뿐이라면 천하의 현명한 자들이 나와 등용될 수 없다. 이 때문에 같지 않은 것이다."

案

此爻以夫子「象傳」觀之, 須以'包荒'兩字爲主. 蓋聖賢之心無棄物, 堯舜之道欲並生, 非包荒則不足以體天地之心, 而盡君師之道矣. 然包荒, 非混而無別之謂. 故必斷以行之, 明以周之, 公以處之, 然後用舍擧措無不合於中道. 『魯論』所謂寬信敏公者, 意蓋相似也. 四者以寬爲本, 故曰"居上不寬, 吾何以觀之哉".

이 효를 공자의 「상전」에서 보면, 반드시 '거친 것을 포용해 준다'는 말을 주로 해야 한다. 성현의 마음은 버리는 사물이 없고, 요순의 도는 두루 살리려고 하니, 거친 것을 포용해주지 않으면, 천지의 마음을 받아들여 임금의 도를 다하기에 부족하다. 그러나 거친 것을 포용해준다는 것은 뒤섞어 구별이 없다는 말이 아니다. 그러므로 반드시 결단하여 행하고 분명하게 두루 하며, 공정하게 처신한 다음에 취함과 버림, 임용과 퇴출이 중도에 맞지 않음이 없는 것이다. 『논어』에서 이른바 너그러움[寬]·믿음[信]·민첩함[敏]·공평함[公]이 의미상 대체로 서로 비슷하다. 네 가지는 너그러움을 근본으로 하기 때문에 "위에 있으면서 너그럽지 못하면, 내가 무엇으로 그를 보겠는가?"[11]라고 했던 것이다.

11) 『논어(論語)』「팔일(八佾)」.

九三, 无平不陂, 无往不復, 艱貞, 无咎, 勿恤其孚, 于食有福.

구삼효는 평탄한 것은 기울지 않음이 없고, 가는 것은 돌아오지 않음이 없으니, 어려워도 곧게 하면 허물이 없고 그 믿음을 우려하지 않으면 먹는 데 복이 있다.

本義

將過于中, 泰將極, 而否欲來之時也. '恤', 憂也, '孚', 所期之信也. 戒占者艱難守貞, 則无咎而有福.

태괘의 가운데를 지나고 있으니 태평함이 다해 막힘이 오려고 하는 때이다. '우려한다[恤]'는 근심한다는 것이고 '믿음[孚]'은 기약한 것에 대한 믿음이다. 점치는 사람에게 어려운 가운데서도 곧음을 지키면 허물이 없게 되고 복(福)이 있을 것이라 경계하였다.

程傳

三居泰之中, 在諸陽之上, 泰之盛也. 物理如循環, 在下者必升, 居上者必降, 泰久而必否. 故於泰之盛與陽之將進, 而爲之戒曰, '无常安平而不險陂'者, 謂无常泰也, '无常往而不返'者, 謂陰當復也. 平者陂, 往者復, 則爲否矣, 當知天理之必然, 方泰之時, 不敢安逸, 常艱危其思慮, 正固其施爲, 如是則可以无咎. 處泰之道, 旣能艱貞, 則可常保其泰, 不勞憂恤,得其所求也. 不失所期爲'孚', 如是則於其祿食, 有福益也. 祿食, 謂'福祉', 善處泰者, 其福可食也. 蓋德善日積, 則福祿日臻, 德踰於祿, 則雖盛而非滿. 自古, 隆盛, 未有不失道而喪敗者也.

삼효는 태괘의 가운데에 있고 여러 양의 위에 있으니, 태평함이 성대한 때이다. 만물의 이치는 고리를 따라 도는 것과 같아서 아래에 있는 것은 반드시 위로 올라가고 위에 있는 것은 반드시 아래로 내려오니, 태평함이 오래되면 반드시 막힌다. 그러므로 태평함이 성대하여 양이 나가려 할 때에 경계하였으니, '늘 평탄해도 험하게 기울지 않는 것이 없다'는 항상 편안할 수는 없음을 말한 것이고, '늘 가고 있어도 돌아오지 않는 것이 없다'는 음이 당연히 돌아올 것을 말한 것이다.
평탄한 것이 기울어지고 가는 것이 돌아오는 것은 막힘이니, 천리에서 반드시 그렇게 되는 것을 알아 한창 태평한 때에 감히 안일하지 않고 항상 생각을 어렵고 위태로운 듯이 하고 베풂을 곧고 바르게 해야 한다. 이와 같이 하면 허물이 없게 된다. 태평함에 대처하는 방법은 이미 어려워졌어도 곧음을 지키면 항상 그 태평함을 보존하니, 걱정하고 근심하여 애태우지 않아도 구하는 바를 얻을 수 있다.
기대하는 것을 잃지 않는 것이 '믿음[孚]이니, 이와 같이 하면 봉록에 복과 유익함이 있다. 봉록은 '복지(福祉)'를 말하니, 태평함에 잘 대처하는 자는 그 복을 먹을 수 있다. 덕(德)과 선(善)이 날로 쌓이면 복록이 나날이 이르는데, 덕(德)이 녹(祿)보다 많으면 성대할지라도 지나치지 않다. 예로부터 융성할 때에 도를 잃지 않고 실패하지 않은 경우는 없었다.

集說

● 項氏安世曰 : "'无平不陂', 爲三陽言之, '无往不復', 爲三陰言之. 兩言'无不'者, 明此皆天道之必至而有孚者也. 人能知此, 則當泰之極, 不可不盡人事以防之. 撫極泰之運, 而操心之危如此, 則擧動之際, 必无過咎, 然後彼之必至之孚, 可以勿恤, 我之固有之福, 可以長享矣."[12]

항안세가 말했다. "'평탄한 것은 기울지 않음이 없다'는 세 양 때문에 말한 것이고, '가는 것은 돌아오지 않음이 없다'는 세 음 때문에 말한 것이다. 두 곳에서 '~하지 않음이 없다'고 했는데 이것들이 모두 천도의 반드시 그런 것이어서 믿음이 있음을 밝힌 것이다. 사람들이 이것을 알 수 있으면, 태평함의 끝에서도 사람의 일을 극진하게 하여 방지하지 않을 수 없다. 태평함이 다하려는 운을 잡고 위태로움에 조심하기를 이와 같이 하면 거동에 반드시 허물이 없으니, 그런 다음에 저것이 반드시 그렇게 된다는 믿음으로 우려하지 않을 수 있으면, 나에게 본래 있는 복을 길이 누릴 수 있다."

● 徐氏直方曰 : "小人所以勝君子者, 非乘其怠, 則攻其隙, 艱則無怠之可乘, 貞則無隙之可攻. 如此則可以無咎, 可以勿憂其孚矣."
或曰 : "陰陽交運, 否泰相仍, 時勢然也, 雖艱貞勿恤如之何?"
曰 : "平陂往復者, 天運之不能無, 艱貞勿恤者, 人事之所當盡. 天人有交勝之理, 處其交履其會者, 必有變化持守之道. 若一諉之天運, 以爲無預於人事, 則聖人之『易』, 可無作矣."

12) 항안세(項安世), 『주역완사(周易玩辭)』「태괘(泰卦)」.

서직방(徐直方)[13]이 말했다. "소인이 군자를 이기는 것은 그 나태함을 올라탐이 아니라면 그 틈을 공격함이니, 어렵게 여기면 올라탈 수 있는 나태함이 없고, 곧게 하면 공격할 수 있는 틈이 없습니다. 이와 같이 하면 허물이 없을 수 있고, 믿음을 우려하지 않을 수 있습니다."

어떤 이가 말했다. "음과 양이 교대로 운행하여 비(否䷋)괘와 태(泰䷊)괘가 서로 말미암음은 시대의 추세가 그렇게 하는 것이니, 어려워도 곧게 하고 믿음을 우려하지 않는다고 할지라도 어떻게 하겠습니까?"

대답했다. "평안한 것이 기울고 가는 것이 돌아옴은 하늘의 운행이기에 없을 수 없고, 어려워도 곧게 하고 믿음을 우려하지 않는 것은 사람의 일이기에 극진히 해야 합니다. 하늘과 사람에게는 교대로 이기는 이치가 있으니, 그 교대하는 때에 있으면서 그 모이는 것을 밟고 있을 경우에는 반드시 변화에 지켜야 할 도리가 있습니다. 한 번이라도 하늘의 운행에 맡겨놓고 사람의 일에 간여하는 것이 없다고 여겼다면, 성인의 『역』은 만들어지지 않았을 것입니다."

13) 서직방(徐直方) : 남송의 역학자로 자는 입대(立大)이며, 호는 고위(古爲)이다. 저서로는 『역설(易說)』을 지었으나 전하지 않는다.

六四, 翩翩, 不富以其鄰, 不戒以孚.

육사효는 훨훨 날아 내려오니, 부유하지 않아도 이웃이 되고 경계하지 않아도 믿는다.

本義

已過乎中, 泰已極矣. 故三陰, 翩然而下復, 不待富而其類從之, 不待戒令而信也. 其占, 爲有小人合交, 以害正道, 君子所當戒也. 陰虛陽實, 故凡言'不富'者, 皆陰爻也.

이미 중앙을 지나쳐 태평함이 다했다. 그러므로 세 음(陰)이 훨훨 날아 아래로 되돌아오니, 부유함을 기다리지 않고 그 무리들이 따라오며 경계하는 명령을 기다리지 않고 믿는다. 그 점(占)에 소인들이 뭉쳐 바른 도리를 해치는 것이 있으니, 군자가 경계해야 한다. 음은 비어있고 양은 가득 차있기 때문에 '부유하지 않다'고 말한 것은 모두 음효이다.

程傳

六四, 處泰之過中, 以陰在上, 志在下復. 上二陰亦志在趨下. '翩翩', 疾飛之貌, 四翩翩就下, 與其鄰同也. '鄰', 其類也, 謂五與上. 夫人富而其類從者, 爲利也, 不富而從者, 其志同也. 三陰皆在下之物, 居上, 乃失其實, 其志皆欲下行. 故不富而相從, 不待戒告而誠意相合也. 夫陰陽之升降, 乃時運之否泰, 或交或散, 理之常也. 泰旣過中, 則將變矣. 聖人於三, 尙云'艱貞則有福', 蓋三爲將中, 知戒則可保. 四已過中矣, 理必變也, 故專言始終反復之道. 五, 泰之主, 則復言處泰之義.

육사효는 태평함이 중앙을 지난 곳에 있고 음으로 위의 괘에 있어 뜻이 아래의 괘로 돌아오는 데 있다. 위의 두 음도 뜻이 아래의 괘로 달려가는 데 있다. '훨훨 날아 내려오는 것[翩翩]'은 빨리 나는 모습이니, 육사효가 훨훨 날아 내려오며 그 이웃과 함께 하는 것이다. '이웃[隣]'은 그 무리들로 육오효와 상육효를 말한다.
사람이 부유해서 그 무리가 따르는 것은 이익 때문이고, 부유하지 않는데도 따르는 것은 뜻이 같기 때문이다. 세 음이 모두 아래의 괘에 있는 것들인데 위의 괘에 있어 이에 그 실질을 잃었으니, 그 뜻이 모두 아래의 괘로 내려가고자 한다. 그러므로 부유함에 의지하지 않아도 서로 따르며, 경계하지 않아도 정성스런 마음이 서로 합한다. 음과 양이 오르고 내림은 바로 시운이 막히고 태평함이니, 어떤 것은 사귀고 어떤 것은 흩어지는 데 이는 떳떳한 이치이다. 태평함이 이미 중앙을 지났으면 변하게 된다. 성인이 삼효에서는 오히려 '어려워도 곧게 하면 복이 있다'고 말하였으니, 삼효는 곧 중앙이 될 것이기에 경계할 줄 알면 보존할 수 있다. 사효는 이미 중앙을 지나버려 이치상 반드시 변하기 때문에 오로지 처음과 끝으로 반복하는 도를 말했다. 오효는 태괘의 주인[主爻]이기에 다시 태평함에 대처하는 의리를 말했다.

集說

● 沈氏該曰: "四處上體, 在近君之位, 三陽旣進, 樂與賢者共之, 志同願得. 是以不富以鄰, 不戒而孚也."[14]

심해(沈該)가 말했다. "사효는 위의 괘에 있어 임금에 가까운 자리에 있는데, 세 양이 이미 나왔으니, 현자와 함께 함을 기뻐하며 같은 마음으로 원하는 것을 얻는다. 이 때문에 부유하지 않아도 이웃이 되고 경계하지 않아도 믿는다."

● 趙氏彦肅曰 : "從六五下賢, 其心休休焉者也."[15]

조언숙(趙彦肅)이 말했다. "육오효를 따라 현자에게 낮추니 그 마음이 편안하고 여유로운 것이다."

● 李氏簡曰 : "陰氣上升, 陽氣下降, 乃天地之交泰也. 上以謙虛接乎下, 下以剛直事乎上, 上下相孚, 乃君臣之交泰也. 君臣交泰, 則天下泰矣, 故下三爻皆以剛直事其上, 上三爻皆以謙虛接乎下. 四當二卦之交, 故發此義."[16]

이간(李簡)이 말했다. "음기가 위로 올라가고 양기가 아래로 내려옴은 바로 천지가 사귀어 태평한 것이다. 위에서 겸허하게 아래를 맞이하고, 아래에서 강직하게 위를 섬겨 상하가 서로 믿음은 임금과 신하가 사귀어 태평한 것이다. 임금과 신하가 사귀어 태평하면, 천하가 태평하기 때문에 아래 괘의 세 효가 모두 강직하게 위를 섬기고, 위의 괘 세 효가 모두 겸허하게 아래를 맞이하는 것이다. 사

14) 심해(沈該), 『역소전(易小傳)』「태괘(泰卦)」.
15) 조언숙(趙彦肅), 『복재역설(復齋易說)』「태괘(泰卦)」.
16) 이간(李簡), 『학역기(學易記)』「태괘(泰卦)」.

효는 두 괘의 사귐에 해당하기 때문에 이런 의미를 말했다."

● 俞氏琰曰 : "'翩翩', 降以相從之貌. 『易』以陰虛爲不富. 六四陰爻, 故曰'不富'." 17)

유염(俞琰)이 말했다. "'훨훨 날아 내려오는 것'은 내려와서 서로 따르는 모양이다. 『주역』에서는 음의 비어 있음을 부유하지 않은 것으로 여긴다. 육사가 음의 효이기 때문에 '부유하지 않다'고 하였다."

● 何氏楷曰 : "此正陰陽交泰之爻也. '翩翩', 群飛而下貌. 陰虛陽實, 凡言'不富'者皆陰爻. 鄰, 指五上, 四能挾其並居之鄰, 相從而下者. 以三陰皆欲求陽, 故不待教戒, 而能以之下孚乎陽也."18)

하해(何楷)가 말했다. "사효는 바로 음과 양이 사귀어 태평한 효이다. '훨훨 날아 내려온다'는 것은 무리지어 날아 내려오는 모양이다. 음은 비어 있고 양은 차 있으니, '부유하지 않다'고 하는 경우는 모두 음효이다. 이웃은 육오와 상육을 가리키니, 사효가 양쪽으로 있는 이웃을 끼고 서로 따르며 내려오는 것이다. 세 음이 모두 양을 구하려고 하기 때문에 교도와 훈계를 기다리지 않고 아래로 내려가 양을 믿을 수 있다."

17) 유염(俞琰), 『주역집설(周易集說)』「태괘(泰卦)」.
18) 하해(何楷), 『고주역정고(古周易訂詁)』「태괘(泰卦)」.

案

『傳』『義』皆以此爻爲小人復來. 然以「彖傳」'上下交而其志同'觀之, 則四五正當君相之位, 下交之主, 兩爻「象傳」所謂'中心願也', 中以行願也, 則正所謂'志同'者也. 爻辭'不富', 與謙六五同, 皆言其謙虛而不自滿足爾. 沈氏趙氏以下諸說, 義皆可從.

『정전』과 『주역본의』에서는 모두 여기의 효를 소인이 되돌아오는 것으로 여겼다. 그런데 「단전」의 '위아래가 사귀어 그 뜻이 같아지는 것이다'[19]는 말로 보면, 사효와 오효는 바로 임금과 재상의 지위에 해당하여 아래로 사귀는 주인이니, 두 효는 「상전」에서 이른바 '마음속에서 원하기 때문이다'[20]는 말이다. 마음속으로 원하는 것을 실천하는 일이 이른바 '뜻이 같아지는 것이다'. 효사에서 '부유하지 않다'는 것은 겸(謙䷎)괘 오효와 같으니,[21] 모두 겸허하면서도 스스로 만족하지 않는 것을 말할 뿐이다. 심씨와 조씨 이하의 여러 설명은 그 의미를 모두 따를 수 있다.

---

19) 위아래가 사귀어 그 뜻이 같아지는 것이다 : 『주역(周易)』「태괘(泰卦)」에서 "彖曰, '泰, 小往大來, 吉亨', 則是天地交而萬物通也, 上下交而其志同也.[「단전」에서 말했다. '태(泰)는 작은 것이 가고 큰 것이 오니, 길하고 형통함'은 천지가 사귀어 만물이 형통하고 위아래가 사귀어 그 뜻이 같아지는 것이다.]"라고 하였다.

20) 마음속에서 원하기 때문이다 : 『주역(周易)』「태괘(泰卦)」에서 "象曰, '翩翩不富', 皆失實也, '不戒以孚'中心願也.[「상전」에서 말했다. '훨훨 날아 내려오니 부유하지 않음'은 모두가 실질을 잃었기 때문이고 '경계하지 않아도 믿음'은 마음속에서 원하기 때문이다.]"라고 하였다.

21) 겸(謙䷎)괘 오효와 같으니 : 『주역(周易)』「겸괘(謙卦)」에서 "六五, 不富, 以其鄰, 利用侵伐, 无不利.[육오는 부유하지 않고도 이웃하니, 침벌을 씀이 이롭고, 이롭지 않음이 없다.]"라고 하였다.

六五, 帝乙歸妹, 以祉元吉.

육오효는 제을(帝乙)[22]이 여동생을 시집보내니, 복이 있고 크게 길할 것이다.

本義

以陰居尊, 爲泰之主, 柔中虛己, 下應九二, 吉之道也. 而帝乙歸妹之時, 亦嘗占得此爻, 占者, 如是則有祉而元吉矣. 凡經以古人爲言, 如高宗箕子之類者, 皆放此.

음으로서 높은 위치에 있으니, 태괘의 주인이고, 부드럽고 알맞음으로 자신을 비워 아래로 구이와 호응하니, 길한 도이다. 그런데 제을(帝乙)이 여동생을 시집보낼 때도 일찍이 점을 쳐서 이 효를 얻었다. 점치는 자가 이와 같이 하면 복이 있어 크게 길할 것이다. 경문에서 옛 사람으로 말을 하는 것은 이를테면 고종(高宗)[23]과 기자(箕子)[24] 같은 것으로 모두 이와 같다.

22) 제을(帝乙) : 제을은 임금 이름이며, 을(乙)이라는 이름을 가진 상나라의 왕은 모두 세 명 있다. 역사적 상황을 감안해 보면 주(紂)의 아버지를 지칭하는 것으로 보인다.(정병석, 『주역(상권)』, 을유문화사, 2010, 235쪽)

23) 고종(高宗) : 기제(旣濟䷾) 육삼효의 고종으로, 『정전』에서는 상나라의 고종으로 추측하고 있다.

24) 기자(箕子) : 중국 상(商)의 군주인 문정(文丁, 太丁이라고도 함)의 아들로 주왕(紂王)의 숙부(叔父)이다. 주왕(紂王)의 폭정(暴政)에 대해 간언(諫言)을 하다 받아들여지지 않자 미친 척을 하여 유폐(幽閉)되었다. 상(商)이

程傳

『史』, 謂"湯爲天乙", 厥後, 有帝祖乙, 亦賢王也. 後又有帝乙. 「多士」曰, "自成湯至于帝乙, 罔不明德恤祀". 稱帝乙者, 未知誰是, 以爻義觀之, 帝乙, 制王姬下嫁之禮法者也. 自古帝女雖皆下嫁, 至帝乙然後, 制爲禮法, 使降其尊貴, 以順從其夫也. 六五以陰柔居君位, 下應於九二剛明之賢. 五能倚任其賢臣而順從之, 如帝乙之歸妹然, 降其尊而順從於陽, 則以之受祉, 且元吉也. '元吉', 大吉而盡善者也, 謂成治泰之功也.

『사기』에서 "탕임금이 천을(天乙)이다"[25]라고 하였는데, 그 뒤에 임금[帝] 조을(祖乙)이 있었으니, 또한 어진 임금이다. 뒤에 또 제을(帝乙)이 있었다. 『서경』「다사(多士)」에서 "성탕부터 제을까지 덕을 밝히고 제사를 공경히 받들지 않은 이가 없었다"[26]고 하였다. '제을'이라 칭한 것이 누구인지 알 수 없으나, 효의 뜻으로 살펴보면, 제을은 임금의 딸을 시집보내는 예법을 제정한 분일 것이다. 예로부터 제왕의 딸을 모두 시집보냈으나, 제을 때부터 예법을 제정하여 그 존귀함을 낮추고 남편에게 순종하게 하였다.
육오효가 부드러운 음으로 임금의 자리에 있어 아래로 구이효의 굳

멸망한 뒤 석방되었으나 유민(遺民)들을 이끌고 주(周)를 벗어나 북(北)으로 이주하였다. 비간(比干), 미자(微子)와 함께 상(商) 말기의 세 명의 어진 사람으로 꼽힌다.

25) 탕임금이 천을(天乙)이다 : 『사기(史記)』「은본기(殷本紀)」에서 "主癸卒, 子天乙立, 是為成湯.[임금 계(癸)가 세상을 떠나자 아들 천을(天乙)이 임금의 지위에 올랐으니, 바로 성탕이다.]"라고 하였다.

26) 성탕부터 제을까지 덕을 밝히고 제사를 공경히 받들지 않은 이가 없었다 : 『서경(書經)』「다사(多士)」.

세고 밝은 현자에게 호응한다. 그러니 오효가 어진 신하에게 의지하고 신임하여 따르기를 제을이 여동생을 시집보내듯이 그 높음을 낮추어 양에 순종하면, 그 때문에 복을 받아 또 크게 길할 것이다. '크게 길하다'는 크게 길하여 지극히 선한 것이니, 태평함을 다스리는 공을 이루었음을 말한다.

集說

● 項氏安世曰 : "帝女, 下嫁之禮, 至湯而備, 湯嫁妹之辭曰, '無以天子之富而驕諸侯. 陰之從陽, 女之順夫, 天下之義也. 往事爾夫, 必以禮義'. 湯稱天乙, 或者亦稱帝乙乎."[27]

항안세가 말했다. "임금의 딸을 시집보내는 예는 탕에게서 갖추어졌으니, 탕이 딸을 시집보내면서 '천자의 부유함으로 제후에게 교만하게 굴지 말라. 음이 양을 따르고 여자가 남편에게 순종하는 것은 천하의 의로움이니, 가서 너의 남편을 섬김에 반드시 예의로 하라'고 한 것이다. 탕임금을 천을로 일컬었으니, 어떤 임금을 또한 제을로 일컬었을 것이다."

27) 항안세(項安世), 『주역완사(周易玩辭)』「태괘(泰卦)」.

上六, 城復于隍. 勿用師, 自邑告命, 貞吝.

상육효는 성이 해자가 된다. 군대를 동원하지 않고 읍에서 명을 고하니 곧더라도 부끄러울 것이다.

本義

泰極而否, 城復于隍之象. 戒占者, 不可力爭, 但可自守, 雖得其貞, 亦不免於羞吝也.

태평함이 다하여 막히는 것은 성이 무너져 해자로 돌아가는 상이다. 점치는 자에게 힘으로 다투어서는 안 되고 스스로 지켜야 할 뿐이니, 곧음을 얻더라도 부끄러움을 면하지 못할 것이라 경계하였다.

程傳

掘隍土, 積累以成城, 如治道積累以成泰, 及泰之終, 將反於否, 如城土頹圮, 復反于隍也. 上, 泰之終, 六以小人處之, 行將否矣. '勿用師', 君之所以能用其衆者, 上下之情通而心從也, 今泰之將終, 失泰之道, 上下之情不通矣, 民心離散, 不從其上, 豈可用也. 用之則亂. 衆旣不可用, 方自其親近而告命之, 雖使所告命者得其正, 亦可羞吝. '邑', 所居謂親近, 大率告命, 必自近始. 凡'貞凶', '貞吝', 有二義, 有貞固守此則凶吝者, 有雖得正亦凶吝者. 此不云'貞凶'而云'貞吝'者, 將否而方告命, 爲可羞吝, 否不由於告命也.

해자를 판 흙이 쌓여 성(城)을 이룸은 다스리는 도가 누적되어 태평함을 만드는 일과 같고, 태평함의 마지막에 막힘으로 돌아감은 성의 흙이 무너져 해자가 되는 것과 같다. 상육효는 태괘의 끝인데, 음이 소인으로 그곳에 있으니, 행함이 막히게 된다.
'군대를 동원하지 않는다'는 말은, 임금이 무리를 동원할 수 있는 것은 위아래의 마음이 통하여 진심으로 따르기 때문인데, 이제 태평함이 끝나 감에 태평한 도리를 잃어 위아래의 마음이 통하지 않고 민심이 흩어져 윗사람을 따르지 않으니, 어찌 동원할 수 있겠는가? 동원하면 혼란해지는 것이다. 무리를 이미 동원할 수 없다면 그 가까운 곳에서 명을 고해야 하니, 명을 고하는 자가 바름을 얻게 할지라도 또한 부끄러운 일이다.
'읍(邑)'은 거주하는 곳으로 가까운 데를 말하니, 대체로 명을 고하는 것은 반드시 가까운 곳에서 시작한다. '곧더라도 흉하다[貞凶]'는 것과 '곧더라도 부끄럽다[貞吝]'는 것에는 두 가지 뜻이 있으니, 곧고 굳게 지키면 흉하거나 부끄러운 경우가 있고, 바름을 얻더라도 또한 흉하거나 부끄러운 경우가 있다. 여기에서 '곧더라도 흉하다'라고 하지 않고 '곧더라도 부끄럽다'라고 말한 것은 막히려고 해서 명을 고하는 일은 부끄러울 만하지만 막히는 것이 명을 고하는 일로 말미암지 않는다는 뜻이다.

集說

● 『朱子語類』, 問: "'泰卦无平不陂, 无往不復', 與'城復於隍'." 曰: "此亦事勢之必然, 治久必亂, 亂久必治, 天下無久而不變之理."

子善遂言 : "天下治亂, 皆生於人心, 治久則人心放肆, 故亂因此生, 亂極則人心恐懼, 故治由此起."
曰, "固是生於人心. 履其運者, 必有變化持守之道可也."[28)]

『주자어류』에서 물었다. "태(泰)괘에서 '평탄한 것은 기울지 않음이 없고, 간 것은 돌아오지 않음이 없다'는 말과 '성이 해자가 된다'는 것에 대해 묻습니다."
대답했다. "이 또한 일의 형세 때문에 반드시 그렇게 되는 것이니, 다스림이 오래되면 반드시 어지러워지고 어지러움이 오래되면 반드시 다스려지니, 천지에 오래되고도 변하지 않는 이치는 없습니다."
자선(子善)[29)]이 마침내 말했다. "천하에서 어지러움을 다스리는 것은 모두 사람의 마음에서 나옵니다. 다스려짐이 오래되면 사람의 마음이 방자해지기 때문에 어지러움이 여기에서 생기고, 어지러움이 극에 달하면 사람들의 마음이 두려워 떨기 때문에 다스림이 여기에서 나옵니다."
대답했다. "진실로 사람의 마음에서 생깁니다. 그런데 그 운을 밟아갈 경우에 반드시 변화하는 것에 지키는 도(道)가 있어야 됩니다."

---

28) 『주자어류』 권70, 122조.
29) 반시거(潘時擧) : 자가 자선(子善)이고, 송대 태주 천태현(台州天台縣 : 절강성 소속) 사람이다. 가정(嘉定) 때 국자정록(國子正錄)에 올랐다. 반시거가 기록한 주자어록은 계축년(1193년) 이후에 들었던 내용으로 거의 400여 조목에 달하며, 직접 질문한 것도 70~80조목이 된다. 『주자대전』 권60에 주자가 그에게 답하는 11통의 편지가 있다.

案

'貞'者, 常也. 爻義言當此之時, 只可告邑, 未可用師. 若守常而用師則吝, 非以告邑爲可吝也.

'곧음'은 떳떳함이다. 효의 의미로는 이 때 읍에서 고하더라도 군대를 동원하지 못한다. 떳떳함을 지켜 군대를 동원한다면 부끄럽게 되니, 읍에서 고하는 것을 부끄럽게 여긴 것은 아니다.

總論

● 劉氏定之曰: "泰取天地交而萬物通, 上下交而其志同. 故六爻之中, 相交之義重. 初與四相交, 泰之始也, 故初言以其彙, 如茅之連茹, 四言以其鄰, 如鳥之連翩. 二與五相交, 泰之中也, 故五言人君降其尊貴以任夫臣, 二言大臣盡其職任以答夫君. 三與上相交, 泰之終也, 故三言平變而爲陂, 上言城復而於隍. 蓋君子進而小人退, 所以致泰也, 君委任而臣效忠, 所以致泰也. 抑天運之循環, 泰極而否, 有必然者. 而保泰之意, 隱然有不容不恐懼焉, 則平陂城隍, 其旨嚴哉."

유정지(劉定之)[30]가 말했다. "태괘는 천지가 사귀어 만물이 통하고

30) 유정지(劉定之, 1409~1469) : 자는 주정(主靜)이고, 호는 태재(呆齋)며, 시호는 문안(文安)이다. 명(明)대 강서(江西) 영신(永新) 사람으로, 정통(正統) 원년(1436) 회시(會試)에 장원급제하여 한림원(翰林院) 편수(編修)에 임명되었다. 벼슬은 성화(成化) 2년(1466) 문연각(文淵閣)에 입직(入直)하여 공부우시랑(工部右侍郎) 겸 한림학사를 지냈고, 2년 뒤 예부좌시랑(禮部左侍郎)으로 옮겼다. 저서에 『역경도해(易經圖解)』와 『비태록(否泰錄)』, 『태재집(呆齋集)』 등이 있다.

상하가 사귀어 그 마음이 같아지는 것을 취했다. 그러므로 여섯 효에서 서로 사귀는 의미가 중요하다. 초효와 사효가 서로 사귀는 것은 태평함의 시작이기 때문에, 초효에서는 그 무리를 거느리는 것을 띠 풀이 얽혀 있는 것과 같다고 하였고, 사효에서는 그 이웃이 되는 것을 새가 떼를 지어 날아 내려 오는 것과 같다고 하였다. 이효와 오효가 서로 사귀는 것은 태평함의 중간이기 때문에, 오효에서는 임금이 존귀함을 낮추어 대신에게 맡기는 것을 말했고, 이효에서는 대신이 그 직분과 책임을 다하여 임금에게 보답하는 것을 말했다. 삼효와 상효가 서로 사귀는 것은 태평함의 끝이기 때문에, 삼효에서는 평탄함이 변해 기울어지는 것을 말했고, 상효에서는 성이 해자로 변하는 것을 말했다.
군자가 나아가고 소인이 물러나기 때문에 태평함이 이루어지고, 임금이 맡기고 신하가 충성을 바치기 때문에 태평함이 이루어진다. 아니면 천운의 순환으로 태평함이 다해 막히는 것은 반드시 그렇게 되는 일이 있다. 그러나 태평함을 유지하려는 마음이 은연중에 두려워하지 않음을 용납하지 않는다면, 평탄함이 기울어지고 성이 해자로 된다는 것은 그 의미가 엄격하다."

● 吳氏曰愼曰: "初四以氣類言, 二體之始也. 三上以時運言, 二體之終也. 二五以主泰言, 二體之中也."

오왈신(吳曰愼)이 말했다. "초효와 사효는 기운의 종류로 말했으니, 아래·위 두 괘의 시작이기 때문이다. 삼효와 상효는 시운으로 말했으니, 두 괘의 끝이기 때문이다. 이효와 오효는 태평함을 주로 하여 말했으니, 두 괘의 중심이기 때문이다."

12. 비否괘

☰ 乾上
☷ 坤下

程傳

否, 「序卦」, "泰者通也, 物不可以終通, 故受之以否." 夫物理往來, 通泰之極, 則必否, 否所以次泰也. 爲卦天上地下. 天地相交, 陰陽和暢, 則爲泰. 天處上, 地處下, 是天地隔絶, 不相交通, 所以爲否也.

비(否䷋)괘는 「서괘전」에 "태(泰)는 통함이니, 만물은 끝까지 통할 수 없기 때문에 비괘로 받았다"라고 하였다. 만물의 이치는 가고 오며 통하는 것이 극한에 이르면 반드시 막히니, 비(否䷋)괘가 이 때문에 태(泰䷊)괘의 다음에 있다. 비(否䷋)괘의 모양은 하늘[☰]이 위에 있고 땅[☷]이 아래에 있다. 천지가 서로 사귀어 음양이 화창하면 태평함[泰䷊]이 된다. 하늘이 위에 있고 땅이 아래에 있는 것은 천지가 막히고 끊어져 서로 통하지 못하기 때문에 막힘이 된다.

否之匪人, 不利君子貞, 大往小來.

비는 사람이 아니어서 군자의 곧음에 이롭지 않으니, 큰 것이 가고 작은 것이 온다.

本義

否, 閉塞也, 七月之卦也. 正與泰反, 故曰'匪人', 謂非人道也. 其占, 不利於君子之正道. 蓋乾往居外, 坤來居內. 又自漸卦而來, 則九往居四, 六來居三也. 或疑之"'匪人三字', 衍文, 由比六三而誤也, 「傳」不特解, 其義亦可見."

비(否)는 닫히고 막힌 것으로 칠월의 괘이다. 태괘(泰卦)와 정반대이기 때문에 '사람이 아니다[匪人]'라고 했으니, 사람의 도가 아니라는 말이다. 그 점사는 군자의 바른 도에 이롭지 않다. 건(☰)이 가서 외괘에 있고 곤(☷)이 와서 내괘에 있다. 또한 점(漸䷴)괘에서 왔으니, 구삼효가 가서 사효의 자리에 있고 육사효가 와서 삼효의 자리에 있다. 어떤 이는 "'사람이 아니다[之匪人]'는 말이 잘못 들어간 것으로 비괘(比卦) 육삼효의 효사 때문에 잘못되었고, 「단전」에서 특별히 해석하지 않았으니, 그 의미를 또한 알 수 있다"고 여겼다.

程傳

天地交而萬物生於中, 然後三才備. 人爲最靈, 故爲萬物之

首, 凡生天地之中者, 皆人道也. 天地不交, 則不生萬物, 是无人道, 故曰'匪人', 謂非人道也. 消長闔闢, 相因而不息, 泰極則復, 否終則傾. 无常而不變之理, 人道豈能无也. 旣否則泰矣. 夫上下交通, 剛柔和會, 君子之道也. 否則反是, 故不利君子貞, 君子正道否塞不行也. '大往小來', 陽往而陰來也, 小人道長, 君子道消之象. 故爲否也.

천지가 사귀어 만물이 그 가운데에서 생겨난 뒤에야 삼재(三才)가 갖추어진다. 사람은 가장 영특하기 때문에 만물의 우두머리가 되니, 천지의 가운데에서 태어난 것은 모두 사람의 도이다. 천지가 사귀지 않아 만물을 낳지 못함은 사람의 도가 없기 때문에 '사람이 아니다'라고 했으니, 사람의 도가 아닌 것을 말한다. 사라지고 자라나며, 닫히고 열리는 것이 서로 말미암아 쉬지 않으니, 태평이 다하면 돌아가고 막힘이 끝나면 기울어진다. 일정하여 변하지 않는 이치는 없으니, 사람의 도리가 어찌 없을 수 있겠는가?
이미 막혔으면 태평하게 될 것이다. 위아래가 서로 통하여 굳셈과 부드러움이 조화를 이루며 모이는 것이 군자의 도이다. 비(否䷋)괘는 이와 반대이기 때문에 군자의 곧음에 이롭지 않으니, 군자의 바른 도가 막혀 행해지지 않는다. '큰 것이 가고 작은 것이 온다'는 양이 가고 음이 오는 것으로 소인의 도가 자라나고 군자의 도가 사라지는 상이다. 그러므로 막힘이 되었다.

集說

● 孔氏穎達曰："'否之匪人'者, 言否閉之世, 非是人道交通之時, 故云'匪人'. '不利君子貞'者, 由小人道長, 君子道消, 故不利君子爲正也. 陽氣往而陰氣來, 故云'大往小來'. 陽主生息, 故稱大. 陰主消耗, 故稱小."[1]

공영달(孔穎達)이 말했다. "'비는 사람이 아니다[否之匪人]'라는 것은 막힌 시대에는 사람의 도가 사귀어 통하는 때가 아니기 때문에 '사람이 아니다'라고 했다. '군자의 곧음에 이롭지 않다'는 것은 소인의 도가 자라고 군자의 도가 사라지기 때문에 군자가 바름을 행하는 데 이롭지 않다는 말이다. 양기가 올라가고 음기가 내려왔기 때문에 '큰 것이 가고 작은 것이 왔다'라고 하였다. 양은 생식을 주로 하기 때문에 큰 것이라 하고 음은 소모를 주로 하기 때문에 작은 것이라 하였다."

● 崔氏憬曰 : "否, 不通也. 於不通之時, 小人道長, 故云'匪人'. 君子道消, 故不利君子貞也."[2]

최경(崔憬)이 말했다. "비(否)는 통하지 않음이다. 통하지 않는 때는 소인의 도가 자라기 때문에 '사람이 아니다'라 했고, 군자의 도가 사라지기 때문에 군자의 곧음에 이롭지 않다."

● 呂氏大臨曰 : "否, 閉幕而不交也. '否之匪人, 不利君子貞', 言否閉之世, 非其人者, 惡直醜正, 不利乎君子之守正."[3]

---

1) 공영달(孔穎達), 『주역주소(周易注疏)』「비괘(否卦)」.

2) 이정조(李鼎祚), 『주역집해(周易集解)』「비괘(否卦)」.

3) 나성덕(喇性德), 『합정산보대역집의수언(合訂刪補大易集義粹言)』「비괘(否卦)」.

여대림(呂大臨)[4]이 말했다. "비(否)는 막히고 가려져 사귀지 못하는 것이다. '비는 사람이 아니어서 군자의 곧음에 이롭지 않다'는 막힌 시대에는 사람이 아닌 것이 곧음을 미워하고 추하게 여겨 군자가 곧음을 지키는 데 이롭지 않다는 말이다."

● 王氏宗傳曰："'匪人', 所謂非君子人也. 人非君子, 則平時與君子如枘鑿之不相入者, 正斯人也. 匪人得志, 則君子之道, 否塞而不行矣. 夫正道之在天下 不可以一日無也. 今也君子之道, 否塞而不得行者, 皆否之匪人, 不利乎貞故也. 蓋小人之心, 同乎己者則利之, 異乎己者則不利也. 夫唯彼己之勢, 旣不相入, 故大者往而小者來也.[5]

4) 여대림(呂大臨, 1046~1092) : 자는 여숙(與叔)이고, 여대균(呂大鈞)의 동생이다. 북송 경조 남전(京兆藍田 : 현 섬서성 소속) 사람으로 처음에 장재(張載)에게 배웠고 나중에 정이(程頤)에게 배웠는데, 사량좌(謝良佐), 유초(游酢), 양시(楊時)와 함께 '정문사선생(程門四先生)'으로 일컬어진다. 육경(六經)에 정통했고, 특히 『예기(禮記)』에 밝았다. 문음(門蔭)으로 관직에 올라 나중에 진사 시험에 합격했다. 철종(哲宗) 원우(元祐) 연간에 태학박사(太學博士)를 지냈고, 비서성정자(秘書省正字)로 옮겼다. 범조우(范祖禹)의 천거로 강관(講官)이 되었는데, 기용되기도 전에 죽었다. 예학(禮學)에 밝아 예의를 중시했으며, 정자의 예학을 계승하여 심성지학(心性之學)에 치중했다. 저서에 『역장구(易章句)』, 『대역도상(大易圖象)』, 『맹자강의(孟子講義)』, 『대학중용해(大學中庸解)』, 『노자주(老子注)』, 『서명집해(西銘集解)』 등이 있었지만 대부분 없어지고, 지금은 『고고도(考古圖)』, 『속고고도(續考古圖)』, 『석문(釋文)』이 사고전서(四庫全書)에 수록되어 있다. 문집에 『옥계집(玉溪集)』이 있다.

5) 왕종전(王宗傳), 『동계역전(童溪易傳)』「비괘(否卦)」.

왕종전(王宗傳)이 말했다. "'사람이 아니다'는 것은 이른바 군자가 아닌 사람이다. 사람이 군자가 아니면 평상시에 군자와 서로 어울리지 않아 서로 받아들이지 않을 것 같은 자들이 바로 그런 사람들이다. 사람이 아닌 것이 뜻을 얻으면 군자의 도가 막혀 행해지지 않는다. 바른 도는 천하에서 하루라도 없어서는 안 된다. 그런데 이제 군자의 도가 막혀 행해질 수 없는 경우에는 모두 막힘[否]이 사람이 아니어서 곧음에 이롭지 않다. 소인의 마음은 자신과 같이 하는 자에게는 이롭게 하고 자신과 다르게 하는 자에게는 불리하게 한다. 저들뿐인 상황에서는 이미 서로 받아들이지 않기 때문에 큰 것은 가고 작은 것이 온다."

● 喬氏中和曰:"君子以正自居, 隱見隨時, 無入而不自得, 何不利之有? 亦小人不利於君子之貞耳. 於是而君子往小人來而天地否矣. 由否而之泰焉, 天也. 由泰而之否焉, 人也."

교중화(喬中和)가 말했다. "군자는 곧음을 자처하여 벼슬을 하든지 하지 않든지 때에 따르고, 어디에 들어가도 스스로 만족하지 않음이 없으니 어디에서나 이롭지 않음이 있겠는가? 그러니 또한 소인이 군자의 곧음을 이롭게 여기지 않는다. 이런 때에 군자가 가고 소인이 오니, 천지가 막혔기 때문이다. 막힘에서 태평으로 가는 것은 하늘이고 태평에서 막힘으로 가는 것은 사람이다."

初六, 拔茅茹, 以其彙, 貞, 吉亨.

초육효는 띠 풀의 뿌리가 뽑히는 것이니, 그 무리와 함께 하지만 곧게 하면 길하여 형통하다.

本義

三陰在下, 當否之時, 小人連類而進之象. 而初之惡則未形也, 故戒其'貞則吉而亨'. 蓋能如是, 則變而爲君子矣.

세 음이 아래 괘에 있어 막히는 때라서 소인들이 연합해 나아가는 상이다. 그러나 초육효의 악은 아직 드러나지 않았기 때문에 '곧게 하면 길하여 형통하다'고 경계하였으니, 이와 같이 할 수 있으면 변하여 군자가 될 수 있다.

程傳

泰與否, 皆取茅爲象者, 以羣陽羣陰同在下, 有牽連之象也. 泰之時則以同征爲吉, 否之時則以同貞爲亨. 始以內小人外君子爲否之義, 復以初六否而在下爲君子之道. 『易』隨時取義, 變動无常. 否之時, 在下者, 君子也. 否之三陰, 上皆有應, 在否隔之時, 隔絶不相通, 故无應義. 初六, 能與其類, 貞固其節, 則處否之吉而其道之亨也. 當否而能進者, 小人也. 君子則伸道免禍而已, 君子進退, 未嘗不與其類同也.

태괘와 비괘가 모두 띠 풀을 상으로 한 것은 여러 양과 여러 음이 함께 아래 괘에 있으면서 연합하는 상이 있기 때문이다. 태평한 때는 함께 나아감을 길한 것으로 삼고 막힌 때는 함께 곧게 하는 것을 형통한 것으로 삼는다. 처음에는 안에 소인이 있고 밖에 군자가 있는 것으로 비괘의 뜻을 삼았다가 다시 초육효가 막혀서 아래에 있는 것으로 군자의 도를 삼았다.
『주역』은 때에 따라 뜻을 취하니 변하고 움직임에 일정함이 없다. 막힌 때는 아래에 있는 것이 군자이다. 비괘의 세 음이 모두 위로 호응하는데, 막히는 때에 있어 끊어져 서로 통하지 못하기 때문에 호응하는 뜻이 없다. 초육효가 무리와 절개를 곧고 바르게 할 수 있음은 비색한 때에 대처하는 길함이어서 그 도가 형통한 것이다. 막힌 때에 나아갈 수 있는 사람은 소인이다. 군자는 도를 펴서 화를 면할 뿐이니, 군자의 진퇴는 무리와 함께 하지 않은 적이 없다.

集說

● 王氏弼曰 : 居否之時, 動則入邪. 三陰同道, 皆不可進, 故'拔茅茹以類', 貞而不諂, 則吉亨."[6)]

왕필(王弼)이 말했다. "막힌 때는 움직이면 잘못된다. 세 음이 도를 같이 하여 모두 나아갈 수 없기 때문에 '띠 풀의 뿌리가 뽑히는 것이니, 그 무리와 함께 한다'는 말이다. 곧아서 아첨하지 않으면 길하여 형통하다."

---

6) 왕필(王弼), 『주역주소(周易注疏)』「비괘(否卦)」.

● 胡氏瑗曰 : “否之初, 是小人道長, 君子不可用之時也. 時旣不可用, 則必引類而退, 守以正道, 不可求進, 然後得其吉而獲亨也.”[7)]

호원(胡瑗)이 말했다. “비괘의 초기에는 소인의 도가 자라나 군자가 등용될 수 없는 때이다. 이미 등용될 수 없는 때라면 반드시 무리를 이끌고 물러나 바른 도를 지키고 나아가기를 구하지 않은 다음에 길함을 얻어 형통함을 잡을 수 있다.”

● 王氏宗傳曰 : “否之初六雖有其應, 然當此之時, 上下隔絶而不通. 故初六無上應之義, 唯其以彙守吾正而已. ‘吉亨’, 泰之時爲然也. 初六以其類貞, 而亦吉且亨者, 詘身以伸道. 故無往而不吉, 亦無往而不亨也. ‘吉’, 謂免禍, ‘亨’, 謂伸道也.”[8)]

왕종전이 말했다. “비괘의 초기에는 초육효가 호응이 있을지라도 이때에는 상하가 끊어져 통하지 않는다. 그러므로 초육효는 위로 호응하는 의리가 없으니, 오직 그 무리와 함께 하면서 나의 바름을 지킬 뿐이다. ‘길하여 형통하다’는 태평한 때에 그렇게 되는 것이다. 초육효가 그 무리와 함께 곧게 하는데 또한 길하고 또 형통함은 자신을 낮추어 도를 편 것이다. 그러므로 어디를 가도 길하지 않음이 없고 어디를 가도 형통하지 않음이 없다. ‘길함’은 화를 면하는 것을 말하고, ‘형통함’은 도를 펴는 것을 말한다.”

● 王氏應麟曰 : “泰之‘征吉’, 引其類以有爲, 否之‘貞吉’, 潔其身

7) 호원(胡瑗), 『주역구의(周易口義)』「비괘(否卦)」.

8) 왕종전(王宗傳), 『동계역전(童溪易傳)』「비괘(否卦)」.

以有待."[9]

왕응린(王應麟)이 말했다. "태괘의 '가는 것이 길하다'[10]는 그 무리를 이끌고 일을 하는 것이고, 비괘의 '곧게 하면 길하다'는 그 자신을 깨끗하게 하여 기다리는 것이다.

案

聖人雖許小人改過, 恐無繫以吉亨之辭之理, 『程傳』及諸家作君子守道者近是.

성인이 비록 소인이 잘못을 고치는 것을 허락했을지라도, 길하여 형통하다는 말과 연결할 이치는 없는 듯하니, 『정전』과 여러 학자들이 군자가 도를 지키는 일로 한 것이 옳음에 가깝다.

9) 왕응린(王應麟), 『곤학기문(困學紀聞)』「역(易)」.

10) 가는 것이 길하다 : 『주역(周易)』「태괘(泰卦)」에서 "初九, 拔茅茹, 以其彙, 征吉.[초구효는 띠 풀의 뿌리가 뽑히는 것이니, 그 무리를 거느리고 가는 것이 길하다.]"라고 하였다.

六二, 包承, 小人, 吉, 大人, 否, 亨.

육이효는 포용하여 받드니, 소인은 길하고 대인은 막혀야 형통하다.

本義

陰柔而中正, 小人而能包容承順乎君子之象, 小人之吉道也. 故占者小人如是則吉, 大人則當安守其否而後道亨. 蓋不可以彼包承於我而自失其守也.

유약한 음이면서 중정하고 소인이면서 군자를 포용하고 받들어 따를 수 있는 상이니, 소인이 길한 도이다. 그러므로 점치는 자가 소인이면 이와 같이 하면 길하고, 대인이면 당연히 막힘을 편안히 지킨 뒤에야 도가 형통한다. 저들이 나를 포용하고 받든다 하여 스스로 지키는 것을 잃어서는 안 된다.

程傳

六二, 其質則陰柔, 其居則中正. 以陰柔小人而言, 則方否於下, 志所包畜者, 在承順乎上, 以求濟其否, 爲身之利, 小人之吉也. 大人當否, 則以道自處, 豈肯枉己屈道, 承順於上. 唯自守其否而已, 身之否, 乃其道之亨也. 或曰"上下不交, 何所承乎?" 曰"正則否矣, 小人順上之心, 未嘗无也."

육이효는 재질이 유약한 음이고 있는 곳이 중정하다. 음유한 소인으로 말하면, 아래에서 막혀 있어 마음에 간직하고 있는 것은 윗사람을 받들어 따르는 데 있어 막힌 것을 구하는 것으로 자신의 이로움을 삼으니, 소인의 길함이다.
대인은 막히면 도로써 스스로 처신하니, 어찌 자신을 굽히고 도를 꺾어 윗사람을 받들어 순종하려고 하겠는가? 오직 스스로 막힌 그대로 있을 뿐이니, 자신이 막혀 있는 것이 바로 도의 형통함이다.
어떤 이가 "위아래가 사귀지 않는데 무엇을 받든단 말입니까?"라고 하기에 "올바름은 막혔으나 소인이 윗사람을 따르려는 마음은 없었던 적이 없습니다"라고 대답했다.

集說

● 楊氏簡曰 : "小人者之事其上也, 包而不敢露, 承而不敢拂, 故吉. 若大大人, 則否而亨".[11]

양간(楊簡)이 말했다. "소인들이 윗사람을 섬기는 것은 포용하여 감히 드러내지 않고 받들어 감히 어기지 않기 때문에 길하다. 대인이라면 막혀서 형통한 것이다."

11) 양간(楊簡), 『양씨역전(楊氏易傳)』「비괘(否卦)」.

六三, 包羞.
육삼효는 부끄러움을 품고 있다.

本義

以陰居陽而不中正, 小人志於傷善而未能也. 故爲包羞之象. 然以其未發, 故无凶咎之戒.

음으로 양의 자리에 있어 중정하지 못하니, 소인이 착한 사람을 해치려는 데 뜻을 두었으나 할 수 없다. 그러므로 부끄러움을 품고 있는 상이다. 그러나 아직 그것이 드러나지 않았기 때문에 흉함과 허물에 대한 경계가 없다.

程傳

三以陰柔, 不中不正而居否, 又切近於上, 非能守道安命, 窮斯濫矣, 極小人之情狀者也. 其所包畜謀慮邪濫, 无所不至, 可羞恥也.

삼효는 유약한 음으로 중정하지도 못하면서 막힌 때에 있고, 또 위와 아주 가깝지만 도를 지키고 명을 편안히 여기는 것은 아니니, 궁하면 이에 넘쳐서[12] 소인의 모습이 극도에 달하였다. 마음속에 품

12) 궁하면 이에 넘쳐서 : 『논어』「위령공(衛靈公)」에서 "군자는 진실로 궁한

고 있는 꾀와 생각이 사특하고 넘쳐서 하지 못하는 것이 없으니, 부끄러워해야 한다.

集說

● 遊氏酢曰 : "在下體之上, 位浸顯矣. 當否之世而不去, 忍恥冒處, 故謂之'包羞'"[13]

유초(遊酢)[14]가 말했다. "하체의 위에 있어 지위가 점점 드러난다. 그런데 막힌 때를 만나는데도 떠나지 않고 부끄러움을 참으며 무릅

것이니, 소인은 궁하면 넘친다[君子固窮, 小人窮斯濫矣.]"라고 하였다.

13) 방문일(方聞一), 『대역수언(大易粹言)』「비괘(否卦)」.

14) 유초(游酢, 1053~1123) : 자는 정부(定夫)·자통(子通)이고, 호는 치산(廌山)·광평(廣平)이며, 시호는 문숙(文肅)이다. 건양(建陽 : 현 복건성 건영) 사람이다. 북송 때 경학가이다. 1083년에 진사가 되어 태학박사(太學博士), 감찰어사(監察御使) 등을 지냈다. 형 유순(游醇)과 함께 학문과 행실로 알려져서 당시 지부구현(知扶溝縣)으로 있던 정호(程顥)의 부름을 받아 학사(學事)를 맡게 되었고, 그때부터 정호 형제를 사사하였다. 사량좌(謝良佐), 양시(楊時), 여대림(呂大臨)과 함께 '정문사선생(程門四先生)'으로 일컬어졌다. 도를 천지 만물 속에 있는 보편적 존재로 인식하여 자연의 도가 바로 인륜의 이치라고 주장하였다. 또 『주역』을 중시하여 그 책 속에 우주 만물의 이치가 포함되어 있다고 보았다. 만년에 선(禪)에 몰입하여 유가가 불가를 배척할 것이 아니라 서로 보완적인 관계가 되어야 한다고 주장하여, 후대 학자인 호굉(胡宏)으로부터 '정자 문하의 죄인'이라고 혹평을 받기도 하였다. 저술로 『역설(易說)』, 『중용의(中庸義)』, 『논어맹자잡해(論語孟子雜解)』, 『시이남의(詩二南義)』 등이 있었지만 모두 잃어버렸고, 남은 글을 모아 후세 사람이 엮은 『유치산집(游廌山集)』이 남아 있다.

쓰고 있기 때문에 '부끄러움을 품고 있다'고 했다."

● 郭氏雍曰 : "尸祿素餐, 所謂包羞者也. 孔子曰, '邦無道, 穀恥也', 其六三之謂與."[15]

곽옹(郭雍)이 말했다. "직책은 다하지 않고 자리를 차지하여 녹봉만 받아먹는 것이 이른바 부끄러움을 품고 있는 것이다. 공자는 '나라에 도가 없는데 벼슬하는 것은 수치이다'[16]라고 했으니, 육삼효를 말한 것이다."

● 楊氏簡曰 : 六三德不如六二. 而位益高, 舍正從邪, 有愧於中, 故曰"包羞", 是謂君子中之小人, 自古此類良多.[17]

양간(楊簡)이 말했다. "육삼은 덕이 육이만 못하다. 그런데 지위가 더 높은 것은 바름을 버리고 사악함을 좇아 마음에 부끄러움이 있기 때문에 '부끄러움을 품고 있다'고 했으니, 바로 군자들 가운데 소인으로 옛날부터 이런 무리들이 아주 많았다."

15) 곽옹(郭雍), 『곽씨전가역설(郭氏傳家易說)』「비괘(否卦)」.

16) 『논어』「헌문(憲問)」.

17) 양간(楊簡), 『양씨역전(楊氏易傳)』「비괘(否卦)」.

九四, 有命, 无咎, 疇離祉.

구사효는 명이 있고 허물이 없어 무리가 모두 복을 누린다.

本義

否過中矣, 將濟之時也. 九四以陽居陰, 不極其剛, 故其占, 爲有命无咎而疇類三陽, 皆獲其福也. '命', 謂天命.

막힘이 중앙을 지났으니, 구제되려는 때이다. 구사효는 굳센 양으로서 유약한 음의 자리에 있어 그 굳셈을 다하지 않기 때문에 그 점사가 명이 있고 허물이 없어 무리인 세 양이 모두 그 복을 누리는 것이다. '명'은 하늘의 명을 말한다.

程傳

四以陽剛健體, 居近君之位, 是以濟否之才而得高位者也, 足以輔上濟否. 然當君道方否之時, 處逼近之地, 所惡在居功取忌而已. 若能使動必出於君命, 威柄一歸於上, 則无咎而其志行矣. 能使事皆出於君命, 則可以濟時之否, 其疇類皆附離其福祉. '離', 麗也, 君子道行, 則與其類同進, 以濟天下之否, 疇離祉也. 小人之進, 亦以其類, 同也.

사효가 굳센 양의 강건한 몸체로 임금과 가까운 자리에 있음은 막힘을 구제하는 재능으로 높은 자리를 얻은 것이니, 충분히 윗사람을 도와 막힘을 구제할 수 있다. 그러나 임금의 도가 막힌 때에 임금과 가까운 곳에 있어 불길한 것은 공(功)을 차지하여 남들에게 시기를 받을 뿐이다.
움직임이 반드시 임금의 명으로부터 나오도록 하고 위엄과 권세를 한결같이 윗사람에게 돌릴 수 있다면, 허물이 없어 그 뜻이 행해진다. 하는 일이 모두 임금의 명에서 나오도록 할 수 있다면, 시대의 막힘을 구제할 수 있어 무리가 모두 복을 누리게 된다. '누리게 된다[離]'는 것은 함께 한다는 뜻이니, 군자는 도가 행해지면 그 무리와 함께 나아가 천하의 막힘을 구제하기 때문에 같은 무리가 모두 복을 누리게 되는 것이다. 소인이 나아가는 것도 또한 그 동류들과 함께 한다.

集說

● 項氏安世曰 : "泰九三於'無咎'之下言'有福', 否九四於無咎之下言'疇離祉'者, 二爻當天命之變, 正君子補過之時也. 泰之三, 知其將變, 能修人事以勝之, 使在我者無可咎之事, 然後可以勿恤小人之孚, 而自食君子之福也. 否之四, 因其當變, 能修人事以乘之, 有可行之時, 而無可咎之事, 則不獨爲一己之利, 又足爲衆賢之祉也. 是二者苟有咎焉, 其禍可勝言哉."[18]

항안세(項安世)가 말했다. "태괘의 구삼효가 '허물이 없다'는 것의 아래에서 '복이 있다'고 말하고,[19] 비괘의 구사가 '허물이 없다'는

18) 항안세(項安世), 『주역완사(周易玩辭)』「비괘(否卦)」.
19) 태괘의 구삼효가 '허물이 없다'는 것의 아래에서 '복이 있다'고 말하고 : 『주역(周易)』「태괘(泰卦)」에서 "九三, 无平不陂, 无往不復, 艱貞, 无

것의 아래에서 '무리가 복을 누린다'고 말한 것은 두 효가 하늘의 명이 변하는 때를 맞이한 것은 바로 군자가 허물을 고치는 때이기 때문이다.
태괘의 삼효는 변할 줄 알고 사람의 일을 닦아 감당할 수 있으니, 나에게서 허물될 수 있는 일이 없도록 한 다음에 소인의 믿음을 우려하지 않을 수 있어 군자의 복을 스스로 누릴 수 있는 것이다. 비괘의 사효는 변화를 맞이함으로 말미암아 사람의 일을 닦아 올라갈 수 있으니, 행할 수 있는 때에 허물이 없는 일은 자신 한 사람의 이익일 뿐만이 아니라 또 여러 현자들의 복이 충분히 되는 것이다. 이 두 가지의 경우에 진실로 허물이 있다면 그 화를 모두 말할 수 없을 것이다."

● 又曰 : "泰雖極治, 以命亂而成否, 否雖極亂, 以有命而成泰. '命'者, 天之所令, 君之所造也. 道之廢興, 豈非天耶. 世之治亂, 豈非君耶."[20]

또 말했다. "태괘는 다스림을 다하지만 명이 어지러워 막히게 되고, 비괘는 혼란이 다하지만 명이 있어 태평하게 된다. '명'은 하늘이 명하는 것으로 군자가 나아가는 일이다. 도의 흥기와 폐함이 어찌 하늘이 하는 일이 아니겠으며, 세상의 다스림과 혼란이 어찌 임금이 하는 일이 아니겠는가?"

咎, 勿恤其孚, 于食有福.[구삼효는 평탄한 것은 기울지 않는 것이 없으며, 가는 것은 돌아오지 않는 것이 없으니, 어려워도 곧게 하면 허물이 없고 그 믿음을 우려하지 않으면 먹는 데 복이 있다.]"라고 하였다.

20) 항안세(項安世), 『주역완사(周易玩辭)』「비괘(否卦)」.

● 胡氏炳文曰 : "否泰之變, 皆天也. 然泰變爲否易, 故於內卦卽言之. 否變爲泰難, 故於外卦始言之."[21]

호병문(胡炳文)이 말했다. "막힘과 태평함의 변화는 모두 하늘이 하는 일이다. 그러나 태평함이 변하여 막히는 것은 쉽기 때문에 내괘에서 바로 말했고, 막힘이 변하여 태평함이 되는 것은 어렵기 때문에 외괘에서 비로소 말했다."

21) 호병문(胡炳文), 『주역본의통석(周易本義通釋)』「비괘(否卦)」.

九五, 休否. 大人, 吉, 其亡其亡, 繫于苞桑.

구오효는 비색한 것을 그치게 하니, 대인이 길하지만 망할 수 있다고 여기고 망할 수 있다고 여겨야 무더기로 난 뽕나무 뿌리에 맬 수 있다.

本義

陽剛中正, 以居尊位, 能休時之否, 大人之事也. 故此爻之占, 大人遇之, 則吉. 然又當戒懼, 如「繫辭傳」所云也.

굳센 양이 중정하여 임금의 자리에 있음으로 때가 막힘을 그치게 할 수 있으니, 대인의 일이다. 그러므로 이 효의 점사는 대인이 만나면 길하다는 것이다. 그러나 또한 마땅히 「계사전」에서 말한 대로 경계하고 두려워해야 한다.

程傳

五以陽剛中正之德, 居尊位, 故能休息天下之否, 大人之吉也. 大人當位, 能以其道, 休息天下之否, 以循致於泰, 猶未離於否也, 故有'其亡'之戒. 否旣休息, 漸將反泰, 不可便爲安肆, 當深慮遠戒, 常虞否之復來, 曰'其亡矣其亡矣'.

오효는 굳센 양이 중정의 덕으로 높은 자리에 있기 때문에 세상의 막힘을 그치게 할 수 있으니, 대인의 길함이다. 대인이 지위를 맡아 그 도로 세상의 막힘을 그치게 하고 태평으로 돌려 이르게 할 수 있으나 여전히 아직은 막힌 것에서 벗어나지 못했기 때문에 '망할 수 있다'는 경계가 있다. 막힘이 이미 그쳐서 점차 태평함으로 돌아가더라도 곧바로 편안히 마음대로 해서는 안 되고, 깊이 생각하고 멀리 경계하여 언제든지 막힘이 다시 온다고 걱정해야 하니, '망할 수 있다고 여기고 망할 수 있다고 여긴다'라고 한 것이다.

其'繫于苞桑', 謂爲安固之道, 如維繫于苞桑也. 桑之爲物, 其根深固. '苞', 謂叢生者. 其固尤甚, 聖人之戒, 深矣. 漢王允, 唐李德裕不知此戒, 所以致禍敗也. 「繫辭」曰"危者, 安其位者也, 亡者, 保其存者也, 亂者, 有其治者也, 是故君子安而不忘危, 存而不忘亡, 治而不忘亂. 是以身安而國家可保也."

'무더기로 난 뽕나무 뿌리에 맨다'는 편안하고 견고한 도를 실천하기를 마치 무더기로 난 뽕나무 뿌리에 매는 것과 같이 하라는 말이다. 뽕나무는 그 뿌리가 깊고 견고하다. '무더기로 났다[苞]'는 것은 무더기로 불어남을 말한다. 그 견고함이 더욱 심하니, 성인의 경계함이 깊다.

한(漢)나라 왕윤(王允)[22]과 당(唐)나라 이덕유(李德裕)[23]는 이러한

22) 왕윤(王允, 137~192) : 후한 말 기현(祁縣) 사람으로 자는 자사(子師)이다. 어려서부터 경전과 말 타기, 활쏘기를 배웠다. 군리(群吏)가 되어서 환관 당우(黨羽)를 죽였다. 영제(靈帝) 때 예주자사(豫州刺史)를 지냈고 황건적의 난을 진압하는 데 참여했다. 헌제(獻帝) 때 태복(太僕)과 상서령(尙書令), 사도(司徒)를 역임했다. 192년에 상서복야(尙書僕射) 손서(孫緒), 여포(呂布) 등이 밀모하여 동탁(董卓)을 죽이고 그에게 조정을 다스리게 했으나, 오래지 않아 동탁의 잔당 이각(李傕), 곽사(郭汜)

경계를 몰랐기 때문에 화(禍)와 패망을 초래하였다. 「계사전」에서 "위태할까 걱정함은 그 자리를 편안히 하는 것이고, 망할까 걱정함은 그 보존을 지키는 것이고, 어지러울까 걱정함은 그 다스림을 유지하는 것이다. 이런 까닭으로 군자는 편안해도 위태롭게 될 수 있음을 잊지 않으며, 보존되어도 망하게 될 수 있음을 잊지 않으며, 다스려져도 어지럽게 될 수 있음을 잊지 않는다. 이 때문에 자신이 편안하고 나라와 가문을 지킬 수 있다"[24]라고 하였다.

集說

● 『朱子語類』, 問 : "九五'其亡其亡', 繫于苞桑, 如何?"
曰 : "有戒懼危亡之心. 則便有苞桑繫固之象. 蓋能戒懼危亡, 則如繫于苞桑, 堅固不拔矣. 如此說, 則象占乃有收殺, 非是其亡其亡, 而又繫于苞桑也."[25]

등이 장안(長安)을 공격해 와서 죽임을 당했다.

23) 이덕유(李德裕, 787~850) : 당나라 조군(趙郡) 사람으로 자는 문요(文饒)이다. 어릴 때부터 큰 뜻을 품어 열심히 공부했지만 과거 시험은 좋아하지 않았다. 무종(武宗) 회창(會昌) 연간에 권세를 누려 회남절도사(淮南節度使)로 있다가 재상이 되고 번진(藩鎭)의 소요를 막으면서 더욱 권력이 막강해졌다. 이당(李黨)의 수령이 되어 우승유(牛僧孺)와 이종민(李宗閔)이 영수로 있던 우당(牛黨)과 심하게 대립하여 탄압했고, 폐불(廢佛)을 단행했다가 선종(宣宗)이 즉위하자 우당의 공격을 받아 애주사호(崖州司戶)로 좇겨나 죽었다. 위국공(衛國公)에 추증되었다. 경학(經學)과 예법을 존중하고 귀족적 보수파로서 번진을 억압했으며, 회흘(回紇) 등 외족(外族)을 격퇴하는 데 힘써 중앙집권의 강화를 꾀했다.

24) 『주역(周易)』「계사전(繫辭傳)」.

25) 『주자어류』 권70, 124조.

『주자어류』에서 물었다. "구오효의 '망할 수 있다고 여기고 망할 수 있다고 여겨야 무더기로 난 뽕나무 뿌리에 맬 수 있다'는 것은 무슨 의미입니까?"

대답했다. "망하게 될 수 있음을 경계하고 두려워하는 마음이 있으니, 곧 무더기로 난 뽕나무 뿌리에 잡아 단단히 매는 상이 있는 것입니다. 망하게 될 수 있음을 경계하고 두려워할 수 있으면, 무더기로 난 뽕나무 뿌리에 맨 것처럼 견고해서 뽑지 못합니다. 이런 설명은 상과 점에 바로 결말을 냄에 있는 것이지 망할 수 있다고 여기고 망할 수 있다고 여겨서 또 무더기로 난 뽕나무 뿌리에 매다는 것이 아닙니다."

上九, 傾否, 先否, 後喜.

상구효는 막힌 것을 기울어지게 하니, 먼저는 막히고 뒤에는 기뻐한다.

本義

以陽剛居否極, 能傾時之否者也, 其占爲先否後喜.

굳센 양으로 비괘의 끝에 있어 때가 막힌 것을 기울게 할 수 있으니, 그 점이 먼저는 막히고 뒤에는 기뻐한다.

程傳

上九否之終也, 物理極而必反. 故泰極, 則否, 否極, 則泰. 上九否旣極矣, 故否道傾覆而變也, 先極否也, 後傾喜也. 否傾則泰矣, 後喜也.

상구효는 비괘의 끝이니, 만물의 이치는 끝까지 가서 반드시 되돌아온다. 그러므로 태평함이 다하면 막히고, 막힘이 다하면 태평하게 된다. 상구효는 막힘이 이미 다했기 때문에 막히는 도가 기울어지고 뒤집혀져 변하니, 먼저는 극도로 막혔고 뒤에는 기울어져 기뻐한다. 막힌 것이 기울어진 것이 태평이니, 뒤에는 기뻐하는 것이다.

集說

● 孔氏穎達曰 : "處否之極, 否道已終, 能傾毁其否, 故曰'傾否'也. 否道未傾之時, 是'先否'. 已傾之後, 其事得通, 故曰'後有喜也'."26)

공영달이 말했다. "막힘의 끝에 있어 막히는 도가 이미 끝났으니, 막힘을 기울여 무너뜨리기 때문에 '막힌 것을 기울어지게 한다'고 했다. 막히는 도가 아직 기울어지지 않았을 때가 '먼저는 막혔다'는 것이다. 이미 기울어진 다음에는 그 일이 통하기 때문에 '뒤에는 기뻐한다'고 하였다."

● 王氏宗傳曰 : "言'傾否'而不言'否傾', 人力居多焉."27)

왕종전이 말했다. "'막힌 것을 기울어지게 한다'고 하고 '막힌 것이 기울어진다'라고 하지 않은 것은 사람의 힘이 많이 작용하기 때문이다."

● 胡氏炳文曰 : "以陰柔處泰之終, 故不能保泰, 而泰復爲否. 以陽剛處否之終, 故卒能傾否, 而否復爲泰. 否泰反復, 天乎. 人也."28)

호병문이 말했다. "음의 부드러움이 태평함의 끝에 있기 때문에 태평함을 보존할 수 없어 막힘이 되었다. 양의 굳셈으로 막힘의 끝에

26) 공영달(孔穎達), 『주역주소(周易注疏)』「비괘(否卦)」.
27) 왕종전(王宗傳), 『동계역전(童溪易傳)』「비괘(否卦)」.
28) 호병문(胡炳文), 『주역본의통석(周易本義通釋)』「비괘(否卦)」.

있기 때문에 마침내 막힘을 기울일 수 있어 막힘이 다시 태평함이 되었다. 막힘과 태평함이 반복하는 일을 하늘이 하겠는가? 사람이 한다."

● 何氏楷曰 : "先否後喜, 卽先天下而憂、後天下而樂之意, 正與'其亡其亡'之君心相似."[29]

하해(何楷)가 말했다. "먼저는 막히고 뒤에는 기뻐하는 것은 세상에 앞서 근심하고, 세상보다 뒤에 기뻐하는 의미이니, 바로 '망할 수 있다고 여기고 망할 수 있다고 여기는' 군자의 마음과 서로 비슷하다."

29) 하해(何楷), 『고주역정고(古周易訂詁)』「비괘(否卦)」.

13. 동인同人괘

䷌ 乾上
離下

程傳

同人「序卦」, "物不可以終否, 故受之以同人." 夫天地不交, 則爲否, 上下相同, 則爲同人, 與否義, 相反, 故相次. 又世之方否, 必與人同力, 乃能濟, 同人所以次否也. 爲卦乾上離下. 以二象言之, 天在上者也, 火之性炎上, 與天同也, 故爲同人. 以二體言之, 五居正位, 爲乾之主, 二爲離之主, 二爻以中正相應, 上下相同, 同人之義也. 又卦唯一陰, 衆陽所欲同, 亦同人之義也. 他卦固有一陰者, 在同人之時而二五相應, 天火相同, 故其義大.

동인괘는 「서괘전」에서 "사물은 끝내 막힐 수 없기 때문에 동인괘로 받았다"라고 하였다. 하늘과 땅이 서로 사귀지 못하면 막히게 되고, 위와 아래가 서로 함께 하면 동인(同人䷌)괘가 되는데, 비(否䷋)괘와 그 뜻이 서로 반대되기 때문에 서로 이어지게 했다. 또 시대가 막히게 되면 반드시 사람들과 함께 힘을 합해야 구제할 수 있으니, 동인괘가 비괘 다음에 있는 것이다. 괘의 모양은 건(乾☰)괘가 위에 있고 리(離☲)괘가 아래에 있다. 그러니 두 괘의 상으로 말한다면, 하늘이 위에 있는데 불의 성질이 타 올라가 하늘과 함께 하기 때문에 동인괘이다.
두 괘로 말한다면, 오효가 바른 자리에 있어 건괘의 주인이고 이효가 리괘의 주인인데, 두 효가 가운데에 있고 제자리에 있음으로 서로 호응하면서 위와 아래가 서로 함께 하니, 남들과 함께 하는 뜻이다. 또 괘에 오직 하나의 음이 있어 여러 양들이 함께 하려는 것도 남들과 함께 하는 뜻이다. 다른 괘에도 진실로 음이 하나인 경우가 있지만, 남들과 함께 하는 때에 이효와 오효가 서로 호응하여 하늘과 불이 서로 함께 하기 때문에 그 뜻이 크다.

同人于野, 亨, 利涉大川, 利君子貞.

동인은 들에서 사람들과 함께 하면 형통하고, 큰 내를 건넘이 이로우니 군자의 곧음이 이롭다.

本義

離亦三畫卦之名, 一陰麗於二陽之間. 故其德爲麗爲文明, 其象爲火爲日爲電. 同人, 與人同也. 以離遇乾, 火上同於天, 六二得位得中而上應九五, 又卦唯一陰而五陽同與之, 故爲同人. '于野', 謂曠遠而无私也, 有亨道矣. 以健而行, 故能涉川. 爲卦內文明而外剛健. 六二中正而有應, 則君子之道也. 占者, 能如是, 則亨而又可涉險, 然必其所同, 合於君子之道, 乃爲利也.

리(離☲)괘도 세 획으로 된 괘 이름인데, 하나의 음이 두 양 사이에 걸렸기 때문에 그 덕은 걸림이 되고 문명이 되며, 그 상은 불이 되고 해가 되며 번개가 된다. 동인(同人)은 사람들과 함께 함이다. 리(離☲)괘가 건(乾☰)괘를 만나 불이 위로 올라가 하늘과 함께 하고, 육이효는 제자리와 알맞음을 얻어 위로 구오효와 호응하며, 또 괘에 오직 하나의 음이 있는데 다섯 양이 함께 하기 때문에 남들과 함께 함이다. '들에서[于野]'란 아득히 멀리 있어 사사로움이 없는 것이니 형통한 도가 있는 것을 말한다. 굳셈으로 행하기 때문에 내를 건널 수 있다. 괘의 특성은 안이 문명하고 밖이 강건하다. 육이효는 중정하고 호응이 있으니, 군자의 도이다. 점을 치는 자가 이와 같이 할 수 있다면, 형통하고 또 험한 것을 건널 수 있으나, 반드시 그 함께 하는 것이 군자의 도에 부합되어야 이롭다.

程傳

'野', 謂曠野, 取遠與外之義. 夫'同人'者, 以天下大同之道, 則聖賢大公之心也. 常人之同者, 以其私意所合, 乃暱比之情耳. 故必于野, 謂不以暱近情之所私. 而于郊野曠遠之地, 旣不繫所私, 乃至公大同之道. 无遠不同也, 其亨, 可知. 能與天下大同, 是天下皆同之也. 天下皆同, 何險阻之不可濟, 何艱危之不可亨. 故"利涉大川, 利君子貞." 上言'于野', 止謂不在暱比. 此復言宜以君子正道, 君子之貞謂天下至公大同之道. 故雖居千里之遠, 生千歲之後, 若合符節, 推而行之, 四海之廣, 兆民之衆, 莫不同. 小人則唯用其私意, 所比者雖非亦同, 所惡者雖是亦異, 故其所同者, 則爲阿黨, 蓋其心不正也, 故同人之道, 利在君子之貞正.

"들[野]"은 광활한 들을 말하니, 멀리 있고 바깥에 있는 뜻을 취하였다. '남들과 함께 한다'는 것은 세상이 크게 함께 하는 도를 가지고 함이니 성현의 아주 공정한 마음이다. 일반사람들이 함께 하는 것은 그 사사로운 뜻을 가지고 부합함이니 친해서 따르는 정(情)일 뿐이다. 그러므로 반드시 들에서 하는 것은 친하여 사사로운 마음으로 하지 않음을 말한다.
넓고 멀리 있는 교외의 들에서는 이미 사사로운 것에 얽매이지 않으니, 지극히 공정하여 크게 함께 하는 도이다. 먼 곳에서 함께 하지 않음이 없으니, 그 형통함을 알 수 있다. 천하와 크게 함께 할 수 있으면, 천하가 모두 함께 하는 것이다. 천하가 모두 함께 하면, 어찌 험난하다고 구제할 수 없겠으며, 어찌 어렵고 위태롭다고 형통하지 않겠는가? 그러므로 "큰 내를 건넘이 이로우며 군자의 곧음으로써 행함이 이롭다"고 하였다.
앞에서 '들에서'라고 말하였으니, 친한 것에 있지 않아야 함을 말했을 뿐이다. 여기서 다시 군자의 바른 도로써 해야 한다고 말하였으니, 군자의 바름은 세상의 지극히 공정하고 크게 함께 하는 도를 말한다. 그러므로 천리나 되는 먼 곳에 있고, 천 년이나 되는 먼 훗날에 태어나더라도 부절(符節)이 서로 딱 맞는 것처럼, 이로써 미루어 나가 행하면 넓은 천하와 수많은 백성들이 함께 하지 않음이 없다. 소인이라면 자신의 사사로운 뜻으로만 하여 친한 사람은 잘못해도 함께 하고, 미워하는 사람은 옳아도 달리하기 때문에 그 함께 하는 자들이 아첨하는 패거리들이니, 그의 마음이 바르지 않기 때문이다. 그러므로 사람들과 함께 하는 도는 이로움이 군자의 곧고 바름에 있다.

集說

● 孔氏穎達曰 : "'同人', 謂和同於人. 野, 是廣遠之處, 借其野名, 喩其廣遠, 言和同於人, 必須寬廣無所不同. 用心無私, 乃得亨通, 故云'同人於野亨'. 與人同心, 足以涉難, 故曰, '利涉大川'. 與人和同, 易涉邪僻, 故利君於貞也."[1)]

공영달(孔穎達)이 말했다. "'동인'은 사람들과 화합하며 함께 하는

1) 공영달(孔穎達), 『주역주소(周易注疏)』「동인괘(同人卦)」.

것을 말한다. '들'은 넓고 멀리 있는 곳이다. 들이라는 이름을 빌어 넓고 멀리 있음을 비유하였으니, 사람들과 화합하여 함께 하는 것은 반드시 넓어서 함께 하지 않는 것이 없다는 말이다. 마음을 씀이 사사로움이 없어 바로 형통함을 얻기 때문에 '들에서 사람들과 함께 하면 형통하다'고 하였다. 사람들과 함께 해야 충분히 어려움을 건너가기 때문에 '큰 내를 건넘이 이롭다'고 하였다. 사람들과 화합하여 함께 해야 어그러지고 부정한 것을 쉽게 건너기 때문에 군자의 곧음이 이로운 것이다."

● 胡氏炳文曰 : "同人於野, 其同也大, 利君子貞, 其同也正. 與人大同, 亨道也, 雖大川可涉. 然有所同者大, 而不出於正者, 故又當以正爲本."[2]

호병문(胡炳文)이 말했다. "들에서 사람들과 함께 하면 함께 함이 크고, 군자의 곧음이 이로우면 함께 함이 바르다. 사람들과 크게 함께 하는 것은 형통한 도이니, 큰 내일지라도 건널 수 있다. 그러나 함께 하는 것이 큰데 바른 것에서 나오지 않는 경우가 있기 때문에 또 바름을 근본으로 해야 한다."

● 蔡氏清曰 : "大人之道, 豈必人人而求與之同哉. 亦唯以正而已. 正也者, 人心之公理也, 不期同而自無不同者也. 若我旣得其正, 而彼或不我同, 則彼之悖矣, 吾何計哉. 然同我者已億萬 : 而不同者僅一二, 亦不害其爲大同也."[3]

2) 호병문(胡炳文), 『주역본의통석(周易本義通釋)』「동인괘(同人卦)」.

3) 채청(蔡清), 『역경몽인(易經蒙引)』「동인괘(同人卦)」.

채청(蔡清)이 말했다. "대인의 도가 어찌 반드시 사람마다 자신과 함께 하기를 구하는 것이겠는가? 또한 오직 바름으로 할 뿐이다. 바름은 사람들의 마음이 공평한 이치이니, 함께 하기를 기약하지 않아도 저절로 함께 하지 않음이 없다. 내가 이미 그 바름을 얻었는데 저들이 간혹 나와 함께 하지 않으면, 저들이 어그러졌음을 내가 어찌 헤아리겠는가? 그러나 나와 함께 하는 자가 이미 헤아릴 수 없을 정도로 많고 함께 하지 않는 자가 겨우 한두 명 정도라면 또한 크게 함께 하는 데 해롭지는 않다."

● 林氏希元曰 : "「序卦傳」曰, '與人同者, 物必歸焉'. 同人於野, 則物無不應, 人無不助, 而事無不濟, 故亨, 雖大川之險, 亦利於涉矣. 然必所同者合於君子之正道, 乃爲於野而亨且利涉. 使不以正, 雖所同滿天下, 竟是私情之合, 不足謂之'於野', 又何以致亨而利涉哉."[4]

임희원(林希元)이 말했다. "「서괘전」에서 '사람들과 함께 할 경우에 사물이 반드시 귀의한다'고 하였다. 들에서 사람들과 함께 하면 사물은 호응하지 않음이 없고 사람은 돕지 않음이 없으며 일은 구제되지 않음이 없기 때문에 형통하니, 큰 내의 험함일지라도 건너는 것이 이롭다. 그러나 반드시 함께 하는 자들이 군자의 바른 도에 합해야 들에서 하여 형통하고 또 건너는 데 이롭다. 바름으로 하지 않으면 함께 하는 것이 천하에 꽉 찼을지라도 마침내 사사로운 마음으로 합한 것이어서 '들에서'라고 말하기에 부족하니, 또 어찌 형통함을 이루고 건너는 데 이롭겠는가?"

4) 임희원(林希元), 『역경존의(易經存疑)』「동인괘(同人卦)」.

初九, 同人于門, 无咎.

초구효는 문밖에서 사람들과 함께 하니, 허물이 없다.

本義

同人之初, 未有私主. 以剛在下, 上无係應, 可以无咎, 故其象占如此.

동인괘의 처음에는 사사로이 주장함이 없다. 굳셈이 아래에 있으면서 위로는 매이거나 응함이 없어 허물이 없을 수 있기 때문에 그 괘의 상과 점이 이와 같다.

程傳

九居同人之初而无係應, 是无偏私, 同人之公者也, 故爲出門同人. 出門, 謂在外. 在外則无私昵之偏, 其同博而公. 如此則无過咎也.

양이 동인괘의 초효에 있어 매이거나 응함이 없으니, 이는 치우치거나 사사로움이 없어 사람들과 함께 함에 공정하기 때문에 문을 나가 사람들과 함께하는 것이다. 문을 나간다는 것은 밖에 있음을 말한다. 밖에 있으면 사사롭게 친하게 하는 치우침이 없어 그 함께 함이 넓고 공정하다. 이와 같이 하면 잘못과 허물이 없다.

集說

● 王氏弼曰:"居同人之始, 爲同人之首者也. 無應於上, 心無係吝, 通夫大同, 出門皆同, 故曰'同人于門'也. 出門同人, 誰與爲咎."5)

왕필(王弼)이 말했다. "동인의 초효에 있어 동인의 머리가 된 것이다. 위로 호응함이 없고 마음에 얽매어 후회하는 것이 없어 크게 함께 함에 통한다. 문을 나가 모두 함께 하기 때문에 '문 밖에서 사람들과 함께 한다'고 하였다. 문밖에서 사람들과 함께 하는데, 누구와 허물을 말하겠는가?"

● 王氏應麟曰:"同人之初曰'出門', 隨之初曰'出門', 謹於出門之初, 則不苟同, 不詭隨."6)

왕응린(王應麟)이 말했다. "동인(同人䷌)괘의 초구효에서 '문을 나가'라 하였고, 수(隨䷐)괘의 초구효에서 '문을 나가'라 한 것7)은 문을 나선 처음에 삼가는 것이니, 구차하게 함께 하지 않고, 속여서 따르지 않는 것이다."

● 胡氏炳文曰:"同人與隨, 皆易溺於私. 隨必出門而後可以有

5) 왕필(王弼), 『주역주소(周易注疏)』「동인괘(同人卦)」.

6) 왕응린(王應麟), 『곤학기문(困學紀聞)』「역(易)」.

7) 수(隨䷐)괘의 초구효에서 '문을 나가'라 한 것: 『주역(周易)』「수괘(隨卦)」에서 "初九, 官有渝, 貞吉, 出門交, 有功.[초구는 주장하여 변하였으니, 곧게 하면 길하니 문을 나가 사귀면 공이 있을 것이다.]"라고 하였다.

功, 同人必出門而後可以無咎."[8]

호병문이 말했다. "동인(同人䷌)괘와 수(隨䷐)괘는 모두 사사로움에 빠지기 쉽다. 수괘는 반드시 문을 나선 다음에 공이 있을 수 있고, 동인괘는 반드시 문을 나선 다음에 허물이 없을 수 있다."

8) 호병문(胡炳文), 『주역본의통석(周易本義通釋)』「동인괘(同人卦)」.

六二, 同人于宗, 吝.

육이효는 종친들에게서 사람들과 함께 하니, 부끄럽다.

本義

'宗', 黨也. 六二雖中且正, 然有應於上, 不能大同而係於私, 吝之道也. 故其象占, 如此.

'종친들'은 친척들이다. 육이효가 가운데에 있고 제자리에 있지만, 위에 호응함이 있어 함께 함을 크게 할 수 없고 사사로움에 매이니 부끄럽게 되는 도이다. 그러므로 그 상과 점이 이와 같다.

程傳

二與五爲正應, 故曰'同人于宗'. '宗'謂宗黨也. 同於所係應, 是有所偏與, 在同人之道, 爲私狹矣, 故可吝. 二若陽爻, 則爲剛中之德, 乃以中道, 相同, 不爲私也.

이효와 오효는 바른 호응이기 때문에, '종친들에게서 사람들과 함께 한다'고 하였다. '종친들'은 친척들을 말한다. 매여서 호응하는 것에 함께 함은 편협되게 함께 하는 것이 있으니, 사람들과 함께 하는 도리에서는 사사롭고 편협되기 때문에 부끄러워할 만하다. 이효가 양효라면 굳세고 알맞은 덕을 행하기를 바로 중도(中道)로 하니, 서로 함께 함을 사사롭게 하지 않는다.

集說

● 馮氏當可曰："以卦體言之, 則有大同之義, 以爻義言之, 則示阿黨之戒."[9]

풍당가(馮當可 : 馮時行)[10]가 말했다. "괘의 몸체로 말하면 크게 함께 하는 뜻이 있고, 효의 의미로 말하면, 아첨하며 무리가 되는 경계를 보였다."

● 蔡氏清曰："柔得位得中, 而應乎乾曰'同人'. 今乃謂'同人于宗吝'者, 蓋卦是就其全體上取其有相同之義, 然同人之道貴乎廣. 今二五相同, 雖曰'兩相與則專', 然其道則狹矣. 曰'于宗吝', 以見其利于野也."[11]

채청(蔡清)이 말했다. "부드러움이 제 자리를 얻고 알맞음을 얻어 건괘와 호응하니, '사람들과 함께 한다'고 하였다. 이제 '종친들에게서 사람들과 함께 하니, 부끄럽다'고 한 것은 대개 괘에서는 그 전체적으로 서로 함께 하는 뜻이 있음을 취했으니, 사람들과 함께 하는 도는 넓은 것을 귀하게 여긴다. 이제 이효와 오효가 서로 함께

9) 풍의(馮椅), 『후재역학(厚齋易學)』「동인괘(同人卦)」.

10) 풍시행(馮時行, 1100~1163) : 자는 당가(當可)이고, 호는 진운(縉雲)이다. 송대 공주(恭州) 벽산(壁山) 사람으로 휘종 6년(1124)에 진사에 장원급제하여, 벼슬은 봉절위(奉節尉), 강원승(江原丞), 단릉지현(丹陵知縣), 만주지주(萬州知州), 성도부로제형(成都府路提刑) 등을 역임했다. 소대(召對)하여 화의(和議)는 믿을 수 없음을 강력하게 주장해 진회(秦檜)의 미움을 샀다. 얼마 뒤 탄핵을 받아 파직되고, 이후 18년 동안 칩거했다. 저서에 『진운문집(縉云文集)』, 『역론(易論)』 등이 있다.

11) 채청(蔡清), 『역경몽인(易經蒙引)』「동인괘(同人卦)」.

하니, '둘이 서로 함께 하면 오로지 한다'고 말할 수 있을지라도 그 도는 좁다. '종친에게서 하니 부끄럽다'라고 했으니, 들에서 하는 것이 이로움을 알겠다."

九三, 伏戎于莽, 升其高陵, 三歲不興.

구삼효는 숲속에 군사를 매복시키고, 높은 언덕에 올라 삼 년 동안 일어나지 못한다.

本義

剛而不中, 上无正應, 欲同於二, 而非其正, 懼九五之見攻, 故有此象.

굳세지만 가운데에 있지 않아 위로 바르게 호응함이 없고, 육이효와 함께 하고자 하지만 바른 자리에 있지 않아 구오의 공격을 받을까 두렵기 때문에 이러한 상이 있다.

程傳

三以陽居剛, 而不得中, 是剛暴之人也. 在同人之時, 志在於同. 卦唯一陰, 諸陽之志皆欲同之, 三又與之比, 然二以中正之道, 與五相應. 三以剛强, 居二五之間, 欲奪而同之, 然理不直義不勝, 故不敢顯發, 伏藏兵戎于林莽之中. 懷惡而內負不直, 故又畏懼, 時升高陵以顧望. 如此至于三歲之久, 終不敢興. 此爻深見小人之情狀, 然不曰凶者, 旣不敢發, 故未至凶也.

삼효는 양으로 굳센 자리에 있고 가운데 자리를 얻지 못하였으니,

강폭한 사람이다. 사람들과 함께 하는 때는 뜻이 함께 하는 것에 있다. 괘에 오직 하나의 음이 있어 여러 양들의 마음이 모두 함께 하고 싶어 하는데, 삼효가 또 그것과 가깝지만 이효가 알맞고 바른 도로 오효와 서로 호응한다. 삼효가 굳셈과 강함으로 이효와 오효의 사이에 있어 빼앗아 함께 하고자 하지만 이치가 바르지 않고 의리상 이기지 못하기 때문에 감히 드러내어 나가지 못하고 군사를 숲속에 매복시켜 놓고 있다.
나쁜 마음을 품고 안으로 바르지 못한 생각을 가지고 있기 때문에 또한 두려워서 때때로 높은 언덕에 올라가 둘러본다. 이와 같이 하면서 삼 년이라는 긴 세월에 이르도록 끝내 감히 일어나지 못한다. 이 효에서 소인의 정황을 깊이 보았는 데도 흉하다고 말하지 않은 것은 감히 드러내지 못하였기 때문에 아직 흉한 데 이르지 않았다는 말이다.

集說

● 『朱子語類』, 問 : "'伏戎於莽, 升其高陵', 如何?"
曰 : "只是伏於高陵之草莽中, 三歲不敢出."[12]

『주자어류』에서 물었다. "'구삼은 숲속에 군사를 매복시키고, 높은 언덕에 올라갔다'는 것은 무슨 의미입니까?"
대답했다. "단지 높은 언덕의 숲속에 매복시키고 삼 년 동안 감히 나오지 못했다는 말입니다."

12) 『주자어류』 권70, 138조목.

● 胡氏炳文曰 : "卦唯三四不言同人, 三四有爭奪之象, 非同者也."[13]

호병문이 말했다. "괘에서 오직 삼효와 사효에서만 사람들과 함께함을 말하지 않았으니. 삼효와 사효에는 쟁탈의 상이 있어 함께 하는 것이 아니기 때문이다."

13) 호병문(胡炳文), 『주역본의통석(周易本義通釋)』「동인괘(同人卦)」.

九四, 乘其墉, 弗克攻, 吉.

구사효는 담에 올라가서도 공격하지 못하니 길하다.

本義

剛不中正, 又无應與, 亦欲同於六二而爲三所隔, 故爲乘墉以攻之象. 然以剛居柔, 故有自反而不克攻之象, 占者, 如是, 則是能改過而得吉也.

굳셈이 중정하지 않고 또 호응하여 함께 함이 없으니, 또한 육이와 함께 하려고 하지만 삼효가 막고 있기 때문에 담에 올라가서 공격하는 상이다. 그러나 굳셈으로 유약한 자리에 있기 때문에 스스로 돌이켜보고 공격하지 않는 상이 있다. 점을 치는 자가 이와 같이 한다면, 잘못을 고쳐서 길함을 얻을 수 있다.

程傳

四剛而不中正, 其志欲同二, 亦與五爲仇者也. '墉', 垣, 所以限隔也. 四切近於五, 如隔墉耳. 乘其墉, 欲攻之, 知義不直而不克也. 苟能自知義之不直而不攻, 則爲吉也. 若肆其邪欲, 不能反思義理, 妄行攻奪, 則其凶大矣. 三以剛居剛, 故終其强而不能反, 四以剛居柔, 故有困而能反之義. 能反則吉矣, 畏義而能改, 其吉宜矣.

사효는 굳세고 중정하지 않으면서 그 뜻이 이효와 함께 하려고 하니, 또한 오효와 원수이다. '용(墉)'은 담장이니, 막아 경계를 두는 것이다. 사효는 오효와 아주 가까이 있으니, 담으로 막힌 것과 같다. 그 담에 올라가 공격하고 싶으나 의리상 바르지 못함을 알아 하지 못한다. 진실로 스스로 의리상 바르지 못함을 알 수 있어 공격하지 않으니 길하다. 그 사특한 욕심을 함부로 하면서 의리를 돌이켜 생각하지 못하고 함부로 행하여 공격하고 빼앗으면 그 흉함이 크다.

삼효는 굳센 양으로 굳센 양의 자리에 있기 때문에 그 강함을 끝까지 하여 돌이킬 수 없고, 사효는 굳센 양으로 유순한 음의 자리에 있기 때문에 곤란해지지만 돌이킬 수 있는 뜻이 있다. 돌이킬 수 있다면 길하고, 의(義)를 두려워하여 고칠 수 있으면 그 길함은 당연하다.

集說

● 『朱子語類』, 問 : "同人三四皆有爭奪之義."
曰 : "三以剛居剛, 便迷而不返, 四以剛居柔, 便有返底道理. 「繫辭」云, '近而不相得則凶', 如初上則各在事外, 不相干涉, 所以無爭."14)

『주자어류』에서 물었다. "동인괘의 구삼효와 구사효에는 모두 쟁탈하는 뜻이 있는데 무슨 의미입니까?"
대답했다. "구삼효는 굳센 것이 굳센 자리에 있어 미혹되어 돌아오

14) 『주자어류』 권70, 139조목.

지 못하고, 구사효는 굳셈이 부드러운 자리에 있어 돌아오는 도리가 있습니다. 「계사전」에서 '가까우면서도 서로 얻지 못하면 흉하다'[15]고 하였으니, 초효와 상효는 각기 일의 밖에 있어 서로 간섭하지 않기 때문에 다툼이 없다는 말입니다."

● 項氏安世曰 : "凡爻言'不克者', 皆陽居陰位. 唯其陽, 故有訟有攻, 唯其陰, 故不克訟弗克攻. 訟之九二九四, 同人之九四, 皆是物也."[16]

항안세(項安世)가 말했다. "효에서 '~하지 못한다'고 한 것은 모두 음이 음의 자리에 있다. 단지 양효이기 때문에 소송이 있고 공격이 있으며, 단지 음효이기 때문에 소송하지 못하고 이기지 못한다. 송괘의 구이효[17]와 구사효,[18] 동인괘의 구사효가 모두 여기에 해당하는 것들이다."

15) 가까우면서도 서로 얻지 못하면 흉하다 : 『주역(周易)』「계사전(繫辭傳)」에서 "凡易之情, 近而不相得, 則凶或害之, 悔且吝.[역의 실정은 가까우면서도 서로 얻지 못하면 흉하거나 혹 해치며, 뉘우치면서 또 인색하게 된다.]"라고 하였다.

16) 항안세(項安世), 『주역완사(周易玩辭)』「동인괘(同人卦)」.

17) 구이효 : 『주역(周易)』「송괘(訟卦)」 "九二, 不克訟, 歸而逋, 其邑人, 三百戶, 无眚.[구이효는 송사를 하지 못하여 돌아가 숨으니, 그 읍의 사람이 삼백호이면 허물이 없다.]"라고 하였다.

18) 구사효 : 『주역(周易)』「송괘(訟卦)」 "九四, 不克訟, 復卽命, 渝, 安貞, 吉.[구사효는 송사를 하지 못하니 돌아와 명에 나아가 마음을 바꾸어서 곧음을 편안히 여기면 길하다.]"라고 하였다.

案

卦名同人, 而三四兩爻, 所以有乖爭之象者, 蓋人情同極必異, 異極乃復於同, 正如治極則亂, 亂極乃復於治. 此人事分合之端, 易道循環之理也. 卦之內體, 自同而異, 故於門於宗, 同也. 至三而有伏戎之象, 則不勝其異矣. 外體自異而同, 故乘墉而弗克攻. 大師而克相遇, 漸反其異也. 至上而有於郊之象, 則復歸於同矣. 三四兩爻, 正當同而異、異而同之際, 故聖人因其爻位爻德以取象. 三之所謂'敵剛'者, 敵上也. 四之所謂'乘墉'者, 攻初也. 蓋旣非應則不同, 不同則有相敵相攻之象矣. 以爲爭六二之應, 而與九五相敵相攻, 似非卦意也.

괘의 이름이 동인인데 삼효와 사효의 두 효에 어그러지고 다투는 상이 있는데, 사람의 정에 함께 하는 것이 다하면 반드시 달리하고, 달리하는 것이 다하면 함께 하는 것으로 돌아오기 때문이니, 다스림이 다하면 어지러워지고 어지러움이 다하면 바로 다스려짐으로 돌아오는 것과 같다. 이것은 사람의 일이 흩어지고 합하는 단서이고, 역의 도리가 순환하는 이치이다.
괘에서 내체는 함께 하는 것에서 달리하기 때문에 문 밖에서 종친과 함께 하는 것이다. 삼효에 군사를 매복시키는 상이 있는 것은 달리함을 감당하지 못하기 때문이다. 외체는 달리하는 것에서 함께 하기 때문에 담에 올라가서도 공격하지 못한다. 큰 군사들인데도 서로 만날 수 있는 것은 점차로 달리함을 되돌리기 때문이다.
상구효에 들에서 하는 상이 있는 것은 함께 함으로 돌아가는 일이다. 삼효와 사효의 두 효는 함께 해야 하는데 달리하는 것이고, 달리해야 하는데 함께 하는 사이이기 때문에 성인이 그 효의 자리와 덕으로 상을 취했다. 삼효에서 이른바 '적이 강한 것'은 적이 위에 있기 때문이다. 사효에서 이른바 '담에 올라가는 것'은 초효를 공격하기 때문이다. 이미 호응하는 것이 아니면 함께 하지 않고, 함께 하지 않으면 적으로 대하여 서로 공격하는 상이 있다. 그러니 육이 효의 호응을 다투어 구오효와 서로 적이 되어 공격하는 것으로 여기는 것은 괘의 뜻이 아닌 것 같다.

九五, 同人, 先號咷而後笑, 大師克, 相遇.

구오효는 사람들과 함께 하지만 먼저는 울부짖고 뒤에는 웃으니, 큰 군사들로 이겨야 서로 만날 것이다.

本義

五剛中正, 二以柔中正, 相應於下, 同心者也, 而爲三四所隔, 不得其同. 然義理所同, 物不得而間之, 故有此象. 然六二柔弱而三四剛强, 故必用大師以勝之然後, 得相遇也.

오효가 굳셈으로 중정하고, 이효가 부드러움으로 중정하여 아래에서 서로 호응하며 마음을 함께 하는 것인데, 삼효와 사효가 가로막아 함께 할 수 없다. 그러나 의리가 함께 하는 것이어서 사물이 갈라놓을 수 없기 때문에 이런 상이 있다. 그런데 육이효는 유약하고 삼효와 사효는 굳세고 강하기 때문에 반드시 큰 군사를 동원하여 이긴 후에 서로 만날 수 있다.

程傳

九五同於二, 而爲三四二陽所隔. 五自以義直理勝, 故不勝憤抑, 至於號咷. 然邪不勝正, 雖爲所隔, 終必得合, 故後笑也. 大師克, 相遇, 五與二正應, 而二陽非理隔奪, 必用大師, 克勝之, 乃得相遇也. 云'大師'云'克'者, 見二陽之强也.

구오효가 이효와 함께 하는데 삼과 사 두 효의 두 양이 가로막고 있다. 오효는 스스로 의(義)가 곧고 이치가 우월하기 때문에 분하고 억울함을 이기지 못해 울부짖게 된다. 그러나 사특함이 곧음을 이기지 못하니, 가로막혔지만 끝내 반드시 합할 수 있기 때문에 뒤에는 웃는다. 큰 군사로 이겨 서로 만나게 됨은 구오효와 이효가 바르게 호응하는데 두 양이 도리가 아닌 것으로 가로막아 빼앗으니, 반드시 큰 군사를 동원하여 이겨야 서로 만날 수가 있다. '큰 군사'라고 하고 '이겨야'라고 한 것은 두 양의 강함을 나타낸다.

九五君位, 而爻不取人君同人之義者, 蓋五專以私暱, 應於二而失其中正之德. 人君當與天下大同, 而獨私一人, 非君道也, 又先隔則號咷, 後遇則笑, 是私暱之情, 非大同之體也. 二之在下, 尙以同於宗, 爲吝, 況人君乎. 五旣於君道, 无取, 故更不言君道, 而明二人同心不可間隔之義.

구오효는 임금의 자리인데, 효사에서 임금이 사람들과 함께 하는 뜻을 취하지 않은 것은 오효가 마음대로 사사로운 친함을 가지고 이효와 호응하여 중정한 덕을 잃기 때문이다. 임금은 천하 사람들과 크게 함께 해야 하는데, 한 사람만을 사사로이 함은 임금의 도가 아니고, 또한 먼저 막혀 있을 때는 울부짖고 뒤에 만났을 때 웃는 것은 사사롭게 가까이 하는 정이니, 크게 함께 하는 몸체가 아니다. 이효가 아래에 있으면서 오히려 종친의 무리와 함께 함도 부끄러움이 되는데, 하물며 임금에 있어서야 말해 무엇 하겠는가! 오효는 이미 임금의 도에 대하여 취할 것이 없기 때문에 다시 임금의 도를 말하지 않고, 두 사람이 마음을 함께 하여 떼어놓을 수 없다는 뜻을 밝혔다.

「繫辭」云, "君子之道, 或出或處, 或默或語, 二人同心, 其利斷金." 中誠所同, 出處語默, 无不同, 天下莫能間也. '同'者, 一也. 一不可分, 分, 乃二也. 一可以通金石冒水火, 无所不能入, 故云'其利斷金'. 其理至微, 故聖人贊之曰, "同心之言, 其臭如蘭", 謂其言意味深長也.

「계사전」에서 "군자의 도는 나아가기도 하고 그대로 있기도 하며, 침묵하기도 하고 말하기도 하지만, 두 사람이 마음을 함께 하니 그 예리함이 쇠를 끊는다"[19]라고 하였다. 마음이 진실로 함께 함은 나가고 그대로 있으며 말하고 침묵할 때 함께 하지 않음이 없는 것이니, 천하에서 누구도 갈라놓을 수 없다. '함께 함'은 하나로 되는 것이다. 하나로 된 것은 나누어서는 안 되니, 나누면 바로 둘이기 때문이다. 하나로 된 것은 쇠와 돌을 관통하고 물과 불을 마음대로 할 수 있어 들어갈 수 없는 곳이 없기 때문에 '그 예리함이 쇠를 끊는다'라고 하였다. 그 이치가 지극히 은미하기 때문에 성인이 찬미하여 "마음을 함께 하는 말은 그 향기가 난초와 같다"[20]고 하였으니, 그 말의 의미가 아주 깊다.

集說

● 楊氏萬里曰 : "師莫大於君心, 而兵革爲小, 克莫難於小人,

19) 군자의 도는 나아가기도 하고 … 그 예리함이 쇠를 끊는다 : 『주역(周易)』「계사전(繫辭傳)」"子曰, 君子之道, 或出或處或默或語, 二人同心, 其利斷金."

20) 마음을 함께 하는 말은 그 향기가 난초와 같다 : 『주역(周易)』「계사전(繫辭傳)」"子曰, 君子之道, …, 二人同心, 其利斷金. 同心之言, 其臭如蘭."

而敵國爲小."[21]

양만리(楊萬里)가 말했다. "군사는 임금의 마음보다 큰 것이 없으니 군대가 작고, 이기는 것은 소인보다 어려운 것이 없으니 적국이 작다."

● 胡氏炳文曰 : "同人九五剛中正而有應, 故先號咷而後笑, 旅上九剛不中正而無應, 故先笑後號咷."[22]

호병문(胡炳文)이 말했다. "동인(同人☰)괘에서 구오는 굳셈으로 중정하고 호응이 있기 때문에 먼저는 울부짖고 뒤에는 웃으며, 여(旅☶)괘에서 상구는 굳셈이 중정하지 않고 호응이 없기 때문에 먼저는 웃고 뒤에는 울부짖는다."[23]

● 吳氏曰愼曰 : "案, 『程傳』論'九五非人君大同之道', 『本義』不用此意, 何也. 蓋六二爲同人之主, 著於宗之吝, 所以明大同之道也. 至五則取其中正而應, 故未合而號咷, 旣遇而笑樂. 非以其私也, 故「象傳」明'其中直', 「彖傳」與'其中正而應', 『本義』謂'其義理所同', 豈得以私暱病之哉."

21) 양만리(楊萬里), 『성재역전(誠齋易傳)』「동인괘(同人卦)」.
22) 호병문(胡炳文), 『주역본의통석(周易本義通釋)』「동인괘(同人卦)」.
23) 여(旅☶)괘에서 상구는 굳셈이 중정하지 않고 … 울부짖는다 : 『주역(周易)』「여괘(旅卦)」 "上九, 鳥焚其巢, 旅人, 先笑後號咷. 喪牛于易, 凶. [상구는 새가 둥지를 불태우니, 나그네가 먼저는 웃고 뒤에는 울부짖는다. 쉽게 하는 데서 소를 잃으니, 흉하다.]"라고 하였다.

오왈신(吳曰愼)이 말했다. "살펴보건대, 『정전』에서 '구오는 임금이 크게 함께 하는 도가 아니다'라고 했는데, 『주역본의』에서 이런 의미로 쓰지 않은 것은 무엇 때문인가? 육이는 동인괘의 주인이고 종친에게서 하여 부끄럽다는 것을 드러냈으니, 크게 함께 하는 도를 밝히기 위함이다. 오효에서는 중정하면서 호응함을 취했기 때문에 합하지 못해서는 울부짖고, 만나고 나서는 웃고 즐거워하였다. 사사롭게 한 것이 아니기 때문에 「상전」에서 '중심이 바름'을 밝혔고, 「단전」에서 '제 자리에 있어서 호응함'을 허여했으며, 『주역본의』에서 '의리가 함께 하는 것임'을 말했으니, 어찌 사사롭게 친근하게 한 것으로 책망할 수 있겠는가?"

案

居尊位而欲下交, 居下位而欲獲上, 其中必多忌害間隔之者, 故此爻之號咷. 鼎九二之'我仇有疾', 亦論其理如此爾, 說『易』者, 必欲求其爻以實之, 則鑿矣.

존귀한 자리에 있으면서 아래로 사귀려고 하고, 아랫 자리에서 위로 마음을 얻으려고 하면, 그 가운데에서 꺼려서 해치고 막는 자들이 많기 때문에 이 효에서 울부짖는 것이다. 정(鼎䷱)괘 구이의 '나의 원수가 병이 있다'[24]는 구절도 그 이치를 논한 것이 이와 같을 뿐이니, 『역』을 설명하는 경우에 반드시 그 효를 구해 실증하려고 하면 견강부회하게 된다.

24) 나의 원수가 병이 있다 : 『주역(周易)』「정괘(鼎卦)」 "九二, 鼎有實, 我仇有疾, 不我能卽, 吉.[구이는 솥에 담겨진 것이 있다. 나의 원수가 병이 있으니 나에게 오지 못하게 할 수 있으므로 길한 것이다.]"라고 하였다.

上九, 同人于郊, 无悔.

상구효는 교외에서 사람들과 함께 하지만 후회가 없다.

本義

居外无應, 物莫與同. 然亦可以无悔, 故其象占如此. '郊'在野之內, 未至於曠遠, 但荒僻无與同耳.

밖에 있으면서 응함이 없으니, 사물 중에서 어느 것도 함께 하지 않는다. 그러나 또한 후회가 없을 수 있기 때문에 그 상과 점이 이와 같다. '교외[郊]'는 들[野]에 있어 광활하고 매우 먼 곳까지 간 것이 아니라 거칠고 궁벽하여 함께 할 사람이 없는 곳일 뿐이다.

程傳

'郊'在外而遠之地. 求同者, 必相親相與. 上九居外而无應, 終无與同者也. 始有同則至終, 或有睽悔. 處遠而无與, 故雖无同, 亦无悔, 雖欲同之志不遂, 而其終无所悔也.

'교외[郊]'는 밖에 있어 멀리 떨어진 땅이다. 함께 하기를 구하는 사람은 반드시 서로 친하고 서로 같이 있어야 한다. 그런데 상구효는 밖에 있으면서 응함이 없으니, 끝내 함께 할 사람이 없는 것이다. 처음에 함께 할 사람이 있으면 끝에 가서 간혹 어그러지고 후회함이 있을 수 있다. 그런데 먼 곳에 있어 같이 있을 사람이 없기 때문에 함께 하는 사람은 없을지라도 후회가 없고, 함께 하려는 뜻을 이루지 못하였어도 끝내 후회할 것이 없다.

集說

● 楊氏時曰 : "'同人於野亨', 上九'同人於郊', 止於無悔而已, 何也. 蓋以一卦言之, 則'於野'無暱比之私焉, 故亨. 上九居卦之外而無應, 不同乎人. 人亦無同之者, 則靜而不通乎物也, 故無悔而已."[25]

양시(楊時)가 말했다. "괘사의 '들에서 사람들과 함께 하면 형통하다'는 말과 상구의 '교외에서 사람들과 함께 한다'는 말이 후회가 없음에 그칠 뿐인 것은 무엇 때문인가? 하나의 괘로 말하면, '들에서'는 친근한 사사로움이 없기 때문에 형통한 것이다. 상구는 괘의 밖에 있고 호응함이 없어 사람들과 함께 하지 못한다. 사람들마저도 함께 함이 없는 것은 조용히 있어 사물과 통하지 못하기 때문에 후회가 없을 뿐이다."

● 蔡氏淵曰 : "國外曰'郊', 郊外曰'野', 雖在卦上, 猶未出乎卦也, 故止曰'郊'."[26]

채연(蔡淵)[27]이 말했다. "도읍 밖을 '교외'라 하고, 교외 밖을 '들'이

25) 방문일(方聞一), 『대역수언(大易粹言)』「동인괘(同人卦)」.
26) 채연(蔡淵), 『주역괘효경전훈해(周易卦爻經傳訓解)』「동인괘(同人卦)」.
27) 채연(蔡淵, 1156~1236) : 자는 백정(伯靜)이고, 호는 절재(節齋)이다. 송대 건양(建陽 : 현 복건성 건양) 사람으로 채원정의 맏아들이다. 부친의

라 하니, 괘의 위에 있을지라도 아직 괘를 벗어나지 못했기 때문에 단지 '교외'라고 하였다."

● 梁氏寅曰 : "上無所係應, 而同人於郊, 則所同者遠, 亦無私矣. 然猶未能極乎遠, 故不能吉亨, 止於無悔而已. 「象傳」言'未得', 蓋其所同者未能周於天下, 是其志之未遂也."[28]

양인이 말했다. "위로 얽혀 호응하는 것이 없으면서 교외에서 사람들과 함께 하니, 함께 하는 자들이 멀리 있어 또한 사사로움이 없다. 그러나 여전히 먼 곳을 끝까지 할 수 없기 때문에 길하고 형통할 수 없어 후회가 없는 것에 그쳤을 뿐이다. 「상전」에서는 '뜻을 얻지 못한 것'이라고 하였으니, 함께 하는 자들을 천하에 두루 할 수 없는 것이 바로 그 뜻이 아직 이루어지지 못했기 때문이다."

總論

● 孔氏穎達曰 : "凡處同人而不泰焉, 則必用師矣者, 王氏注意, 非止上九一爻, 乃總論同人一卦之義. 去初上而言, 二有同宗之吝, 三有伏戎之禍, 四有不克之困, 五有大師之患. 是處同人之世, 無大通之志, 則必用師矣."[29]

공영달(孔穎達)이 말했다. "'사람들과 함께 하는 데 있으면서 태평

뜻을 이어 주경야독하여, 특히 『역』에 조예가 깊었고 그에 관한 저술이 많다. 저서는 『주역훈해(周易訓解)』, 『역상의언(易象意言)』, 『괘효사지(卦爻辭旨)』 등이 있다.

28) 양인(梁寅), 『주역참의(周易參義)』「동인괘(同人卦)」.

29) 공영달(孔穎達), 『주역주소(周易注疏)』「동인괘(同人卦)」.

하지 않으면 반드시 군대를 동원한다'[30]는 것은 왕필의 주석에 따른 말로 상구 한 효에만 그칠 뿐만 아니라 바로 동인괘 하나를 총괄적으로 논하는 것이다. 초효와 상효를 제외하고 말하면, 이효는 종친들에게서 함께 하여 부끄러운 일이고, 삼효는 군사를 매복시키는 화가 있으며, 사효는 공격하지 못하는 곤란함이 있고, 오효에는 큰 군사의 우환이 있는 것이니, 사람들과 함께 하는 시대에 있으면서 크게 통하는 뜻이 없으면 반드시 군대를 동원하기 때문이다."

● 楊氏文煥曰 : "同人於野則亨, 於門則無咎, 於宗則吝, 於郊則無悔. 於宗不若於門, 於門不若於郊, 於郊不若於野, 六爻有不能盡卦義者, 同人是也."[31]

양문환(楊文煥)[32]이 말했다. "들에서 사람들과 함께 하면 형통하고, 문밖에서 하면 허물이 없으며, 종친들에게서 하면 부끄럽고, 교외에서 하면 후회가 없다. 그러니 종친들에게는 문밖에서 하는 것만 못하고 문밖에서 하는 것은 교외에서 하는 것만 못하며, 교외에서는 들에서 하는 것만 못하다. 여섯 효에서 괘의 의미를 다할 수 없는 것은 동인괘가 여기에 해당한다."

● 梁氏寅曰 : "同人之道, 以大同而不私爲善, 故卦之諸爻, 或

30) 사람들과 함께 하는 데 있으면서 태평하지 않으면 반드시 군대를 동원한다 : 왕필(王弼), 『주역주소(周易注疏)』「비(否)괘」.

31) 심기원(沈起元), 『주역공의집설(周易孔義集說)』「동인(同人)괘」.

32) 양문환(楊文煥) : 남송의 역학자로 태주 사람이며, 자는 빈부(彬夫)이다. 저서로는 『오십가역해(五十家易解)』 42권이 있다.

比或應, 皆爲同於所近, 無大吉者. 「彖」言'同人於野', 則能絕其私與, 而廓然大公, 此其所以亨也. 以一卦觀之, 由內而至外, 初爲同人於門, 至近也, 二爲同人於宗, 亦近也. 至上而同人於郊, 則遠矣, 然未如野之尤遠也. 同人於野, 豈非超出於家邑之外乎. 二爲同人之主, 而不能大同, 故其有應者, 乃所以爲吝. 初上雖無咎無悔, 然終不若於野之亨也. 聖人以四海爲一家, 中國爲一人, 而情無不孚, 恩無不洽者, 豈非同人於野之意哉."[33]

양인이 말했다. "사람들과 함께 하는 도는 함께 함을 크게 하고 사사롭게 하지 않는 것으로 최선을 삼는다. 그러므로 괘의 여러 효가 혹은 가까이 하고 혹은 호응하는 것은 가까운 것에서 함께 하여 모두 크게 길할 것이 없다.
「단사」에서 '들에서 사람들과 함께 한다'고 한 말은 사적으로 함께 함을 끊을 수 있고 넓게 텅 비어 아주 공평한 것이니, 이 때문에 형통하다. 하나의 괘로 볼 때, 안에서 밖으로 이르는 것이니, 초효는 문밖에서 사람들과 함께 하여 아주 가깝고, 이효는 종친들에게서 사람들과 함께 하여 또한 가까우며, 상효에 와서 교외에서 사람들과 함께 하여 먼 것이지만 들이 더욱 먼 것만 못하다. 들에서 사람들과 함께 함이 어찌 집안과 읍의 밖으로 벗어나는 것이 아니겠는가? 이효는 동인괘의 주인인데도 크게 함께 할 수 없기 때문에 그 호응함이 바로 부끄러운 것이다. 초효와 상효도 허물이 없고 후회가 없을지라도 끝내 들에서의 형통한 것만 못하다. 성인이 사해를 한 집안으로 여기고 나라 전체를 사람으로 여겨 마음으로 믿지 않는 것이 없었고 은총으로 넉넉하지 않음이 없었으니, 어찌 들에서 사람들과 함께 한 의미가 아니겠는가!"

33) 양인(梁寅), 『주역참의(周易參義)』「동인괘(同人卦)」.

| 역주자 소개 |

신창호申昌鎬

현 고려대학교 교수
고려대학교 박사(Ph. D, 동양철학/교육철학 전공)
권우(卷宇) 홍찬유(洪贊裕), 일평(一平) 조남권(趙南勸), 중관(中觀) 최권흥(崔權興), 위재(威齋) 김중렬(金重烈), 수강(修岡) 유명종(劉明鍾) 선생 등으로부터 한학 및 동양학 사사
한국교육철학학회 회장(역임)
「중용(中庸) 교육사상의 현대적 조명」(박사논문) 외 『관자』, 「주역 계사전」, 『유교의 교육학 체계』, 한글사서(『논어』, 『맹자』, 『대학』, 『중용』) 등 100여 편의 논저가 있음

김학목金學睦

현 고려대학교 연구교수
건국대학교 박사(Ph. D, 한국철학 전공)
해송학당 원장(사주명리 · 동양학 강의)
「박세당의 『신주도덕경』 연구」(박사논문)를 비롯하여 『왕필의 노자주』, 『하상공의 노자』, 『한국주역대전』 등 50여 편의 논저가 있음

심의용沈義用

현 숭실대학교 H.K 연구교수
숭실대학교 박사(Ph. D, 주역철학 전공)
「정이천의 『역전』 연구」(박사논문)를 비롯하여 『주역』, 『성리대전』, 『인역』, 『주역과 운명』, 『세상과 소통하는 힘』 『시적 상상력으로 주역을 읽다』 등 30여 편의 논저가 있음.

윤원현尹元鉉

전 고려대학교 연구교수
臺灣 文化大學校 박사(Ph. D, 주자철학 전공)
한중철학회 회장(역임)
「從朱子思想中之天人架構闡論其義理脈絡」(박사논문)를 비롯하여 『성리대전』, 『태극해의』, 『역학계몽』, 『율려신서』 등 10여 편의 논저가 있음.

한 국 연 구 재 단
학술명저번역총서
[동 양 편] 620

주역절중周易折中 2

초판 인쇄 2018년 11월 1일
초판 발행 2018년 11월 15일

편 찬 | 이광지
책임역주 | 신창호
공동역주 | 김학목 · 심의용 · 윤원현
펴 낸 이 | 하운근
펴 낸 곳 | 學古房

주 소 | 경기도 고양시 덕양구 통일로 140 삼송테크노밸리 A동 B224
전 화 | (02)353-9908 편집부(02)356-9903
팩 스 | (02)6959-8234
홈페이지 | www.hakgobang.co.kr
전자우편 | hakgobang@naver.com, hakgobang@chol.com
등록번호 | 제311-1994-000001호

ISBN 978-89-6071-792-3 94140
978-89-6071-287-4 (세트)

값 : 39,000원

이 책은 2015년도 정부재원(교육부)으로 한국연구재단의 지원을 받아 연구되었음 (NRF-2015S1A5A7018113).
This work was supported by National Research Foundation of Korea Grant funded by the Korean Government(NRF-2015S1A5A7018113).

이 도서의 국립중앙도서관 출판예정도서목록(CIP)은 서지정보유통지원시스템 홈페이지(http://seoji.nl.go.kr)와 국가자료종합목록시스템(http://www.nl.go.kr/kolisnet)에서 이용하실 수 있습니다. (CIP제어번호 : CIP2018032002)